Ästhetik des Politischen – Politik des Ästhetischen

Barck / Faber (Hrsg.)

Karlheinz Barck/Richard Faber (Hg.)

Ästhetik des Politischen
–
Politik des Ästhetischen

Königshausen & Neumann

Die Deutsche Bibliothek — CIP-Einheitsaufnahme

Ästhetik des Politischen – Politik des Ästhetischen / Karlheinz
Barck/Richard Faber (Hrsg.) – Würzburg : Königshausen und
Neumann, 1999
 ISBN 3-8260-1745-5

© Verlag Königshausen & Neumann GmbH, Würzburg 1999
Gedruckt auf säurefreiem, alterungsbeständigem Papier
Umschlag: Hummel / Lang, Würzburg
Bindung: Rimparer Industriebuchbinderei
Printed in Germany
ISBN 3-8260-1745-5

Inhaltsverzeichnis

Vorwort

Es war die Idee einer dem Thema „Ästhetik des Politischen – Politik des Ästhetischen" gewidmeten Ringvorlesung am Soziologischen Institut der Freien Universität Berlin, in die virulente Ästhetik-Debatte an einem ihrer neuralgischen Punkte zu intervenieren: dem ihres impliziten (oft verdrängten) politischen Kontextes. Naheliegender geschichtlicher Bezugspunkt war dabei die Studentenbewegung, in der das Verhältnis von Politik und Ästhetik breit diskutiert wurde – zumindest in Deutschland unter dem Walter-Benjaminschen Dispositiv eines nicht zu vermittelnden Gegensatzes von „Ästhetisierung der Politik" und „Politisierung der Kunst". – Es waren die Blind- und Leerstellen in der breiten Rezeption dieser Benjaminschen Formel, die wir mit anders perspektivierten Formulierungen des Themas im Auge hatten, als wir uns für den Vorlesungstitel „Ästhetik des Politischen – Politik des Ästhetischen" entschieden – durchaus kritisch bezogen auf die in der Folge der deutschen Wiedervereinigung medienweit und intensiv betriebene Entpolitisierung und Diskreditierung politischer Dimensionen überhaupt in Fragen des Ästhetischen.

Zu prüfen ist in solcher Perspektive die seit den 70er Jahren international geführte Debatte über die sog. Postmoderne, die auch ein Rahmen für die Diskussionen über Ort und Status von Ästhetik ist, sich durch verschiedene historische Fallstudien präzisieren läßt. Die vorliegenden Aufsätze stellen eine mit neuen Argumenten, geschichtlichen Belegen und neuen Perspektiven erzielte Ergänzung jener vor Jahren von Rudolf Arnheim vorgetragenen produktiven These in aestheticis dar, derzufolge es darauf ankäme, „die historische Entwicklung auf den Kopf zu stellen, die ja im 18. Jahrhundert von der *aisthesis* zur Ästhetik führte, also von der Sinneswahrnehmung im allgemeinen zur Kunst im besonderen."[1]

Wie das Ästhetische nicht auf Kunst reduziert werden kann, so nicht das Politische auf Staat und Herrschaft. Das Politische und das Ästhetische lassen sich beide nicht auf eine je eigene Sphäre eingrenzen. Gerade auch der die Antike mit einbeziehende Beitrag Richard Fabers zum „Politischen Idyllismus" belegt diese These. – Die Antike nimmt im alles andere als einheitlichen und konflliktfreien Traditionsprozeß Europas eine fundierende Sonderstellung ein und zwar die griechisch-römische wie die jüdisch-christliche Antike, die nochmals vielfältig miteinander verschränkt sind.[2] Allein *genealogisch* schon sind sie untrennbar: Hellas, Rom und Jerusalem wurden alle drei vorbereitet und grundgelegt im Alten Orient, so daß der gerade erscheinende „Neue Pauly" die altgriechische Kultur – speziell in Deutschland jahrhundertelang für spezifisch europäisch, wenn nicht indogermanisch geltend – als „spätaltorientalische Randkultur" bezeichnet[3].

In der Perspektive dieser neuen selbstkritischen Altertumswissenschaft beweisen schon die Kulturen des Alten Orient – wir verweisen auf den Beitrag Eva Cancik-Kirschbaums: „Gesellschaftliche Komplexität ist kein auf die Moderne beschränktes Phänomen."[4] (Rationalität und Irrationalität des spätrepublikanischen und frühkaiserzeitlichen Rom speziell weisen wesentliche Züge auf, die als „frühneuzeitlich" gelten dürfen.[5]) Allerdings beginnen wir unseren Sammelband mit der dem *fernen* und *gegenwärtigen* Osten gewidmeten Analyse des Japanologen Peter Pörtner: Der extrem fortgeschrittene 'Postmodernismus' Japans entstellt unseren eigenen zur Kenntlichkeit, nicht zuletzt was die „Sozialästhetik der Gewalt" angeht.

Ergänzt wird Pörtners Beitrag zu einer „Ästhetik der Soziologie" durch den Aufsatz Erhard Stöltings. Der Soziologe wendet sich dem äußeren Erscheinungsbild von Menschen, dessen Wahrnehmung und der Entschlüsselung seines sozialen Codes zu. Dessen Vor- bis Außersprachlichkeit erschwert die Dechiffrierung ungemein, stellt zugleich aber einen besonderen Anreiz dar, den Code doch zu 'knacken' – sogar bewußte Täuschungen und Maskierungen aufzudekken. – Zu diesem Zweck muß sich die Soziologie nicht nur ästhetischen Phänomenen zuwenden, sondern auch *formal* ästhetisch werden; gefragt ist Symptomatologie, wenn nicht Kriminologie: also moderne Methodologie par excellence.[6] Und um ein spezifisch modernes Phänomen handelt es sich beim nur schwer erkennbaren Erscheinungsbild von Individuen.

Kaum überraschend kulminiert Stöltings Untersuchung sozialer Ästhetik in seiner subtilen Analyse des „Dandy"-Typs, verweist dieser doch besonders eindringlich auf die Bedeutung des ästhetischen Moments in sozialen Interaktionen – nur noch übertroffen von der Kollektivierung des dandyistischen Ästhetizismus in den verschiedenen Faschismen. Stölting expliziert bzw. differenziert jedoch diese Kurzformel und arbeitet damit zugleich Inge Baxmanns und Karlheinz Barcks – von Benjamin ausgehenden, ihn aber auch korrigierenden – Faschismus-Analysen vor.

Bevor die Kulturwissenschaftlerin Baxmann und der Literaturwissenschaftler Barck ihre Überlegungen zur nationalsozialistischen Ästhetisierung der Politik vortragen, erhält noch der Historiker Justus H. Ulbricht das Wort: Er erweist die ästhetischen Konzepte der „Völkischen Bewegung" seit der Reichsgründungszeit als die einer *alternativen* Moderne, so schrecklich einem diese Alternative (nicht nur rückblickend) erscheinen mag. Sie war unbeschadet dessen mit der allzu unkritisch für „klassisch" geltenden Avantgarde vielfältig verschränkt: „Völkisch-ästhetische Diskurse sind Teil der wilhelminischen wie weimarrepublikanischen Austausch-Diskurs-Kultur", welche These Ulbricht mit Hilfe repräsentativer Äußerungen beider Seiten im „Bauhausstreit" von 1920 'glänzend' belegen kann, bevor er sich vor allem den – sich unter anderem vom Bauhaus abspaltenden – „Nordischen Expressionismus" vornimmt, ein keineswegs 'hölzernes Eisen'.

Waltraud Naumann-Beyer, Dieter Kliche, Wilhelm Schmid und Cornelia Klinger wenden sich – nach einem historischen Rückblick Ernst Müllers, der besonders für die Beiträge Barcks und Naumann-Beyers von Bedeutung ist – erneut der unmittelbaren Gegenwart zu, indem sie auf recht unterschiedliche, ja kontroverse Art der Frage einer „ethisch-ästhetischen Lebenskunst" nachgehen, wie sie vor allem Michel Foucault und Richard Rorty aufgeworfen haben.

Unsere letzte Rubrik ist Fragen der Herrschafts-, insbesondere Zensur- und Geheimdienst-Ästhetik, aber auch der politischen Garten- und Landschafts-Ästhetik in Geschichte und Gegenwart gewidmet, wobei die Literaturwissenschaftlerin Sabine Mainberger und der Kunsthistoriker Hilmar Frank wie der bereits erwähnte Kultursoziologe Faber ihr Augenmerk nicht zuletzt auf die subversiven bis utopischen Potentiale ihrer Untersuchungsgegenstände richten. Die Altorientalistin Cancik-Kirschbaum muß in dieser Beziehung allein schon deshalb passen, weil die Quellenlage nicht einmal Vermutungen über die synchrone *Rezeption* altorientalischer Herrschaftsästhetik zuläßt. Daß aber auch schon im Zweistromland Herrschaft alles andere als unangefochten war, beweist die gut dokumentierte Existenz von Nachrichtendienst und Geheimpolizei, also auch – im Blick auf Mainbergers zeitgenössischen Titel – die Existenz von „Spitzeln".[7]

Selbstverständlich wird die Heterogenität der in den Beiträgen behandelten Gegenstände durch den unterschiedlichen Bezug zum Gesamtthema unseres Bandes eher akzentuiert als aufgehoben. Andererseits kann der Leser vielfältige Vernetzungen konstatieren, unabhängig davon, daß es ihm überlassen bleibt, solche Bezüge festzustellen, zu erweitern, zu korrigieren oder vielleicht auch in Frage zu stellen. – Wir danken abschließend unseren MitarbeiterInnen für ihre große Mühe, vor allem für die von ihnen selbst schon geleistete Interdisziplinarität. Und wir sind sowohl denen verpflichtet, die bereits ReferentInnen im Rahmen unserer Ringvorlesung während des Sommersemesters 1996 waren, wie den BeiträgerInnen, die später hinzukamen. Last not least danken wir dem „Berliner Zentrum für Literaturforschung" für die Übernahme der Reisekosten zweier auswärtiger Referenten.

K. B. / R. F.   Berlin, Mai 1998

Anmerkungen

[1] R. Arnheim, Anschauliches Denken. Zur Einheit von Bild und Begriff, Köln 1985 (5. Aufl.), S.
     9; vgl. auch K. Barck/P. Gänte/H. Paris/St. Richter (Hg.), Aisthesis. Wahrnehmung heute
     oder Perspektiven einer anderen Ästhetik. Essays, Leipzig 1998 (6. Aufl.)

[2] Vgl. J. Ebach, Amputierte Antike. Über Ursachen und Folgen des Antijudaismus in deutscher
     Altertumswissenschaft und Theologie, in: R. Faber/B. Kytzler (Hg.), Antike heute, Würzburg
     1992, S. 183-96

[3] H. Cancik, Altertum und Antikerezeption im Spiegel der Geschichte der Realenzyklopädie
     (1839-1993), in: ders., Antik – Modern. Beiträge zur römischen und deutschen Kulturge-
     schichte, Stuttgart/Weimar 1998, S. 12

[4] J. Rüpke, Religion und Krieg. Zur Verhältnisbestimmung religiöser und politischer Systeme
     einer Gesellschaft, in: R. Faber (Hg.), Politische Religion – religiöse Politik, Würzburg 1997,
     S. 315

[5] Vgl. H. Cancik, Römische Rationalität, in: ders., a.a.O., S. 55 ff.

[6] Vgl. S. Anselm, „Indizienjäger im Alltag". Siegfried Kracauers kritische Phänomenologie sowie
     A. Krovoza, Was kann man von einem Menschen wissen? Anläßlich J. P. Sartres „Idiot der
     Familie" und K. R. Eisslers „Goethe", in: H. Berking/R. Faber (Hg.), Kultursoziologie – Sym-
     ptom des Zeitgeistes? Würzburg 1989, S. 170 ff. bzw. S. 195 ff.

[7] Vgl. E. Cancik-Kirschbaum, Die mittelassyrischen Briefe aus Tall Seh Hamad, Berlin 1996

I.
Ästhetik der Soziologie

Peter Pörtner

Die Macht der schönen Formen

Präliminarien zur Sozialästhetik der Gewalt am Beispiel Japan

1.) Japan – Land der Postmoderne?

Der Begriff der Postmoderne wird gerade in akademischen Kreisen Deutschlands nicht sehr ernst genommen. Teilweise gilt er sogar schon als passé. Vielleicht sind wir ja bereits in die Epoche der „Kompostmoderne" eingetreten. Ich persönlich glaube aber, daß die Problematik, auf die der Begriff der Postmoderne hinweist, noch längst nicht angemessen oder gar ausreichend untersucht und geklärt worden ist. Schon Arnold Toynbee benutzte in seinem Buch *A Study of History* aus dem Jahr 1947 „Postmoderne" als Epochenbezeichnung und zwar für die Zeit nach 1875. 675 bis 1075 nennt er die Dekadenz. 1075 bis 1475 das Mittelalter und 1475 bis 1875 die Moderne. Aber wie dem auch sei, um es deutlich zu sagen: wenn man den Begriff der Postmoderne ironisiert oder für erledigt erklärt, verdrängt man die Probleme und Fragestellungen, auf die er aufmerksam machen möchte. Denn Tatsache *ist*, daß wir das Glück oder das Unglück haben, in einer weltgeschichtlichen Umbruchsepoche zu leben, vor der wir bisher noch völlig ratlos stehen (obwohl wir selbst für sie verantwortlich sind). Ja, wir besitzen noch nicht einmal das intellektuelle Handwerkszeug, uns dieser Aufgabe zu stellen. Und solange das so ist, dürfen wir uns des Begriffs der Postmoderne als eines Decknamens für das Ungeklärte, Unausgegorene und auch Gefährliche unserer Epoche bedienen. Postmoderne ist also zumindest der Deckname für all die ungeklärten Folgen des allgemeinen Zusammenbruchs der großen Ordnungsprinzipien, die vor allem die westliche Welt in den letzten Jahrhunderten zusammengehalten und stukturiert haben. Es geht um viel mehr als die politischen Umwälzungen seit dem Ende der 80er Jahre. Es geht um alles: um unser Leben, um unsere Werte, um das, was das Wort „Individualität" am Ende des 20. Jahrhunderts noch bedeuten kann, es geht, Hegel hätte vielleicht gesagt: um das ganze „Reich der Sitte", das so radikal aus den Fugen geraten ist, wie vielleicht noch niemals in der Weltgeschichte, allein schon deswegen, weil es den ganzen Globus betrifft.

Die Kritik des Postmodernismus zielt vor allem auf die europäischen Vorstellungen l. vom menschlichen Subjekt, 2. von der Geschichte, 3. vom Sinn (d.h. der Frage, was Sinn im Westen eigentlich bedeutet und was Bedeutung für einen Sinn hat), und 4. zielt die postmoderne Kritik sehr entschieden auf die europäischen philosophischen Denktraditionen. Das Unbehagen in und an der Geschichte hatte schon James Joyce für die Postmodernen formuliert, als er sagte, daß „die Geschichte ein Albtraum sei, aus dem wir alle zu erwachen versuchten." *Der* Theoretiker der Postmoderne, der französische Philosoph und Soziologe Lyotard, spricht vom Ende der großen „Metanarrative", mit deren Hilfe wir uns in der Vergangenheit eine Ordnung, einen Zusammenhang in die Welt – gleichsam – fabuliert haben. Denken Sie an das Christentum, den Marxismus, den Vernunftglauben, den Rationalismus, den Logozentrismus, die großen philosophischen Systeme überhaupt, die Betonung des Subjekts als Regisseur des Geschehens, die Pychoanalyse und was weiß ich. Auch die Naturwissenschaften sind in ihren Fundamenten vom Zusammenbruch dieser „Metanarrative" betroffen. Wer dies leugnet, ist blind oder boshaft. An ihre Stelle sind Eklektizismus, experimentelle Verspieltheit, ein rasender Wechsel von Moden und Trends und Fads, die Allgegenwart der Medien, ein losgelassener Konsum getreten oder, wie das oft genannt wurde: die weltweite Macdonaldisierung und Disneylandisierung des Alltags. Anything goes. Erlaubt ist, was gefällt, solange die Verhältnisse es zulassen und die entsprechenden materiellen Voraussetzungen gegeben sind. Die Lebenswelt selbst ist zu einer Art virtuellem Theater geworden, zu einem sozusagen „televisionärem Raum", in dem sich – wie bei einer Computeranimation – beliebige Bilder materialisieren können, um sich im Bruchteil eines Augenblicks in andere zu verwandeln (ohne daß zwischen den Bildern auch nur ein assoziativer Zusammenhang bestehen muß). Das Stichwort für dieses Phänomen lautet ja, mittlerweile schon seit langen Jahren: Simulation. Postmoderne meint auch eine soziale Ordnung, in der die Bedeutung und die Macht der Massenmedien und der Populärkultur alle anderen Formen sozialer Beziehungen beherrschen oder über-formen. Die Idee, die dahinter steckt, ist natürlich die, daß mediale Bilder zunehmend unseren Realitätssinn dominieren. Dieser Gedanke beinhaltet in seiner extremen Ausformung, daß *für uns* letztlich kein Unterschied zwischen Realität und Simulation mehr besteht. Wir leben in einer Welt von Simulakren und sind selbst Simulakren geworden. Böse oder besonders einsichtige Zungen meinen sogar, wir haben uns zu Zombies gesteigert. Der Postmodernismus verweigert sich totalisierenden Definitionen von Wahrheit: insofern versucht er die Werte der Aufklärung zu unterminieren. Er glaubt zwar – wie gesagt – einerseits nicht mehr an das ganze und kohärente Individuum, nicht mehr an Wahrheit und Vernunft als objektive, vertrauenswürdige und universale Realitäten. Aber der Postmodernismus ist – unterderhand sozusagen – doch eine ethische Theorie oder Haltung, insofern er ideologische Konstruktionen jeder Art für menschenverachtend und entfremdend hält. Aber er weiß natürlich auch, und darin liegt ein großes Problem, daß jede Art von Konstruktion unvermeidbar einen Touch von Ideologie hat. Aber immerhin: das wird im populären Reden über Postmoderne und Postmodernismus oft vergessen, daß er auch Machtkritik ist – zumindest aber sein möchte. Und enorme Konsequenzen hatte der Einbruch der Postmoderne für die Kunst, die Architektur (mit der – wie bekannt – überhaupt vieles Postmoderne anfing) und – vor allem wohl –, da braucht man sich nur die Ausstattung unserer Villen oder StudentInnenbuden anzusehen oder unsere CD-Sammlungen vor Augen zu rufen, für unseren „lifestyle" überhaupt. Wenn Opernhäuser heutzutage pro Saison kaum auf die Wiederentdeckung einer Barockoper, die seit Jahrhunderten nicht mehr gespielt wurde, verzichten können, ist das ein „postmodernes" Phänomen. Auch wenn Kaffeehaus-Meditationen von gregorianischen Gesängen (auf dem label heißt es: nur echt mit den drei Mönchen) begleitet werden, nimmt man, ob man will oder nicht, mit Haut und Haaren und Ohren an der Postmoderne teil. Und wenn man noch nicht in Japan war, braucht man seine Erfahrungen nur zu potenzieren, gleichsam mit sich selbst malzunehmen, und man kann sich ungefähr vorstellen, in welchem Maße solcherart postmoderne Phänomene den japanischen Alltag durchtränkt haben und beherrschen. Erleichtert wurde diese Entwicklung dadurch, daß der Unterschied zwischen hoher Kunst und Kultur und populärer Kultur und Kunst in Japan nie so scharf und so ausgeprägt war wie im Westen. Tôkyô ist – wohlgemerkt nach Aussage amerikanischer Beobachter! – die durchautomatisierteste, mediengesättigste, informationshungrigste und zukunftsbesessenste Stadt der Welt.

Wir ahnen allmählich schon, warum Japan in den Augen vieler Westler zum Inbegriff einer postmodernen Gesellschaft wurde. Das „Absolute" hat in Japan nie eine Heimstatt besessen. Japan war immer und ist ein Land des Jeweils, des Partikularen, des Fragmentarischen. In Japan gab und gibt es keine Äquivalente für viele maßgebliche „Metanarrative" des Westens. Nicht den *einen* Gott als überweltlichen Garanten allen Geschehens in der Welt. Keinen Rationalismus im westlichen Sinne. Keinen Logozentrismus. Nicht den Kult des Individuums. Nicht das selbt-zentrierte Ich Luthers, daß sich allein seinem Schöpfer gegenüber verantworten muß.

Kurzum: anders als in der westlichen Welt konnten in Japan all diese alteuropäischen (sagen wir einmal:) Ordnungskategorien nicht *zusammenbrechen*, weil es sie nicht *gab*. Das Denken, die Moral, die Individualität wurden hier schon immer als unstabile Variablen zahlloser Fakoren betrachtet, die in ihrer Gänze einen netz- und gewebartigen Kosmos bildeten, die Welt, die im Chinesischen und im Japanischen einfach durch den Ausdruck *banbustu*, die „zehntausend Dinge" wiedergegeben wird. Und „zehntausend" bedeutet hier, wie auch in anderen Wortverbindungen, einfach: *alles*. Die „zehntausend Dinge", dieser Ausdruck meint das Gefüge *aller* Dinge in ihrem, wie man es im modernen Jar-

gon sagen könnte, systemischen und polyzentrischen Spiel. Aus diesem Grunde
hatte Japan auch keine allzu großen Probleme mit dem gewaltigen Einbruch der
Moderne und des Westens nach 1868. Der japanische Soziologe und Historiker
Masao Maruyama behauptet, daß die japanische Kultur keine Instanzen, keine
Instrumente ausgebildet habe, um, wie es im Westen über Jahrhunderte und
Jahrtausende geschah, „Sinn" anzusammeln. Das „immer besser", „immer mehr",
„immer perfekter" des Vernunftbegriffs, wie er Descartes zueigen war, sucht
man in Japan vergebens. Das japanische Denken, meint Maruyama, legt keine Lager von Begriffen an, die aufeinander aufbauend, mit der Zeit, über die Epochen
hinweg, Traditionen formen. Nein, in Japan würde „Sinn" – kollageartig – immer
nur „räumlich umarrangiert". Die Dinge würden nicht in ihrem geschichtlichen
Zusammenhang gesehen, sondern in einem zeitlosen Nebeneinander existieren.
An Stelle von Fortschritt (auch das natürlich eine alteuropäische Ordnungkate-
gorie) – an die Stelle von Fortschritt und gesellschaftlichem Wandel durch dauernde Vervollkommnung treten in Japan Verfahren, die den Sinn der Dinge in
ihrem jeweiligen Kontext sicherzustellen versuchen. Auch die Person versteht
sich hier, mehr als im Westen, als eine Funktion ständig wechselnder äußerer
Faktoren. Das Individuelle, das natürlich auch in Japan existiert – trotz anders
lautender Meldungen –, das Individuelle wird als Variable des Allgemeinen gesehen und nicht als Agens, als Träger des Geschehens. Das Ich wird als Effekt seiner Umgebung gesehen, als eine Art Kristallisationspunkt außerpersonaler Faktoren, im Sinne des in den dreißiger Jahren des 20. Jahrhunderts von dem japanischen Kulturphilosophen Watsuji entwickelten Konzepts eines sozusagen über-
individuellen Selbst, das er als den Ort oder das Feld des „Zwischenseins" zwischen Menschen beschreibt, als – mit seinen eigenen Worten: „eine relationale
Einheit der Gegensätze". Einfacher gesagt: Das Geschehen trägt die einzelnen.
Die einzelnen gelten nicht als Regisseure des Geschehens. Im Extrem verdeutlicht sich das etwa, um mich auf etwas zu beziehen, das auch im Westen allgemein bekannt ist, im Grundsatz des Judo: nicht aus eigener Kraft zu siegen, sondern durch Umlenkung der Kraft des Gegners gegen ihn selbst. Ein deutscher
Soziologe hat das einmal die „Heterodynamik" des japanischen Denkens genannt. Die ganze japanische traditionelle Kampfkunst baut auf der Idee auf, daß
die Einmischung des Einzelwillens, ja, nur eine Spur bewußter Intention notwendig zum Scheitern, das heißt zur Niederlage führt. Auf eine sehr grundsätzliche Formal gebracht, könnte man sagen, das Ziel ist hier, das Eigene als Fremdes
und das Fremde als Eigenes erfahren zu lernen. Wir kommen weiter unten darauf
zurück. – Dies alles sind Momente, die sich problemlos in die Semantik der
Postmoderne einpassen oder einpassen lassen.

Ich möchte an dieser Stelle ein bezeichnendes Zitat aus dem Buch eines Japaners über das Phänomen der *Mode* zitieren. Er schreibt:

„Ob wir wollen oder nicht, wir leben in einem Zeitalter der Information, und die Hervorbringung, Übermittlung, Klassifikation, Aufhäufung und Speicherung von Information haben eine noch nie dagewesene Bedeutung für unsere Gesellschaft gewonnen. Die Obsession für Informationen aller Art übt einen fundamentalen, vielleicht schädlichen Einfluß auf unseren Lebensstil [wenn man das Wort lifestyle überhaupt so übersetzen kann/darf] und sogar unmittelbar auf unsere Körper aus.

Wir benutzen nicht nur Informationen, sondern versuchen uns dem Informationsfluß so einzupassen, daß wir selbst Quellen von Information werden. Die Mode, die immer eine Art von Aussage über unsere Persönlichkeit und unseren Geschmack war, wurde zu einem unverzichtbaren Faktor bei der Ausformung unserer Identität. Keiner zwingt uns, eine bestimmte Kleidung zu tragen oder bestimmte Produkte zu kaufen, aber wenn wir es nicht tun, proklamieren wir damit, daß wir nicht dazugehören und daß unsere Werte fragwürdig sind. Daher kaufen, kaufen, kaufen wir: so we buy, and buy, and buy. Aus einer tief verwurzelten Furcht heraus, für jemanden gehalten zu werden, der oder die nicht Bescheid weiß, für jemanden gehalten zu werden, die oder der keinen Zugriff zu wesentlichen Informationen hat, transformieren wir unsere Körper zu Sendern, die fortwährend Botschaften ausstrahlen, die uns – hoffentlich! – soziale Anerkennung verschaffen. Wir demonstrieren, daß wir Bescheid wissen, daß wir im Bild sind, that we are in the know, indem wir die richtigen Kostüme und Anzüge tragen, die richtigen Schuhe, die richtigen Armbanduhren, das richtige make up usw. – aber sogar das ist nicht genug, but even this is not enough.“

Gehen wir aber zunächst im Argument wieder einen Schritt zurück, um dann zwei Schritte weiter zu gehen. Ein paar Stichworte dazu, wie der Westen mit der Fremde umgeht. Der Westen verteilt seine Etiketten sehr eigenwillig: Wenn Afrika für den Westen (zum Beispiel) „Urspung“ bedeutet, China (zum Beispiel) „Altertum“ und Indien (zum Beispiel) „Ferne“, dann ist Japan für den Westen schon lange eine Fiktion, sozusagen das Einhorn unter den Ländern, das „Land, das es nicht gibt“ (obwohl es natürlich existiert). Schon Oscar Wilde schrieb: „Ganz Japan ist eine reine Erfindung. Ein solches Land gibt es nicht, so ein Volk gibt es nicht... das japanische Volk... ist eine Art von Stil, es ist ein exquisites Phantasieprodukt.“ Vielleicht müßte man heute sagen: „an exquisite fancy of art *and science*.“ – Eine Art universales Atlantis der Gegenwart, für alle Weltgegenden, die nicht Japan sind. Oder in einem akuteren Jargon: *Cyberland*.

Oscar Wilde führt seinen Gedanken auf eine verblüffend moderne Weise weiter, indem er schon vor hundert Jahren Japan wie eine Art Fernsehprogramm wahrnimmt, das man nicht durch Reisen, sondern durch Absorption, durch sinnliches Einsaugen konsumiert. Wilde schreibt:

„...wenn du auf einen japanischen Effekt aus bist, brauchst du nicht als Tourist nach Tôkyô zu gehen. Nein, bleib zuhaus und vertiefe dich in die Werke bestimmter japanischer Künstler. So saugst du ihren Geist und ihren Stil ein, und erfaßt ihre imaginative Art der Vision, dann gehst du nachmittags in den Park, oder streifst über den Picadilly-Circus, und wenn du *da* nicht einen absolut japanischen Effekt wahrnimmst, dann findest du ihn nirgends."

Ist Japan nun das Eldorado der Postmoderne, oder ist es das nicht?

Dekonstruktionistische Bücher wie die eines Kôjin Karatan oder Akira Asada. beide Stars des postmodernistischen Denkens in Japan, sind in Japan *bestseller*. 1984 besuchte Derrida Japan und diskutierte mit Karatani und Asada über die „Rolle des Intellektuellen in einer Ultra-Konsumgesellschaft". Nach Karatani ist der Postmodernismus in Japan eine „Dekonstruktion... der westlichen Metaphysik", die das „Verschwinden des Subjekts" beinhaltet. Da Japan keine fixen Strukturen habe, sei eine Dekonstruktion im eigentlichen Sinne nicht möglich. Oder anders gefaßt: Japan habe schon längst einen Zustand erreicht, der radikal dezentriert oder multizentriert sei, einen Zustand, in dem Gott, das Ich oder andere feste „Zentren" oder Bezugspunkte schon längst durch eine Art Logik der Differenzen und Beziehungen ersetzt worden seien. Derrida widerspricht und meint, daß der Buddhismus noch nicht jede Dekonstruktionsarbeit in Japan überflüssig gemacht habe; er widerspricht mit dem durchaus plausiblen Argument, daß die Diskussion um die Dekonstruktion in Japan nicht so heftig geführt würde, wenn hier nicht noch entsprechende Arbeit zu leisten wäre. In der Tat gibt es nicht wenige Theoretiker, die im buddhistischen Denken, vor allem da, wo es um die „Leere" kreist, schon alle substantialistischen Formen des „Selbst-Seins" aufgelöst, geradezu zersetzt und an deren Stelle ein Netzwerk spinnengewebsartiger Beziehungen gesetzt sehen. Die buddhistische Leere, vor allem in ihrer zen-buddhistischen Spielart entspräche genau dem der „Spur" im Sinne Derridas, die da sei und auch wieder nicht, abwesend sei und auch wieder nicht. Oder wie der Buddhismus es sagen würde: Die Leere gerade, das *ist* die Erscheinung; die Erscheinung gerade, das *ist* die Leere. Wenn man die Grund-Doktrinen des Buddhismus sehr reduziert beschreibt, erscheinen sie durch und durch postmodernistisch: Die Welt ist Illusion, ein Bewußtseinsphänomen, also eine Art Simulakrum. Auch das Subjekt ist nicht wirklich. Das Ich ist ein Blendwerk, das aufgelöst werden muß, wenn man zum wahren Selbst, das eigentlich eine Form des Nichtseins ist, zurückkehren will. Dies ist sozusagen der „ontologische" Hintergrund und Grund dafür, daß die Japaner kaum Probleme mit Paradoxen haben; sie gehen damit um. Und wenn man mit Paradoxen umgeht, wenn man sie prozessiert, lösen sie sich auf. Nur wenn man sie stehen läßt, stehen sie im Weg. Es ist ein buddhistisches Dogma, daß das, was zu *sein* scheint, gerade die Leere ist, und die Leere gerade *das* ist, was zu sein scheint. Dieser Satz, wohlgemerkt: ganz unpathetisch, einfach so hingenommen, kann als Grundformel für den japanischen Blick auf die Welt und das Leben gelten. Entscheidend aber ist der Ton, die Färbung, die diese Erkenntnis im japanischen Kontext gewinnt: Die Japaner sind, wie ich das gerne formuliere, *Pragmatiker des Jeweiligen*, mit einem zugleich *fatalistischen* und *hedonistischen* Zug. Sie sind Fatal-Hedonisten. Auch das macht sie postmodernismus-anfällig. Die Japaner und Japanerinnen selbst haben im Laufe der Jahrhunderte eine eigene, japan-spezifische Weise für den Umgang mit den Unberechenbarkeiten der Natur, ja der Unkalkulierbarkeit des Schicksals gefunden. Sie sind zu *Pragmatikern der jeweiligen Situation* geworden, so daß ihr Verhalten auf den westlichen Beobachter geradezu *fatalistisch*, schicksalsgläubig wirkt. Und sicherlich ist dieser Eindruck nicht ganz falsch. Wie häufig hört man in Japan nicht den Ausruf: *shikata ga nai!* – „Daran kann man nichts ändern, das muß man hinnehmen, wie es ist!" – Aber das ist nur die eine Seite. Selbst in dieser auf den ersten Blick resignativ wirkenden Einstellung ist der pragmatische Zug der japanischen Seele wirksam: Der Verzicht auf die Kontrolle über bestimmte Situationen, der sich im Ausruf *shikata ga nai!* ausdrückt, geschieht auch im Vertrauen darauf, daß man *in the long run* alles doch im Griff hat, oder wieder in den Griff bekommen wird. Im großen und ganzen sind die Japaner von einem japan-typischen Elan getragen, dem sie den Namen *ikigai* gegeben haben, was so viel bedeutet wie: jenes schwer zu beschreibende, aber tragende Element, das dem Leben seinen Sinn, seinen Antrieb und seinen Zusammenhang verleiht. All das steht in keinem Gegensatz zur Postmoderne. Im Gegenteil, es scheint sich sehr gut damit amalgamieren zu lassen. In einem Aufsatz von 1989 behauptet der schon erwähnte Kôjin Karatani, daß sich in Japan nie ein Meta-Narrativ, eine beherrschende Meistererzählung im Sinne einer prägenden und steuernden Weltdeutung, herausgebildet hat, die dem westlichen Muster von historischer Periodisierung entspräche. Man müsse es Japan deswegen erlauben, sich frei von allen Bindungen, zum Beispiel auf das im westlichen Sinne definierte und charakterisierte 19. Jahrhundert zu sehen. Das westlich verstandene „Subjekt" des 19. Jahrhunderts habe in Japan niemals existiert; genauso wenig habe es einen Widerstand gegen die „Moderne" hier gegeben; vielmehr sei der japanische Widerstand gegen die „Moderne" ein Anrennen gegen den Westen gewesen, das seinen Höhepunkt in der japanischen Kriegs-Ideologie gehabt habe. Und in den 80er Jahren habe die hochentwickelte japanische Informations- und Konsumgesellschaft sich von der, wie er schreibt „Obsession des Modernismus" ganz befreit und sich ganz dem „Pastiche", der „Collage", dem Spiel mit heterogensten Elementen verschrieben. Und gerade in diesem Zusammenhang hätten sich die Japaner auf die Edo-Zeit (1600-1868) zurückbesinnen können; eine Rückbesinnung, die sich gerade als beschleunigender Faktor in der gegenwärtigen postmodernen japanischen Gesellschaft erwiesen hätte. Man sieht: Karatani reklamiert einen postmodernen „Sonderweg" für Japan. Postmoderne bedeute für Japan nicht „Widerstand" gegen eine zu überwindende Moderne, sondern Japan besitze gleichsam eine eigene Postmodernität, die sich aus dem nationalen Kontext erkläre.

Aber nicht nur denen, die sich auf dem Wege des Denkens Japan annzunä-
hern versuchen, auch den wirklichen Reisenden aus dem Westen zeigt sich Japan
als ein Wunderland der Leere und der Zeichen. Schon Sergei Eisenstein hatte behauptet, daß Japan keine eigene und eigenständige Cinematographie entwickeln
könne, weil es selbst eine Art von Film sei. Entspechend schrieb schon vor über
zehn Jahren ein deutscher Journalist, Japan brauche eigentlich kein eigenes Disneyland, weil es ja selbst als ganzes ein Disneyland sei. Der Japan-Reisende Alex-
andre Kojève, der Philosoph, sah in Japan bereits in den 50er Jahren – neben
Amerika – das zweite Land der „post-histoire", wie er es nannte: Als Zeichen für
den nachgeschichtlichen Zustand galten ihm der amerikanische *Materialismus*
und der japanische *Formalismus*. Nach der Katastrophe des verlorenen Krieges
und dem Atombomben-Trauma habe Japan sich als eine gänzlich „formale" Nation, als eine Nation der Formen neuererfunden. Und des Semiotikers Roland
Barthes Augen sahen Japan als ein geradzu freischwebendes semiotisches Feld
oder als ein Gewebe ohne Zentrum, als einen multizentrierten Text. – Als einen
Text in dem Sinne, in dem Barthes ihn selbst definierte, nämlich als ein offenes
System ohne festes Zentrum, aus frei flottierenden Zeichen, die keine eingefro-
renen, endgültigen Bedeutungen zulassen. Für Barthes war Japan überdies nicht
nur *ein* semiotische Feld ohne Mitte, sondern eines, in dem alle Zeichen „leer"
sind: Essen, Kleidung, Sitten, Rituale, Spiele, Sport, Literatur, Gartenkunst,
Wohnungseinrichtungen, Stadtplanung, – schlichtweg alle japanischen „Zeichen-
Systeme" sind für Barthes feinmaschige Netzwerke von freischwebenden Zeichen ohne Zentrum; bzw, mit einem „*leeren* Zentrum". Als augenfälligstes Beispiel dient ihm dabei Tôkyô in dessen Zentrum sich ein „heiliges Nichts" befän-
de, ein leerer Ort, bewohnt von einem Kaiser, den man nie sieht. Ein japanischer
Semiotiker, Ikegami, hat jüngst im Anschluß an Barthes geschrieben, daß in Japan kontrastive Gegenüberstellungen von verschiedenen Dingen nicht als Gegensätze interpretiert würden, sondern als Komplementärbeziehungen. Der
Kontrast von „Gegensätzlichem" würde sozusagen funktional aufgelöst. Die
Dinge würden homologisiert werden und das sei möglich, weil das „leere Zentrum", von dem Roland Barthes sprach, alle Dinge relativieren würde. Akira Mi-
zuta Lippit, Professor für „Film studies and critical theory" an der University of
Nebraska-Lincoln treibt diesen Gedanken noch weiter, wenn er behauptet, daß
Japan für Roland Barthes „ein virtuelles Fernsehen mit einer beliebigen Zahl
möglicher Kanäle ist". Nach Lippit beschreibt Barthes das japanische Reich der
rasenden Vielfalt so, als würde er eine Psychoanalyse des Fernsehens versuchen.
Ein soziales Phänomen des zeitgenössischen Japan, d.h. präziser während
des Übergangs von den 80er in die 90er Jahre, ist – meines Wissens – der westlichen Japanwissenschaft entgangen oder aber der Beachtung für unwürdig gehalten worden. Es handelt sich dabei um etwas, dem die Japaner selbst den Namen
shinjinrui, „eine neue Menschensorte", gegeben haben: ich meine das sogenannte

otaku-, oder – amerikanisiert: das otacky-Phänomen. Otaku-kids machen einen Großteil der japanischen Jugend zwischen 15 und 30 aus.(Die Herausgeber der zahlreichen *otaku*-Magazine, alle mit englischen Titeln, gehen von einer Zielgruppe von mindestens 350.000 Personen – mit 100.000 hard core-otakus – aus; die „Dunkelziffer" liegt weit darüber – bei einer Million.)

Äußerlich erscheinen otaku vergleichsweise konventionell – oder (sagen wir) unoriginell: sie tragen T-shirts, Jeans und Sneakers. Das allein macht sie noch nicht zu einem neuen Sozialisationstyp; entscheidend ist, daß sie die vielleicht erste sozusagen „synthetische" Generation nach dem ubiquitären hightech-Einbruch seit den 70er Jahren repräsentieren. Wofür leben *otaku*? Und zwar ausschließlich? Sie haben jeweils eine spezifische Beschäftigung zum Lebensinhalt gemacht – Computerspiele, Comics, Plastikmodelle – oder aber sie sind „Hacker", die sich spezialisiert haben auf störende Eingriffe, zum Beispiel in Autotelefongespräche. (Nebenbei bemerkt: die Gesamtauflage von Comics – genannt manga – in Japan beträgt über 2 Milliarden Exemplare. Vor einiger Zeit schon hat die Auflage der Monatsausgabe eines Comics die 10-Millionengrenze überschritten.) *Otaku* hassen körperlichen Kontakt, lieben die Medien und technische Kommunikation; sie sind manische Sammler nutzloser Artefakte und (nutzloser) Informationen. Es handelt sich um eine Generation, der die Kühle und Distanz der Medien zur Natur geworden ist. Ihre Teilnahme an der Welt zeichnet sich durch Nichtbetroffenheit, zumindest aber durch das Gefühl der Nichtbetroffenheit aus. Bis hin zu einer Verkehrung des Realitäts-Gefühls überhaupt. Ein japanischer Alltagsgeschichtler, Kôichi Yamazaki, spricht von einem „2-D-Komplex". An die Hyperrealität der Mischung aus dem 2-dimensionalen Computerimage und *fantasy* reicht keine Realität (im herkömmlichen Sinne) heran. Selbst die „Realität" der schon längst quasi-synthetisch hergestellten „Starlets" des japanischen show-Geschäfts muß sich neuen Ansprüchen beugen. Die Grenze zum Gespenstischen ist (m.E.) überschritten worden mit der Schaffung eines gleichsam virtuellen „Idols" namens Haga Yui. Haga Yui existierte nicht, war nur da. Sie war ein Phantom; ein nicht festgestellter Frankenstein. Mehrere junge Damen liehen Haga Yui Stimme und Gestalt. Bei Konzerten blieb ihr Gesicht verdeckt, die Stimme kam vom Band. Als ein Photo-Buch über Haga Yui erschien, saßen drei Mädchen zum Signieren bereit, und die fans konnten sich ein Autogramm *ihres* Originals auswählen. Haga Yui bedeutet (auch) „Zahnjukken", *hagayui*.

Es wäre freilich viel mehr über das otaku-Phänomen zu berichten; ich habe es erwähnt, weil ich glaube, daß in ihm ein Trend Wirklichkeit geworden ist, den spätestens 1977 Keigo Okonogi in seinem Buch – damals ein Bestseller – *Moratoriamu ningen no jidai – Das Zeitalter der Moratorium-Menschen*, beschrieben hat. Okonogi geht davon aus, daß die Überflußgesellschaft einen infantilisierenden Effekt ausübt; die Medien appellieren an das Kind in jedem Mann und jeder Frau.

Die Rasanz des technischen und wissenschaftlichen Fortschritts fordert von allen bedingungslose Flexibilität und ein dauerndes Lernen, allein, um die Fähigkeit zur Adaption aufrechtzuerhalten. Der rasende Wechsel kultureller Erscheinungen erlaubt nur ein Sich-Einlassen auf das Provisorische, das Temporelle; Permanenz hat nur noch die Bereitschaft zum Wechsel. Ob wir es hier mit einer postmodernen Variante des oft beschworenen japanischen Vergänglichkeitsgefühls (*mujô*) zu tun haben, vermag ich nicht zu entscheiden. Für den Kulturpessimisten Okonogi gleicht der moderne Japaner einem zufälligen Besucher in einer kontrollierenden und dabei schützenden Struktur. Typisch für die Menschen in dieser Situation – oder sollte man mit Heidegger „Geworfenheit" sagen – seien ein Identitäts-Diffussions-Syndrom und ein schon „normal" gewordenes „Ego-Vakuum". Ein Münchner Sozialwissenschftler, Heinz-Günter Vester faßte das vor Jahren schon so: „Die postmodernen Tendenzen zur Entleerung des Selbst...lassen kontrapunktisch hierzu in der Massenkultur der postmodernen Gesellschaft das Bedürfnis nach Sinnerfüllung im Selbst massenhaft und daher kommerzialisierbar entstehen." – Daß sich gerade das „Ego-Vakuum" im Sinne Okonogi's und das „entleerte Selbst" im Sinne Vesters gerne als „neue Subjektivität" geriert und lautstark Anspruch erhebt auf das Recht auf Selbstfindung ist ein gefährliches und ziemlich rätselhaftes Symptom, für dessen Bewertung (noch) keine brauchbaren Kriterien zur Verfügung zu stehen scheinen. Nur eines läßt sich sagen: je größer die Leerstelle, das Ego-Vakuum, ist, desto aufwendiger und verzweifelter die Versuche, sie durch Persönlichkeits-Staffagen zu verdecken. Hierin scheint sich der „postkapitalistische" Osten vom „postkapitalistischen" Westen nicht mehr zu unterscheiden.

2.) Gegensinnigkeit und Ungleichzeitigkeit

Den Begriff der *Gegensinnigkeit* findet sich bei Sigmund Freud, in einen kurzen Aufsatz, eigentlich einer Rezension, mit dem Titel: „Über den Gegensinn der Urworte". Hier muß eine einfache, sozusagen geräumige Gebrauchsdefinition genügen: Unter Gegensinn soll verstanden werden, daß in Japan bestimmte Phänomene – zumindest für die Augen eines westlichen Beobachters – gleichsam vexierbildhaft changieren: die Deutungsmöglichkeiten pendeln sozusagen, sie oszillieren; bis hin zu dem extremen Punkt, wo sie konkret-gegensinnig sind. Was damit gemeint ist, verdeutlicht beispielhaft die bereits erwähnte Formel aus einem buddhistischen Sutra, welche die ganze buddhistische Lehre in nuce enthält, und auch heute noch in den Köpfen der Japaner und Japanerinnen so präsent ist, wie – sagen wir: das Vater Unser in Deutschland. Die Formel lautet: shiki soku ze kû: Alle *Erscheinungen* sind (als solche) nichts anders als die *Leere*. Mit anderen Worten: die japanische Kultur ist in einem prägnanten Sinne doppelt registriert.

Ungleichzeitigkeiten gibt es – natürlich – in jeder Kultur; ich glaube jedoch, daß Ungleichzeitigkeiten die japanische Kultur und Gesellschaft in einem ganz eminenten Maße prägen. Das Problem der Ungleichzeitigkeiten wird mit Vorliebe unter dem Titel des Verhältnisses von Tradition und Moderne abgehandelt. In Japan ist die Tradition jedoch nicht „qua" Tradition in der Moderne präsent; Ungleichzeitigkeit bedeutet hier: daß „traditionelle" Elemente, die sich – aus welchen Gründen auch immer – bis in die Gegenwart erhalten haben, sozusagen ein selbstverständlicher Bestandteil des aktuellen Themenvorrats der Kultur sind. Der japanische Soziologe und Historiker Masao Maruyama behauptet, wie schon oben angedeutet, daß die japanische Kultur keine Instanzen ausgebildet habe, die es erlaubten Sinn zu „akkumulieren". Das japanische Denken, so glaubt Maruyama, legt keine begrifflichen Depots an, die so etwas wie „Traditionen des Denkens" ermöglichen könnten. „Sinn" würde im „Innern des Psychischen", wie Maruyama schreibt, nur „räumlich umarrangiert". Dies gelte – nebenbei bemerkt – auch für aus dem Ausland übernommene Ideen und Konzepte: die Inhalte würden aus ihren historischen Kontexten gelöst; das heißt: sie würden ganz aus dem Zeitfluß herausgehoben, um in einem quasi „zeitlosen" Nebeneinander zu existieren. Das japanische Denken, man möchte sagen, das ganze japanische Welterleben ist „orthaft", „topisch". Die Synchronie, man möchte fast sagen: Achronie des japanischen Denkens scheint auch auf die japanische Kultur und Gesellschaft übertragbar. Wohlgemerkt: daß sich Zeit abspielt, daß Zeit vergeht, daß im Zeitfluß unendlich vieles verlorengeht, dafür haben die Japaner bekanntermaßen eine geradezu notorische Sensibilität. Aber das hat nichts, gar nichts, mit einem „historischen Bewußtsein" zu tun. Abgesehen davon, daß der Begriff für das Abstraktum Zeit, jikan, ungefähr gleichzeitig wie die Philosophie Kants nach Japan eingeführt wurde. – Der Begriff der Erinnerung, des, sagen wir: hölderlinischen Angedenkens, dem die europäische Tradition den pathosgeladenen Namen der Mnemosyne gegeben hat, ist dem japanischen Denken fremd. Vielleicht kann man es so sagen: gegenüber der Zeit wird in Japan dem Raum der Vorzug gegeben; was an kulturellen Elementen „überlebt" ist im Sinne Maruyama's „räumlich" frei disponibel und kann zu immer neuen kulturellen Arrangements „umarrangiert" werden. Wie sagt Wagner es in der berühmten Zeile aus dem Parsifal: Zum Raum wird hier die Zeit; wenn er auch wahrscheinlich nicht Japan im Sinn gehabt hat, als er Gurnemanz diese Worte in den Mund legte. In Maruyamas Argument klingt die Klage oder ein Bedauern darüber nach, daß Japan sich nicht in den Bahnen einer der europäischen vergleichbaren Aufklärung entwickelt und es folglich auch zu keinem historischen Bewußtsein gebracht habe. Auch Maruyama beklagt hier den Mangel an einem *allgemeinen Standard von Rationalität*. – Unter einem anderen Aspekt eröffnen sich in der Art, wie Maruyama Grundzüge der japanischen Kultur beschreibt, neue Interpretationsmöglichkeiten. Diese wären frei von jenem Bedauern, das Maruyama selbst weiterführende heuristische Perspektiven verstellt, die sich ja ohne weiteres aus seinem Ansatz ergeben könnten. Daß „ Sinn" „im Innern" nur „räumlich umarrangiert" werde, ist durchaus deutbar als Beschreibung einer in sich autonomen Struktur bzw. eines autonomen kulturellen Bedeutungssystems. Es liegt nahe, in dieser Struktur einen *Traditionalismus der Form* zu erkennen. Dies soll nicht in dem Sinne gemeint sein, daß Form als solche überliefert wird. Was tradiert wird, sind die Regeln, nach denen die Beziehungen zwischen den Elementen eines Systems „arrangiert" werden. Dadurch ist schon *grundsätzlich* „Akkumulation" von Sinn ausgeschlossen. Dies kann nur einer *Diagnose von außen* als Mangel, Verzicht oder Limitation erscheinen. Das heißt, in einem solchen Bedeutungssystem sind alle Elemente immer schon hinreichend bestimmt, keines frei verfügbar oder *manipulierbar* hin auf eine höhere *Perfektibilität*. Daher kann es auch auf ein rationalitätsgesteuertes Programm verzichten. Gegen das Modell des Fortschritts in Gestalt einer internen Ausdifferenzierung setzt es eine Art Geometrie der Elemente, in der es kein Bedeutungsgefälle gibt. Deswegen erscheint Japan, schon auf der Oberfläche, auch einem Reisenden, wie Roland Barthes es war, als ein „Reich der Zeichen". *An die Stelle von Fortschritt und gesellschaftlichem Wandel durch Perfektibilität treten in Japan Verfahren der Sicherstellung von Signifikanz, die andere Formen gesellschaftlichen Wandels einschließen.* Dies hat auch weitgehende Konsequenzen für die Art und Weise der Aneignung des Fremden: In Japan, so könnte man bewußt überspitzt sagen, mutiert das Fremde zu einem Vehikel des Eigenen. Ein amerikanischer Japanwissenschaftler, David Pollack, spricht im Kontext der Aneignung chinesischer Kulturgüter durch die Japaner von einer „fracture of meaning", einer Fraktur, einer Brechung der (ursprünglichen) Bedeutung – von Dingen und Worten und Ideen –,die sich sogar schon in der Selektion dessen, was der Aneignung für würdig gehalten wird, ausdrückt: typisch für Japan sei nicht, daß es massiv übernimmt und nachahmt, sondern was und (und vor allem) wie es übernimmt und transformiert, – wie es Bedeutung „bricht". Nichts, was sich in das semantische Universum Japans wagt, bleibt, was es gewesen ist.

3.) *Maternelle Prägung und Orts- und Kontextsensibilität*

Die Einführung der einzelnen und des einzelnen in die Kultur in Japan ist stärker als etwa in Europa noch immer sehr stark an der Mutter orientiert; man könnte auch sagen, sie wird ganz der Mutter auf- und in gewisser Weise auch angelastet. Verkürzt und idealtypisch beschrieben, stellt sich der frühkindliche Sozialisationsprozeß folgendermaßen da: Der Vater tritt nicht/kaum in Erscheinung. Weder konkret-körperlich, noch symbolisch. Die Emotionen des aufwachsenden Kleinkindes sind auf die Mutter gerichtet; im Austausch, in der Interaktion mit der Mutter findet alles Geschehen, das heißt (auch) alles psychische Geschehen statt. Der Vater ist also – nicht nur in einem übertragenen Sinne – absent. Von der Mutter hingegen wird Tag und Nacht fürsorgliche Präsenz erwartet. Es entwickelt sich ein Abhängigkeitsverhältnis, dem man geradezu den Namen einer Symbiose geben könnte. In dieses symbiotische Paradies möchte der erwachsene Japaner gerne zurücktauchen: in diesem Mutter-Kind-Szenarium bildet sich der Kern einer nostalgischen Verlockung, wie man sagen könnte, aus, die möglicherweise die Ursache für die große „Regressionsbereitschaft" der Japaner ist, die sich etwa im Alkoholismus, in den Formen der Erotik oder auch im Selbstmord materialisiert. Die ausschließliche Ausrichtung des Kindes auf die Mutter wird als so radikal angenommen, daß sie nach Auffassung japanischer und nichtjapanischer Psychologen impliziert, daß die japanische Psyche den Zumutungen des Ödipuskomplexes nicht ausgesetzt wird. An die Stelle der ödipalen Eifersucht tritt das Schuldgefühl; genauer: das Gefühl existentieller Verschuldung. Man sieht, die Radikalität und Ausschließlichkeit der Mutter-Kind-Beziehung birgt ihre eigenen Probleme; denn die Geschlossenheit dieser Beziehung, zwingt das Kind dazu, auch seine aggressiven Phantasien auf die Mutter zu richten, und zwingt die Mutter dazu, den Konflikt, der daraus entsteht, zu lösen. Das Kind läßt – übrigens auch vor den Augen der Öffentlichkeit – seine Aggressionen hemmungslos an seiner Mutter aus. Die Mutter „löst" diesen Konflikt auf eine Weise, die das Kind für sein ganzes Leben bindet. Die Mutter bestraft das Kind nämlich nicht für seine Aggressionen, ja sie droht noch nicht einmal Strafe an, sondern: sie verzeiht. Sie verzeiht, weil sie darauf bedacht ist, die wechselseitige Abhängigkeit zu bestätigen und eine emotionelle (gegenseitige) Anlehnung auf Dauer zu garantieren. Aber die verzeihende Geste der Mutter iniziiert auch eine Schuld auf der Seite des Kindes, das es nie in seinem Leben wird abtragen, ober um eine anderes Bild zu gebrauchen, die es nie wird zurückzahlen können. Es ist also gerade der mütterliche Masochismus, die Bereitschaft zu erdulden und hinzunehmen, die eine Art masochistisches Über-Ich erzeugt. Und zwar auf folgende Weise: die verzeihende Geste der Mutter bremst die Aggressivität des Kindes. Seine aggressiven Impulse können nicht nach außen dringen; sie werden zurückgehalten und wenden sich schließlich gegen das Ich selbst; in der Form von Angst und einem überwerten Verantwortungsgefühl. So überrascht es nicht, daß in Japan die Zahl der Selbstmorde dreimal so hoch ist wie die der Morde. Später wird der Erwachsene die letztlich uneinlösbare Schuldverschreibung auf gesellschaftliche Gruppen übertragen. Dies ist, dies wäre eine mögliche Erklärung für die starke Gruppenorientiertheit der Japaner und Japanerinnen und für die oft berufene Eigenart „japanischer" Gruppen, durch ein enges und starkes Netz affektiver Bindungen zusammengehalten zu werden. Mit anderen

Worten: auf dem psychisch kurzgeschlossenen Feld der Mutter-Kind-Beziehung werden die Vorraussetzungen, die seelischen Dispositionen geschaffen, die durch die Erziehung in face-to-face-Gruppen (Nachbarschaft, Kindergarten) ausgeformt und weiterentwickelt werden. Noch einmal anders formuliert: die einzelnen sind psychisch darauf programmiert, in den Beziehungen, die sie in der Gesellschaft eingehen, den „Akt der Verzeihung wiederzuerkennen, der ursprünglich von der Mutter ausgegangen war" (Heise: 10). Dies läßt sich problemlos mit dem Gedanken vereinbaren, daß die japanische Kultur keine Modelle, keine Schemata oder sagen wir einfach: keine Bilder für ein ich-zentriertes Handeln und für Subjekt-Autonomie hervorgebracht hat. Aus der strikten Bindung an den „maternellen" Ort wird die strikte Bindung an bestimmte Kontexte, zum Beispiel auch an die Firma. Das sehr übliche Argument, der Japaner sähe in seiner Firma eine Art Familien-Ersatz, ist zwar nicht ganz falsch, greift aber viel zu kurz. Auch hinter dieser harmlosen Beschreibung versteckt sich ein psychisches Drama. Außerdem geschehen die psychischen und sozialen Übergänge nicht glatt – und sind auch alles andere als leicht beschreibbar. Die verpflichtende Verbindlichkeit der jeweiligen Orte, der Mikroszenen, von denen ich einige beschrieben habe, ist nicht immer leicht mit den Anforderungen einer modernen postindustriellen, entschieden konsumorientierten Gesellschaft zu vermitteln. Die zunehmende Komplexität der modernen japanischen Gesellschaft führt in manchen Bereichen zu geradezu explosiven Dilemmata: Japan ist eine ausgeprägte Konkurrenzgesellschaft, auf den einzelnen lastet ein großer Erfolgsdruck; die Familien erwarten von ihren Kindern, Karriere zu machen. Und wieder einmal befindet sich der einzelne in einer paradoxen Situation: er soll erwachsen und verantwortlich sein, er soll seine Zukunft erfolgreich gestalten – und dabei doch ein folgsames Kind bleiben, das genau nach dem strebt, was die Familie wünscht (und wofür sie bis an den Rand ihrer finanziellen Möglichkeiten gegangen ist, ja vielleicht sogar darüber hinaus). Die innere (psychische) Abhängigkeit (vor allem) *des* Japaners von seiner Familie, das heißt – wie beschrieben – primär von seiner Mutter, läßt ihn weitgehend hilflos dieser Erwartungshaltung gegenüberstehen. Wie könnte er es, in Anbetracht seiner psychischen Schuldenhypothek sich verzeihen, die elterlichen Erwartungen zu enttäuschen? Einer der folgenreichen Nebeneffekte der sich früh ausbildenden „Verpflichtung auf Gegenseitigkeit" ist eine Verhaltensweise, die nicht selten die Form eines Krankheitsbildes annimmt: eine mehr oder minder stark ausgeprägte „Angst vor den anderen" (Anthropophobie), für die es sogar einen eigenen japanischen Terminus gibt: *taijin kyôfushô*. Die strikte Bindung an die Mutter-Kind-Szene oder an den Kontext einer Gruppe verhindert es, daß der einzelne angemessene Techniken ausbildet, sich auf einen Dritten, auf ein Außerhalb der jeweiligen Beziehung, des jeweiligen Kontexts zu beziehen. Das erzeugt ein Gefühl des Ausgeliefertseins, das Angst macht. Die Außenwahrnehmung, das heißt die Wahrnehmung dessen, was jenseits des jeweiligen Kontexts liegt, ist – im Vergleich zu Westeuropa – erschwert und in der Gefahr, pathologische Formen anzunehmen. Ein anderer höchst folgenreicher Nebeneffekt der „maternellen Organisation" der japanischen Kultur und Gesellschaft mit ihrer „extremen Ausrichtung an der jeweiligen Situation und der starken affektiven Bindung an den Ort, dem man sich zurechnet" (Heise: 15), ist, daß vom einzelnen erwartet wird, immer gerade und genau das zu sein, was die Situation von ihm zu sein verlangt. Es ist offensichtlich, daß es unter solchen Voraussetzung (soziale Geschmeidigkeit, extreme Anpassungsbereitschaft) äußerst schwer ist, Erfahrungen zu machen, in denen und durch die sich eine lebensgeschichtliche Kontinuität herauskristallisiert. Die für bestimmte Situationen vorgesehenen Pakete von Kommunikationsroutinen müssen in Anspruch genommen werden, denn es entscheidet nicht der Einzelne über den in seinen Äußerungen anzuschlagenden Ton, sondern der situative (hierarchisch strukturierte) Kontext, in dem er seinen „Ort" genau zu bestimmen lernen muß. Das „Ich" ist nicht mehr als ein „kontextsensitiver" Kristallisationspunkt. Wenn es dem Einzelnen gelingt, seinen „Ort" in dem situativen Kontext, in den er eingetreten ist, zu bestimmen, wird er von den vorgefertigten Parametern des Verhaltens und der Sprache, in dem Maße, in dem er über sie verfügt, getragen. Verhaltens- und Kommunikationskompetenz im Sinne der Fähigkeit zur Einschätzung des eigenen Orts in einer „situativen Atmosphäre" wird so zum Maßstab gelungener „japanischer" Sozialisation. Schon Ruth Benedict hatte – bereits 1946 – in bezug auf die Japaner von einer „Situationslogik" (situational logic) gesprochen. Das japanische Selbst ist in einem sehr hohen Maß „konditioniert" durch seinen Kontext, es ist „kontextualisiert". Eshun Hamaguchi, der profilierteste Vertreter des sogenannten „Kontextualismus", der Begriff spricht für sich selbst, hat für das japanische Subjekt den Terminus *kanjin*, „Intersubjekt" geprägt, mit Hamaguchi's Worten, „eine menschliche Seinsweise, in der man sich bewußt wird, daß innerhalb der zwischenmenschlichen Zusammenhänge die Beziehungen an sich das selbst sind... (Der Begriff) Ich bezeichnet den Teil, den man der eigenen Situation entsprechend sich selbst zuteilt aus... dem Lebensraum, den die wechselseitig in Beziehung stehenden... Subjekte... gemeinschaftlich besitzen... Beim Intersubjekt gibt es keine Trennung zwischen dem eigenen Subjekt und seinem mitmenschlichen Umfeld, denn es könnte auch Mensch im Umfeld bezeichnet werden." (Heise: 143f)

4.) *Diffuse Ich-Demarkation und Heterodynamik*

Die „japanische" Psyche, so scheint es, will und sehnt sich nach Regularien und Routinen, die sie davon entlasten, aus sich selbst Wertvorstellungen zu entwickeln – und durchzusetzen. Es sind somit – und das soll hier nicht polemisch ver-

standen werden – „extrapersonale" Prinzipien, die das Rückgrat der Person ausmachen. Daß es dazu kam – und immer wieder kommt -verdankt sich dem Zu-
sammentreffen rigider sozialer Kontrolle auf der einen Seite und einer forcierten
Akzeptanz gesellschaftlicher Kontrolle auf der anderen Seite, in der Form einer
hochentwickelten Internalisierungsbereitschaft und einer starken Tendenz zur
Außengeleitetheit, die sich einerseits aus den eben sehr knapp skizzierten psychischen Dispositionen erklären, diese andererseits wieder verstärken. Die Diszi-
plinierung der Körper – als eines bewährten Mittels der sozialen Kontrollgewal-
ten, „habituelle Schemata" zu dressieren – spielt in Japan eine bedeutend größere
Rolle als in den „westlichen" Kulturen: die japanische paideia, auf eine verkürzte
Formel gebracht, ist auch Bio-Politik: Allen wohlwollenden Mißverständnissen
westlicher Adepten und Apologeten zum Trotz muß betont werden, daß die sogenannten traditionellen asiatischen Kampfsportarten *auch* als Praktiken ge-
waltförmiger Körper- und Geistesdisziplinierung interpretiert werden können;
selbst die Zen-Meditation kann als Praxis der Unterdrückung gedeutet werden,
bei der die Grenzziehung zwischen Heteronomie und Autonomie sehr schwie-
rig, bisweilen sogar unmöglich ist, weil die ideologische Pointe der asiatischen
Kampf- und Meditationstechniken (auch, freilich nicht nur) gerade darin besteht, das Eigene als Fremdes und das Fremde als Eigenes erfahren zu lernen
(und zu nutzen): *nyû-ga-ga-nyû:* „Buddha fließt in mich, und ich fließe in
Buddha". August Nitschke spricht in bezug auf japanisches Bewegungsverhalten
von einer „Heterodynamik" und stellt die Frage: Könnte es sein, daß bei den Ja-
panern generell ein heterodynamisches Bewegungsverhalten vorliegt? Sind sie der
Meinung, daß sie im Handeln auf etwas Unbekanntes reagieren müssen, das ihnen an Kraft überlegen ist? Es wäre weiter zu untersuchen, ob sie auch im Handeln wie in diesen Bewegungsabläufen darauf bedacht sind, die Kraft dieser
fremden überlegenen Handlungsweise so umzulenken, daß sie ihnen selber von
Nutzen sein kann. – Aber sollte man nicht eher fragen, wie und wieso solches
„heterodynamische" Verhalten induziert wird und wie es sozialpsychologisch zu
deuten ist? Der japanische Kulturwissenschaftler Tadao Miyamoto vertritt die
These, daß das japanische Ich versuche, sich mittels einer „Selbst-Ausdehnung"
(jiko kakudai), bei der der „andere" dem eigenen Ich subsumiert werde, zu
schützen und zu stabilisieren. Miyamotos Konzept, so will mir scheinen, rückt
die japanspezifischen Verfahren der Ich/Selbst-Stabilisierung jedoch in proble-
matische Nähe zur totalen Nachahmung, ja zur „Charaktermaske", wie wir es zu
nennen gewohnt sind. Wie dem auch sei, deutlich ist, daß die „Ich-Demarkation"
der „japanischen" Psyche sich von der der „europäischen" Psyche unterscheidet
und daß die „Ich-Grenzen" in Japan offensichtlich weniger stabil und durchlässi-
ger sind als in westlichen Kulturen. Auch das würde zu der Internalisierungsbereitschaft und großen Akzeptanz sozialer Kontrolle in Japan passen. Auf eine
andere Formel gebracht, könnte man sagen, daß es natürlich auch in Japan Indi-

viduen und Gruppen gibt, aber anders als im Westen nicht das Individuum sondern die Gruppe als soziale Rechnungs- und Zurechnungseinheit gilt. All dies
verleiht auch dem japanischen Konsumverhalten eigentümliche Valeurs: „Shopping -the material construction an adornment of this [=„japanese"] dialectical
self – takes on an almost metaphysical significance as a result, since self-identity
must be constantly reaffirmed in ways that are socially visible as well as aesthetically pleasing." (Clammer: 196)

5.) *Sozialhygiene der Formen*

Schon in einem frühen Stadium wird den japanischen Kindern ein kritischer
Unterschied klar gemacht: der zwischen der Familie, dem Haus und den Leuten,
die dazu gehören, das heißt: allem, was *uchi* ist, und der äußeren Welt, das heißt:
allem, was *soto* ist. Die Trennung der Sphären wird durch viele symbolische Zeichen sozusagen zementiert: einerseits durch Riten, wie das obligatorische Zu-
rücklassen der Schuhe am Hauseingang; andererseits aber auch durch den
Sprachgebrauch, durch den Gebrauch des sogenannten Soziativs, der adressierten
Höflichkeitssprache, welche die Unterschiede in der Wirklichkeit in der Sprache
nachzeichnet, und sie auf diese Weise wiederum erzeugt. Weiterhin werden viele
Anstrengungen unternommen, das Innere, *uchi*, mit Sicherheit, Umsorgtsein,
Wohlbehütetheit zu assoziieren, das Außen, *soto*, aber mit Bedrohung und Gefahr. In einem nächsten Schritt werden die Nachbarn in das System des uchi mit-
einbezogen, sozusagen kooptiert: jetzt, im Spiel mit den Nachbarskindern lernen
die Kinder etwas über interpersonelle Beziehungen. Aber jetzt schon wird Gewicht gelegt auf die feinen Unterschiede: schon jetzt gibt es Ältere und Jüngere,
schon jetzt verteilen sich die Funktionen gemäß eines, wenn auch noch milden,
Senioritätssystems. Keine leichte Aufgabe für die Älteren, die schon jetzt, das
Kollektiv will es so, bei jeder Gelegenheit Beweise ihres größeren Wissens, ihrer
Reife und Erfahrung den Jüngeren gegenüber erbringen müssen; in welch kleinen
Gesten sich das auch immer äußern mag. Aber es sind gerade die Älteren, die dabei etwas dazulemen: ihre Verantwortung den Jüngeren gegenüber. Und diese
frühen Zumutungen der Verantwortung sind es, welche die Anmaßungen eines
möglichen Individualismus schon im Keim ersticken: hier lernen die Kinder, daß
sie nicht egoistisch sein dürfen, daß sie nicht, wie der japanische Terminus sagt,
wagamama, „nach eigner, nach selbstischer Weise" sein dürfen. Das Kind muß
im Verstehen seiner selbst ein Gefühl für andere entdecken. In diesem Prozeß
wird der Sinn des *uchi* erweitert und die Möglichkeit geschaffen, ihn gleichsam
transportabel zu machen, so daß er später auf andere gesellschaftliche Einheiten
übertragen werden kann. In japanischen Kindergärten gibt es sehr viele koopera-
tive Aktivitäten; wer nicht mitmacht, findet sich bald von seinem Allein- und

Draußengelassensein eines besseren belehrt: er merkt bald, daß Tränen nichts nutzen und daß es außerhalb der Gruppe schlichtweg nichts zu tun gibt. Die Botschaft ist: du darfst kein Außenseiter sein. Diese Botschaft wird jedoch „weich" übermittelt; ohne eine autoritäre Geste; direkte Disziplinierungsmittel oder Diziplinarmaßnahmen fehlen völlig. Auch „Drill" – wie schon in der Familie, so auch im Kindergarten – erscheint nicht als „Drill", sondern zwanglos, verspielt, unauffällig-beiläufig, aber immer und immer und immer wieder. – Außenseiter werden *okashii* genannt, ein Adjektiv, das zwischen den Bedeutungen für „seltsam, sonderbar, eigenartig" und „komisch" oszilliert. Die Gruppe hat eine eigene Saugkraft, aber, anders als der westliche Beobachter gerne unterstellt, sie annihiliert nicht die Individualität. Die Pflichten in der Gruppe rotieren, die Rollen des „Superioren" und des „Inferioren" müssen von jedem und jeder immer wieder und abwechselnd gespielt werden, und belohnt wird schließlich jeder und jede. Jeder und jede kommt einmal dran, jede und jeder dient einmal, jeder und jede wird einmal bedient, jede und jeder wird alle Rollen einmal gespielt haben. Es scheint, daß auch erwachsene Japaner hierarchische Beziehungen so wahrnehmen; sie sehen nicht das Individuum, das ihnen vorgesetzt ist, sondern (nur) die übergeordnete Rolle, die man vielleicht selbst irgendwann einmal spielen wird. Es handelt sich also nicht um eine Art von Punkt-zu-Punkt-Beziehungen zwischen Individuen, sondern um zwischen einzelnen aufgespannte Felder, situative Felder, die den einzelnen durch ihre Position in diesem Feld überhaupt erst Bedeutung verleihen. Mit einem Wort: Auf unspektakuläre Weise profitiert das Individuum von der Gruppe und die Gruppe vom Individuum. Das japanische Kind durchläuft in seiner edukativen Karriere verschiedenen face-to-face-Gruppen: die Familie, die Nachbarschaft, den Kindergarten. In dieser japanspezifischen Psycho-Karriere gibt es idealerweise keine Nötigung, einen ausgeprägten, einen im westlichen Sinne prägnanten Individualismus zu entwickeln. Idealerweise liegt es im Interesse jedes einzelnen Mitglieds einer Gruppe für die anderen zu sorgen. Das Konstrukt der „japanischen" Gruppe erscheint uns – Westlern – eigenartig: die japanische Gruppe im beschriebenen Sinn ist idealtypisch: demokratisch und egalitär und läßt dem einzelnen dennoch wenig Wahlmöglichkeiten, fordert darüber hinaus weitgehende Konformität – und setzt zudem noch große Erwartungen in den einzelnen. Es ist nicht zu leugnen, scheint mir, daß „Selbstverwirklichung" in diesem Kontext durch „Rollenverhalten" vermittelt sein muß. Anders gesagt: Rollenverhalten wird hier zum Medium der Selbstverwirklichung. Während Selbstverwirklichung im Westen mehr dazu tendiert, sich gerade im Akt des Aus-der-Rolle-Fallens zu materialisieren. Das unabhängige Individuum – unabhängig auch davon, ob es im Westen jemals existierte, das unabhängige Individuum, das sich nur „selbst verwirklicht", ist aus japanischer Perspektive ohne Chance. Das ist überhaupt wichtig: daß das japanische Denken die Vorstellung von Unabhängigkeit und Freiheit gerne kurzschließt mit der Vorstellung von Einsamkeit; da zieht die japanische Psyche die hegende Abhängigkeit, die Abhängigkeit in Geborgenheit, wie der japanische Begriff dafür, 'amae', ins Deutsche übersetzt wurde, vor. Gerade darin zeigt sich Freiheit – im japanischen Verstande – daß man von anderen abhängig sein kann. Identität ist hier etwas Transitorisches, Jeweiliges, Punktuelles: Identität erscheint als Funktionsidentität. Gerade in Zusammenhängen, in denen ein Westeuropäer den Verdacht nicht loswird, daß seine Identität ausgelöscht wird, glaubt der Japaner zu der seinigen zu kommen: dafür steht der von dem amerikanischen Sozialwissenschaftler DeVoß vorgeschlagene Begriff des japanischen „Rollennarzißmus". Bedingunsloses Rollenengagement ist hier eine, wenn nicht *die* soziale Tugend. Die Routinisierung und Ritualisierung des Daseins, seine Auflösung in ein Kette kleiner und kleinster Gesten hat hier ihren Ort; auch die – im Vergleich zu Westeuropa – viel weitergehende Ritualisierung der Sprache. Hans-Georg Soeffner reklamiert sogar für den europäischen Bereich die Unverzichtbarkeit von Interaktionsritualen: wieviel mehr gilt aber für Japan, wenn er schreibt: Interaktionsrituale „sind unpersönlich und anonym, dienen als lange eingeübte Marschrouten durch unsicheres soziales Terrain, sind zugleich Ordnungsfaktor und auch Trampelpfade alltäglicher Interaktion. Ihre Schutzfunktion besteht in der Gewährleistung einer durch Handlungsroutinen abgesicherten sozialen Ordnung." (Soeffner: 178) Daß die japanische Psyche, aufgrund ihrer „Machart", radikaler einer Ritualisierung des Alltags zuneigt als die „westliche Psyche", liegt auf der Hand. An dieser Stelle ist ein Anschluß an die Vorstellungen und die „Ideologie" des Konfuzianismus möglich. Zum Beispiel ein Anschluß an die Forderung des Konfuzius: nicht zu sehen, nichts zu hören, nicht zu sprechen und nichts zu tun, was gegen die „Riten" ist. Wenn diese Forderung nach striktem Konformismus die Japaner auch nicht direkt geprägt haben mag, so ist es doch möglich anzunehmen, daß diese Forderung einer genuinen Neigung der Japaner entspricht und mitgeholfen hat, dieser Neigung ihre sichtbare Kontur zu geben. In Japan sind primäre und sekundäre Sozialisation auf besonders „smarte" Weise auf einander abgestimmt. Die Primärsozialisation bereitet den Boden, auf dem dann die Sekundärsozialisation im Sinne einer Internalisierung von Mustern die Alltagsroutinen regulieren und zugleich deren stillen Voraussetzungen und Wertbestimmungen mit-vermitteln. Die Identifikation mit Aufgabe und Rolle schützt und entlastet und hat einen großen *sozialhygienischen* Effekt. Aber: die „Identifikation des Subjekts mit seiner Aufgabe schützt es ebenso, wie sie es schutzlos aussetzt: Die Feststellung, ungeeignet für den Beruf zu sein, wird als schwerste narzißtische Kränkung erfahren, zerstört sie doch die Vorstellung, die sich das Ich von sich machen wollte... Die auf den Schwachpunkt der beruflichen Leistung gerichtete Kritik eines Dritten oder des Subjekts selbst, in der Stille des Gewissens eingestanden, kann zu einer Katastrophe führen. Shikarare jisatsu ist die Bezeichnung, die das Japanische für Selbstmorde kennt, die aufgrund einer

Rüge hervorgerufen wurden." (Pinguet: 59) So brüchig also – oder wenn Sie so wollen: paradox und „gegensinnig" – kann (zumindest) die Dialektik von Rolle und Spieler, von Funktion und Träger sein. Gilt für dieses japan-typische Modell sozialer Beziehungen auch das Norbert Elias'sche Paradox: Es gibt mehr Gewalt, weil es weniger Gewalt gibt; und es gibt weniger Gewalt, weil es mehr Gewalt gibt, und zwar in dem Sinne, daß Gewalt in Form von „personaler Internalisierung" von „Fremdzwang" in „sozialisatorisch regulierten Selbstzwang" transformiert wird? Allem Anschein nach hat der Gedanke, daß dieses Elias'sche Paradox vielleicht in besonderem Maße für Japan gilt, viel für sich. Macht schafft und trifft in Japan auf einen konsensfernen und (durchaus) pragmatischen Habitus der Akzeptanz, in dem sich – ganz im Sinne des Elias'schen Machtparadoxes – ein großes Maß verinnerlichter, zu Selbstkontrolle umgewandelter Gewalt niederschlägt. Wenn man, was legitim ist, den Begriff Habitus mit dem japanischen Wort kata übersetzt, stellt sich eine zusätzliche, gleichsam japanspezifische, Prägnanz ein. Nach Augustin Berque ist die „japanische Selbstidentität" im zeitlichen und räumlichen Sinn durch einen zyklischen Prozeß bestimmt, der die Realität zu Sets schematisiert, welche die Japaner mit dem Begriff kata bezeichnen, der soviel bedeutet wie: „Form", „Gestalt". Darunter lassen sich *formende Formen* und *geformte Formen* verstehen, die einander überblenden. Diese überschreiten das individuelle Selbst und binden es fest an seine physische Umgebung, um so stärker, wenn diese Formen kulturell und gesellschaftlich institutionalisiert und kodifiziert sind. Auf eine Formel gebracht; das japanische „Individuum" (in *sehr* dicken Anführungsstrichen!) ist – wie ich oben ja schon in einiger Ausführlichkeit dargestellt habe – sozial und psychisch überaus durchläßig für seine Umwelt, aber nur in dem Maße, in dem diese Umwelt bereits gegliedert ist und sich als Realität sozusagen „anbietet". – Ein Exempel: Im Jahre 1990 veröffentlichte ein japanisches Autor(inn)enkollektiv eine Studie mit dem Titel *Oshare jidai, bi kara miryoku e, Das Modezeitalter – von der Schönheit zum Appeal*. Die Autorinnen und Autoren dieses Bandes versuchen die rigide, auf Formen bedachte japanische Erziehung einer kontrastiven und kritischen Analyse zu unterziehen. Sie schreiben, und ihr Argument bezieht sich hier vor allem auf Mädchen und junge Frauen: In Japan muß sich eine Grundschülerin so verhalten, wie es von einer Grundschülerin erwartet wird, sie muß *shôgakusei-rashii* sein. Und dies ist nun alles andere als neu. Schon in der Tokugawa-Zeit (1600-1868) zeigte das Suffix *–rashii* die Annäherung an ein ideales Existenzmodell (*kata*) an; etwa an die – oft nach Alter gestaffelten – für ideal vorgestellten, ja vorgeschriebenen Modelle eines „Bauern", eines „samurai", oder auch – ein Moment besonderer gesellschaftlicher Virulenz – einer „Frau". Die Regierung erließ in regelmäßigen Abständen Edikte, die die Parameter, die Muster einzelner existentielle Modelle – Mann, Frau, *samurai*, Händler, Bauer – definierten. Handbücher gaben Auskunft über die jeweils angemessene Art zu sprechen, sich zu kleiden, zu essen. Die Regierung verbot in den sogenannten *fûzoku torishimari*, „Kontrollen der Sitten und Gebräuche", Frauen zum Beispiel jede mit dem Theater verbundene Tätigkeit und schrieben ihnen häusliche Arbeiten, Nähen und Weben, vor. Heutzutage muß sich eine Mittelschülerin so verhalten, wie es von einer Mittelschülerin erwartet wird, sie muß *chûgakusei-rashii* sein, eine Oberschülerin muß sich so kleiden und ihre Haare so tragen, wie es von ihr erwartet wird, d.h. wie es vorgeschrieben ist. Anders als in anderen Ländern könnten sich die Mädchen und jungen Frauen somit nicht darin üben, langsam ihren eigenen Stil zu entwickeln. Das Verfahren des „trial and error" stehen den jungen Japanerinnen nicht zur Verfügung; das Verfahren über den Umweg des Irrtums und des Mißlingens herauszufinden, wer man selbst ist, was zu einem paßt, was jibun-rashii, also der einzelnen und dem einzelnen selbst angemessen ist. Auf diese Weise entwickelten sich in westlichen Gesellschaften Individuen mit *Kritikfähigkeit (hihanryoku o motta koseitekina hito)*. In Japan hingegen, einer Gesellschaft, die nicht auf Reife und Kritikfähigkeit, sondern auf *rashisa*, eben „Angemessenheit" ziele, wäre das Wichtigste, diese *rashisa* zu spielen, zu inszenieren (*enjiru!*). Solange es gelänge, diese *rashisa* zu inszenieren – wobei man sich an einem reichen Fundus von Regeln, Vorschriften und Benimm-Dich-Almanachen orientieren kann – macht man nichts falsch und erreicht so eines Tages das Erwachsenenalter, das stillschweigend aben als das Alter definiert sei, in dem man nichts mehr falsch macht. Es handelt sich hier offensichtlich um ein *double-bind*, eine Zwickmühle, ein psychologisches Paradox. Erwachsen ist man im japanischen Milieu nach Meinung dieser Autorinnen und Autoren nur, wenn man nichts falsch macht (*shippai ga shinai*), aber man macht nur dann nichts falsch, wenn man die Regeln, die einem – gemessen an westlichen Vorstellungen – gerade daran hindern, zu einem kritikfähigen Individuum zu werden, beherrscht und befolgt. *Genau hierin* nun soll eine Erklärungsmöglichkeit für den – in westlichen Augen – blinden Konsumerismus der Japaner liegen: wenn etwa die jungen Frauen in ihrer Freizeit oder dann vor allem nachdem sie die Schule verlassen haben, „Modefreiheit erlangen" (*oshare e no jiyû o eru*), dann müßten sie in kurzer Zeit das, was sie während der langen Schulzeit nicht erfahren konnten, nachholen und sich aneignen. Aber jetzt verwickeln sie sich in dem eben beschrieben double bind: da sie bereits erwachsen sind, also das Alter erreicht haben, in dem die Gesellschaft ihnen keine Fehler mehr erlaubt, besteht kaum mehr eine Möglichkeit, die Techniken eines individuell geprägten Selbstausdrucks zu erlernen. Statt dessen kauft. man Magazine und sammelt Informationen über den richtigen Haarstil, über die richtige Art sich zu schminken, über die richtige Art sich zu kleiden. Als Kriterium gelte dabei: nichts falsch zu machen, das Ziel: Angemessenheit. „Students wear tartan shirts, jeans and clumpy boot-like footwear, and, if the weather is cold, bomber-jackets; businessmen and bureaucrats wear suits (blue is the favoured colour) with ties and white shirts. Intellectuals', which in Japan means writers, artists, poets, well-known journalists and classical musicians, and university teachers, wear either rather tweedy clothes, possibly with an open-necked shirt, or the same uniform as the businessmen, but with the vital addition of a beret, the sure sign of intellectual Status. Youth-culture persons wear youth-culture uniforms, 'office ladies' (clerical workers) wear skirts with white blouses or business woman's suits. The key is appropriateness: being not so much tidy as dressed for one's role. In Japan, all the world is indeed a stage." (Clammer: 198)

Literatur:

Clammer, John: „Aesthetics of the Self, Shopping and social being in contemporary urban Japan." In: Shields, Rob. (Hg.): Lifestyle Shopping, the subject of Consumption. London and New York 1992

Heise, Jens: Die kühle Seele. Selbstinterpretationen der japanischen Kultur. Frankfurt am Main 1990

Maruyama, Masao: Denken in Japan. Frankfurt am Main 1988 Pinguet. Maurice: Der Freitod in Japan. Ein Kulturvergleich. Berlin 1992 Pollack, David: The Fracture of Meaning. Princeton 1986

Pinguet, Maurice: Der Freitod in Japan. Berlin 1991

Soeffner, Hans-Georg: Auslegung des Alltags – Der Alltag der Auslegung. Frankfurt am Main 1989

Erhard Stölting

Der exemplarische Dandy

Soziologische Aspekte des schönen Scheins

Das äußere Erscheinungsbild ist stets ein erster Anhaltspunkt der wechselseitigen Einschätzung im alltäglichen Umgang. Interaktionen beginnen damit, daß
das Aussehen und das sichtbare Verhalten der anderen Menschen durchgemu-
stert und Gefährliche und Ungefährliche, Geschickte und Ungeschickte, Ein-
heimische und Fremde rasch unterschieden werden. Nicht mit jedem möchte
man in eine intensive Kommunikation treten, es gibt andere, die man auf ihre
Ansprechbarkeit hin abschätzt. Bewegungen, Gesichtsausdruck, Größe, Geschlecht, Alter, Haarschnitt usw. sind Orientierungshilfen, und die soziale Kompetenz besteht darin, diese Signale hinreichend fehlerfrei lesen zu können. Diese
soziale Kompetenz ist dabei auf jeweils bestimmte Gesellschaften und Zeiten beschränkt. Und sie ist den Beteiligten nicht vollständig bewußt.

Die Kriterien anhand derer die neuen Erfahrungen sortiert und bewertet
werden, enthalten ebenso sehr Erinnerungen, wie sozial erlernte, erfahrungsresi-
stente Vorurteile und Stereotypen. Die empirische Erfahrung eröffnet mithin die
Möglichkeit, Neues zu lernen, und sie stabilisiert zugleich überkommene Ordnungen. Sie macht ihren Hiatus zu den vorgängigen Erwartungen spürbar und
weckt damit Unbehagen und Veränderungsbereitschaft; und sie reproduziert Legitimationen für soziale Diskriminierungen und Unterdrückung.

Die Erwartungen, Kriterien, Vorurteile und Legitimationen enthalten überschüssige ästhetische Momente, die sich sprachlich nicht vollständig erfassen lassen. Die verbale Nennung kann die ästhetischen Erwartungen und Kriterien evozieren, wenn sie mit Wörtern eine feste Verbindung eingegangen waren. Die Erlebnisqualität aber entzieht sich der sprachlichen Fixierung.[1] Das gilt bis in den
Bereich der sozialen und politischen Symbole hinein, die eine ästhetische Eigendynamik haben und die Wirksamkeit vernünftiger Einsicht blockieren können.
Habitualisierte Wahrnehmungen sperren sich gerade über ihre ästhetischen Momente gegen diskursive Einsicht.

Gerade weil sich diese ästhetischen Momente gegen einen diskursiven Zugriff sperren, sind sie in der Soziologie zwar immer wieder umrundet worden.
Die wissenschaftlichen Anstrengungen richteten sich auf gesellschaftliche Ursa-

chen und Kontexte, auf Verschiebungen der eingesetzten Kategorien oder auf die soziale Situierung des ästhetischen Moments überhaupt. Integrierbar in die wissenschaftliche Argumentation schien es aber nicht zu sein.

Immerhin ließ und läßt sich das ästhetische Moment des sozialen Lebens jedoch konzeptionell isolieren. Erleichtert wurde dies durch spezifische gesellschaftliche Formveränderungen.

Täuschung und Aufrichtigkeit

Das Bewußtsein individueller Selbstdarstellung in der Interaktion unterstellt und konstituiert die getrennte Existenz und die prekäre Korrespondenz von innerer Persönlichkeit und äußerer Erscheinung, von Intention und Darstellung. Der Rückschluß von der äußeren Erscheinung auf die Person ist zugleich unvermeidlich und unzuverlässig. Die volkstümliche Maxime, man solle nicht auf das Äußere sondern auf das Innere eines Menschen achten, verweist zwar auf die Gefahr einer falschen oder ungerechten Wahrnehmung und eines darauf aufbauenden falschen und ungerechten Handelns. Sie verkennt aber auch, daß das Innere stets nur an einem Äußeren abgelesen werden kann.

Es kann auch sein, daß der Beobachtete absichtlich falsche Signale setzt, daß er täuscht, daß er versucht, als jemand zu erscheinen, der er nicht ist. Die Möglichkeit zu lügen oder sich zu verstellen ist Element aller Interaktionen. Der Hochstapler wird an dieser Stelle über den historischen soziologischen Typus hinaus zur Veranschaulichung eines Moments jeder Interaktion.

Das Moment der potentiellen Täuschung geht aber über die nachprüfbare fehlerhafte Fehldeutung oder über den gewollten Betrug hinaus. Denn ein großer Teil der sozialen Wahrnehmungen ist ohnehin nicht oder nicht eindeutig in Sprache übersetzbar. Nicht nur Begriffe, auch die nur sinnlich erfahrbaren Momente der Wahrnehmung sind den sozialen Interaktionen inhärent und werden in ihnen reproduziert. Die Kleidung, Gesten, die Physiognomie und die Redeweise gehen auch in ihren nur ästhetisch faßbaren Aspekten in die wechselseitigen Einschätzungen ein, die sich nicht eindeutig notieren lassen. Die Benennungen, die sprachlich kommuniziert werden, setzen eine vorgängige sinnliche Erfahrung voraus, über die bereits kommuniziert wurde. Die Symbole oder Begriffe wecken Erinnerungen, die in den sozialen Kontexten ihre spezifische Bedeutung erhalten.

Diese Differenz von sinnlich erfahrbaren Momenten sozialer Wahrnehmung einerseits und ihren diskursiven Elementen andererseits war relativ unproblematisch, wo die Ordnung der Gesellschaft und ihre symbolische Repräsentation noch eindeutig waren: in den meisten vormodernen Gesellschaften. Die sichtbare Seite – Kleidung, Verhalten, Gesten – zeigten den sozialen Ort des Einzelnen an.

Vormoderne Gesellschaften legten großen Wert auf die soziale Eindeutigkeit der individuellen Selbstdarstellung. Die Kleidung, das sichtbare Verhalten und oft auch die Sprechweise sollten die gesellschaftliche Stellung einer Person eindeutig bezeichnen und anzeigen, ob jemand Bauer oder Priester, Adliger oder Bürger, Jude oder Christ, ehrbar oder unehrlich war. Insofern die gesellschaftliche Ordnung als legitim und unveränderlich galt, galten es auch die Selbstdarstellungen. Denn sich als Repräsentant eines höheren Standes auszugeben, erschien als ein Akt der Rebellion. Innerhalb jeder Gesellschaft war aber die potentielle Differenz zwischen Darstellung und Dargestelltem kein prinzipielles Problem.

Sicherlich gab es Brechungen: Herrscher konnten sich als Arme verkleiden, etwa um wie Harun al-Raschid mit dem Volk in unmittelbare Beziehung zu treten – ein Traum der Armen und Machtlosen. Bauernsöhne konnten sich als Edle verkleiden und damit freveln, wie Meier Helmbrecht. Die Travestie wurde immer als vorübergehend und bemerkenswert, aber als auf die Dauer unhaltbar dargestellt. Die Täuschung war ein nur moralisches Problem, und die legitime Ordnung setzte sich immer wieder durch. Der Teufel mochte sich noch so gut verkleiden, an irgend etwas verriet er sich doch.

Ganz hatte der Anspruch auf individuelle Exzellenz allerdings nicht gefehlt. Aber er wurde innerhalb der sozialen Ordnung formuliert. Adlige und Bürger konkurrierten untereinander innerhalb ihres jeweiligen Standes. Es gab innerhalb der ständischen Ordnungen durchaus Moden, aber sie überschritten die Standesgrenzen noch nicht. Universell wurde die modische Konkurrenz als die ständischen Schranken brüchig wurden.

Mit der allmählichen Erosion der ständischen Strukturen wuchs die Bedeutung des Vortäuschens. Anstelle einer Darstellung ständischer Zugehörigkeit trat die Darstellung von Individualität und individueller Exzellenz. Sie aus der äußeren Erscheinung und dem äußeren Verhalten abzulesen, wurde zu einem erheblichen oder gar prinzipiellen Problem.[2] Kleidung und Verhalten wurden nun mehr und mehr ein Instrument zur Darstellung von Individualität. Individualität und soziale Zugehörigkeit, die bislang durch Herkommen und Zwang zusammengehalten worden waren, konnten nun auseinandertreten. So wurde das moderne Individuum möglich, das sich dadurch schafft, daß es sich von der Gesellschaft distanziert. Die äußere Erscheinung sollte nun den Platz des Individuums gegenüber der Gesellschaft und seinen Eigenwert charakterisieren. Gesellschaftliche Unterschiede wurden dadurch nicht aufgehoben. Aber die individuellen Unterschiede von Reichtum, Macht, Bildung, Kultiviertheit, Klugheit usw. wurden tendenziell dem Individuum allein zugerechnet. Das Individuum beanspruchte etwa eine elitäre Position nicht mehr nur aus seiner Herkunft, sondern aus seiner individuellen Besonderheit. Das hat sich bis heute erhalten.[3] Wo elitäre Bildungen dennoch auf vorgängige gesellschaftliche Ungleichheitsstrukturen bezogen wurden, geschah dies oftmals in kritischer, egalitär motivierter Absicht.

Diesen dynamischen Mechanismus haben Georg Simmel und Robert Michels beschrieben: Mit der modischen Selbstdarstellung suchen Individuen ihre herausragende Individualität zu zeigen. Insofern sie darin durch andere anerkannt werden, werden sie zu einem nachgeahmten Vorbild. Indem sich aber die Mode auf diese Weise generalisiert, verliert sie ihre Wirkung als Ausweis individueller Erlesenheit. Die ästhetische Elite muß sich etwas anderes suchen.[4]

Dieser Modemechanismus indizierte und repräsentierte neue gesellschaftliche Formen. Auf der einen Seite stand der Eindruck eines nur individuellen Geschmack und individuelle Exzellenz sortierenden Wettbewerbs. Auf der anderen Seite blieben strukturelle Einschränkungen bestehen: als wahrnehmbare Differenzen des Wohlstands und der Herkunft. Die Herrschafts- und die Sozialordnungen blieben damit immer auch sinnlich erfahrbar. Sie wurden ästhetisch legitimierbar und ästhetisch kritisierbar.

Soziologisch faßbar und historisch verortbar war damit der Mechanismus selbst: eine in die Gesellschaft durch die Mode eingebaute unablässige ästhetische Innovation. Soziologisch schwerer erfaßbar hingegen blieb das ästhetische Moment selbst, das in den unmittelbaren Interaktionen und über sie auch in hinaus allen sozialen Prozessen und Strukturbildungen wirksam war.

Die gesellschaftlichen Ordnungen und ihre Gegenbewegungen hatten damit immer eine historische und regional spezifische sinnlich erfahrbare Seite, die in Legitimationsdiskursen, geschichtsphilosophischen Begründungen, in politischen Formeln nicht aufging. Die Bedeutungen, die etwa die ästhetischen Momente von Herrschaft erwarben, wurden in Interaktionen prozessiert und verändert, aber sie waren nicht vollständig verbalisierbar.

Mit der Möglichkeit des Täuschens und des Manipulierens stellte sich allerdings auch den ästhetischen Repräsentationen das Problem der „Wahrhaftigkeit" oder der Authentizität. Wenn die Selbstdarstellung absichtsvoll oder unabsichtlich täuschen kann, dann kann sie auch ehrlich sein. Die moralische Forderung war nicht mehr ständisch. Sie verlangte eine Entsprechung von „Innen" und „Außen"; jemand sollte sich nur als das darstellen, was er tatsächlich sei.

Diese gewünschte Aufrichtigkeit ließ sich durch die Negation der darstellenden Momente überhaupt noch steigern: Jemand achtet nicht darauf, wie er anderen erscheint und zeigt dadurch seine Ehrlichkeit. Aufrichtigkeit besteht dann in der prinzipiellen und demonstrativen Ablehnung des ästhetischen Moments und der ästhetische Verdoppelung überhaupt.

In der Bildungsphase des deutschen Nationalismus wurde die potentielle Unehrlichkeit, der leere Schein, die Täuschung, die Mimicry der modernen Zivilisation zugeschrieben – an der Wende des 18. zum 19. Jahrhundert den Franzosen. Tiefe und Ehrlichkeit wurden zu Merkmalen des echten Deutschen.[5] In der

Kulturkritik des 19. Jahrhunderts wurde der Topos auf die moderne bürgerliche Gesellschaft verallgemeinert. Ende des 19. Jahrhunderts ging er in den modernen Antisemitismus ein.[6]

Das grundlegende soziologische Dilemma ließ sich damit jedoch nicht umgehen. Denn selbst die Aufrichtigkeit entgeht der Verdoppelung nicht. Auch sie muß sichtbar gemacht werden. Nur wenn Aufrichtigkeit überzeugend vorgeführt wird, erscheint sie anderen glaubwürdig. Auf die bange Frage, ob die Aufrichtigkeit selbst aufrichtig oder nur vorgespielt ist, gibt es keine sichere Antwort.

So sehr die potentielle Unaufrichtigkeit in Interaktionen Unsicherheit hervorrufen kann, so sehr öffnet sie dem Handelnden selbst Freiräume. Die vielfältigen Möglichkeiten der aufrichtigen oder täuschenden Selbstdarstellungen steigern die individuelle Autonomie. In der potentiellen Unaufrichtigkeit entfaltet sich das autonome Individuum.

Es gab zwei Strategien, dieses Dilemma aufzulösen. Auf der einen Seite wurde der Ruf nach Aufrichtigkeit immer wieder aufgegriffen. Die individuelle Autonomie war entsprechend durch moralische Selbstbindung und durch die Selbsteingliederung und Unterordnung unter Gemeinschaften zu beschneiden oder gar aufzuheben. Die verrücktesten Kostümierungen der deutschen Jugendbewegung oder der totalitären politischen Bewegungen des 20. Jahrhunderts konnten sich entsprechend als Verkörperungen von Authentizität oder Ehrlichkeit ausgeben.[7] Auf der anderen Seite gab es die Möglichkeit, mit einem vorgeblich substanzlosen Schein zu spielen bzw. die Substanz – falls überhaupt – als Projektion von Oberflächen zu verkünden. Das Wesen entsteht in zufälligen Montagen und kann beunruhigend sein.

Aber auch dieses individuelle Ethos der spielerischen Selbstdarstellung führte in eine paradoxe Struktur, denn Unaufrichtigkeit kann kein positives Ziel sein. Eine auf Verständnis hin orientierte Interaktion verlangt implizit oder ausdrücklich die Aufrichtigkeit der eigenen Person und des Gegenübers. Ein offensives Bekenntnis zur eigenen Unaufrichtigkeit würde Kommunikation unmöglich machen. Die Täuschung ist nur dann gelungen, wenn der Getäuschte annimmt, er sei nicht getäuscht worden.

Es kommt also auf die Darstellung an. Und diese Darstellung muß auch den Darstellenden selbst plausibel sein. Wer interagiert ist meist zumindest davon überzeugt, daß er sich selbst gegenüber aufrichtig ist. Wo er es nicht ist, muß er sich überreden oder nach einer höheren individuellen Ebene suchen, auf der er sich von seiner Aufrichtigkeit überzeugen kann. Die Reflexivität muß im Interesse der Handlungsfähigkeit eingeschränkt werden. Die Dimension der Täuschung, die sich in ihren ästhetischen Momenten des Handelns von potentieller Wahrheit löst, bleibt dabei über den Zwang zur Selbstdarstellung konstitutiv.

Der Dandy als sozialer Typus

Mit dem paradoxen Dualismus von Täuschung und Aufrichtigkeit bleibt eine moralische Ambivalenz bestehen. Wurde eine sittliche Verpflichtung zur Ehrlichkeit, zur Kongruenz von Selbstdarstellung und Persönlichkeit gedacht, dann erschien ihre Trennung potentielle Täuschung. Es konnte bewußter Betrug vorliegen – sei es für weiterreichende übergeordnete sittliche Ziele, fromme Lügen, sei es in egoistischer Absicht. In keinem Falle trat das Individuum aus sittlichen Kontexten heraus.

Und doch war es nun auch denkbar geworden, das sich darstellende Individuum als moralisch neutral zu deuten, wenn der systematische Zusammenhang zwischen Selbstdarstellung und Persönlichkeit gelockert wurde. Es war ja unklar, was die Persönlichkeit, die sich äußerlich im sozialen Raum darstellte, „in Wirklichkeit" wohl war. Denn sie war anders als über ihre Selbstdarstellungen nicht erfahrbar.

Der Dandy ist der klassische soziale Typus, der diese soziologische Relation verkörpert. Das ästhetische Moment der sozialen Beziehungen ist beim Dandy zum ausschließlichen geworden. Seine weitestgehende Darstellung hat dieser Typus des Dandy sicherlich in der Darstellung des englischen Dandy Brummell durch Barbey D'Aurevilly gefunden.[8]

In seiner Selbstdarstellung ist der Dandy reine Äußerlichkeit. Es kommt bei ihm nur auf den Schein an, der seinerseits sorgfältig gestaltet wird. Inneres und Äußeres kongruieren in dem Sinne, daß es jenseits des Äußeren kein Inneres mehr gibt. Die Persönlichkeit wird damit zu einem Kunstwerk, etwas gemachtem, das im Idealfall jede Natürlichkeit aus sich verbannt hat.

Natürlich gehört es zu dieser Künstlichkeit auch, daß sie sich als natürlich ausgibt. Die Sorgfalt, Kreativität und Anstrengung, die zur Schöpfung der Außenseite aufgewendet wurden, dürfen nicht mehr erkennbar sein. Beau Brummell verbrachte täglich mehrere Stunden in seinem Ankleidezimmer, um jene Lässigkeit des Aussehens zu erreichen, die die Anstrengung ihrer Herstellung selbst versteckte.

Wesentliches Moment dieser Lässigkeit war dabei auch die Distanz gegenüber der eigenen Natur. War die Persönlichkeit ein Kunstwerk, das natürlich wirkte, so konnte es nicht zulassen, daß eine natürliche Natur seine Integrität zerstörte. Der Typus des Dandy kannte daher keine großen Leidenschaften, keine Ekstase, keinen Verlust der Selbstkontrolle. Abneigung und Zuneigung äußerten sich in der gleichen Form freundlicher und zerstreuter Ironie. Die Gleichgültigkeit gegenüber dem anderen Geschlecht ist dabei – meist nicht zu Unrecht – als Homosexualität gedeutet worden. Aber auch die Homosexualität verblieb in einem Rahmen ironischer Gleichgültigkeit. Leidenschaft und Selbstvergessenheit wären für einen Dandy auch dem eigenen Geschlecht gegenüber nicht angemessen gewesen, denn wer die Selbstkontrolle verliert ist unterlegen. Letztlich kann in der Gestalt des Dandy die Sexualität überhaupt als ein Phänomen der Unbeherrschtheit und des Hingerissenseins verstanden werden, das die Artifizialität der Person stört, und schlimmer noch, schlechten Geschmack zeigt.

Die Distanz des Dandy gilt auch dem politischen, sozialen oder religiösen Leben. Er sieht dem Engagement der anderen zu und ist kein erbitterter Gegner dessen, was er beobachtet. Allenfalls tadelt er Vulgarität und schlechten Geschmack. Es geht ihm nicht darum, was getan wird, sondern wie es getan wird.

Die damit formulierte ironische Distanz, die die Beobachteten und den Beobachtenden selbst nicht ernst nimmt, läßt sich auf einer sozialen Ebene in Macht ummünzen. Denn wer ironische Distanz einnimmt beansprucht Überlegenheit. Der Dandy lobt kaum und scheint dem Lob anderer gegenüber gleichgültig zu sein. Gerade damit aber kann er Macht ausüben.[9]

Der Dandy gewann seine soziale Stärke daraus, daß er sich vollständig beherrschte, ohne daß seine Selbstbeherrschung als Anstrengung erkennbar wurde. Die Selbstdarstellung, die der guten Gesellschaft galt, tat so, als sei ihr die gute Gesellschaft gleichgültig. Eine Basis der Macht war der Anschein von Desinteresse an der Macht.

Die ironische Distanz kann insofern als Herrschaftsmittel angesehen werden, als sie bei den anderen Selbstzweifel auszulösen vermag. Wenn in Interaktionen nach Bestätigung für die eigene Person gesucht wird, erscheint jener, der anderen diese Bestätigung vorenthält, überlegen. Immun gegenüber einer solchen ironischen Verweigerung von Anerkennung sind nur solche Personen, die als Egozentriker oder aus Überzeugung ihre soziale Umwelt so selektiv wahrnehmen, daß sie ohne Selbstzweifel ihren angenommenen Zielen folgen können. Sie können damit als ein Paralleltypus des Dandy konstruiert werden. Wo der Dandy reine Außenseite zu sein scheint, erscheinen sie in ihrer Zielorientierung befangen. Aber weder der ausschließlich in seinen Forschungen versunkene Gelehrte noch der sich ausschließlich um das Gemeinwohl sorgende Politiker entkommen dem Darstellungsproblem.[10]

In seiner radikalen Form präsentiert sich der Typus des Dandy also als reine Oberfläche; es gibt kein Inneres, in dem Leidenschaften, Ängste, Zweifel zu lokalisieren sind. Aber eine Außenfläche ohne ein Inneres, das sie umspannt, ist nicht denkbar.

Tatsächlich kann dieses Innen in mehreren Weisen ins Spiel kommen: Erstens kann das systematische und scheinbar zwanglose Verbergen des Inneren einen Eindruck von Unergründlichkeit hervorrufen und das Publikum faszinieren. Die Verrätselung der Person trägt zur Steigerung ihrer sozialen Macht bei. Der Dandy kann aber auch durch seine undurchsichtige Oberflächlichkeit und seine ironische Distanz darauf hinweisen, daß sein Innenleben besonders komplex, erlesen und ungewöhnlich sei. Die Selbststilisierung als Dandy kann dann in distanzlose öffentliche Präsentation des persönlichen Unglücks umschlagen. Zu den dafür paradigmatischen Gestalten zählen sicherlich Oscar Wilde oder Charles Baudelaire.[11]

Oscar Wilde, der besonders sichtbar versucht hatte, den Typus zu inkarnieren, war im extremen Fall nicht in der Lage, ihn durchzuhalten. Das ästhetische Lebensideal des Dandy stürzte ab. Vielleicht benutzten einige den ästhetischen Lebensstil auch nur, um genau das vorzutäuschen, was sie oberflächlich darstellten, die Abwesenheit eines faßbaren Kerns: Die vorgeführte unangreifbare Oberfläche sollte eine Essenz vortäuschen, die geheimnisvoll erscheinen sollte. Der Umschlag zur exhibitionistischen Aufrichtigkeit oder zur Religiosität in ihrer prächtigsten Form, lag nahe.[12]

In seiner radikalen Vereinseitigung erscheint der Dandy schon in der Konstruktion des Typus unrealisierbar und doch verweist er eindringlich auf die Bedeutung der ästhetischen Momente in sozialen Interaktionen. Zunächst bleibt allerdings die spezifische Art von Macht, die vom Dandy ausgeht, auf jenen sozialen Raum beschränkt, der durch die unmittelbaren Interaktionen bestimmt ist – in dem es also auf Geschmacksurteile, auf soziale Anerkennung usw. ankommt. In der Perspektive Simmels war dieser Raum die Geselligkeit als reine zwecklose Form, als „Spielform" der Gesellschaft, ohne in weiteren praktischen Zusammenhängen zu stehen. Kunst und Geselligkeit wurden damit nicht gleich, aber in ihrer Distanz gegenüber externen Zwecken – erotischen, politischen, wirtschaftlichen, militärischen usw. – analog.[13]

Soziale Macht läßt sich in diesem gesellschaftlichen Kontext nicht unmittelbar in politische, wirtschaftliche, institutionelle Macht umsetzen. Aber als Moment sozialer Interaktion überhaupt bleibt sie auch in anderen Kontexten wirksam.

Die typisierende Abstraktion allerdings wird schon erkennbar und findet darin eine Begrenzung, daß der real vorgestellte Dandy in seinem Verhältnis zum umgreifenderen gesellschaftlichen Leben als ein Sondertypus erscheint: Er muß wohlhabend sein, denn als jemand, der sich auf seine äußere Darstellung konzentriert, kann er sich nicht um einen Broterwerb kümmern. Ohne ausreichende finanzielle Mittel oder unter dem Zwang zu harter und regelmäßiger Arbeit ließe sich seine distanzierte und kultivierte Existenz nicht aufrecht erhalten. Nach politischer Macht zu streben, hieße die distanzierte Ironie aufzugeben. Die Akkumulation von Geld setzt eine Konzentration voraus, die dem Dandy nicht gestattet ist. Der Dandy gibt Geld aus, er verdient keines. Er soll zwar in kulturellen Dingen Geschmack besitzen, er ist als Sammler erlesener Bilder, Bücher oder Manuskripte denkbar, er darf in einzelnen Künsten sogar selbst etwas dilettieren. Er darf aber selbst in jenen Bereichen, in denen er dilettiert, keine Meisterschaft erreichen. Denn eine solche Meisterschaft verweist auf Beharrlichkeit, Leidenschaftlichkeit, Anstrengung und Hingabe. Der Dandy muß sichtbar die Existenz eines kultivierten Müßiggängers führen.

Er gehört damit nicht zu den Armen und Entrechteten, aber auch nicht zu den Mächtigen. Er ist ein Geschöpf der guten Gesellschaft und nicht jener Orte und Situationen, in denen es um wirkliche Macht, Entscheidungen und Intrigen geht. Der Dandy diniert bei den Mächtigen.[14]

Als Typus ist der Dandy mithin einerseits nur unter spezifischen und eingeschränkten sozialen Rahmenbedingungen denkbar. Seine Widersprüche aber verweisen auf reale Komplikationen, die dann entstehen, wenn Momente des Typus an der sozialen Wirklichkeit gefunden werden können.

Entsprechend ist auch gesellschaftliche Herrschaft ohne ihre ästhetische Selbstpräsentation und Täuschung kaum zu denken. Der herrschende Dandy bzw. der Dandy als Herrscher blickt auf die kleine Welt unter ihm hinab aus einer distanzierte Höhe, in der vielleicht nicht einmal Machtgier mehr eine besondere Rolle spielt. Er durchschaut die Eitelkeit und Leichtgläubigkeit der anderen und spielt mit ihr. Auch für diesen Typus fand das 19. Jahrhundert eine Formel: den Renaissancemenschen.[15]

Projiziert man allerdings jene Aspekte, die hier in einem Typus abstrahiert wurden, auf andere soziale Prozesse, dann kann erkennbar werden, daß sie die ästhetischen Momente mittransportieren und von ihnen geprägt werden. Das Problem der Aufrichtigkeit, des Scheins, der Zuschreibung über Äußerlichkeiten gilt auch in jenen Interaktionen, in denen es um Macht oder Gewinn geht.

Ästhetische Antworten auf die Krise der Moderne

Die ästhetische Seite des sozialen Lebens, die sich im Typus des Dandy gleichsam in reiner Form rekonstruieren läßt, ist über die unmittelbaren Interaktionsbeziehungen hinaus verlängerbar. Entscheidend ist in diesem Zusammenhang nicht nur die Setzung eines Innen-Außenverhältnisses, sondern die heuristische Figur des amoralischen Individualismus unmittelbar.

Historisch entsteht beides zugleich. Die Steigerung des Individualismus kann bis zu anarchischen und zugleich amoralischen Konsequenzen gehen.[16] Selbst Verbrechen können sich dann in rein ästhetische Probleme verwandeln.[17]

Demgegenüber stand Natur und Aufrichtigkeit in den begrifflichen Traditionen Rousseaus und einer ästhetischen Tradition seiner Zeit.[18] Der englische Garten war natürlicher als der absolutistische französische.[19] Die bürgerliche Kritik an der höfischen Kultur hatte vor allem deren Formalität, schönen Schein und Verlogenheit getadelt.[20] Die Ehrlichkeit ließ sich zum Ende des 18. und zu Beginn des 19. Jahrhunderts bis in Einzelheiten forttreiben: Bärte, Bauernblusen und Tiefsinn. Werthers Kleidung war so ganz anders als die Cagliostros oder des

Grafen von St. Germain. Der Widerspruch gegen eine angeblich verlogene Ästhetik des Rokoko generierte eine andere Ästhetik, die mit Aufrichtigkeit konnotiert wurde. Die Ästhetik trat in den Dienst einer guten Sache und aufrichtiger
Gefühle.

Die Ästhetisierung der gesellschaftlichen Verhältnisse überhaupt wurde nun
als amoralisch gebrandmarkt. Sie erschien als ein Rückzug aus ethischer Verantwortung, als Gefühllosigkeit gegenüber den Opfern, als eine Form der Grausamkeit. Ästhetisierung wurde damit potentiell zum Gegenbegriff zu Mitleid, Em-
pathie oder sittlichem Engagement also jenen ethischen Qualitäten, die allein
öffentlichkeitsfähig sind.

Ästhetisierung erschien besonders dort verwerflich, wo es um Gewaltver-
hältnisse oder große Verbrechen geht. Der Brand Roms im Jahre 57, an dem sich,
folgt man dem Zeugnis Sallusts, Nero ergötzte, nachdem er ihn gelegt hatte, war
für eine solche Ästhetisierung paradigmatisch. Dieser Topos blieb bis in die Gegenwart erhalten. Die Ästhetisierung des Krieges bei den Futuristen, die Ästhetisierung von Herrschaft im italienischen Faschismus oder gar die Ästhetisierung
des Nationalsozialismus wurden zu Paradigmen der Ästhetisierung von Herrschaft überhaupt.[21] Immer war die Ästhetisierung dabei mit einer Selbststilisierung erlesener Persönlichkeiten verbunden, einer Stilisierung die sich dem Typus
des Dandy annäherte, etwa bei Gabriele D'Annunzio oder bei Ernst Jünger.[22]
Aus seiner Perspektive verweist der Begriff der Ästhetisierung damit auf eine
Grundkonstellation des modernen sozialwissenschaftlichen Denkens: den Zerfall
bislang selbstverständlicher Wertbindungen, Institutionen und Weltbilder. Das
Relativismusproblem wird nun allerdings gleichsam ästhetisch radikalisiert. Es
geht nicht mehr darum, daß letzte Werte nicht mehr rational begründbar seien
oder daß schon Begründungsversuche ihre Legitimität und damit ihre Gültigkeit
zerstören.[23] Es geht nun um eine prinzipielle Distanz gegenüber allen normativen
Bemühungen. Die Ästhetisierung erscheint auf den ersten Blick wie ein ironischer Kommentar zu allen wohlmeinenden Anstrengungen, einen rationalen
Ausweg aus der ethischen Begründungskrise der Gegenwart zu finden.[24]

Schon das 19. Jahrhundert hatte die Möglichkeiten einer mimetischen Aneignung der Geschichte und der Gesellschaft mitbedacht. Die Idee einer verste-
henden Aneignung von Geschichte gerade in ihren ästhetischen Momenten, die
Vorstellung einer Vielfalt von Identifikationsmustern und Identifikationsobjek-
ten wurde sowohl Grundlage des Historismus wie eines historischen Pessimis-
mus. Es ist nicht nur alles gesagt, es kann auch nichts Neues mehr entstehen. Die
Gegenwart ist eine Epoche des Niedergangs, weil sie eine Epoche des hilflosen
Bewußtseins ist.[25] Aber auch hier war der Ausweg die radikale Negation, die die
moderne Kunst vorantrieb, aber ihre Innovativität schließlich einschränkte. Was
blieb war der leere Anspruch auf Innovation.

Auch das Individuum verliert seine historische Kraft, indem es historisches Bewußtsein erwirbt: Alles steht nun gleichwertig nebeneinander, nichts ist besser oder schlechter. Es kommt nur noch auf das Erlebnis an.[26] Das Individuum bestimmt sich durch seine Identifikation mit etwas anderem.

Carl Schmitt hat diesen Persönlichkeits- und Verhaltenstypus an der Gestalt der Romantikers Adam Müller gegeißelt.[27] Das von den Zwängen der Tradition befreite Individuum kann sich in verschiedene Zeiten, Kulturen und Persönlichkeiten hineinversetzen und sie nachspielen. Die angeblich spielerische Distanz wird an ihm als Beliebigkeit und Unernst identifiziert. Das romantische Individuum entscheidet sich nach Schmitt nie endgültig, es spielt Verhaltens- und Persönlichkeitsmuster durch.

Modernität erscheint hier in erweiterter Form. Im mimetischen Individuum, das sich mit fremden Mustern identifiziert und sie durchprobiert, wird die „Substanz" zum Ort beliebiger Projektionen. Die Authentizität steht damit nicht im Gegensatz zu einer falschen Darstellung; sie ist eine unter vielen möglichen Darstellungen. Auch Schmitt selbst, der den Verlust beklagt, hat ihm nichts entgegenzusetzen. Seine Lösung, die bloße Entscheidung, greift auf Beliebigkeit zurück. Die darstellende Naivität, die vor dem Aufteilen des modernen Individuums bestanden hatte, ist endgültig verloren. Auch die Entscheidung ändert ja nichts an der Ausgangskonstellation. Sie will etwas auf Dauer stellen, das sonst seriell hintereinander gesetzt werden kann. Das Ende der unschlüssigen Beliebigkeit ist ein beliebiger Beschluß.

Allerdings kann das mimetische Moment, dessen Ernst im Entscheidungsbegriff auf einen Augenblick zusammengezogen wird, auch gedehnt werden. Die Entscheidung wird dann auf einen Sozialisationsprozeß verlagert, in dem sich aus anfänglich nur mimetischen Verhalten allmählich eine kulturelle Prägung und mit ihr eine mögliche Autonomie der Persönlichkeit herausbildet. Der Begriff der Sozialisation bewahrt damit die anfängliche Kontingenz auf, um sie dann in eine Prägung, die Verhalten strukturieren soll, zu überführen.[28]

Auch die Sozialisation kann damit die Krise nicht auflösen. Denn der weltweite Kulturkontakt der modernen Welt, der neben der Historiographie den Relativismus mit auf den Weg brachte, kann auch die Resultate von Sozialisationsprozessen relativieren. Das kultivierte, moderne, urbane Individuum ist eines, das seine kulturellen Vorprägungen als ein Problem ansieht, das Grenzen überschreitet, Neues aufnimmt, das sich aber eben deshalb letztlich der Beliebigkeit nicht zu entziehen vermag.

Was man tut ist eine Frage der Wahl unter interessanten Alternativen, der individuellen kulturellen Bereicherung, der Selbsterfahrung. Die Moderne tendiert also nicht nur zur Ersetzung normativer durch technische Kriterien, wie die Kulturkritik meinte.[29] Offenbar haben auch ästhetische Kategorien die Möglichkeit, sich an die Stelle ethischer Kategorien zu setzen.

Zumindest dem Begriff nach wird diese Ästhetisierung des modernen Lebens von sozialstrukturellen Veränderungen eingerahmt. War in der Durchsetzung der Neuzeit die Auflösung ständischer Strukturen vorausgesetzt, so soll es nun die Abkehr von Klassenverhältnissen, von stabilen Lagen und Milieus sein. An deren Stelle trete die freie Wahl von Lebensstilgruppen.[30] Strukturell gebe es einen Zwang, sich einer von ihnen zuzuordnen. Jede Selbstzuordnung ist prinzipiell revidierbar. Die Wahl des Lebensstiles erscheint nicht durch vorgängige soziale Strukturierung determiniert zu sein, sondern in der freien Entscheidung der Subjekte zu liegen. Überdies scheinen die Lebensstile selbst keinen bestimmten Zwecken mehr zu entsprechen. Damit ist aber die Wahl des Lebensstils zu einer Geschmacksfrage geworden.

Geschmacksfragen aber sind Gruppenfragen. Individuen, die sich Lebensstilgruppen zuordnen, zeigen auch die Selbstzuordnung zu einem Milieu an. Innerhalb dieser Milieus kann die in Simmels Modemechanismen erfaßte Suche nach der Anerkennung individueller Erlesenheit wirken. Selbstzuordnung und Individualisierung widersprechen sich in diesem Sinne nicht. Die wechselseitigen Abgrenzungen, Generationen und sozialen Gruppen enthalten immer auch spezifische ästhetische Erlebnisqualitäten, für die sich allenfalls begriffliche Umschreibungen finden lassen. Diese Umschreibungen aber geben die eigentliche Erlebnisqualität selbst nie an, sondern verweisen auf Auslöser, mittels derer sie erinnert werden können.

Phänomenologisch inspirierte Analysen sozialer Stile, wie etwa des Punk, konnten dieses stilistische Phänomen als Teil sehr wohl begrifflich nachvollziehbaren Intentionen in der Gesellschaft erfassen.[31] Das gilt sinngemäß für andere Lebensstilgruppen auch.

Aber auch hier taucht die Vermutung einer Entpolitisierung und Ästhetisierung immer wieder auf, etwa wenn sich ästhetisch stilisierende rechtsextreme Jugendliche von ihren Sympathisanten als bloße Modeerscheinung verharmlost werden. Auch ihre Gewaltakte erscheinen dann in einem merkwürdig unpolitischen Licht – schon weil sie über ihre Zwecke und Werte keine begrifflich konsistente Auskunft zu geben vermögen. Oder ästhetische Montagen gelten gleich als eine Form des „Widerstands".[32]

In der Tat läßt sich der Begriff des Lebensstils auf den Stilbegriff hin pointieren. Historisch unterstellte der Stilbegriff eine Sicherheit des ästhetischen Schaffens. Sie bestand gerade deshalb, weil der Stil nicht als Stil, sondern als das richtige Verfahren bzw. die richtige Form angesehen wurde. In ästhetischer Sicht bot der Stil Verhaltenssicherheit. Er kann in dieser Hinsicht mit dem Institutionenbegriff verglichen werden.[33] Der Stil setzte jene Kategorien voraus, in denen die Kunst wahrgenommen werden konnte. Nachträglich, nach seinem Verschwinden, ließ er sogar Rückschlüsse auf typische Personen seiner Zeit zu. In diesem Sinne sind historische Stile mit historischen Persönlichkeitstypen in einen Zusammenhang gebracht worden.

Bewußt wurde der Stil als solcher erst, als er neben andere gesetzt wurde, als die verschiedenen Stile noch in ihrer jeweiligen ästhetischen und emotionalen Besonderheit wahrgenommen wurden und nicht mehr in den Kategorien von „richtig" und „falsch", „besser" und „schlechter" konnotiert wurden. Stile wurden historistisch zitierbar und erlitten das gleiche Schicksal wie Wertsysteme oder allgemeiner, „Kulturen". Sie waren nicht mehr unbedingt gültige Maßstäbe. In der Kunst wurde es dank der historischen bzw. stilistischen Relativierung möglich, historische Stilepochen zu kombinieren.[34]

Die Stilünernahmen des ästhetischen Historismus entsprachen damit den Unsicherheiten, die der normative Relativismus hervorgerufen hatten. Aber diese Relativierung galt wie für die Gebäude auch für die Lebensformen. Wie in der Kunst und in der Architektur konnte nun, da man sich der Stile und ihrer Bedeutung in der Geschichte inne geworden war, auch an die Entwicklung neuer Stile gegangen werden. Die Moderne war eben durch die Proliferation der Stile gekennzeichnet, die nun unter dem normativen Zwang der Innovativität standen.[35]

Aber indem sie ihre bindende Gültigkeit eingebüßt haben, sind die Stile auch beliebig geworden. Man kann sich für die einen entscheiden oder für andere. Die ästhetischen Qualitäten, die sie vermitteln, vermögen noch normative Energien zu binden, aber die werden austauschbar. In Konzept des Lebensstils wird die Lockerung und serielle Wahlmöglichkeit von Normen und ästhetischen Momenten des sozialen Lebens erkennbar.

Der Sinn und der Schein

Die Grundfigur, die im Problem der Differenzierung von „Innen" und „Außen", in der Entsprechung von ethischem und ästhetischem Relativismus, in der Gleichzeitigkeit von Selbstbindung und Unverbindlichkeit der Lebensstile auftauchte, scheint vorerst nicht auflösbar zu sein. Sie ist von der scheinbaren Inkompatibilität von Engagement und Distanz bestimmt. Wo Engagement als solches bewußt wird, hat es seine Unschuld schon verloren. Aber auch die ironische Distanz, die im Begriff der Ästhetisierung mitbenannt wurde, erweist sich als praktisch unhaltbar.

Sicherlich ist eine radikale Vereinseitigung wie im Typus des Dandy möglich. In einer soziologischen Perspektive erschiene eine solche Vereinseitigung zunächst als eine der historischen Problemlage historisch adäquate Lösungsmöglichkeit. So besteht etwa Erving Goffman zufolge das soziale Handeln vor allem in Selbstdarstellungen. Die Person präsentiert sich mit dem Ziel, von angebbaren

anderen in bestimmter gewünschter Weise wahrgenommen zu werden und un-
erwünschte Eindrücke zu vermeiden. Nur durch die Anerkennung anderer erlangt sie Selbstwertbewußtsein. In diesem Sinne erscheint das soziale Leben als
eine spezifizierbare Vielheit von wechselseitigen Darstellungen. „Identität" läßt
sich damit in Beziehungen und Darstellungen auflösen: Sie ist bei Goffman gerade kein Substanzbegriff mehr, sondern Zuschreibung und Selbstzuschreibung.[36]

Entsprechend wird bei Goffman nicht nur deutlich, daß das „Innen" und
das „Außen" in der Regel gegeneinander variieren, es wird auch deutlich, daß das
„Innen" eine Projektion, eine Form der Selbstillusionierung ist. Aufrichtigkeit
bzw. Authentizität wird so auch bei Goffman zu einem reinen Darstellungsproblem: Aufrichtig ist jenes Verhalten, das anderen und den Handelnden selbst
Aufrichtigkeit glaubhaft macht.

Die Aporien der soziologischen Figur des Dandy kehren damit zurück.
Goffmans Figuren bewegen sich in jenen Räumen, in denen sich bereits der
Dandy aufhielt: der unmittelbaren Interaktion mit wirklichen oder vorgestellten
Personen; die paradigmatische soziale Situation ist dabei die Geselligkeit bzw. die
Party. Dafür stehen bei Goffman allerdings die Randbedingungen bewußt nicht
zur Disposition: also Normalitätsideale, die Abweichungen und Stigmata definie-
ren, und Rahmungen, die dem Handeln bestimmte Sinnalternativen vorgeben.[37]
Gesellschaftliche Macht aber erscheint auch in dieser Perspektive überwiegend
als Täuschung und Selbstsuggestion. Unterlegen sind jene, die sich blenden lassen, denen es nicht gelingt, eine ironische Distanz zu halten, jene, die an ihre
Selbsttäuschungen glauben.

Die Überlegenen sind damit aber nicht notwendigerweise jene, die sich frei
von Illusionen halten, sondern jene, die bei anderen Illusionen zu wecken vermögen. Das schließt nicht aus, daß diejenigen, die andere über ästhetische Ver-
zauberungen beherrschen, sich selbst von ihnen beherrschen lassen. Der Führer
der Menge teilt möglicherweise deren Phantasmen, die er ihr suggeriert.[38]

Das erlesene, distanzierte, mächtige und zynische Individuum erscheint damit selbst eher als eine theoretische und ästhetische Kunstfigur – eine Wunsch-
gestalt von Intellektuellen.

Die Möglichkeit von Stärke hatte bei Plessner etwa in einem Bewußtsein der
menschlichen Exzentrizität bestanden, der Fähigkeit, sich selbst als Fremden anzusehen und reflexiv zu sein.[39] Was hier anthropologisch als Möglichkeit angelegt war, blieb jedoch schon für Plessner starken, elitären Individuen vorbehal-
ten. Denn das ästhetisch spielerische Verhältnis zur Welt ist offenbar schwer zu
ertragen und die darin enthaltene Distanz erschreckend. Der religiöse Zusammenbruch vieler Dandies bereits hatte auf die Belastung durch die paradoxe
Struktur sozialer Beziehungen verwiesen. Die meisten Menschen suchten Plessner zufolge daher nach Sicherheit und Geborgenheit. Die Welt solle eindeutig
sein und eindeutige Orientierungen geben. Die Bereitschaft, sich führen und

verzaubern zu lassen, wurde von Plessner ganz in diesem Sinne als Schwäche interpretiert. Sie erschien bei ihm noch in der Sehnsucht nach Gemeinschaft, nach kognitiv-sozialer Sicherheit und nach Aufrichtigkeit.[40]

Eine entzauberte, rationale Welt hatte schon Max Weber als Zukunftbild entworfen.[41] Schon bei ihm entsprach der nüchterne Blick einer heroischen und asketischen Haltung, die keine weiteren Annehmlichkeiten versprach. In der Tat scheint die Entzauberung schwer erträglich zu sein. Ihr Fortschreiten wird von daher einem Prozeß vielfältiger Wiederverzauberung begleitet. Die nüchternsten Ökonomen versprechen, daß die gnadenlosen Mechanismen einer deregulierten Weltwirtschaft doch schließlich den allgemeinen Wohlstand mehren. Wohlwollende Sozialwissenschaftler meinen am Ende des 20. Jahrhunderts, daß Modernisierungen letztendlich humanisierende Wirkungen entfalten. Die realistische Sicht auf die romantische Kulturkritik weckt immer wieder utopische Hoffnungen auf subversive Wirkungen der Massenkultur.[42] Jene, die deutlich die Wertkrisen der modernen Marktgesellschaften erfassen, hoffen doch auf die Entstehung neuer gemeinschaftlicher Wertbindungen und demokratischer Öffentlichkeiten.[43] Die utopischen Weltentwürfe des 19. Jahrhunderts sind zwar der großen Ernüchterung gewichen. Die Bedürfnisse, die sie belebten sind aber noch da.

Dabei ist das öffentliche Bewußtsein längst weiter fortgeschritten. Das instrumentelle Denken ist auch in jenen Bereichen an die Stelle idealisierender politischer Leitideen getreten, in denen traditionell eine bessere Welt versprochen wurde. Politische Bewegungen und Führer werben nun nicht mehr so sehr mit der Überlegenheit ihrer Programme sondern mit deren Neuheit. Sie verkünden nicht ihre ethischen Orientierungen, sondern ihren Dynamismus, ihre Jugendlichkeit, ihren Pragmatismus, ihr Machtbewußtsein und ihr Charisma. Was sie in einem technischen Sinne zu politischen Leitungspositionen befähigen könnte, wird nun zum Fundament ihres politischen Anspruchs auf legitime Führung.

Das politische Spektakel gewinnt damit auch in seinen ästhetischen Momenten ein Eigengewicht. Die ästhetische Darstellung kann die diskurse Legitimation überwuchern.[44]

Teil der Legitimationsstrategien war die ästhetische Repräsentation immer schon gewesen. In ihr die Funktionsweise politischer Herrschaft und gesellschaftliche Strukturen zu lesen, ist seit langem wesentlicher Teil historisch-politischer und kunsthistorischer Untersuchungen. Herrschaft war immer auch ein zeremonielles Spektakel, das den diskursiven Begründungen nicht nur subsidiär zur Seite trat, sondern in der Befestigung von Legitimitätsglauben den Primat innehatte. Diskursive Begründungen erschienen den Gelehrten immer plausibler als der Menge, die diese Begründungen nicht verstand. Das politische Theater schuf Loyalität, wenn die Darstellung gelungen war.

Wie in den alltäglichen Interaktionen, gab es aber auch in den ästhetischen Repräsentationen immer Momente, die in ihrer diskursiven Übersetzung nicht aufgingen. Gebäude, Plätze, Musikstücke, Gedichte, Fahnen, Naturpanoramen, Aufmärsche und Umzüge erhielten ihre spezifische Bedeutung zwar erst in ihren spezifischen gesellschaftlichen Kontexten. Wesentliches Moment ihrer Überzeugungskraft war aber ihr dinglicher Schein, die Tatsache, daß sie sichtbar und hörbar waren. Daß sie nicht vollständig diskursiv übersetzbar waren, daß sie die emotionalen Momente sozialer und politischer Hoffnungen binden konnten, daß sie auf die Evozierung von Stimmungen und starken Gefühlen angelegt waren, machte ihre besondere Wirksamkeit aus.

Auch in praktischer Hinsicht waren sie wichtiger: Denn kollektives oder gar altruistisches politisches Handeln – in welcher Richtung auch immer – ließ sich leichter über starke Gefühle mobilisieren, als durch Vernunftgründe.[45] Symbolische Objekte eigneten sich daher besonders dafür, die emotionalen Momente sozialer und politischer Hoffnungen und Identifikationen zu binden. Die bestimmten Formen der ästhetischen Erfahrung, die „Erlebnisqualitäten", hatten einen Eigenwert.

Die totalitären Regime des 20. Jahrhunderts übten daher über die ästhetische Produktion ihrer Gesellschaften nicht nur Zensur aus, um das Aufkommen „falscher" Stimmungen, die politisch hätten prägend werden können, zu verhindern. Sie bemühten sich darum eigene Erlebniswelten zu schaffen: im Film, in den geförderten Liedern, in öffentlichen Zeremonien und Aufzügen, in den Jugendorganisationen usw.. Das Element der begrifflichen Überredung war zwar immer da, aber in seiner Wirksamkeit trat es gegenüber der Gestaltung sinnlich erfahrbarer Erlebniswelten zurück.

In ganz anderer Weise schließlich wurde das Element der ästhetischen Überredung auch in nicht-totalitären Gesellschaften ausgebildet: in der Reklame, in der Unterhaltungsindustrie und in der Politik.[46] Sie zeigten eine Welt, die für die Wirklichkeit genommen werden sollte. Und sie waren erfolgreich, insofern sie Wünsche und Träume wecken, verstärken und nutzen konnten. In einer radikalen Vereinseitigung konnte dies zu der Vorstellung führen, daß sich die Gesellschaft in einen Komplex von Verweisungen verwandelt habe, denen kein Objekt mehr entspreche.[47] Das überschüssige ästhetische Moment habe gleichsam die vorgeblich gemeinten Objekte überflüssig gemacht. Zwischen Disneyland und dem Rest der Gesellschaft seien alle Differenzen eingeebnet.

Die Hypostasierung des ästhetischen Moments, das sich in der soziologischen Figur des Dandy fand, erscheint auch hier und ist ebenso plausibel wie an ihm. Tatsächlich gibt es sehr deutlich beschreibbare Grenzen zwischen Disneyland und dem Rest der Welt. Die Gesellschaften gehen in ihrem schönen Schein ebenso wenig auf, wie die totalitären Gesellschaften in jenen begeistern sollenden Bildern, mit denen sie verstellt wurden. Aber der schöne Schein ist zugleich unablösbares Moment der Realität, so elend sie sein mag.

Auch auf individueller Ebene bedarf die massenhafte Sehnsucht nach Klarheit, nach Fortschritt, nach Freiheit, nach Würde offenbar ihrer ästhetischen Umsetzung, um hoffnungsvoll bleiben zu können. Das überschießende ästhetische Moment ist daher ebensosehr notwendiges Moment der sozialen Interaktionen wie des individuellen Lebens. Das gilt umso mehr, als zugleich eine nur funktionale Rationalisierung der gesellschaftlichen Institutionen voranschreitet und erhebliche soziale Kosten verursacht. Gerade in den ästhetischen Momenten liegt eine Möglichkeit zur Wiederverzauberung der Welt, die ihre gleichzeitige Entzauberung verdecken hilft.

Anmerkungen

[1]   Wilhelm Dilthey, Das Erlebnis und die Dichtung, hrsg. von Rainer Rosenberg, Leipzig (Re-
      clam) 1988; Wilhelm Worringer, Abstraktion und Einfühlung: Ein Beitrag zur Stilpsychologie,
      Amsterdam u. Dresden (Verlag der Kunst) 1996.

[2]   Ablesbar wird das an den Kleiderordnungen, die an der Schwelle der Neuzeit immer wieder
      erneuert, also offenbar immer weniger beachtet wurden. Mode war allerdings innerhalb der
      Stände geläufig; innerhalb der Stände also gab es bereits Individualisierung: Fernand Braudel,
      Sozialgeschichte des 15.-18. Jahrhunderts – Der Alltag, München (Kindler) 1985, 332 ff.; Ed-
      mond Goblot, Klasse und Differenz: Soziologische Studie zur modernen französischen Bour-
      geoisie, Konstanz (UVK) 1994, 87 ff.

[3]   Pierre Bourdieu, La distinction. Critique sociale du jugement, Paris (Minuit) 1979; Pierre
      Bourdieu, L'Amour de l'art. Les musées d'art européens et leur public, Paris (Minuit) 1969,
      33ff.

[4]   Georg Simmel, Die Mode, in: ders., Philosophische KulturLeipzig 1911, René König, Macht
      und Reiz der Mode, Wien u. Düsseldorf (Econ) 1981 1971; Gilles Lipovetsky, L'empire de
      l'éphémère: La mode et son destin dans les sociétés modernes, Paris (Gallimard) 1987.

[5]   Norbert Elias, Über den Prozeß der Zivilisation, Frankfurt a.M. (Suhrkamp) 1991. Bd. 1, S. 7
      ff.

[6]   Werner Sombart, Die Juden und das Wirtschaftsleben, Leipzig (Duncker & Humblot) 1911;
      Léon Poliakov, Histoire de l'antisémitisme, Bd. 4, Paris (Calmann-Lévy) 1977.

[7]   Helmuth Plessner, Grenzen der Gemeinschaft: Eine Kritik des sozialen Radikalismus, Bonn
      (Cohen) 1924; Lionel Trilling, Das Ende der Aufrichtigkeit, Frankfurt am Main (Fischer)
      1989.

[8]   Jules Amédée Barbey d'Aurevilly, Vom Dandytum. George Brummell, München/ Leipzig
      (Georg Müller) 1909; Hubert Cole, Beau Brummell, Newton Abbott (Reader's Union) 1978;
      Ralph-Rainer Wuthenow, Musa, Maske, Meduse: Europäischer Ästhetizismus, Frankfurt a.M.
      1978.

[9]   Rainer Paris, Die Politik des Lobs, in: B. Nedelmann (Hg.), Politische Institutionen im Wan-
      del, Opladen (Westdeutscher Verlag) 1995, 83-107.

[10] Dem erfolgreichen Politiker stehen immerhin Spezialisten für die Imagegestaltung zur Seite: s.
      Peter Radunski, Wahlkämpfe: Moderne Wahlkampfführung als politische Kommunikation,
      München (Olzog) 1980; Murray Edelman, Constructing the Political Spectacle, Chicago
      (University of Chicago Press) 1988, 37-65; Murray Edelman; From Art to Politics: How Arti-
      stic Creations Shape Political Conceptions, Chicago (University of Chicago Press) 1995.

[11] ·René Huyghe, L'Esthétique de l'individualisme à travers Delacroix et Baudelaire, Oxford (Cla-
      rendon Press) 1955; Rudi Thiessen, Urbane Sprachen – Proust, Poe, Punks, Baudelaire und
      der Park: Vier Studien über Blasiertheit und Intelligenz. Eine Theorie der Moderne, Berlin
      (Vorwerk 8) 1997.

[12] Pierre Colla, L' univers tragique de Barbey d'Aurevilly, Bruxelles (La Renaissance du Livre),
      1965; Léon Bloy, Fragments sur Barbey d'Aurévilly, Paris (Bernouard) 1947; Marie-Joseph
      Lory, La pensée religieuse de Léon Bloy, Paris (Desclée de Brouwer) 1951; Léon Bloy ou le
      pont sur l'abyme, Paris (Téqui) 1986, Léon Bloy, Le désespéré, Paris (Mercure de France)
      1946, Hans J. Greif, Huysmans' 'A Rebours' und die Dekadenz, Bonn: (Bouvier), 1971.

[13] Georg Simmel, Grundfragen der Soziologie: Individuum und Gesellschaft, 4. Aufl., Berlin (de
      Gruyter) 1984; s.a.Sibylle Hübner-Funk, Die ästhetische Konstituierung gesellschaftlicher Er-
      kenntnis am Beispiel der Philosophie des Geldes, in: H.-J. Dahme und O. Rammstedt (Hg.),
      Georg Simmel und die Moderne, Neue Interpretationen und Materialien Frankfurt a.M. 1995,
      183-201.

[14]   Simone François, Le dandysme et Marcel Proust: de Brummell au Baron de Charlus, Bruxelles (Palais des Académies) 1956; Terrance L. Lewis, Dorothy L. Sayers' Wimsey and Interwar British Society, Lewiston, NY (Mellen) 1994.

[15]   Arthur de Gobineau, Die Renaissance: Savonarola, Cesare Borgia, Julius II., Leo X., Michelangelo: Historische Szenen, Leipzig (Insel) 1924; Jacob Burckhardt, Über das Studium der Geschichte, („Weltgeschichtlichen Betrachtungen"), München (Beck) 1982; Paul Wilhelm Krüger, Das Dekadenzproblem bei Jacob Burckhardt, Basel (Schwabe) 1930.

[16]   Max Stirner, Der Einzige und sein Eigenthum, Leipzig (Wigand) 1845; Carl August Emge, Max Stirner: Eine geistig nicht bewältigte Tendenz, Mainz (Akademie) 1964; Max Horkheimer, Theordor W. Adorno, Dialektik der Aufklärung, 100-143; Steven E. Aschheim, The Nietzsche Legacy in Germany 1890-1990, Berkeley (University of Chicago Press) 1992, 51ff.

[17]   Thomas DeQuincey, Suspiria de profundis: Being a sequel to the confessions of an English opium-eater and othermiscellaneous writings, Edinburgh (Black) 1874; Thomas de Quincey, Der Mord als eine schöne Kunst betrachtet, Frankfurt a. M. (Insel) 1977.

[18]   Zu den zentralen Kategorien der Tugend und Wahrheit: Jean-Jacques Rousseau, Abhandlung über die Frage: Hat der Wiederaufstieg der Wissenschaften und Künste zur Läuterung der Sitten beigetragen?, in: Schriften Zur Kulturkritik, Hamburg (Meiner)1978, 5-59.

[19]   Marie Luise Gothein, Geschichte der Gartenkunst, Jena (Diederichs) 1926, 363-412; vgl. den Artikel von Richard Faber in diesem Band; zur Künstlichkeit der Natur: Jurgis Baltrusaitis, Jardins et pays d'illusions, in: Traverses, Okt. 1976 (Jardins), Paris (Centre Pompidou) 1976, 94-112.

[20]   Hagen Schulze, Staat und Nation in der europäischen Geschichte, München (Beck) 1994, 108 ff. Wulf Wülfing, „Heiland" und „Höllensohn". Zum Napoleon-Mythos im Deutschland des 19. Jahrhunderts, in: H. Berding (Hg.), Mythos und Nation: Studien zur Entwicklung des kollektiven Bewußtseins in der Neuzeit 3, Frankfurt a.M. 1996, 164-184; Stefan Breuer, Ästhetischer Fundamentalismus. Stefan George und der deutsche Antimodernismus, Darmstadt (Wiss. Buchgesellschaft)1995, 184 ff.

[21]   Helene Harth, Erhard Stölting, Ästhetische Faszination und Demagogie. Zur Entstehung des „faschistischen Stils" in Italien, in: Romanistische Zeitschrift für Literaturgeschichte 10, 1986, S.119-145; Peter Reichel, Der schöne Schein des Dritten Reiches: Faszination und Gewalt des Faschismus, 2. Aufl., München (Hanser) 1992; vgl. die Beiträge von Inge Baxmann und von Karlheinz Barck in diesem Band.

[22]   Helmuth Kiesel, Wissenschaftliche Diagnose und dichterische Vision der Moderne: Max Weber und Ernst Jünger, Heidelberg 1994, 81-192; Hermann Peter Piwitt, Politischer Dandysmus und der imperialistische Intellektuelle, in: Fin de siècle. Hundert Jahre Jahrhundertwende, Berlin 1988, 136-139; Ralph-Rainer Wuthenow, Muse, Maske, Meduse: Europäischer Ästhetizismus, Frankfurt a.M. (Suhrkamp) 1978, 185 ff.; Dominique Desanti, Drieu LaRochelle: Du dandy au nazi, Paris (Flammarion) 1992.

[23]   Martin Greiffenhagen, Das Dilemma des Konservatismus in Deutschland, München (Piper) 1977.

[24]   Klaus Lichtblau, Das „Pathos der Distanz". Präliminarien zur Nietzsche-Rezeption bei Georg Simmel, in: H.-J. Dahme und O. Rammstedt (Hg.), Georg Simmel und die Moderne, Neue Interpretationen und Materialien Frankfurt a.M. 1995, 231-282.

[25]   David Weir, Decadence and the Making of Modernism, Amherst, MA. (University of Massachusetts Press) 1995; Matthew Sturgis, Passionate Attitudes: The English Decadence of the 1890s, London (Macmillan) 1995.

[26]   Gerhard Schulze, Die Erlebnisgesellschaft, Frankfurt a.M. (Campus) 1992, S. 33 ff., S. 93 ff.; Erhard Stölting,, Riposo, cultura e tempo libero: L'Italia turistica e il settore terziario, in: M. Enrica D'Agostini (Hg.), La letteratura di viaggio. Storia et prospettive di un genere letterario, Milano (Guerini) 1987, 229-344.

[27]   Carl Schmitt, Politische Romantik, 2. Aufl., München und Leipzig (Duncker & Humblot) 1925.

[28]   Talcott Parsons, The Social System, Glencoe, IL (The Free Press) 1951, 201 ff.; Jeffrey C. Alexander, The Modern Reconstruction of Classical Thought: Talcott Parsons, Berkeley (University of California Press) 1985, 120 ff.

[29]   Theodor W. Adorno, Kulturkritik und Gesellschaft, in: Prismen: Kulturkritik und Gesellschaft, München (dtv) 1963, 7-26; Hans Freyer, Über das Dominantwerden technischer Kategorien in der Lebenswelt derindustriellen Gesellschaft, Mainz (Akadademie) 1960.

[30]   Ulrich Beck, Risikogesellschaft: Auf dem Weg in eine andere Moderne, Frankfurt a.M. 1986, 205-219; Anthony Giddens, Leben in eine posttraditionalen Gesellschaft, in: U. Beck, A. Giddens, S. Lash, Reflexive Modernisierung. Eine Kontroverse, Frankfurt a.M. 1996, 113-194.

[31]   Hans-Georg Soeffner, Stil und Stilisierung: Punk oder der Überhöhung des Alltags, in: Die Ordnung der Rituale, Frankfurt a.M. (Suhrkamp) 1992, 76-101.

[32]   Paul Willis, Profane Culture: Rocker, Hippies: Subversive Stile der Jugendkultur, Frankfurt am Main: Syndikat, 1981.

[33]   Alois Hahn, Soziologische Relevanzen des Stilbegriffs, in: H.U. Gumbrecht, K.L. Pfeiffer (Hg.), Stil: Geschichten und Funktionen eines kulturwissenschaftlichen Diskurselements, Frankfurt a.M. (Suhrkamp) 1986, 603-611; Helmut Schelsky, Zur soziologischen Theorie der Institution, in: ders. Hg., Theorie der Institution, Gütersloh (Bertelsmann) 1970, 9-26; Ephrem Else Lau, Interaktion und Institution: Zur Theorie der Institution und der Institutionalisierung aus derPerspektive einer verstehend-interaktionistischen Soziologie, Berlin (Duncker & Humblot) 1978.

[34]   Hans Ulrich Gumbrecht, Schwindende Stabilität der Wirklichkeit. Eine Geschichte des Stilbegriffs, in: H.U. Gumbrecht, K.L. Pfeiffer (Hg.), Stil: Geschichten und Funktionen eines kulturwissenschaftlichen Diskurselements, Frankfurt a.M. (Suhrkamp) 1986, 726-788.

[35]   Niklas Luhmann, Die Kunst der Gesellschaft, Frankfurt a.M. (Suhrkamp) 1997, 215 ff.; Niklas Luhmann, Das Kunstwerk und die Selbstreproduktion der Kunst, in: H.U. Gumbrecht, K.L. Pfeiffer (Hg.), Stil, Frankfurt a.M. (Suhrkamp) 1986, 620-672; Andreas Gelz, Postavantgardistische Ästhetik: Positionen der französischen und italienischen Gegenwartsliteratur, Tübingen (Niemeyer) 1996.

[36]   Erving Goffman, The Presentation of Self in Evereyday Life, New York (Doubleday) 1959; Barry Schlenker, Impression Management: the Self Concept, Social Identity, and Interpersonal Relations, Monterey (Brooks) 1980.

[37]   Erving Goffman, Stigma: Notes on the Management of Spoiled Identity, Englewood Cliffs, N.J. (Prentice Hall) 1963, 140 ff. Erving Goffman, Frame Analysis, New York (Harper) 1974.

[38]   Es ist heuristisch fruchtbar, wenn der kritische Blick eine Distanz des und ein instrumentelles Verhältnis des Leitungspersonals zu den Emotionen und den aktivierenden Traumbildern der Menge unterstellt. Aber vielfach glauben die Verführer selbst das meiste von dem, was sie erzählen; vgl. Erhard Stölting, Charismatische Aspekte des politischen Führertums: Das Beispiel Stalins, in: R. Faber (Hg.), Politische Religion – religiöse Politik, Würzburg (Königshausen und Neumann) 1997, 45-74. Politiker sind oft weniger klug als kluge Historiker und Sozialwissenschaftler ihnen unterstellen.

[39]   Helmuth Plessner, Die Stufen des Organischen und der Mensch: Einleitung in die Philosophische Anthropologie, Berlin (   )1962, S. 288 ff; Hans-Peter Dreitzel, Die gesellschaftlichen Leiden und das Leiden an der Gesellschaft, Stuttgart (Enke) 1969, S. 118 ff.

[40]   Helmuth Plessner, Grenzen der Gemeinschaft, op. cit.

[41]   Max Weber, Wissenschaft als Beruf, in: Gesammelte Aufsätze zur Wissenschaftslehre, Tübingen (Mohr/Siebeck) 1973, 582-613; Detlev J.K. Peuker, Max Webers Diagnose der Moderne, Göttingen (Vandenhoeck & Ruprecht) 1989; Wolfgang Schluchter, Unversöhnte Moderne, Frankfurt am Main (Suhrkamp) 1996; Lawrence A. Scaff, Fleeing the Iron Cage: Culture, Po-

litics and Modernity in the Thought of Max Weber, Berkeley, CA (Univ. of California Press) 1991.

[42] Paul Willis, Common Culture: Symbolic Work at Play in the Everyday Cultures of the Young, Boulder (Westview Pr) 1993

[43] Daniel Bell, Die kulturellen Widersprüche des Kapitalismus, Frankfurt a.M. (Campus) 1991; Axel Honneth, Posttraditionale Gemeinschaften: Ein konzeptioneller Vorschlag, in: M. Brumlik, H. Brunkhorst (Hg.), Gemeinschaft und Gerechtigkeit, Frankfurt a.N. (Suhrkamp) 1993, 260-272. Amitai Etzioni, The Spirit of Community: The Reinvention of American Society, New York (Simon & Schuster) 1993, 209 ff.

[44] Murray Edelmann, Constructing the Political Spectacle, Chicago (The University of Chicago Press) 1988, 120 ff.; Murray Edelman, From Art to Politics: How Artistic Creations Shape Political Conceptions, Chicago (The University of Chicago Press) 1995.

[45] Erhard Stölting, Nach der Euphorie die Katerstimmung. Stimmungen und Leidenschaften in der Europäischen Umbrüchen, in: Die Neue Gesellschaft/ Frankfurter Hefte 38. Jg., H. 12, 1991, 1078-1085.

[46] Daniel J. Boorstin, The Image: A Guide to Pseudo-Events in America, New York (Atheneum) 1987 (1961).

[47] Jean Baudrillard, Der symbolische Tausch und der Tod, München (Matthes & Seitz) 1982; Jean Baudrillard, Cool Memories, 1980-1985, München (Matthes & Seitz) 1989; Bryan S. Turner, Cruising America, in: C. Rojek, B.S. Turner (Hg.), Forget Baudrillard?, London (Routledge) 1993, 146-161; James Der Derian, Simulation: The Highest Stage of Capitalism?, in: D. Kellner (Hg.), Baudrillard: A Critical Reader, Oxford (Blackwell) 189-207.

II.
Nationalismus und Faschismus

Justus H. Ulbricht

„Germanisch-Dichterische Monumentalkunst" und „nordischer Expressionismus"

> „Die Forschung wird eines Tages doch noch mit Bestimmtheit an Hand Beweisen die Tatsache erbringen, daß alle großen, weltgeschichtlichen Kulturen einen nordischen Kopf gehabt haben."

> Hans Gross, *Der Weg zur nordischen Kunst.* 1932

Zu den Defiziten bei der Erforschung völkischer Bewegung(en) seit der Reichsgründungszeit gehört die Analyse der ästhetischen Konzepte, die in diesem kulturell-politischen Organisations- und Diskursfeld dominant gewesen sind[1]. Was für die völkische Bewegung insgesamt gilt, trifft auch für deren bevorzugte Literatur- und Kunsttheorien zu: sie sind keine Alternative zur Moderne, sondern Konzepte einer alternativen Moderne. Das aber bedeutet für den heutigen Betrachter, einen selbstgewissen, normativen Moderne-Begriff fahren zu lassen und stattdessen den Versuch zu unternehmen, die vielfältige und in sich ihrerseits widersprüchliche Avantgardekultur in ihrer Verschränkung mit den hochdifferenten völkischen Diskursen und den entsprechenden Sozialformationen wahrzunehmen. Ein kleiner Schritt in diese Richtung soll im folgenden unternommen werden.

* * *

Die Vorstellung, daß ethnische Gruppen, also Völker, Stämme oder Rassen stilbildend wirken und distinkte Stilrichtungen ausbilden, entstammt bereits romantischem Denken und dies wiederum berief sich auf Herders populäre Kulturkonzeptionen. „Von deutscher Art und Kunst" war das betreffende Stichwort des „Sturm und Drang" zu dieser Frage gewesen[2]. Im übrigen ist die Idee nationaler Kulturstile[3] keine deutsche Obsession allein, sondern es finden sich ähnliche Gedanken im europäischen Norden, etwa im Umfeld der sog. „skandinavischen Renaissance" oder im Kontext des osteuropäischen Panslawismus. Als

Träger der Idee distinkter Nationalstile fungierten zumeist die sich formierenden
Nationalbewegung in den jeweiligen Ländern, deren ästhestische Vorlieben oftmals auf eine deutliche Abgrenzung von ausländischen Vorbildern – etwa domi-
nanten französischen bzw. allgemein westeuropäischen Einflüssen – zielten.
Immer aber waren Diskurse über die sog. nationale Identität, deren Basis kulturelle Identitätskonzepte bildeten, eng verschränkt mit der diskursiven Ortsbe-
stimmung der Intellektuellen bzw. – wie diese vordem hießen – der „Gebildeten"
und „Geistigen" des jeweiligen Landes. Diesen Konnex bestimmter kultureller
Deutungsmuster[4] mit intellektuellensoziologisch beschreibbaren Problemkonstellationen gilt es im Auge zu behalten auch im Blick auf unser Thema[5].

Die seit der Wende vom 18. zum 19. Jahrhundert nicht mehr abgerissene
Diskussion über einen typischen Nationalstil wird im kulturellen Feld der deutschen völkischen Bewegung[6] am Ende des letzten Jahrhunderts in bis dahin un-
gekannter Weise radikalisiert, zudem durch die Rezeption zeitgenössischer Na-
turwissenschaft und des Sozialdarwinismus biologisiert und schließlich nationali-
stisch und konfessionell aggressiv aufgeladen.

Die spürbare Verbissenheit vieler völkisch-ästhetischer Diskurse verdankt
sich verschiedenen Verlusterfahrungen realhistorischer Art: Zum einen geht dem
Engagement der Völkischen im kulturellen Sektor das Scheitern im politischen
Feld voraus. Die frühen Antisemitenparteien werden in den 1880er und 1890er
Jahren zur Marginalität verdammt[7] – nicht zufällig aber entstehen gerade dann
zahlreiche völkische Organisationen, die sich allein im Kultur- und Bildungsbe-
reich artikulieren. Was im politischen Feld vorerst mißlungen war, nämlich die
Partizipation an der Macht, sollte sich nun im Kultursektor einstellen: die „kulturelle Hegemonie" galt als nötige Vorstufe eines neuen Anlaufs zur Gewinnung
von Einfluß in politicis. Der gerade zum Jahrhundertende neu entfachte Kampf
ums Kulturelle schien nötig nicht nur wegen des eben durchgefochtenen „Kul-
turkampfes", sondern mehr noch aus anderen Gründen: Seit den 1880er Jahren
nämlich öffneten sich große Gruppen der kulturtragenden bildungsbürgerlichen
Schicht des Wilhelminismus der modernen Kunst[8]. Die Moderne schien – so
nahmen das ihre Gegner wahr – nicht nur industriell sondern auch künstlerisch
auf der Siegerstraße zu sein, aller traditionalistischen Widerstände zum Trotze.
Schließlich verursachte ein bildungshistorisch beschreibbarer Vorgang bei nicht
wenigen national oder gar völkisch gestimmten Zeitgenossen massive Ängste.
Das traditionelle Bildungsbürgertum wurde im gesellschaftlichen Rang – im Ein-
kommen sowieso – von neuen wirtschaftlichen Funktionseliten überflügelt,
zentrale Berufsbereiche gerade von Geisteswissenschaftlern unterlagen zyklischen Überfüllungs- und damit Legitimationskrisen[9]. Schließlich verschärfte sich
die Lage der literarischen und künstlerischen Intelligenz durch die Herausbil-
dung eines Kunst- und Kulturmarktes sowie massenkultureller Prozesse[10], die
nicht nur als Bedrohung der eigenen Existenz sondern auch als akute Gefahr für

die kulturelle Substanz der Nationalgesellschaft insgesamt begriffen wurden[11]. Je marginalisierter die modernitätskritische Intelligenz aber war oder sich zumindest fühlte, umso beharrlicher und vernehmlicher meldete sie ihren Anspruch auf die alleinige kulturelle Deutungsmacht an, auf Führerschaft im Geistigen also. Der Begriff der „Sozialaristokratie"[12] bürgerte sich dafür seit den 1890er Jahren ein. Eine andere Ausprägung der damaligen intellektuellen Selbstermächtigungsstrategien war die Rede von der „Geistesaristokratie", in der die dreifache soziale Frontstellung der Intelligenz aufscheint: sie stand gegen die Geburts- also Blutsaristokraten, gegen die Geldaristokraten und gegen das Proletariat, in das abzusinken man panisch fürchtete – dem viele Künstler und Literaten ökonomisch gesehen allerdings bedrohlich nahe kamen.

Neue Kunst für „neue Menschen"

„Wir wollen nicht alte oder moderne Kunst, wir wollen den Weg gehen, den jede Jugend eines in Erniedrigung lebenden Volkes gehen muss, den Weg zur Wahrhaftigkeit und Reinheit; wir ringen nach jenem Geiste des Deutschen Volkes, der in unserer Gotik lebt, der sich uns in dieser offenbart und der uns, das ganze deutsche Volk aus dem Abgrund emporführen kann und wird, nach jenem Geist, aus dem unsere, des deutschen Volkes Kunst neu erstehen wird. Mit uns ringt die deutsche Jugend (...) des ganzen Reiches, mit uns sind jene, denen die innere Größe ihres Volkes mehr ist als persönliche Macht, mit uns ist die Kraft unserer Jugend, mit uns ist das Recht und die Pflicht unserer Jugend, nicht stehen zu bleiben, sondern vorwärts und aufwärts zu schreiten; niemand hat das Recht, einer in heiligster Inbrunst ringenden Jugend Einhalt zu gebieten, in der Jugend ist das Leben, der Jugend ist das Recht."[13]

Auf den ersten Blick könnte man diese „in heiliger Inbrunst" gesprochenen Worte für Teile eines dem völkischen Aufbruch der ersten deutschen Nachkriegszeit entstammenden Manifestes halten. Diese zeitliche Einschätzung wäre in der Tat zutreffend; der Text stammt aus dem Januar 1920, in dem nicht wenige Deutsche von der „Wiedergeburt" ihres gedemütigten Vaterlandes phantasierten. Ebenso unüberhörbar ist der zeittypische Ton jugendbewegten Pathos des Aufbruchs jener Jahre sowie die Beschwörung des unauflöslichen Zusammenhangs von Kunst, Volk und Wiedergeburt, der dieses und viele andere Zeitzeugnisse durchzieht. Verfasser des Manifestes jedoch war – wie uns die Überschrift erläutert – die „gesamte Schülerschaft des Staatlichen Bauhauses in Weimar" – also die Avantgarde der Moderne bzw. die Schüler der Herren Marcks, Kandinsky, Gropius, Feininger und Itten. Der erwähnte Text war gerichtet an diejenigen Weimarer Bürger und einzelnen Verantwortlichen der Thüringischen Kultusverwaltung, die damals bereits an der Demontage der Bauhaus-Idee und

der Vertreibung der Kunstschule aus Weimar arbeiteten, also an die Fraktion der
programmatischen Antimodernen, die zur Austreibung der ungeliebten neuen
Ideen vorzugsweise den sog. „Geist von Weimar" zitierten[14]. Diese Gegner for-
mierten sich ihrerseits unter ideologisch-organisatorischer Leitung des Studien-
rates Dr. Emil Herfurth, der für die Deutschnationale Volkspartei im Thüringischen Landtag saß. Etablierte Weimarer Künstler und Angehörige der Honora-
tioren-Kultur hatten sog. „Leitsätze" erarbeitet und auf einer öffentlichen Veran-
staltung kundgetan: „durchdrungen von gemeinsamer Liebe zu Weimars Kultur"
formulierte man seinen Protest, „dass über den Kopf der hiesigen Bevölkerung
hinüber (sic!) und ohne Rücksicht auf das Volksempfinden" im Bauhaus eine
„einseitige und extreme Richtung" von Kunst gepflegt werde. Dabei werde „die
weimarische Kulturtradition nicht etwa massvoll weiter entwickelt, sondern
missachtet." Deutlich gesagt: „Die auch von uns gewünschte Weiterentwicklung
Weimars als Kultur- und Kunststadt darf sich nicht in Gegensatz stellen zu dem,
was Weimar gross gemacht hat und was uns heilig ist"[15]. Auch den Gegnern war
klar, „daß es sich in dem Bauhausstreit um keine rein örtliche Angelegenheit,
sondern um eine Sache der deutschen Kunst handelt"[16]. – Was darunter aber zu
verstehen sei, wurde ebenso unmißverständlich verdeutlicht wie die Abwehr des
„extremsten" Expressionismus[17] der Bauhaus-Szene: „Für uns bedeutet die
Kunst jedes Volkes eine Manifestation völkischer Kultur. Aus welchen Quellen
auch immer Mittel und Wege des künstlerischen Schaffens sich herleiten, die
letzte Weihe des Kunstwerkes strömt aus den Tiefen der Persönlichkeit des
Schöpfers, und deutsche Kunst wurzelt in deutschem Volkstum"[18].

Das eingangs ausführlich zitierte Manifest der Bauhaus-Schüler erläutert
schlagend, wie schwer es ist, die Avantgarde und deren modernitätskritische Ge-
genspieler auf den ersten Blick zu unterscheiden oder gar auf den wohlfeilen Leisten einfacher Rechts-Links-Schemata zu schlagen. Völkisch-ästhetische Diskurse sind Teil der wilhelminischen wie weimarrepublikanischen Austausch-
Diskurs-Kultur[19]. Auch die Avantgarde konnte mithin damals problemlos an das
„deutsche Volk" und an dessen „Wiedergeburt" oder ähnliches appellieren. Das
heißt: jugendbewegtes Pathos, Ideen „neuen Menschentums" und Wiederge-
burtsphantasien waren politisch ansonsten distinkten Lagern gemeinsam. Und
umgekehrt: die Tatsache, daß sich ein Künstler beispielsweise dem Expressionismus verschrieben hatte, bedeutete keine uneingeschränkte und vor allem keine automatische Parteinahme für die Ideen der realexistierenden politischen Linken – der Dichter Hanns Johst und der Maler Emil Nolde wären dafür die pro-
minentesten Beispiele.

Die gefühlssozialistischen Emanationen einzelner Bauhaus-Künstler ihrerseits vertrugen sich oftmals nicht mit dem Parteiensozialismus, der nach 1918 an
der Macht war, bargen also mancherlei antirepublikanische Energien, und das
nicht nur im Fall der offenen Option für ein radikal-sozialistisches Rätemodell,

die sich im Bauhaus-Milieu ebenfalls finden ließ. Auch der Aufbruch in die Moderne also war an Wert- und Ideekomplexe gekoppelt, die ohne weiteres anschlußfähig waren an völkische Diskurswelten.

Der konkrete Anlaß für den sog. „Bauhausstreit" war eine Rede des Meisterschülers Hans Gross aus Schleswig-Holstein gewesen[20], der in einer Versammlung der „Freien Vereinigung für städtische Interessen" ein Bauhaus auf „deutscher Grundlage" gefordert hatte. „Kerle aus Stahl und Eisen" sollten die neuen deutschen Künstler sein und er wünschte eine „Führerschaft, welche wirklich deutsches Wesen und deutsche Eigenart in sich trägt". Die Masse der Mitschüler und sämtliche „Meister" hatte Gross damit gegen sich aufgebracht, er verließ – gemeinsam mit 13 anderen KommilitonInnen – die Schule, kehrte in seine nordisch-niederdeutsche Heimat zurück und gründete dort die Zeitschrift „Dithmarschen", ein Organ der Heimatkunstbewegung[21]. Dem Heimkehrer Gross verdankte die völkische Sache Schleswig-Holsteins in Zukunft viel: er propagierte eine Blut-und-Boden-Kunst auf norddeutscher Scholle, die in Wandteppichen, Flügelaltären und einzelnen Architekturprojekten Gestalt gewann[22]. Bemerkenswert ist allerdings, daß Gross dazu die Formensprache des Expressionismus weiterhin meisterhaft einsetzte. Seine im Jahre 1932 formulierte Idee: „In der weiten herben Natur Schleswig-Holsteins muß der Bauhof, die zukünftige Bildungsstätte für das künstlerische Wollen seine Wurzeln schlagen"[23], knüpfte explizit zwar an die Bauhütten des Mittelalters an, konnte jedoch ihr eigentliches direktes Vorbild in der Neuzeit kaum verleugnen: das Bauhaus in Weimar nämlich. Gestalt und Intention des Werkes von Gross sind Spielarten des „nordischen Expressionismus", auf den wir noch zurückkommen werden. Der Maler gehörte zu derjenigen Gruppe expressionistischer Künstler, die zu Beginn des „Dritten Reiches" versuchten, „die Avantgarde zu nationalisieren"[24] bzw. sich freiwillig den neuen Machthabern anzudienen. Ein Versuch, dem bis zur offiziellen Ächtung des Expressionismus durch die nationalsozialistische Kunstpolitik mancher Erfolg beschieden war[25]. Dieser nationalsozialistische Zugriff auf den Expressionismus war jedoch nur möglich auf der Grundlage älterer Denkmuster, die den deutschen Expressionismus als Wiederkehr des „nordisch-gotischen Prinzips" gefeiert hatten. Dies jedoch liest man nicht bei einem völkischen Winkelästhetiker, sondern vielmehr bei Wilhelm Worringer, dem Nestor der abstrakten Kunsttheorie[26].

Doch gilt es, die Einsicht in ideologische Gemengelagen nicht zu überziehen: die erwähnten „Leitsätze" der Weimarer Honoratioren nämlich signalisieren deutlich die trotz mancher Gemeinsamkeiten unaufhebbare Distanz zwischen der Avantgarde und ihren Verächtern, die nicht nur für den lokalen Weimarer Zusammenhang sondern für unser Thema insgesamt konstitutiv ist. Völkische Ästhetik war zur Hauptsache nämlich immer Ausdruck eines Neo-Traditionalismus, der sich – in Abwehr der Moderne und des dazugehörigen Stilpluralismus

– auf vorgeblich „ewige" Kunst- und Lebenswerte zu gründen suchte. Völkische
Ästhetik ist somit auch ein Teil der sog. „antihistoristischen" Revolte seit 1900[27],
deren Stil- und Wertekanon jedoch ohne den vorgängigen Historismus nicht
denkbar ist. Denn der programmatische Antihistorismus war der Versuch, dem
durch den Historismus – sowie die gesellschaftlich-kulturelle Modernisierung
selbst – aufgeworfenen Problem des Wertepluralismus und vor allem Werterela-
tivismus zu entkommen. Eine reale Chance dafür schien sich insbesondere nach
dem Ersten Weltkrieg zu bieten, in einer Zeit, die man als „Wendezeit" oder
„Zwischenzeit", als Epoche „zwischen den Zeiten" – um nur die gängisten Chif-
fren zu nennen – apostrophierte[28]. Dies der apokalyptischen Tradition entlehnte
Wahrnehmungsmuster[29] begriff die eigene Gegenwart als geschichtslos im guten
Sinne, als von der drückenden Vorgabe der Tradition befreite Epoche, folglich als
Zeit des möglichen Umschlags des Geschichtsprozesses, den man für die eigene
Tatbereitschaft nutzen konnte: „Ganz ungeschichtlich sind wir, so sehr, daß es
uns garnicht schaden kann, uns sogar bewußt in den geschichtlichen Zusammen-
hang zu stellen", bemerkte dazu Fritz Klatt, ein linksliberaler Reformpädagoge
und kundiger Kommentator des zeitgenössischen Aufbruchs der „jungen Gene-
ration"[30]. Dieses bewußte Spiel mit der Tradition bzw. die Vielfalt der kulturellen
Experimente machen einen Großteil der Faszination aus, die bis heute auf uns
Moderne wirkt, wenn wir uns mit der frühen Weimarer Republik befassen. Auch
die ästhetischen Versuche der Völkischen aber partizipieren am Experiment- und
Fragmentcharakter damaliger kultureller Entwürfe.

Wer sich allerdings bewußt ist, daß die Rede von der „Wendezeit" bereits
um 1900 üblich war und das „Wassermann-Zeitalter" kurz danach ausgerufen
wurde, wird die Problemkonstellationen der Weimarer Republik von ihrem Ursprung her begreifen müssen. Diese sind nämlich älter und grundsätzlicher, sie
radikalisierten und verschärften sich allenfalls durch die realgeschichtlichen Ver-
werfungen seit 1914. Bereits Friedrich Nietzsche, der wilhelminische Modephi-
losoph[31], hatte die Stichworte geliefert: die Abkehr von einer allein „antiquari-
schen" Geschichtsbetrachtung etwa, den Ekel an der Dominanz überkommener
Bildungsmuster und Bildungsinstitutionen, vor allem aber die kulturrevolutionäre Idee, „neue Werte" selbstbewußt zu schaffen. Diese Intention verband Autoren und Künstler ansonsten antagonistischer Lebenswelten und politischer Lager
und man begriff – auch dies eine Form der Nietzsche-Rezeption – gerade das
Feld der Kunst als denjenigen kulturellen Bereich, in dem allein es möglich sei,
neue, vor allem aber gültige und die Zersetzungsprozesse der Moderne überdau-
ernde Werte zu schaffen. So wundert es wenig, wenn einer der kulturkritischen
Bestseller des Jahrhundertendes einen Maler als neuen deutschen Kulturheros
propagiert und „Rembrandt als Erzieher"[32] anempfiehlt, wobei zugestanden sei,
daß die Rembrandt-Fiktion dieses Buches mit dem realen niederländischen
Künstler wenig zu tun hat. Es geht um Projektionen, für die Personen der Real-

geschichte herhalten müssen. Neben Rembrandt selbst werden Bismarck und Goethe als kulturrevolutionäre Eideshelfer von Langbehn ebensooft bemüht[33], wenn es ihm darum geht, typisch „deutsche" Eigenschaften in einer historischen Figur zu bündeln oder den kommenden Retter aus den Fährnissen der „Falschmoderne" zu bezeichnen. So wie Langbehn auf Rembrandt setzt, hoffen andere auf Luther oder Bismarck; die Titel der Erzieher-Bücher ab 1890 sind zahlreich bis hin zur Parodie „Casanova als Erzieher"[34]. Rudolf Huchs Buch „Mehr Goethe"[35] vertraut – wieder einmal – auf den Geist der Klassik, mit dem er die kulturzerstörenden Tendenzen von Impressionismus und Decadence zu bannen hofft.

Die Vorbilder damaliger kultureller Neuentwürfe lieferte also die – inzwischen durch die Kunst- und Literaturgeschichte hinreichend erforschte – deutsche Vergangenheit, wobei es typisch für die Denk- und Suchbewegung völkisch-nationaler Ästhetiker war, immer weiter nach hinten zurück zu gehen, bis man schließlich im vorgeblich ahistorischen Dunkel der Vor- und Frühgeschichte landete[36], der man wie einem Steinbruch das Material für einen neuen Dom deutscher Kunst entnahm. Daß dabei die Dome des Mittelalters nicht allzu fern blieben, sei angemerkt. Die Rede vom „gotischen Menschen" beispielsweise geisterte durch zahlreiche Entwürfe neuer, offensiv „wurzelhafter" Ästhetik und die meisten sahen die entsprechenden Bilder vor sich: den Bamberger Reiter[37] etwa oder die Stifterfiguren des Naumburger Domes, außerdem die „betenden Hände" Dürers, den sich Benedikt Momme Nissen, der Gefährte und Jünger des sog. „Rembrandtdeutschen" Langbehn als „Führer" wünschte: „Dürer als Führer" heißt ein Werk aus dem Nachlaß des Rembrandtdeutschen Ende der Zwanziger Jahre[38], dessen Mittelalter-Sehnsucht allerdings von der Jahrhundertwende her datiert und die so ausgeprägt war, daß Langbehn pünktlich zur „Zeitenwende" 1900 zum Katholizismus konvertierte, einem Katholizismus freilich, den er – wie viele andere religiös-suchende Protestanten – rein ästhetisch begriff. Ein Katholizismus, in dem er den „Geist des Ganzen" (Katholon) anbetete, der die verwirrende Vielfalt der Epoche wieder zur einheitlichen Weltsicht bündeln könne. „Es lebe der Kommunismus und die katholische Kirche" so tönten wiederum zwei Vertreter der Avantgarde jener Jahre, denn dieser Satz war das Motto der 1919 in Wien gegründeten, programmatisch „Die Rettung" genannten Zeitschrift von Albert Paris Gütersloh und Franz Blei[39]. Peter Gay hat im Blick auf die Kultur der Weimarer Republik vom „Hunger nach Ganzheit" gesprochen[40]. Dieser kulturellen Einheitssehnsucht aber kommt man – wie diese wenigen Beispiele verdeutlichen – schon in den Manifesten des Spätwilhelminismus allenthalben auf die Spur. „Ganzheit" versus „Zersetzung" ist eine gedankliche Dichotomie, die für die Konzepte völkischer Ästhetik bei und seit Langbehn und Paul de Lagarde nachgerade konstitutiv ist, wie übrigens das Begriffspaar „gesund" und „krank" auf seine Weise[41]. Auch die gemäßigtere, eher konservative

Kunst- und Kulturkritik bediente sich dieser dualistischen Wertmaßstäbe bei ihrer Ablehnung der modernen künstlerischen Stile in inflationärer Weise.

Gen Thule woll' n wir fahren...

Der Jenaer Kulturverleger Eugen Diederichs trat 1910 eine Reise nach Island an, um sich auf eines seiner bedeutenden verlegerischen Reihenprojekte einzustimmen: „Nach Island fuhr ich aus verschiedenen Gründen. Rein geschäftlich, um mit meinem Thule-Unternehmen innerlich zu verwachsen, indem ich die Stätten der Islandsagas kennen lernte. Aber persönlich hatte ich den Wunsch, vor allem den nordischen Menschen, den ich mir in isländischen Wikingergestalten verkörpert dachte, kennenzulernen"[42]. Das Erwartete trat dann auch ein: „Das wertvollste Erlebnis aber war das des mittelalterlichen gotischen Menschen"[43], notierte er später; an Hermann Löns schrieb er begeistert: „Das Wichtigste war mir, den Menschen der gotischen Zeit in der Gegenwart zu erleben"[44]. Ab 1912 erschien dann im Jenaer Verlag die „Sammlung Thule", die in Übersetzung damals bedeutender Altgermanisten den deutschen Lesern die Texte nordischer, d. h. altskandivanischer Literaturen nahebringen wollte. Dort aber, in der Überlieferung „des Nordens"[45], hofften nicht wenige, das Erbe unverfälscht vorzufinden, mit dem man sich gegen die Zumutungen der Moderne glaubte wappnen zu können: „Ragnarök, Völkerdämmerung liegt über dem Abendlande. Soll sie uns nicht vernichten, sollen wir als Volk nicht untergehen, dann müssen wir uns auf uns selbst besinnen. (...) Hier in der nordischen Dichtung liegen diese Quellen zutage. Es gilt nur, daß wir selbst den Weg zu ihnen finden. Dieser Weg liegt durch 'Thule' offen"[46]. Thule war aber nicht nur das Utopia deutscher Germanisten[47] oder Verleger, sondern auch der Sehnsuchtsraum zahlreicher Deutscher, die ihre kulturelle Identität irgendwo zwischen Island und dem Teutoburger Wald[48] oder in den Traumreichen von Thule und Atlantis[49] ansiedeln wollten.

„In der deutschen Kunst läßt sich der unmittelbare Ausdruck des Wikingischen als eine immer wiederkehrende, wenn auch keineswegs immer unmittelbar sichtbare Grundmöglichkeit nachweisen", schrieb Wilhelm Pinder noch 1935 auf dem Höhepunkt des Streites um die Frage, ob und wie der Expressionismus für das „Dritte Reich" zu retten sei[50]. Alois Schardt, der kommissarische Direktor des Museums im Berliner Kronprinzenpalais, ordnete im selben Jahr „die ungegenständliche Ornamentik der deutschen Bronzezeit" der „Malerei des Expressionismus" zu, parallelisierte also problemlos vorgeschichtliche Kunstformen mit zeitgeschichtlicher Ausdruckskunst. Den beginnenden Niedergang deutscher Kultur aber datierte er auf das erste Drittel des 15. Jahrhunderts[51].

Auf die damit einhergehende Umwertung der Renaissance kommen wir auf einem erneuten Umweg über den Diederichs-Verlag zurück. Die Textbausteine für eine Heilssuche im Nordischen lieferte – wie bereits angedeutet – seit der Vorkriegszeit der Diederichs-Verlag mit der erwähnten „Sammlung Thule"[52] – ab Mitte der Zwanziger Jahre versammelte die Reihe „Deutsche Volkheit" weitere Zeugnisse deutscher Kulturgröße[53]. Vom Datum der Gründung seines Hauses im Jahre 1896 an hatte sich der Verleger explizit einer „neuen Renaissance" verschrieben : „Ich habe den kühnen Plan, ich möchte einen Versammlungsort moderner Geister haben. (...) Parole: Entwicklungsethik, Sozialaristokratie, gegen den Materialismus zur Romantik und zu neuer Renaissance. Auch für Mystik habe ich sehr viel übrig" – schrieb er an seinen Freund und Mentor, den „Kunstwart"-Herausgeber Ferdinand Avenarius in Dresden[54]. Die angestrebte kulturelle Wiedergeburt war bei Diederichs zwar von der schwärmerischen Aneignung des kulturellen Erbes der italienischen Renaissance geprägt – mit Burckhardts „Cicerone" in der Hand hatte der Jungverleger Italien persönlich durchstreift – bald aber zeigte sich eine deutliche Akzentverschiebung hin zu einem Renaissance-Bild, das immer deutlicher rein deutsche Züge annahm: „Wege zu deutscher Kultur" hieß konsequenterweise ein bedeutender Verlagsalmanach aus dem Hause Diederichs im Jahre 1908[55]. Dem Umfeld des Jenaer Verlegers, der sich sämtlichen Strömungen der zeitgenössischen Avantgarde ebenso begierig geöffnet hatte wie etwa der Renaissance oder deutscher mittelalterlicher Mystik[56], entstammte ein weiteres, in unserem Kontext bedeutsames, Stichwort: „Die Renaissance, das Verhängnis deutscher Kultur" – so titelte der Germanist Richard Benz, ein ausgewiesener Kenner der Romantik, sein erstes Heft der „Blätter für deutsche Art und Kunst", die ab 1915 in Jena erschienen und einer Neufundierung der deutschen Kultur nach dem Krieg dienen wollten[57]. Ein derartiges Konzept „deutscher Wiedergeburt" opponierte den ursprünglich anderen Kulturkreisen entstammenden Impulsen der Renaissance, die man folglich als „undeutschen" Kulturimport stigmatisierte und der man die Zersetzung der angeblich ganzheitlichen Kultur des deutschen Mittelalters anlastete. Somit stand wiederum der „Geist der Gotik" gegen den Intellekt der Renaissance und deren legitimer Tochter, der Aufklärung. Das bereits erwähnte Phantasma des „gotischen Menschen" gehörte mithin zur geistigen Abwehrfront gegen die „Ideen von 1789"[58], die man für das kulturelle Desaster der eigenen Gegenwart verantwortlich machte.

Daß die deutsche Renaissance und die jene weiterführende deutsche Reformation im 20. Jahrhundert erst noch zu vollenden sei, wird in zahlreichen kulturkritischen Texte jener Jahre immer wieder behauptet[59]. Ludwig Curtius, der ebenfalls von Lagarde und Langbehn geprägte Klassische Archäologe, vermeinte in der Wiederkehr der Renaissance gar das „spezifisch Deutsche" im Geschichtsprozeß zu erkennen: „Jedesmal Kampf gegen Scheinkultur und erstarrte Kon-

vention, jedesmal neue Suche nach den Quellen des Lebens (...) Wieder einmal
ist wie im Dürerzeitalter der Prozeß der deutschen Renaissance nicht vollendet
deshalb, weil er sich überhaupt nie vollenden kann, sondern jedem deutschen
Zeitalter als Aufgabe neu gestellt ist."[60].

Doch es gab auch andere Möglichkeiten, mit dem sperrigen Erbe der Renaissance umzugehen: Ludwig Woltmann, ein Theoretiker der frühen Rassen-
anthropolgie, skizzierte in seinem Buch „Die Germanen und die Renaissance in
Italien" den eigentlich nordischen Ursprung des Aufbruchs zur Neuzeit[61]; ebenso argumentierte Houston Stewart Chamberlain in seinen „Grundlagen des 19.
Jahrhunderts", der das „rinascimento der freien germanischen Individualität"
zwar in Italien stattfinden läßt, jedoch „an den Toren Roms", so daß er „das
Aufflammen bürgerlicher Unabhängigkeit, industriellen Fleißes, wissenschaftlichen Ernstes und künstlerischer Schöpferkraft" als „durch und durch germanische Tat" (..) und insofern auch eine direkt antirömische" bezeichnen kann[62].

Bei aller Abkehr von Rom und Italien, in denen man nicht zuletzt den Ul-
tramontanismus der eigenen Gegenwart und die politisch-kulturelle Konkurrenz
aus Frankreich treffen wollte, wichtig war für die Verteidiger „deutscher Kultur
und Kunst" dennoch die imaginäre Synthese nordischer und mediterraner Kul-
tureinflüsse[63], wobei es seit dem erwähnten Julius Langbehn gang und gäbe war,
sogar die Kultur der Griechen letztendlich als Ergebnis der Wanderungsbewe-
gungen nordischer Völker zu interpretieren. Das Anknüpfen an das griechische
Erbe also war vor dem Hintergrund der Beziehung von „Angeln und Attika" – so
eine Formulierung Langbehns – recht eigentlich nur ein Rückimport ehemals
nordischen Kulturerbes. Solche und ähnliche Kunstgriffe ermöglichten es deutschen Bildungsbürgern völkisch zu werden und zugleich neuhumanistisch gebildet zu bleiben. Thilo von Trotha, ein Anhänger Alfred Rosenbergs, formulierte
im Jahre 1935: „Das Wesen des nordischen Menschen und damit der nordischen
Kunst schwingt zwischen Island und Athen. Der Nur-Grieche (der unbedingte
Antike-Verehrer – JHU) , den es immer noch gibt, hat genauso wenig geistige
Daseinsberechtigung wie derjenige, der das Heil des Germanentums nur nördlich
der Ostsee sucht."[64].

„Germanische Moderne"

Im Kernbereich völkisch-ästhetischer Diskurse stand – wie ersichtlich – das sog.
„germanische Erbe", ein kulturhistorisches Artefaktum, in dem sich die deutschen Zeitgenossen wiedererkennen und wiederfinden sollten. Im Jahre 1915 veröffentlichte der Publizist und Kunstkritiker Paul Schulze-Berghof in der Zeitschrift „Bühne und Welt", die zwei Jahre später „Deutsches Volkstum" genannt
werden sollte, einen umfangreichen Essay[65], den er als „Weck- und Sammelruf zu

neuem Kampf und Leben" verstand, „im Dienste der Menschheitserziehung, insonderheit des deutschen Menschentums"[66]. Unter dem Titel „Germanisch-dichterische Monumentalkunst" versuchte er, „den reinen Ausdruck und die dauernde Form für den germanischen Lebensgeist und Kulturwillen unserer Zeit" zu finden und dadurch zugleich zu dessen Vollendung beizutragen. Berghof versah damit seinen Dienst an der Heimatfront jener Tage, der einer Neubegründung deutscher kultureller Identität unter den Bedingungen des modernen Krieges dienen sollte. Er forderte eine „starke und zielbewußte Kunstpolitik", ohne die „wir niemals die moralischen Wirkungen des Krieges auf unser Geistesleben und insonderheit auf unsere Kunst dauernd erhalten und für die Zukunft fruchtbar machen" können. Es ging also um nichts weniger, als darum, das – gerade für Intellektuelle prägende – Augusterlebnis 1914 auf Dauer zu stellen[67]. Dies bedeutete, die soziopolitischen Bruchlinien der wilhelminischen Vorkriegsgesellschaft virtuell auf dem Wege nationalpädagogisch ausgerichteter Kunstpolitik zu überwölben und die Vielfalt gesellschaftlicher Konflikte und Interessen einem einzigen großen, allgemein verbindlichen Nationalziel unterzuordnen.

Anders als der radikal-völkische Bohemien Adalbert Luntowski, der dies Projekt schon 1912 explizit als „Germanische Moderne" bezeichnet hatte[68], zog Schulze-Berghof das Etikett „Germanismus" vor:

> „In den Worten germanisch und Moderne liegt ein begrifflicher Widerspruch, der jede dauernde und wirkliche gedankliche Verbindung ausschließt. Mit dem Worte germanisch zielen wir auf unser innerstes Wesen, auf unsere Blutsart, die sich durch Jahrtausende im Leben und in der Kunst zeugungskräftig und schöpferisch betätigt hat. Es führt unser Gefühl in die Tiefen von Urväterzeiten und will Töne in uns wecken, neu und doch alt, schön und wunderbar wie die edeln Feierklänge der Luren, die einst von den lichten Freiluftbauten unserer nordischen Sonnentempel ins Land hinaus zu dem Volke wanderten. Bei dem Worte Moderne aber denken wir doch vor allem an literarische Erscheinungen, die unserer innersten Natur fremd waren und fremd blieben, die mehr vom Hirn als vom Herzen kamen. Dazu ist das Wort im Marktgetriebe geradezu bis zum Überdruß angewendet und dadurch in seinem Gehalt zu einer recht abgegriffenen Tagesmünze geworden, deren Klang und Anblick uns allzusehr an falsche Scheinwerte erinnert. Mit dem Worte modern wurde alles etikettiert, was Schaum und Talmi in der Literatur war und die Sensation und das Publikum um jeden Preis suchte."[69].

In diesen wenigen Worten sind sämtliche begrifflichen Oppositionen versammelt, die für völkisch-antimodernistische Diskurse konstitutiv sind, und das Ganze nennt sich – changierend zwischen der Anlehnung an und der Abkehr vom Humanismus – „Germanismus", vielleicht auch in Anspielung auf das kulturkämpferische Motto Paul de Lagardes: „Der Humanismus ist unsere Schuld, der Individualismus unsere Aufgabe !"

Daß Schulze-Berghof den Gehalt des „Germanismus" in der Kunst als das „Monumentale" definiert und an einem eigenen Gedicht über ein „Hünengrab" exemplifiziert, ihn damit letztlich aber dem religiösen Kontext von Totenkult und Sonnenglauben einschreibt, ist nicht in erster Linie der eigenen Verschrobenheit noch den Zeitumständen geschuldet, sondern im Diskurs über das Germanische selbst präfiguriert. In souveräner Ignoranz gegenüber der Tatsache nämlich, daß etwa die als urgermanisch gepriesene Sagaliteratur gerade der christlichen Periode der Kultur Skandinaviens entstammte, liebte man am eigenen Germanenmythos besonders dessen pagane Dimensionen. Heidnisch-germanisches Kulturerbe galt demzufolge als wertvollere Kultursubstanz als die romanisch-christliche Wertewelt, deren Übernahme als Überfremdung stigmatisiert wurde. Dies setzte eine bewußte Umwertung überkommener Barbaren-Stereotypen voraus[70], denn nun galt das Unzivilisierte, das Nicht-Christanisierte als das echte Menschliche, Authentische – damit jedoch als taugliche Basis kultureller Neugeburt, deren Urbild man projektiv in der Urzeit nichtchristlichen Germanentums erblickte. Die aristokratische Herrenmoral altnordischer Kriegervölker schien allemal das tauglichere Fundament deutsch-kultureller Neubesinnung als eine universalistische christliche Ethik, die schon Nietzsche als Moral der Schwachen gegeißelt hatte. Bauern und Krieger, also wurzelhafte und wehrfähige Männer, bevölkerten diesen Kosmos, diese Gegenwelt zur feminin-unsteten Lebenswelt moderner Ästheten und Händler. Und die religiöse wie politische – angebliche – Geschlossenheit germanischer Stammesgesellschaften zog man in der Imagination der eigenen pluralistisch-antagonistischen Gegenwart vor. Dem drohenden „Untergang des Abendlandes" schien also allein die „germanische Wiedererstehung"[71] oder der „Aufgang des Nordens"[72] – wie zwei spätere, in unserem Kontext jedoch bedeutsame Buchtitel lauteten – trotzen zu können.

Die Inauguratoren des kulturellen Wiederaufstiegs aber sollten die Sachwalter des alten Erbes sein: die Germanisten, Kunsthistoriker und einzelne echt „deutsche" Künstler, denn „die Erregung unseres wirklichen Volksich durch das idealische Volksich, ist durch Dichter, Propheten, Künstler und Tatmenschen von jeher in uns lebendig gehalten"[73]. Neben der zeittypischen Engführung von Kunst und Tat, oft auch in der Spielart von Kunst und Politik, fällt die hier angelegte Verschmelzung von Dichter-Propheten, oftmals auch Priester-Imagines auf. Wer aber den Künstler zum Künder ewiger Wahrheiten, zum Priester stilisierte, mußte konsequenterweise die Kunst selbst sakralisieren, zumal dann, wenn man der Überzeugung war, daß „nur aus Religion" Kultur entstehen könne.

> „Kunst wird uns in der Zukunft heimisch machen, wenn sie den Gegenwartsmenschen zum Unsichtbaren führt, wenn sie ganz im neuen Gotterleben steht, den Gegenwartsmenschen schöpferisch durchdringt, ihn schöpferisch erhebt,

und so die Vereinigung des Getrennten im modernen Leben herbeiführt, uns Lebenskunst des Genies gibt, mit solchem Schaffen Kultur spendet. Aber nur religiöse Menschen besitzen diese schöpferische Macht. Kunst wächst nur aus der göttlichen Urkraft. Und wiederum wird nur der religiöse Mensch Sehnsucht nach den Lichtquellen der Kunst haben. Ursache und Wirkung sind hier Kräfte im Kreislauf wirkend. Die Bewegung dieses Rades hängt davon ab, ob wir die Wende dieser Zeit schöpferisch erleben, ob wir uns weihen und reinigen zum Kommen Gottes."[74]

Einerlei, ob man diese und ähnliche Ansichten als Ästhetisierung der Religion oder als Sakralisierung des Ästhetischen begreift; in jedem Falle bedeutsam ist, daß man den zuende gedachten völkisch-ästhetischen Diskursen nur gerecht wird, wenn man sie als Ausbruchsversuche aus einem genuin modernen Zustand beschreibt, den Georg (von) Lukacs in seiner „Theorie des Romans" als „transzendentale Obdachlosigkeit"[75] des modernen Menschen bezeichnet hat. Daß sich völkische Ästhetik greifbar konkretisiert vor allem im Genre des Weltanschauungsromans, der religiösen Dichtung und des Weihespiels, sollte meines Erachtens der Anreiz dafür sein, den Diskursen völkischer Ästhetik zukünftig eher mit religions- denn mit literaturwissenschaftlichen Fragestellungen zu Leibe zu rücken.

Anmerkungen

1   Dies gilt es selbstkritisch anzumerken, auch angesichts des Handbuch(es) zur „Völkischen
     Bewegung" 1871-1918. Hrsg. von Uwe Puschner, Walter Schmitz und Justus H. Ulbricht.
     München 1996; allerdings finden sich zur Frage völkischer ästhetischer Theorie hier zahlreiche
     verstreute Hinweise. – Siehe auch die Stellungnahme von Hans Rudolph Wahl: Zur Ästhetik
     des Nationalismus. Plädoyer für eine kulturgeschichtliche Neukonzeption der Nationalis-
     musforschung. In: Zeitschrift für Geschichtswissenschaft 44 (1996), H. 7, S. 609-616.

2   Johann Gottfried Herders „Von deutscher Art und Kunst. Einige fliegende Blätter" erschien
     im Jahre 1773; zwischen 1915 und 1916 kommen im Eugen Diederichs Verlag zu Jena die
     „Blätter für deutsche Art und Kunst" heraus; ab 1921 gibt die „Vereinigung Völkischer Verle-
     ger" ihrem Almananch den ehemals Herder'schen Titel „Von deutscher Art und Kunst"; vgl.
     dazu Justus H. Ulbricht: „Von deutscher Art und Kunst". Völkische Verlagsaktivitäten in
     Weimar. In: Ein Verlag braucht eine große Stadt. Verlage in Weimar. Weimar 1995, S. 26-32.

3   Zur Wiederkehr solcher Denkfiguren in der kunstwissenschaftlichen Theoriebildung der
     Zwanziger Jahre s. Lars Olof Larsson: Nationalstil und Nationalismus in der Kunstgeschichte
     der Zwanziger und Dreissiger Jahre. In: Lorenz Dittmann (Hrsg.): Kategorien und Methoden
     der deutschen Kunstgeschichte 1900 bis 1930. Wiesbaden 1985, S. 169-184.

4   Für die deutsche Entwicklung s. die anregende Studie von Georg Bollenbeck: Bildung und
     Kultur. Glanz und Elend eines deutschen Deutungsmusters. Frankfurt/M. 1994, insbes. S.
     225-287.

5   Im europäischen Kontext und bis in die frühe Neuzeit ausgreifend hat diesen Zusammenhang
     der Gießener Forschungsschwerpunkt „Nationale und kulturelle Identität" beleuchtet, dessen
     Ergebnisse in verschiedenen Bänden vorliegen, s. Nationale und kulturelle Identität. Studien
     zur Entwicklung des kollektiven Bewußtseins in der Neuzeit. Hrsg. von Bernhard Giesen.
     Frankfurt/M. 1991, ders.: Die Intellektuellen und die Nation. Eine deutsche Achsenzeit.
     Frankfurt/M. 1993; Nationales Bewußtsein und kollektive Identität. Studien zur Entwicklung
     kollektiven Bewußtseins in der Neuzeit 2. Hrsg. v. Helmut Berding. Frankfurt/M. 1994; My-
     thos und Nation. Studien zur Entwicklung des kollektiven Bewußtseins in der Neuzeit 3.
     Hrsg. v. Helmut Berding. Frankfurt/M. 1996.

6   Jetzt umfassend für die Jahre 1871 bis 1918 dargestellt im : Handbuch zur „Völkischen Bewe-
     gung" 1871-1918. Hrsg. von Uwe Puschner, Walter Schmitz, Justus H. Ulbricht. München
     1996.

7   Vgl.Richard S. Ley: The Downfall of Antisemitic Political Parties in Imperial Germany. New
     Haven/London 1975; Werner Bergmann: Völkischer Antisemitismus im Kaiserreich. In:
     Handbuch zur „Völkischen Bewegung", S. 449-463;

8   Im Überblick s. Corona Hepp: Avantgarde. Moderne Kunst, Kulturkritik und Reformbewe-
     gungen nach der Jahrhundertwende. München1987, Wolfgang J. Mommsen: Bürgerliche Kul-
     tur und künstlerische Avantgarde 1871-1918. Kultur und Politik im deutschen Kaiserreich.
     München 1994.

9   Hierzu existiert eine Fülle bildungshistorischer Studien, die grundlegenden Tendenzen erfaßt
     Konrad H. Jarausch: Die unfreien Professionen. Überlegungen zu den Wandlungsprozessen
     im deutschen Bildungsbürgertum 1900-1955. In: Bürgertum im 19. Jahrhundert. Deutschland
     im europäischen Vergleich. München 1988, Bd. 2, S. 124-146; vgl. auch ders.: Universität und
     Hochschule. In: Handbuch der deutschen Bildungsgeschichte. Band IV 1870-1918. Von der
     Reichsgründung bis zum Ende des Ersten Weltkriegs. Hrsg. von Christa Berg. München 1991,
     S. 313-345.

10   Den damit zusammenhängenden Rollenwechsel skizziert Gangolf Hübinger: „Journalist" und
     „Literat". Vom Bildungsbürger zum Intellektuellen. In: ders., Wolfgang J. Mommsen (Hrsg.):
     Intellektuelle im Kaiserreich. Frankfurt/M. 1993, S. 95-110.

[11]   Vgl. die Forschungsüberblicke von Gangolf Hübinger: Die europäischen Intellektuellen 1890-1930. In: Neue politische Literatur (1994), H. 1, S. 34-54; ders.: Von Bildungsbürgern und Übermenschen. Ihr politisches Begreifen der modernen Kultur. In: Neue politische Literatur (1995), H. 3, S. 402-410.

[12]   Friedrich Alafberg: Sozialaristokratie. In: Die Tat 4 (1912/13), H. 4, S. 170-174; ders.: Die Aristokratie des Geistes. In: Die Tat 4 (1912/13), H. 12, S. 662-668. Ein früher sarkastischer Kommentar zu diesen intellektuellen Selbststilisierungen ist Arno Holz' Komödie „Socialaristokraten" (1896).

[13]   Das Manifest der Bauhaus-Schüler findet sich in ThHStAW, Staatliches Bauhaus ,Nr. 7, Bl. 114.

[14]   Dazu Justus H. Ulbricht: „Wege nach Weimar" und „deutsche Wiedergeburt". Visionen kultureller Hegemonie im völkischen Netzwerk Thüringens zwischen Jahrhundertwende und Drittem Reich. In: Wolfgang Bialas, Burkhard Stenzel (Hrsg.): Die Weimarer Republik zwischen Metropole und Provinz. Intellektuellendiskurse zur politischen Kultur. Weimar-Köln-Wien 1996, S. 23-35.

[15]   Sämtliche vorangegangenen Zitate nach THStAW, Staatliches Bauhaus, Nr. 7, Bl. 68. – Die Leitsätze sind – nicht wörtlich – abgedruckt in: Karl-Heinz Hüter: Das Bauhaus in Weimar. Studie zur gesellschaftspolitischen Geschichte einer deutschen Kunsthochschule. Berlin (3. Aufl.) 1982, S. 174f.

[16]   (Emil Herfurth): Weimar und das Staatliche Bauhaus. Weimar (1920), S. 6.

[17]   Herfurth, Bauhaus, S. 13 spricht vom Expressionismus „in seiner extremsten Form".

[18]   Herfurth, Bauhaus, S. 14.

[19]   Dazu Manfred Gangl, Gerard Raulet (Hrsg.): Intellektuellendiskurse in der Weimarer Republik. Zur politischen Kultur einer Gemengelage. Darmstadt 1994.

[20]   Zu diesem Künstler vgl. den Katalog Hans Gross 1892 – 1981. Aspekte eines umstrittenen Künstlers. Meldorf 1992.

[21]   Immer noch maßgeblich ist Karlheinz Rossbacher: Heimatkunstbewegung und Heimatroman. Zu einer Literatursoziologie der Jahrhundertwende. Stuttgart 1975; s. auch Kay Dohnke: Völkische Literatur und Heimatliteratur 1870-1918. In: Handbuch zur „Völkischen Bewegung", S. 651-684. Zu Gross ders.: „Atme den Geist der Kraft, die Himmel sind dir nahe". Zum literarischen Werk von Hans Gross. In: Hans Gross (wie Anm. 20), S. 77-90.

[22]   Hinweis auf Katalog, Dozentur an der „Nordischen Kunsthochschule" in Bremen, ein Bild seines Ateliers findet sich in: Hans Gross (wie Anm. 20), S. 75.

[23]   Hans Grohs (= Hans Gross): Der Weg zur nordischen Kunst. Heide/Holstein 1932, S. 17.

[24]   Stefan Germer: Kunst der Nation. Zu einem Versuch, die Avantgarde zu nationalisieren. In: Bazon Brock, Achim Preiss (Hrsg.): Kunst auf Befehl? Dreiunddreissig bis Fünfundvierzig. München 1990, S. 21-40.

[25]   „Entartete Kunst". Die Kunststadt München 1937. Nationalsozialismus und „entartete Kunst". Ausst.-Kat. München 1987; „Entartete Kunst". Das Schicksal der Avantgarde im Nazi-Deutschland, hrsg. von Stephanie Barron. München 1992; s. auch die entsprechenden Beiträge in: Kunst und Macht im Europa der Diktatoren 1930 bis 1945. o. O. 1996.

[26]   Vgl. das Kapitel „Die 'nordischen Expressionisten'" in Peter Ulrich Hein: Die Brücke ins Geisterreich. Künstlerische Avantgarde zwischen Kulturkritik und Faschismus. Reinbek 1992, S. 119-131; zu Worringers Apotheose des „Nordischen" und „Gotischen" ders.: Transformation der Kunst. Ziele und Wirkungen der deutschen Kultur- und Kunsterziehungsbewegung. Köln-Wien 1991, S. 147-155. Einschlägig auch Magdalena Bushart: Der Geist der Gotik und die expressionistische Kunst. München 1990.

[27]   Kurt Nowak: Die „antihistoristische Revolution". Symptome und Folgen der Krise historischer Weltorientierung nach dem Ersten Weltkrieg in Deutschland. In: Umstrittene Moderne. Die Zukunft der Neuzeit im Urteil der Epoche Ernst Troeltschs, hrsg. von Horst Renz u.

Friedrich-Wilhelm Graf (Troeltsch-Studien 4). Gütersloh 1987, S. 133-171; Annette Wittkau: Historismus. Göttingen 1992, S. 102-130.

[28]   Vgl. Justus H. Ulbricht: „Sind Anfang oder Ende wir an der Zeiten Wende ?". Bemerkungen zu Strukturen bildungsbürgerlichen Krisenbewußtseins zwischen Spätwilhelminismus und Weimarer Republik. In: Bernhard Gajek, Walter Schmitz (Hrsg.): Georg Britting (1891-1964). Vorträge des Regensburger Kolloquiums 1991. Frankfurt/M. u. a. 1993, S. 55-73.

[29]   Klaus Vondung: Die Apokalypse in Deutschland. München 1988, insbes. S. 189- 225.

[30]   Fritz Klatt: Die Krisengeneration. In: ders.: Ja, Nein und Trotzdem. Gesammelte Aufsätze. Jena 1924, S. 5-10, Zitat S. 9.

[31]   Dies ist nicht despektierlich gemeint, sondern bezeichnet einen offensichtlichen Tatbestand, s. jetzt Steven E. Aschheim: Nietzsche und die Deutschen. Karriere eines Kults. Stuttgart 1996.

[32]   Rembrandt als Erzieher. Von einem Deutschen (i. e. August Julius Langbehn). Leipzig 1890 u. ö; dazu Bernd Behrendt: Zwischen Paradox und Paralogismus. Weltanschauliche Grundzüge einer Kulturkritik in den neunziger Jahren des 19. Jahrhunderts am Beispiel August Julius Langbehns. Frankfurt/M. u. a. 1984.

[33]   Zu dieser Konstellation zahlreiche Hinweise bei Rolf Parr: „Zwei Seelen wohnen, ach !, in meiner Brust". Strukturen und Funktion der Mythisierung Bismarcks. München1992; Lothar Machtan: Bismarck-Kult und deutscher National-Mythos 1890-1940. In: ders. (Hrsg.): Bismarck und der deutsche National-Mythos. Bremen 1994, S. 14-67.

[34]   Karl Tannen (Pseud. Eichwald): Casanova, der venezianische Eulenspiegel als Erzieher. Von einem Deutschen. Bremen 1899.

[35]   Rudolf Huch: Mehr Goethe !. Berlin 1899; vgl. hingegen die auf Langbehn zielende Parodie: Goethe als Hemmschuh. Von einem Berliner. Dem Verfasser von Rembrandt als Erzieher gewidmet. Berlin 1892.

[36]   Völkische Spielarten der Vorgeschichtsforschung beleuchtet Ingo Wiwjorra: Die deutsche Vorgeschichtsforschung und ihr Verhältnis zu Nationalismus und Rassismus. In: Handbuch zur „Völkischen Bewegung", S. 186-207.

[37]   Vgl. Berthold Hinz: Der Bamberger Reiter. In: Das Kunstwerk zwischen Wissenschaft und Weltanschauung, hrsg. von Martin Warnke. Gütersloh 1970, S. 26-47.

[38]   Benedikt Momme Nissen: Dürer als Führer. Vom Rembrandtdeutschen und seinem Gehilfen. Mit einem Brief von Hans Thoma. München o. J. (1928). Zum Dürer-Kult s. Jane Campbell Hutchinson: Der vielgefeierte Dürer. In: Reinhold Grimm, Jost Hermand (Hrsg.): Deutsche Feiern. Wiesbaden 1977, S. 25-45.

[39]   Die Rettung . Blätter zur Erkenntnis der Zeit. Hrsg. von Franz Blei und Albert Paris Gütersloh 1 (1908), Nr. 1 (vom 6.12.1908),

[40]   Peter Gay: Die Republik der Außenseiter. Geist und Kultur in der Weimarer Zeit 1918-1933. (1968) Frankfurt/M. 1987, S. 99-137.

[41]   Thomas Anz: „Gesund" und „krank". Kriterien der Kritik im Kampf gegen die literarische Moderne um 1900. In: Akten des VII. Internationalen Germanistik-Kongresses in Göttingen 1985. Tübingen 1986, Bd. 8, S. 240-250; s. auch Justus H. Ulbricht: Wider „Kotkunst", Schmutz und Schund. Sauberkeitsphantasien in kulturkritischen Diskursen. In: SOWI. 26 (1997), H. 1, S. 28-35.

[42]   Diederichs, Leben und Werk (s. Anm. 54), S. 177.

[43]   Diederichs, Leben und Werk, S. 178.

[44]   Eugen Diederichs an Hermann Löns, 20. August 1910. In: ders., Leben und Werk, S. 180.

[45]   Julia Zernack: Anschauungen vom Norden im deutschen Kaiserreich. In: Handbuch zur „Völkischen Bewegung", S. 482-511.

[46]   Thule. Verlagsprospekt . Jena (1922), unpag.

47 So eine Formulierung von Julia Zernack, vgl. auch diess.: Geschichten aus Thule. Islendin-
    gasögur in Übersetzungen deutscher Germanisten. Berlin 1994, insbes. S. 11-96.

48 Identifikatorisch hochbesetzte Heroen dieser Gegend waren von jeher „Hermann der
    Cherusker" und „Herzog Widukind", vgl. Gerd Unverfehrt: Arminius als nationale Leitfigur.
    Anmerkungen zu Entstehung und Wandel eines Reichssymbols. In: Kunstverwaltung, Bau-
    und Denkmalpolitik im Kaiserreich. Hrsg. von Ekkehard Mai u. Stephan Waetzoldt. Berlin
    1981, S. 315-340; Andreas Dörner: Politischer Mythos und symbolische Politik. Der Her-
    mannmythos: zur Entstehung des Nationalbewußtseins der Deutschen. Reinbek 1996; Ute
    Specht-Kreusel: Widukind: Rezeptionsgeschichtliche Denkansätze zu einer historischen und
    unhistorischen Gestalt. In: Olaf Schirmeister, diess. (Hrsg.): Widukind und Enger. Rezepti-
    onsgeschichte und Bibliographie. Enger 1992, S. 6-22.

49 Eine Sammlung afrikanischer Märchen des Diederichs-Verlags trug bezeichnenderweise den
    Reihentitel „Atlantis".

50 Wilhelm Pinder: Vom Wikingertum unserer Kultur. In: Kunst der Nation 2 (1934), H. 13, S.
    1; zit. n. Germer, Kunst der Nation, S. 36.

51 So Alois Schardt in seiner Rede vom 10. Juli 1933 „Was ist deutsche Kunst", mit der er die
    Neuordnung der Ausstellungen des Berliner Kronprinzenpalais erläuterte, zit. n. Germer,
    Kunst der Nation, S. 25.

52 Neben Zernack, Geschichten aus Thule; s. Kurt Schier: Die Literaturen des Nordens. In: Gan-
    golf Hübinger (Hrsg.): Versammlungsort moderner Geister. Der Eugen Diederichs Verlag –
    Aufbruch ins Jahrhundert der Extreme. München 1996, S. 411-449; Ulf Diederichs: Achtzig
    Jahre Sammlung Thule. In: Aus dem Antiquariat (1991), H. 11, A 417- A 426.

53 Dazu Justus H. Ulbricht: „Meine Seele sehnt sich nach Sichtbarkeit deutschen Wesens". Welt-
    anschauung und Verlagsprogramm von Eugen Diederichs im Spannungsfeld zwischen Neuro-
    mantik und 'Konservativer Revolution'. In: Hübinger, Versammlungsort, S. 335-374.

54 Vgl. Eugen Diederichs Leben und Werk. Ausgewählte Briefe und Aufzeichnungen, hrsg. von
    Lulu von Strauß und Torney-Diederichs. Jena 1936, S. 40; zum „Kunstwart" vgl. Gerhard
    Kratzsch: Kunstwart und Dürerbund. Ein Beitrag zur Geschichte der Gebildeten im Zeitalter
    des Imperialismus. Göttingen 1969.

55 Wege zu deutscher Kultur. Eine Einführung in die Bücher des Verlages Eugen Diederichs in
    Jena. Mit Bücherverzeichnis bis Weihnachten 1908. Jena 1908.

56 Dazu Justus H. Ulbricht: Durch „deutsche Religion" zu „neuer Renaissance". Die Rückkehr
    der Mystiker im Verlagsprogramm von Eugen Diederichs. In: Mystik, Mystizismus und Mo-
    derne in Deutschland um 1900. Hrgs. von Moritz Baßler und Hildegard Chatellier. Strasbourg
    1998, S. 165-186.

57 Zu Benz und seinem Zeitschriftenprojekt s. Ulbricht, „Ich sehne mich nach Sichtbarkeit...", S.
    344-346 („Der Beethovendeutsche" oder: Richard Benz als Erzieher).

58 Klaus von See: Die Ideen von 1789 und die Ideen von 1914. Völkisches Denken in Deutsch-
    land zwischen Französischer Revolution und Erstem Weltkrieg. Frankfurt/M. 1975; Wolfgang
    J. Mommsen: Der Geist von 1914: Das Programm eines politischen „Sonderwegs" der Deut-
    schen. In: ders.: Der autoritäre Nationalstaat. Verfassung, Gesellschaft und Kultur im deut-
    schen Kaiserreich. Frankfurt/M. 1990, S. 407-421.

59 Mehrere Belege sowie Informationen zum Kontext der Denkfigur einer „neuen Reformation"
    bei Justus H. Ulbricht: „Deutsche Renaissance". Weimar und die Hoffnung auf die kulturelle
    Regeneration Deutschlands zwischen 1900 und 1933. In: Jürgen John, Volker Wahl (Hrsg.):
    Zwischen Konvention und Avantgarde. Doppelstadt Jena-Weimar. Weimar-Köln-Wien 1995,
    S. 191-207.

60 Ludwig Curtius : Torso. Verstreute und nachgelassene Schriften. Ausgew., hrsg. und mit ei-
    nem Nachwort versehen von J. Moras. Stuttgart 1957/58, S. 137, 160; zit. n. Richard Faber:

Humanistische und faschistische Welt. Über Ludwig Curtius (1874-1954). In: Hephaistos 13 (1995), S. 137-186, Zitat S. 164.

[61] Ludwig Woltmann: Die Germanen und die Renaissance in Italien. Mit 117 Bildnissen berühmter Italienen. Leipzig 1905; Informationen zu Woltmann bei Rolf Peter Sieferle: Die Krise der menschlichen Natur. Zur Geschichte eines Konzepts. Frankfurt/M. 1989, S. 185ff.; ders.: Rassismus, Rassenhygiene, Menschenzuchtideale. In: Handbuch zur „Völkischen Bewegung", S. 436-448.

[62] Houston Stewart Chamberlain: Die Grundlagen des neunzehnten Jahrhunderts. Zwei Bände. München 1899. Zit. n. der 11. Auflage (= Volksausgabe) 1915, Bd. 2, S. 828.

[63] Schon die Klassik begriff Deutsche und Griechen als Wahlverwandte, vgl. Manfred Landfester: Griechen und Deutsche. Der Mythos einer 'Wahlverwandtschaft'. In: Mythos und Nation. Studien zur Entwicklung des kollektiven Bewußtseins in der Neuzeit. Hrsg. v. Helmut Berding. Frankfurt/M. 1996, S. 198-219; eine Nachwirkung dieser Vorstellung skizziert Klaus Wolbert: „Hellenen, Germanen und wir" – Verstreute Stationen einer politischen Wirkungsgeschichte des Antikenvorbilds in Deutschland von Winckelmann bis Hitler. In: Kirsten Ferst, Jan Peter Thorbecke (Hrsg.): Griechen und Deutsche. Bilder vom Anderen, Stuttgart, Darmstadt 1982, S. 77-93; Gunnar Brands: Zwischen Island und Athen. Griechische Kunst im Spiegel des Nationalsozialismus. In: Brock, Preiss (Hrsg.), Kunst auf Befehl ?, S. 103-136.

[64] Thilo von Trotha: Wiedergeburt der bildenden Kunst. In: Völkische Kunst 1 (1935), H. 0 (Werbeheft), S. 5ff.; zit. n. Brandts, Zwischen Island und Athen, S. 114.

[65] Paul Schulze-Berghof: Germanisch-dichterische Monumentalkunst 1. Kriegswetter und Kunstpolitik. In: Bühne und Welt XVII (1915), S. 16-21; 2. Name und Begriff des Germanismus, Ebenda, S. 52-57; 3. Vom Wesen des Monumentalen. Ebenda, S. 255-262; 4. Die Grenzen der Moderne (Falscher und echter Historizismus). Ebenda, S. 410-419; 5. Vom deutschen Stil im allgemeinen. Ebenda, S. 531-537.

[66] Schulze-Berghof, Germanisch-dichterische Monumentalkunst 1, S. 17.

[67] Vgl. jetzt die differenzierenden Studien in : Kultur und Krieg. Die Rolle der Intellektuellen, Künstler und Schriftsteller im Ersten Weltkrieg. Hrsg. von Wolfgang Mommsen (Schriften des Historischen Kollegs, Kolloquien 34). München 1996.

[68] Adalbert Luntowski: Die Geburt des deutschen Menschen. o. O., o. J. (Leipzig 1914). Hierbei, bemerkte der Autor, handelt es sich um die „Erweiterung eines Vortrags, der unter der Bezeichnung 'Die Germanische Moderne' am 10. Gilbhardt 1912 (= Oktober – JHU) im Hamburger Deutschbund gehalten wurde". Zum „Deutschbund", einer der wichtigen völkischen Gruppierungen des Wilhelminismus und der Weimarer Zeit, s. Dieter Fricke: Der „Deutschbund". In: Handbuch zur „Völkischen Bewegung", S. 328-340.

[69] Schulze-Berghof, Germanisch-dichterische Monumentalkunst 2, S. 56.

[70] Dazu Klaus von See: Germanenbilder; ders.: Der Germane als Barbar. In: ders.: Barbar, Germane, Arier. Die Suche nach der Identität der Deutschen. Heidelberg 1994, S. 9-30, 31-60.

[71] Vgl. Hermann Nollau (Hrsg.): Germanische Wiedererstehung. Ein Werk über die Grundlagen unserer Gesittung. Heidelberg 1926; dazu Zernack, Geschichten aus Thule, S. 34ff.

[72] Josef Strzygowski: Aufgang des Nordens. Lebenskampf eines Kunstforschers um ein deutsches Weltbild. Leipzig 1936. Der Wiener Kunsthistoriker verknüpft hier seine zur Märtyrer- und Kämpfergeschichte stilisierte Biographie mit der Explikation seiner Kunsttheorie. Zum wissenschaftlichen Umfeld Strzygowskis s. Olaf Bockhorn: Von Ritualen, Mythen und Lebenskreisen: Volkskunde im Umfeld der Universität Wien. In: Wolfgang Jacobeit, Hannsjost Lixfeld, ders. (Hrsg.): Völkische Wissenschaft. Gestalten und Tendenzen der deutschen und österreichischen Volkskunde in der ersten Hälfte des 20. Jahrhunderts. Köln-Wien 1994, S. 477-526.

[73] Luntowski, Die Geburt des deutschen Menschen, S. 18.

[74] Luntowski, Die Geburt des deutschen Menschen, S. 32.

[75] Georg (von) Lukacs: Die Theorie des Romans. Ein geschichtsphilosophischer Versuch über die Formen der großen Epik. München 1994, S. 32; Lukacs spricht auch von „transzendentaler Heimatlosigkeit", vgl. S. 52. Das Werk entstand im Sommer 1914, erschien als Zeitschriftenaufsatz während des Krieges und erst 1920 in Buchform.

Inge Baxmann

Ästhetisierung des Raums und nationale Physis

Zur Kontinuität politischer Ästhetik.
Vom frühen 20. Jahrhundert zum Nationalsozialismus

1. Ästhetisierung als Projekt der Moderne

Das Ästhetische spielte für die Selbstbeschreibung der modernen Kultur eine entscheidende Rolle. Die Lebensreformbewegung des ausgehenden 19. und frühen 20. Jahrhunderts proklamierte die Ästhetisierung der modernen Lebenswelt, ein Programm, das durch die künstlerischen Avantgarden des 20. Jahrhunderts im Kontext neuer Technologien und Medien radikalisiert wurde. Futurismus oder Bauhaus fragten nach dem Potential der Massenkultur für eine Ästhetisierung des modernen Alltags. Über die Verbindung von Kunst mit neuen Medien und Technologien wollten sie die Wahrnehmungsgewohnheiten der Masse an die Erfordernisse einer technisch und medial bestimmten modernen Kultur anpassen.

Futurismus und Bauhaus setzten auf eine grundlegende Umwandlung der kollektiven Sensibilität.[1]

Diese Projekte waren stets national codiert. So wollte das Bauhaus über die Technik Kunstformen entwickeln, die ein zersplittertes Volk vereinen und neue Kunst- und Lebensformen hervorbringen. Die sinnlichen Rezeptionskräfte des Menschen bildeten den Ansatzpunkt avantgardistischer Konzepte. Für den konstruktivistisch beeinflußten Bauhausfotografen László Moholy-Nagy gehörte die Erweiterung der Sehfähigkeit zum „Neuen Menschen". Er experimentierte mit den durch die Kamera gegebenen Möglichkeiten der Modifikation der Wahrnehmung.[2] Der Beitrag dieser Projekte zur modernen Ästhetisierung des Politischen liegt vor allem in der Umstrukturierung kollektiver Wahrnehmungsformen und einer Ästhetisierung des Raums, die auf den Möglichkeiten neuer Medien und Technologien beruht.

Ein Paradox moderner Medientechnologien besteht darin, daß sie sowohl „Versinnlichung" wie „Entkörperlichung" produzieren. Sie erlauben einerseits

Formen der Kommunikation, die sich direkt an die Sinne richten und das „mimetische Vermögen" (W.Benjamin) aktivieren. Andererseits ermöglicht diese Erweiterung der Sinnesstruktur mithilfe der technischen Apparatur eine Entkörperlichung der Wahrnehmung, die sie zum Herrschaftsinstrument prädestiniert.

In Verbindung mit Film und Fotografie entstand eine neue Kultur des Raums und des Blicks. Sie wirkte auf den politischen Raum zurück und führte zu einer grundlegenden Umstrukturierung, die sich als Prozesse der Ästhetisierung beschreiben läßt und in neuen kollektiven Bedürfniskonstellationen und Verhaltensstilen manifestierte. Der Futurismus beispielsweise entwickelte seine politische Ästhetik in engem Zusammenhang mit Film und Fotografie. Sein nationales Projekt und seine politischen Inszenierungen beruhten auf einer durch sie geprägten Wahrnehmungskultur. So sah Gabriele D'Annunzio 1914 in der Kinoindustrie das Entstehen einer neuen Ästhetik der Bewegung, wobei „Bewegung" auch die politische Bewegung einschloß.[3] Diese neue Ästhetik der Bewegung floß ein in die politischen Inszenierungen D'Annunzios. Ihre Voraussetzung war die Verbindung von fliegerischer Wahrnehmung und Kamerafahrt, die im elektronischen Bild verschmilzt: das neue Sehen formte den politischen Raum zur politischen Gestalt und ermöglichte zugleich die Selbstwahrnehmung der politischen Bewegung. Der unter Mitarbeit D'Annunzios entstandene Film „Cabiria" von Giovanni Pastrone (1913/1914) enthält schon jene Ästhetik, die die Inszenierung des Politischen in den 30er Jahren bestimmte. Aus der Kombination von beweglicher Kamera, von Kameraschwenk, -hebung und -senkung resultierte eine langsame Kamerafahrt, die unabhängig von den Bewegungen der Schauspieler Figuren aus einer Gruppe herausgreift und wieder reintegriert und darüber Nahaufnahme und Gesamtschau gleichermaßen ermöglichte.

Avancierte Medientechnologie und archaische Rituale und Mythen verschmolzen in dieser politischen Ästhetik, nationalistische Mythen und Rituale rekurrierten auf nationale Traditionen vormoderner Gesellschaften. Die Politik der Bilderschaffung war dabei stets auch eine Politik der Machterweiterung, die auf einer paradoxen Symbiose zwischen technisierter Moderne und vormodernem Imaginärem beruhte.[4]

2. Szenarien politischer Ästhetik:
Nationale Physiognomien und die Ästhetisierung des Raums

Vor allem an der Symbolisierung und Inszenierung der Fiktion der nationalen Gemeinschaft offenbarten sich seit Ende des 19. Jahrhunderts Prozesse der Ästhetisierung des Politischen.

Die Kontinuitäten zwischen Nationalsozialismus und früher Moderne überwiegen die Brüche.

Die Ästhetisierung des Raums bildete den Kern politischer Ästhetisierung, die sowohl die politischen Inszenierungen wie das politische Imaginäre bestimmte.

Seit der Jahrhundertwende gehörte die Erstellung von Physiognomien geographischer Räume zu einer Ästhetisierung von Landschaften, die als Ausdruck für die Substanz eines Volkes gelesen wurden. Eine zuvor unbekannte Ästhetisierung der regionalen Räume und die Aufwertung der regionalen Kulturen fand seit Ende des 19. Jahrhunderts Eingang in Strategien einer Naturalisierung des Nationalen. Über die Festigung lokaler Stereotype formte sich ein Imaginäres der „Heimat". Regionale und lokale Emotionen bildeten die Basis nationaler Bindungsenergien.

Die Entzifferung der „Physiognomien" von Massen, Landschaften und Kulturen verdankt sich der neuen Wahrnehmungsperspektive, die über die Verbindung von Fotografie bzw. Film und Flugzeug möglich wurde. Erst die „Draufsicht" erlaubte die Fixierung einer solchen Gestalt. Die Kinobildlichkeit unterstützte derartige Visionen, sie ließ den Raum zur Gestalt gerinnen, deren Konturen sich zu phantasmatischen Körpern verdichten konnten.[5]

Entscheidend für die Erstellung der „Physiognomien" dieser Landschaften war die Fotografie, die über ihre Motivauswahl (von Bauwerken über Denkmäler bis zu Landschaften und lokalen Festen und Tänzen) dieses Imaginäre erstellte und massenhaft verbreitete. Das „Deutschtum" bzw. in Frankreich die „âme latine" oder die „Latinità" in Italien sollte sich in den Physiognomien dieser Landschaften und im Brauchtum dieser regionalen Kulturen auf jeweils spezifische Weise ausgedrückt finden.

Das Imaginäre der Nation war so durch Film und Photographie schon in den 20er Jahren etabliert, der Nationalsozialismus schloß an die damit etablierte Ästhetik des Nationalen an.

Der Geopolitiker Karl Haushofer machte in den 30er Jahren in mehreren Artikeln die Herstellung des deutschen geographischen Körpers zur politischen Aufgabe: der deutsche Lebensraum sei zu eng, Küsten und Gebirge seien in Deutschland amputiert und zerstückelt.[6] Vergleichbare Überlegungen stellte in Frankreich Vidal de la Blache in seinem „Tableau de la géographie de la France" (1903) an. Die Einzigartigkeit des „pays" (des französischen Äquivalents für „Heimat") drücke sich in seiner Physiognomie, einem besonderen „Stil" der räumlichen Struktur aus, man suchte die Physiognomien von Kulturen und geographischen Räumen zu entziffern.

Neue Körperlichkeit und neue Raumerfahrung seien Indizien für eine Erneuerung des (ebenfalls in Analogie zum Körper gedachten) „nationalen Organismus"[7], behauptete Wolfgang Gräser in seinem Buch „Körpersinn" von 1927. Er beanspruchte, die „Topographie der Sinneswelt" zu rekonstruieren. Einer solchen nationalspezifischen Sinnenwelt entspreche ein nationalspezifisches Erle-

ben. So sei vor allem die „neue Körperlichkeit" Ausdruck einer „neuen Lebenshaltung", die bei allen europäischen Völkern vorkomme, besonders aber
Deutschland erfaßt habe. Graeser behauptete ein nationalspezifisches Raumerlebnis.

„Gerade das Raumerlebnis dringt bis tief in die letzten Wesensgründe der
Menschenseele herab, ist vielleicht das entscheidende Wesensmerkmal eines See-
lenzustandes. Kulturgeschichte ist die Geschichte von den Wandlungen jenes
erlebten Raumes. So objektiv und rational unsere Darstellung auch erscheinen
mag, so sind ihre Hilfsmittel doch alle mit dem metaphysischen Raumerlebnis
unseres faustischen Fühlens verknüpft und von diesem Anwendungsbereich wesentlich begrenzt. Andere Völker und Kulturen haben das für sie entsprechende
in ganz andere Formen gekleidet."[8]

Dem nationalspezifischen Körper- und Raumerlebnis korrespondiere eine
Struktur der Sinneswelten, die den Charakter eines Volkes präge. Graeser be-
schrieb diese „innere Landschaft" in Analogie zum europäischen Staatensystem.

Mit dem Film wurde die visuelle Erfahrung des Traums und Tagtraums zur
kollektiven Erfahrung, das kollektive Imaginäre auf eine historisch nie dagewesene Weise formbar und homogenisierbar. Der Filmtheoretiker Béla Bálazs behauptete 1924, der Film übernehme in der modernen Kultur die Rolle, die der
Mythos in oralen Kulturen innehatte.

„Der Film hat in der Phantasie und im Gefühlsleben der städtischen Bevölkerung die Rolle übernommen, die früher einmal Mythen, Legenden und Volks-
märchen gespielt haben."[9]

Dies gilt auch für die Konstruktion des Nationalen.

Der nationale Mythos und das Imaginäre der Heimat fand sich schon in
den Legendenfilmen (Fritz Lang's Nibelungen) oder in den Bergfilmen der 20er
Jahre. Diese konstruierten ein Imago von „Heimat" und stilisierten die Natur
zum Symbol ewiger, den Einzelnen transzendierender Gesetze. Die Faszination
eines großstädtischen Publikums für diese Filme, die meist den Kampf einer
Gruppe oder eines Einzelnen für ein transzendentes Ziel thematisierten und in
der die religiöse Thematik kaum verschleiert erscheint, verweist auf kollektive
Bedürfnislagen, die die nationalsozialistische Inszenierung des Nationalen auf-
nahm.

Schon Riefenstahls Filme der 20er Jahre wie „Der heilige Berg" (1925), „Das
blaue Licht" (1931 in Zusammenarbeit mit Bela Bálazs, der das Drehbuch
schrieb),[10] zeugen von einer Transzendenzsehnsucht, die über Landschaften gestaltet wird, ein bevorzugtes Motiv im frühen deutschen Film. Der sozialdemo-
kratische „Vorwärts" lobte Riefenstahls Film „Der heilige Berg": „Er wird Millionen in Deutschland und der ganzen Welt Freude am Schauen und vertieftes
Gefühl für die Größe und Dämonie der Natur vermitteln."[11]

Leni Riefenstahls Film „Triumph des Willens" rekurrierte ebenfalls auf dieses Imaginäre. Er beginnt mit einem Blick von oben auf Nürnberg und seine mittelalterlichen Bauwerke, dann auf die Festvorbereitungen, die den Parteitag in die lokale Festtradition einordnen. Eine Sequenz des Films zeigt eine folkloristische Parade von Bauern in ihren regionalen Trachten.[12]

Seit der Jahrhundertwende standen mit den neuen Technologien alle Elemente einer Ästhetisierung der Politik bereit, die in den nationalsozialistischen Inszenierungen der nationalen Volksgemeinschaft zur Symbiose geführt wurden. Die Ästhetisierung des Politischen, wie sie der Nationalsozialismus betrieb, bedeutete daher keinen wirklichen Bruch mit den Prozessen einer Ästhetisierung des politischen Raums, wie sie in der politischen Kultur seit der Jahrhundertwende auszumachen waren. Diese beruhte auf einer neu entwickelten Wahrnehmungskultur und rekurrierten auf damit ausgebildete Rezeptionsmuster. Neue Technologien schufen die Bedingungen für diese Prozesse.

Die massenmobilisierende Kraft der „Lebensraum"-These der Nationalsozialisten, die Wahrnehmung des eigenen Landes als eingekreist durch fremde Mächte (Frankreich, England, Holland, Skandinavien, Polen, Österreich und Italien) und der Forderung nach Erweiterung des „Lebensraums" liegt nicht zuletzt begründet in der Kombination zwischen einer aus der Perspektive der Luftaufnahme wahrnehmbaren phantasmatischen Raumgestalt und klaustrophobischer Körpererfahrung. Die Körpererfahrung bildet ein grundlegendes Deutungsschema für die Selbst- und Fremdwahrnehmung von Gesellschaften. Sie ist symbolischer Ausdruck der Vorstellungen von ihren Ursprüngen, Bindungen, Gefährdungen und kollektiven Sehnsüchten, aber auch ihrer Freund- und Feindbilder. Das Phantasma von der Regeneration des nationalen Körpers ist gewissermaßen die Antwort auf das Trauma des verstümmelten Körpers. Erst vor dem Hintergrund der Traumatisierung durch den ersten Weltkrieg, und der dabei auf neue Weise konsolidierten Verknüpfung von Körperbild und nationaler Gemeinschaft läßt sich die Faszination begreifen, die die Diskurse von der „Regeneration des nationalen Körpers" und der von der Körperkultur propagierte schöne, gesunde Körper als Sinnbild kultureller Erneuerung auf die Zeitgenossen ausübten. Die impliziten Gegenbilder des schönen gesunden, durchtrainierten Körpers waren der verstümmelte, kranke, infizierte Körper und das potentiell Pathologische, aber ebenso das „Fremdrassige". Mittels der Fotografie war die Physiognomie des nationalen Körpers seit dem 1.Weltkrieg per Gegenbild – etabliert. Ein Beispiel dafür ist der Bildband „Unsere Feinde" von 1916 mit Fotos aus den Gefangenenlagern des 1.Weltkriegs.[13]

Rassismus und Genozid sind kein Bruch mit der modernen Tradition der Ästhetisierung, sondern eine Variante der ästhetischen Formung des Politischen. Die Konstruktion politischer Identität erfolgte wesentlich über ästhetisch fundierte Ausschlußverfahren, wie sich an den Rassediskursen und der Konstruktion des arischen Körpers verfolgen läßt.[14] Die mediale Ästhetisierung des Nationalen funktioniert hier als Unsichtbarmachen, das auf ästhetischen Codes beruht. Die Ästhetisierung des Politischen verdeckt hier die impliziten Ausschlußverfahren, die der Konstruktion politischer Identität zugrundeliegt.

Gegen eine verbreitete Kritik an der nationalsozialistischen Ästhetisierung des Politischen, die eine spezifische „faschistische Ästhetik" auszumachen sucht,[15] fordert gerade der Befund der Ununterscheidbarkeit der Ästhetisierung des Politischen durch den Faschismus mit der des Nationalästhetizismus seit der Jahrhundertwende eine theoretische Reflexion heraus. Die Massenwirksamkeit der faschistischen Inszenierungen der Volksgemeinschaft ist nur verständlich vor dem Hintergrund der Umstrukturierung des politischen Raums in der Moderne, der mit der Umstrukturierung der kollektiven Wahrnehmungsdispositionen durch die neuen Medien zusammenhängt. Damit soll keine Verharmlosung des Faschismus betrieben, sondern der These von einer „faschistischen Ästhetik" eine Perspektive entgegengestellt werden, die über die Frage nach den Kontinuitäten jene Problemstellungen einer modernen politischen Ästhetik rekonstruieren möchte, auf die der Nationalsozialismus eine mögliche Antwort darstellte.

Neben der Ästhetisierung des Raums zeigt sich die Kontinuität der politischen Ästhetik an der Verknüpfung von Körperkultur und nationaler Regeneration. Dies gilt vom Ende des 19. Jahrhunderts bis zu den nationalsozialistischen Inszenierungen der Volksgemeinschaft und Leni Riefenstahls Olympiafilm. An Leni Riefenstahl erweist sich die Schwierigkeit einer Auseinandersetzung mit der Ästhetisierung des Politischen durch den Faschismus. Ihre Filme entwickelten keine „faschistische Ästhetik", sondern führten die schon seit den 10er und 20er Jahren entwickelten filmischen Möglichkeiten zu einer neuen Synthese. Diese Filme lassen sich weder (in der Tradition Siegfried Kracauers) als nationalsozialistische Ideologie abtun, noch über den Verweis auf eine vermeintliche Autonomie der künstlerischen Sphäre aus der politischen Auseinandersetzung der Zeit herauslösen.

Der Faschismus stand in einem komplexen Verhältnis zu den neuen Medien. Politik und Kino gingen erstmals in der modernen Politik eine Symbiose ein.

Am Faschismus zeigt sich die Ambivalenz moderner Projekte der Ästhetisierung des Politischen. Ihre nationalsozialistische Variante ist nur EINE Ausdrucksform eines grundsätzlichen Problems des Politischen in der Moderne, die auf die Notwendigkeit eine neuen, erweiterten Konzepts des Politischen verweist. Ansätze dafür entwickelte Walter Benjamin mit seiner These von der Ästhetisierung, der mit der Moderne alle Lebensbereiche durchdringe und als Ästhetisierung des Politischen eine zentrale Strategie der Nationalsozialisten bilde. Benjamin zufolge bot diese Ästhetisierung den Massen eine Inszenierung des politischen Lebens und machte sie zugleich zum Teil dieser Inszenierung. Seine Forderung nach einer „Politisierung der Ästhetik" als Gegenstrategie blieb indes eine nicht weiter ausgeführte Formel, die der Komplexität des Problems nicht gerecht wurde.

Philippe Lacoue-Labarthe versuchte, Benjamins Idee weiterzuführen. Er sieht im Nationalästhetizismus (nationalesthétisme) das Projekt des Nationalsozialismus, der (an die romantische Tradition des Staats als Kunstwerk anknüpfend) das deutsche Volk zum Kunstwerk „gestalten" wolle.[16] Am Beispiel der Inszenierung der Nation zeigt sich, welche komplexe Rolle moderne Medientechnologien für die ästhetische Formung des Politischen und die Erstellung des Imaginären der Nation spielen.

3. Die ästhetische Formung des politischen Körpers

Aus der Kombination von Masse, Körper und Sport entstanden bevorzugte Szenarien des nationalen Mythos. 1920 machte Leopold Ziegler in der Moderne zwei Bereiche aus, in denen Restformen kultischer Verhaltensdispositionen überleben: die Politik und der Sport. Diese seien „die einzigen Systeme, welche in profanierter Gestalt den Verfall sakralkultischer Reagenzformen der Vorzeit noch einigermaßen überdauert"[17] hätten und nun ineinander übergingen. Das attische Theater und kultische Spiele – so Ziegler – hätten dem Drang der Massen nach gemeinsamer Erregung Rechnung getragen. Auch die Wiederbelebung mittelalterlicher Tänze und Spiele seit der Jugendbewegung waren ihm Indiz für den Wunsch, einer „vorrückenden Entheiligung und Entzauberung" entgegenzuwirken.[18]

Die Suche nach neuen Formen politischer Partizipation fand ihren Ausdruck in Veränderungen politischer Kommunikations- und Verhaltensstile, so bei den Masseninszenierungen, die wesentlich auf orchestrierter kollektiver Bewegung und Rhythmus beruhten. Die politischen Masseninszenierungen seit den 10er Jahren arbeiteten mit den Errungenschaften moderner Massenkommunikation. Keine der Massenveranstaltungen war denkbar ohne eine ausgeklügelte Technik (von der Lichtregie über Ton und Schall bis zur Verströmung von Duft).

Riefenstahls Filme bekunden den Beitrag der modernen Körperkultur zum neuen, durch Fotografie und Film geprägten Imaginären der Nation. Riefenstahls Olympiafilm, der 1938 den ersten Preis beim Internationalen Filmfestival in Venedig gewann, ist gespeist aus einem spezifisch europäischen Imaginären nationaler Gemeinschaft. Der Olympiafilm folgte den gleichen Traditionslinien, auf denen schon die Konstruktion des nationalen Körpers seit der Jahrhundertwende (in Deutschland wie in Frankreich) aufbaute. Die Körper der Sportler sind den antiken Statuen entsprechend in Szene gesetzt. Die Kamerafahrten, die Bilder von Ruinen, Säulen und Plastiken des Parthenon assoziieren eine direkte

Linie zur griechischen Antike, die in der westlichen Kultur als Modell der Einheit von Staat und natürlichen Lebensformen gilt.

Bestimmte kulturelle Praktiken wurden zum Sinnbild für die nationale Regeneration und zum symbolischen Ausdruck nationalen Zusammenhalts. Die Verknüpfung zwischen Körperkultur und nationaler Regeneration gilt nicht nur für Deutschland nach dem 1.Weltkrieg, sondern ebenso für Frankreich. Seit Ende des 19. Jahrhunderts inszenierten die Rituale nationaler Einheit in beiden Ländern den nationalen Körper über Bewegungschöre und Gymnastikvorführungen. Die orchestrierte Bewegung der durchtrainierten Körper war Ausdruck nationaler Erneuerung und zielte darauf ab, die nationale Emotion im Unbewußten zu verankern. Die „Fêtes Gymniques" waren in Frankreich seit dem ersten Weltkrieg national codiert, sie sollten die Nation mobilisieren, um die Revanche (gegen Deutschland) vorzubereiten. Der Zusammenhang zwischen Gymnastik und republikanischer Gesinnung ergab sich indes nicht aus der Körperpraxis der Gymnastik, sondern aus einer Konstruktion, die eine bestimmte Körperpraxis zum Symbol nationalen Zusammenhalts stilisierte. Über körperliche Übungen gleichgeformte Körper und synchronisierte Bewegungen waren Ausdruck der zu Staatsbürgern geformten und geordneten Masse.

Der Nationalästhetizismus rekurrierte seit der Jahrhundertwende auf den Kamerablick auf den bewegten Massenkörper im öffentlichen Raum. Die Bewegung der Massen war ein bevorzugtes Thema des frühen Films, er bot Modelle für ihre Gestaltung. Béla Bálazs erkannte in dieser Darstellung des gesellschaftlichen Organismus „eine besondere Filmmöglichkeit der Monumentalität, die noch keine Kunst gebracht" habe.

„...so eine Volksmasse – der EINE Organismus von Tausenden, die in ihm aufgehen – zeigt uns ein überindividuelles Gebilde der menschlichen Gesellschaft. Nicht nur die Summe der Einzelmenschen, sondern ein eigenes Lebewesen mit eigener Gestalt und eigener Physiognomie. Diese Gestalten und Physiognomien der menschlichen Sozietät wurden in den individualistischen Künsten bisher nie sichtbar. Und das lag nicht nur am Technischen. Die Gesellschaft als solche wird in unserer Zeit immer bewußter, ihre Physiognomie sichtbarer. Darum ist sie auch im Bild eher darzustellen. Denn auch die Bewegung der Masse ist Gebärde wie die des Einzelmenschen. Wir haben sie bisher nicht gekannt, obwohl wir sie mitmachten...Um aber deutliche Gebärden zeigen zu können, darf eine Masse nicht konturlos, chaotisch-amorph sein. In einem guten Film wird die Menge in ihren Gruppierungen und Bewegungen bis ins kleinste „durchkomponiert" sein."[19]

Die Masseninszenierungen der 20er Jahre, die den politischen Körper in den öffentlichen Raum schrieben, sind folglich ohne die mit Fotografie und Film entwickelten Wahrnehmungsmuster nicht denkbar. Wesentliche kompositionelle Grundmuster der Masseninszenierungen sind dem „Neuen Sehen" entlehnt, das die Bauhausfotografie erprobte. Das Prinzip der Reihung, Konträkomposition oder Konzeption von Bildserien fanden sich in der Inszenierung des politischen Raums wieder. Insbesondere das Prinzip der Reihung wurde auf die Ordnung von Menschen bei Massenaufmärschen übertragen. Diesem Reihungsprinzip zufolge findet sich im Bild die Wiederholung eines kleinteiligen Elements, das am Bildrand zur Evokation der unendlichen Wiederholbarkeit angeschnitten wird.[20] Der neue Wahrnehmungsmodus des Films wurde auf die Inszenierung des Politischen übertragen.

Leni Riefenstahls Filme sind ein früher Beleg für das neue Verhältnis zwischen Dokument und Fiktion, für die Aufhebung der strikten Trennung zwischen mythischem und realem Raum, die mit den modernen Medientechnologien aufkam. Riefenstahl, die ehemalige Ausdruckstänzerin, richtete einen „bewegten Blick" auf die Massen, sie arbeitete mit bewegter Kamera und ließ ihr Wissen über Bewegung, Raum und Rhythmus in ihre filmischen Choreographien einfließen.[21] Sie verglich ihre Schnitt- und Montagetechnik mit der choreographischen Arbeit und erkannte darin eine spezifische Wirkungsmöglichkeit des Films. Leni Riefenstahls tanzende Kamera, ihre Verfahren der Montage und Überblendung sind (ebenso wie ihre Nahaufnahmen von Gesichtern, ihre Massenaufnahmen und Lichteffekte) durchaus vergleichbar mit Sergej Eisenstein, der insbesondere über seine Montagetechnik den Zuschauer „emotional dynamisieren" und an reiner Kontemplation hindern wollte.

Die (nicht zuletzt mit dem Film ausgebildete) neue Lichtarchitektur ermöglichte eine Rückkehr des Kultischen. Das „mythische Raumgefühl" (so Cassirer 1925 in seiner „Philosophie der symbolischen Formen") beruhte auf dem Gegensatz von Tag und Nacht, von Hell und Dunkel und war abends und nachts über das künstliche Licht herstellbar. Mittels künstlicher Beleuchtung ließ sich dem öffentlichen Raum eine sakrale Weihe verleihen. Die Kinos waren Vorreiter dieser Lichtkunst. So hatte der expressionistische Film (Lang, Murnau) Lichteffekte entwickelt, die vor allem über Hell-Dunkel-Kontraste Athmosphären und plastische Raumordnungen herstellten. Diese Techniken fanden Eingang in eine Masseninszenierung, die „den Raum als lebenden Organismus erfühlt und bejaht"[22] und zwischen Raumerfahrung und Erfahrung der Nation eine direkte Verbindung herstellte. Auch die „Lichtarchitektur"[23] schuf eine Ordnung des Raums formte die Massen zur nationalen Gestalt. Diese paradoxe Struktur ist charakteristisch für die Ästhetisierung des Politischen in dieser Zeit: der Film entwickelte eine Lichtarchitektur, die in politische Inszenierungen einging, und wiederum in Film übersetzt wird, wie die Szenen des Lichtdoms in Riefenstahls Film „Triumph des Willens" (1934) zeigen. Dieser Film über den Reichsparteitag demonstrierte die Formbarkeit der Massen zur kollektiven nationalen Gestalt. Die Zusammenführung der synchronisierten Bewegung der in überschaubare Gruppen aufgeteilten Massen zum kollektiven Körper wurde über die Draufsicht der Kameraperspektive sichtbar. Das Filmen aus erhöhter Kameraposition hatte sie in ihren Bergfilmen erprobt. Den „Blick von oben" realisierte Riefenstahl über einen Aufzug, der auf einer der riesigen Fahnenstangen hinter dem Podium installiert war und es ermöglichte, die Bewegung der Massen von oben zu filmen.

Obwohl die Veränderungen der Wahrnehmung in erster Linie das Auge betrafen, zog dies eine Neukonfiguration der Sinne nach sich, die das Ohr, die akustische Wahrnehmung einschloß und mit der Verbreitung des Phonographen, des Telefons, des Mikrofons und (ab den 30er Jahren) des Rundfunks einherging.

Das Mikrofon ermöglichte mit der Ausbreitung der physiognomischen Dimension der Stimme über einen weiten Raum und (in Kombination mit dem Tonfilm) auch über die Zeit die Wiederherstellung einer oralen, durch präsentisches Erleben bestimmten Kommunikationssituation unter den Bedingungen der technisierten Moderne.[24] Die Veränderung des öffentlichen Raums spiegelte sich in signifikanten Veränderungen der öffentlichen Rede. Der alte Gemeinschaftstraum von der gleichzeitigen Präsenz der Staatsbürger im öffentlichen Raum (ein Grundmuster aller Gemeinschaftsutopien) war mithilfe der neuen Übertragungstechniken realisierbar. Sie verliehen der Stimme wie in oralen Kulturen oder in der antiken Polis wieder eine entscheidende Bedeutung. Ihre Wirkung ist durchaus mit der Tradition der „Anrufung" in alten Kulturen und liturgischen Praktiken zu vergleichen. Die Intonation, die rhythmisch stark akzentuierten Phrasierungen, Stimmhebungen- und senkungen, die die Sprache der politischen Redner charakterisierten, ebenso wie die Inzenierung von „Antworten", die Orchestrierung der Stimmen des Publikums, das (zu einem einheitlichen Körper geformt) die Fiktion des EINEN Körpers bzw. des einen Menschen aufbaut, zu dem man spricht und der mit „einer" Stimme antwortet, ließen die Fiktion der nationalen Gemeinschaft erfahrbar werden. Die hypnotische Wirkung von Hitlers Stimme und seine Kommunikation mit den Zuhörern, die an die magischen Praktiken einer Beschwörung gemahnte, ist überliefert. Die Wirkung von Hitlers Reden liegt vor allem in ihrer stimmlichen, gestischen und mimischen Qualität, also weniger in der Aussage als in der sinnlichen Übertragung von Resonanzen zwischen ihm und den Zuhörern, die sich bis zu einem rauschartigen Erlebnis steigerte, wie sich an Hitlers letzter Rede auf dem Nürnberger Parteitag erweist.[25]

Riefenstahls nachträgliche Montage von Julius Streichers Rede auf dem Nürnberger Parteitag in ihren Film „Triumph des Willens" bezeugt ihre Sensibilität für die ästhetisch-dramatische Qualität dieses politischen Ereignisses. Die Montage wurde nicht etwa als Bruch mit der politischen Authentizität empfunden. Dieser Film lieferte ohnehin keine Dokumentarchronologie, sondern seine Struktur zeugt von einer durchgehenden Ästhetisierung, die nicht nur die Abfolge der Sequenzen, also Schnitt und Montage, sondern ebenso die Kameraführung und den „durchchoreographierten" „Sound-mix" betrifft: Der Geräuschpegel steigt und erreicht seinen Höhepunkt mit dem Erscheinen Hitlers.

Die Filme Riefenstahls sind gleichermaßen INSZENIERUNG wie DOKUMENT einer neuen kollektiven Bedürfnisstruktur und neuer Kommunikations- und Verhaltensstile im politischen Raum. Leni Riefenstahl nutzte die neuen Techniken für die Darstellung einer bewegten nationalen Volksgemeinschaft, dokumentierte dabei aber zugleich, daß die neuen Technologien tiefgreifende Umstrukturierungen der kollektiven Sensibilität und des politischen Raums nach sich zogen. Die technischen Medien ermöglichten es, die nationale Gemeinschaft als Erlebnis zu inszenieren und bestätigten damit die Existenz jenes imaginären Konstrukts, das sie feierten. Die nationalsozialistische Version des nationalen Mythos wurde mittels der neuen Technologien als erfahrbare Realität inszeniert. Film und Radio gaben dieser Konstruktion „Gestalt", indem sie die Bilder und Narrationen lieferten. Sie implizierten aber auch eine performative Dimension: Die Inszenierung der kollektiven Fiktion (wie bei nationalen Massenaufmärschen seit der Jahrhundertwende) ließ sie wiederum zur Realität werden. Der Nationalsozialismus vollendete so das romantische Projekt einer geeinten Volksgemeinschaft unter den Bedingungen seiner technologischen Inszenierbarkeit.

4. Ästhetisierung als Unsichtbarmachen

Die Wirksamkeit der Inszenierung der faschistischen Version der Volksgemeinschaft ist erst vor dem Hintergrund eines durch die Bildlichkeit von Film und Fotografie geprägten nationalen Imaginären und einem technisch vermittelten Rekurs auf mimetische Praktiken zu verstehen. Sie wirkten über sinnliche, körperliche Resonanzen auf das Unbewußte und erzeugten kollektive Trancezustände. Die Nahaufnahmen der Gesichter in der Masse, die Leni Riefenstahl im Film über den Nürnberger Parteitag aufzeichnete, belegen, daß sich die Teilnehmer der faschistischen Inszenierungen zum Teil in einem tranceartigen Zustand befanden. Sie machte diese Aufnahmen mithilfe von Teleobjektiven, die es ermöglichen, aus einem Abstand von dreißig oder vierzig Metern ein einzelnes Gesicht aus der Masse zu fokussieren. Der Vorwurf einer Inszenierung dieser Bilder für Propagandazwecke ist also nicht haltbar.

Die nationalsozialistischen Inszenierungen der Volksgemeinschaft konfrontieren mit der Kontinuität einer politischen Ästhetik, die sich als ein grundsätzliches Problem der ästhetischen Formung des Politischen in der Moderne herausstellt. Diese Kontinuität ist ein problematischer Befund. Gegen die These von einer faschistischen Ästhetik fordert er m. E. eine Reflexion heraus, die anknüpfend an Benjamin und Lacoue-Labarthe nach dem Zusammenspiel zwischen

Medien, historischen Wahrnehmungsdispositionen und politischen Inszenierungsstilen fragt.

Für die Analyse von Prozessen politischer Ästhetisierung scheint mir eine kulturanthropologische Perspektive auf die Medien hilfreich, die die Unhintergehbarkeit der Ästhetisierung des Politischen anerkennt. Ästhetisierungsprozesse sind Ausdruck der Bedeutung des Imaginären für das Politische. In Symbolen, Bildern, Mythen, rituellen Handlungen und Narrationen handelt eine Gesellschaft ihr (wie auch immer konfliktuelles) Selbstverständnis aus, macht Erlebtes „sinnhaft" für die jeweilige Gemeinschaft. Das politische Imaginäre, das in diesen Prozessen der Ästhetisierung Ausdruck findet, ist insofern nicht als „falsches Bewußtsein" abzutun. Anzusetzen wäre vielmehr an den mit neuen Medien verbundenen Wahrnehmungsdispositionen und an den Mediendramaturgien, über die eine ästhetische Formung des Politischen erfolgt. Die Ästhetisierung des Politischen durch den Nationalsozialismus verweist auf bis heute unabgegoltene Fragestellungen einer politischen Ästhetik, so die Frage nach der Rolle des Imaginären, oder nach der der Sinne und Affekte für das Politische sowie nach dem Verhältnis beider zu den Medien.

Sie offenbart die Ambivalenzen der Wahrnehmungsformen, wie sie die modernen Technologien ermöglichten und die die Avantgarde experimentell erprobte. Die moderne Wahrnehmungskultur gründet in einer visuellen Epistemologie, die den Raum, den Körper (des Anderen) zum Objekt einer distanzierten Beobachtung und moderne Wahrnehmungstechnologien zu Herrschaftsinstrumenten macht. Mehr noch: wir sind aus der Moderne und einer Ästhetisierung des Politischen noch gar nicht herausgekommen, innerhalb derer die ästhetische Formung des Politischen zugleich als Unsichtbarmachen funktioniert. Die ästhetischen Codes, die der Inszenierung des nationalen Körpers und des nationalen Raums zugrundeliegen, bringen den Körper und den Raum des Anderen zum Verschwinden. Die Möglichkeit eines solchen Unsichtbarmachens beruht vor allem auf der mit neuen Technologien und Medien verbundenen Wahrnehmungsperspektive. Seit dem ersten Weltkrieg war der Krieg aus der Kameraperspektive des Flugzeugs als ästhetisches Spektakel goutierbar, das den Schmerz und das Sterben des Anderen für einen voyeuristischen Betrachter auslöscht.

Die Kontinuität dieser politischen Ästhetik bis heute erwies sich am Golfkrieg. Die in den Medien vorherrschende Erzählung des Golfkriegs als sauberem Technokrieg verdankte sich einer ästhetischen Inszenierung, die aus der Verbindung avancierter medialer Bildlichkeit mit der aus der Moderne überkommenen visuellen Epistemologie resultiert.

Das politische Imaginäre des Golfkriegs in der westlichen Medienberichterstattung ist vor allem durch zwei Bildikonen geprägt. Die eine war das Bild des nächtlichen Himmels von Bomben über Bagdad, das von einem amerikanischen

Kameramann mithilfe eines speziellen Wärmesensorobjektivs für Nachtaufnahmen aus dem Flugzeug gemacht wurde und das ein surreales Bild wiedergab, wie es zielsuchende Geschoße eines Videospiels zeigen.

So kommentierte ein Pilot: „I could see the outline of Bagdad lit up like a giant Christmas tree. The entire city was just sparkling."[26]

Die ästhetische Physiognomie der beschossenen Stadt aus der Perspektive des Nachtflugs läßt die zerstörerische Wirkung der Bomben auf Landschaft und Menschen im wahrsten Sinne des Wortes im Dunkeln und macht den Krieg zum ästhetischen Erlebnis.

Eine andere Variante der Verschleierung des Körpers und des Raums des Anderen, das den Mythos des Golfkriegs als Krieg der Technologien befestigte, lieferten die von Flugzeugen und Bomben aufgenommenen elektronischen „Missile-Cam"-Bilder. In diesen Bildern verschmilzt die Zuschauerperspektive mit der Waffe. Damit wird eine seit der Moderne vorherrschende visuelle Epistemologie, die den Betrachter in die Rolle des aus der privilegierten Position betrachtenden Voyeurs bringt, auf der Ebene neuer Medientechnologien fortgeführt. Ästhetisierungsprozesse des Politischen sind daher zu diskutieren im Rahmen einer Kulturanthropologie der Medien. Dazu gehört die Entwicklung einer neuen Wahrnehmungskultur, die das aus der Moderne überkommmene voyeuristische Dispositiv problematisiert und das Potential neuer Medientechnologien für seine Überwindung erkundet.

Die Ästhetisierung des Politischen, wie sie der Nationalsozialismus realisierte, verweist auf die Ambivalenzen der Wahrnehmungsformen, wie sie die modernen Technologien hervorbrachten. In der Gleichzeitigkeit von Versinnlichung und Distanzierung liegt auch die Möglichkeit einer Wahrnehmung, die den Raum, den Körper (des Anderen) zum Objekt einer distanzierten Beobachtung und moderne Wahrnehmungstechnologien zu Herrschaftsinstrumenten macht.

Ästhetisierungsprozesse sind zugleich Ausdruck kollektiver Sehnsüchte nach Ritualen der Partizipation, nach dem Erleben von Gesellschaft als Gemeinschaft. Wie schon am Beispiel des frühen 20. Jahrhunderts ersichtlich, können Gegenstrategien zu einer totalisierenden und totalitären Ästhetisierung des Politischen nicht in der Negation der Ästhetisierung liegen.

Heute ist die performative Präsentation des Politischen und Prozesse medialer Ästhetisierung längst Alltagserfahrung, die Artikulation von Ansprüchen einer kollektiven politischen Identität und -selbst momentane und vorübergehende- Prozesse der Solidarisierung sind ohne derartige ästhetisierende Totalisierungen nicht denkbar. Die vorherrschenden Mediendramaturgien bieten Formen der Ästhetisierung des Politischen, die auf die Festigung von Stereotypen hinausläuft und darüber einen Konsens der Wahrnehmung suggeriert, der die Wahrnehmung von Differenz verhindert.

Die Erfindung von Symbolen und Ritualen ist ein kreativer Prozeß, der durch die historisch überkommenen symbolischen Dispositive modelliert wird. Seine performative Dimension besteht vor allem darin, daß derartige Rituale ein spezifisches Wissen und eine spezifische emotionale Verhaltensdisposition evozieren und soziale Bindungsenergien mobilisieren. Die politische Überzeugungskraft eines Projekts oder einer Position ist abhängig von dieser emotionalen Respons.

Es stellt sich daher die Frage nach den Chancen eines politischen Imaginären, das kreativ und poetisch wäre und statt totalitärer Festschreibungen neue Handlungsspielräume eröffnet. Begreift man Ästhetisierung als medial geprägtes, kommunikatives Verhalten, so finden sich im Ästhetischen politische Korrekturpotentiale, wenn ästhetisches Verhalten gegen universal gültige Maßstäbe und etablierte Wahrnehmungsklischees für anders- und neuartige Erfahrungen sensibilisiert.

Anmerkungen

1   Der Futurist Boccioni nannte die Futuristen 1913 „Primitive einer neuen, gänzlich umgewandelten Sensibilität, die die Sinne befähigt, wahrzunehmen, was nie zuvor wahrgenommen wurde". Bedingung dafür sei die moderne Technologie, insbesondere die Verbindung von „Elektrizität und Telegraphie, Dampf- und Luftfahrt".

2   Ein Umstellen von Perspektiven, das selbsttätige Schaffen neuer Relationen sei Kennzeichen des „Neuen Menschen". So wollte Moholy-Nagy durch eine neue Verwendung der Perspektive, gegen die übliche horizontale Blickbahn z.b. durch das Schrägnehmen einer Vertikalen (beispielsweise eines stehenden Hauses oder Schornsteins) eine neue Sicht auf den modernen Alltag herstellen, Auf- und Niedersichten ermöglichen, wie sie von seiten der modernen Technik durch plötzliche Niveau-Veränderungen (Lift, Flugzeug usw.) erfahrbar geworden waren.
„(..) daß unser Auge die aufgenommenen optischen Erscheinungen mit unserer intellektuellen Erfahrung durch assoziative Bindungen förmlich und räumlich zu einem VORSTELLUNGS-BILD ergänzt, während der photographische Apparat das rein optische Bild reproduziert und so die optisch-wahren Verzeichnungen, Verzerrungen, Verkürzungen usw. zeigt. Wir sind - durch hundert Jahre Photographie und zwei Jahrzehnte Film in dieser Hinsicht ungeheuer bereichert worden. MAN KANN SAGEN, DASS WIR DIE WELT MIT VOLLKOMMEN NEUEN AUGEN SEHEN, wozu auch die sogenannten „fehlerhaften" Photoaufnahmen beigetragen haben (Aufsicht, Untersicht, Schrägsicht). Wir wollen PRODUZIEREN, da für das Leben das Schaffen NEUER Relationen von Wichtigkeit ist." Laszlo Moholy-Nagy: Malerei, Photographie, Film. München 1925, S.22 (Hervorhebungen im Text)

3   So in seiner Schrift „Del cinematografo considerato como strumento di liberazione e come arte di trasfigurazione" von 1914. Vgl. Gethmann, Daniel: Daten und Fahrten. Die Geschichte der Kamerafahrt, „Cabiria" und Gabriele D'Annunzios Bildstrategie. in: Gumbrecht, H.U./Kittler,F./Siegert, B. (eds.): Der Dichter als Kommandant. D'Annunzio erobert Fiume. München: Fink 1996, S.164

4   Ein Beispiel dafür ist die Metaphorik D'Annunzios, die die Idee des Blutopfers mit der Liturgie des Abendmahls als Bild für die Soldatengemeinschaft verband.

5   Die neuen Wahrnehmungstechnologien waren von Anfang an Kriegstechnologien. Nadar hatte erstmals 1856 aus einem Freiluftballon Fotos von Paris gemacht. Während der preußischen Belagerung von Paris 1870 half er der französischen Regierung durch Luftaufnahmen, die eine Kartographierung der Territoriums ermöglichten. Während das im ersten Weltkrieg das Schlachtfeld selbst unübersichtlich wurde, versprach der Blick von oben, die Luftaufnahme, eine Übersichtlichkeit durch einen entkörperlichten Blick, der diesen Raum zugleich ästhetisch wahrnehmbar machte.
Vgl. Virilio, Paul: Krieg und Kino. Zur Logistik der Wahrnehmung. München 1986

6   Vgl. Korinman, Michel: Quand l'Allemagne pensait le monde. Grandeur et décadence d'une géopolitique. Paris: Fayard 1990, S.273

7   Graeser, a.a.O., S.96

8   Graeser, Wolfgang: Körpersinn. Gymnastik, Tanz, Sport. München 1927, S.106

9   Bálazs, Béla: Der sichtbare Mensch oder die Kultur des Films.(1924) in: Ders.: Schriften zum Film. hrsg. von H. Diederichs, W.Gersch u.M.Nagy Bd.I, Budapest/München: Hanser 1982, S.47

10 Das „Blaue Licht" gewann auf der Biennale in Venedig 1932 eine Silbermedaille.

11 zit. nach: Rentschler, Eric: Hochgebirge und Moderne. in: Jung, Uli/Schatzberg, Walter: Filmkultur zur Zeit der Weimarer Republik. München/London u.a.: Saur 1992, S.198

12 Dieser Film hatte am 29.März 1935 im UFA Palast am Zoo Premiere und lief für mindestens vier Wochen in allen größeren deutschen Städten. „Probably every German who was in his

teens or older saw it." Berg-Pan, Renata: Leni Riefenstahl. Boston: Twayne Publishers 1980, S.11

[13] Stiehl, O.: Unsere Feinde. Stuttgart 1916

[14] Vgl. hierzu: Gilman, Sander L.: Difference and Pathology. Stereotypes of Sexuality, Race and Madness. Ithaca and London 1985

[15] So Georg Seeßlen (Tanz den Adolf Hitler. Faschismus in der populären Kultur), um nur ein Beispiel für die neuere Auseinandersetzung mit diesem Thema herauszugreifen. Seine These von einer faschistischen Ästhetik verstrickt sich in ihre eigenen Widersprüche und erweist sich für eine präzise Analyse des Problems als wenig hilfreich. So gibt er keine Definition der „faschistischen Ästhetik". Er hält an diesem Begriff fest, obwohl er selbst auf die Kontinuität zur Ästhetisierung des Politischen im Film vor und nach dem Faschismus verweist und sein Material die Parallelität dieser Ästhetik zu Phänomenen in nicht-faschistischen Ländern bezeugt. Vgl. Seesslen, Georg: Tanz den Adolf Hitler. Faschismus in der populären Kultur. Berlin: Edition Tiamat 1994
Auch die Qualifizierung bestimmter Motive als „faschistisch" (wie die Glorifizierung von Führerschaft, von Militär und Tod, und die abwertende Darstellung der Juden) ist unbefriedigend, da all diese Elemente in der Kultur seit der Jahrhundertwende präsent sind.

[16] Dieser kollektive Traum sei nicht neu, sondern gehe zürück auf die Romantik, beispielsweise auf Schlegel und Hölderlin, womit diese jedoch keineswegs zu Vorläufern des Nationalsozialismus gemacht werden.
Vgl. Lacoue-Labarthe, Philippe: La fiction du politique. Heidegger, l'art et la politique. Paris 1987

[17] Ziegler, Leopold: Zwischen Mensch und Wirtschaft. Darmstadt 1920, S.321

[18] Ziegler, a.a.O., S.314/315

[19] Bálazs, B.: Der sichtbare Mensch, a.a.O., S.87/88

[20] Vgl. Nerdinger, Winfried (Hrsg.): Bauhaus-Moderne im Nationalsozialismus. Zwischen Anbiederung und Verfolgung. München: Prestel 1993, S.72

[21] Vgl. Riefenstahl, Leni: Memoiren. München: Knaur 1987

[22] Klamt, Jutta: Vom Erleben zum Gestalten. Die Entfaltung schöpferischer Kräfte im deutschen Menschen. Berlin 1936, S.94

[23] Dieser Begriff wurde erstmals 1927 von J. Teichmüller verwendet. Vgl. Flagge, Ingeborg (Hrsg.): Architektur-Licht-Architektur. Stuttgart 1991, S.101
Vgl. auch: Bartetzko, Dieter: Illusionen in Stein. Stimmungsarchitektur im deutschen Faschismus. Ihre Vorgeschichte in Theater- und Film-Bauten. Reinbek bei Hamburg: Rowohlt 1985, S.224ff.

[24] „Das Wunder des Mikrofons aber ist, daß es den Ton mit seinem Originaltimbre festhalten und fixieren kann und in jedem Raum mit dem Originaltimbre wiedergibt..Wie unser Auge mit dem Objektiv, so wird unser Ohr mit dem Membran identifiziert." Bálazs, Bela: Schriften zum Film, a.a.O., Bd.2, S.152

[25] David Hinton verweist darauf in seiner Untersuchung zum „Triumph des Willens": „While the other Hitler speeches in the film are more interesting from the standpoint of observing the reactions of the crowd..this speech is most important as a character study of Hitler himself. The cool, composed Hitler has so far been seen throughout the film suddenly gives way to an intensely animated Hitler, whose excitement feeds on itself. His gestures become dramatic, interpretive flourishes and facial expressions those of a seasoned actor. The editing of the speech does a masterful job of conveying the mounting excitement of the event. The crowd's enthusiasm increases almost in direct proportion to Hitler's, and the alternation of the shots shows this reciprocal relationship between Hitler and the crowd.."
Hinton, David: The Films of Leni Riefenstahl. Metuchen, New Jersey/London: Scarecrow Press, 1991 (second edition), S.55

[26] zit. nach: Sturken, Marita: The Television Image and collective Amnesia: Dis(re)membering the Persian Gulf War. in: Transmission. Toward a Post-Television Culture. ed. by Peter d'Agostino/David Tafler. 2nd edition, Thousand Oaks, California: Sage Publications 1995, S.139

Karlheinz Barck

Konjunktionen von Ästhetik und Politik oder Politik des Ästhetischen?

> „Die Politisierung etwa ist ein unendlicher Pro-
> zeß, sie kann und darf aber niemals zu einem
> Abschluß kommen, eine totale Politisierung
> sein."
>
> (Jacques Derrida, Gesetzeskraft. Der ⟨my-
> stische Grund der Autorität⟩.)

> „Ce qui nous reste à penser, ce n'est pas une
> nouvelle institution (ou instruction) de la poli-
> tique par la pensée, mais c'est l'institution poli-
> tique de la pensée dite occidentale."
>
> (Philippe Lacoue-Labarthe/Jean-Luc Nan-
> cy, Le ⟨retrait⟩ du politique, 1983.)

Konstellationen

Die Frage nach Möglichkeiten einer „Politik des Ästhetischen" läßt sich als apo-
retische in dem Sinn diskutieren, daß sie auf Erfahrungen des Unmöglichen zielt.
Seit Begründung einer Autonomie-Ästhetik durch den deutschen Idealismus und
seit dem frühesten Versuch, die Autonomie einer „ästhetischen Kultur" zu politisieren – in Schillers *„Briefen über die ästhetische Erziehung des Menschen"*
(1794/95) – hat es immer wieder Projekte einer Vermittlung oder Durchdrin-
gung von Politik und Ästhetik gegeben. Seit auch die historischen Avantgarden
eine Verbindung von Kunst und Leben oder Kunst und Alltag zur Richtschnur
ihrer Experimente machten, wurde dieser Anspruch zum Thema einer bis heute
andauernden Debatte. Die unterschiedlich motivierte und legitimierte Umsetzung von Beziehungen zwischen Ästhetik und Politik durch Faschismus und
Stalinismus, von Walter Benjamin zuerst als Gegensatz zwischen faschistischer
„Ästhetisierung der Politik" und kommunistischer *„Politisierung der Kunst"* beschrieben, prägt diese Debatte besonders in Deutschland als ein geschichtlicher

Einschnitt von traumatischer Wirkung. Jede Erörterung des Themas blieb bela-
stet durch „Tabuzonen des Ästhetisierungsfluchs"[1] , wie es die Diskussion über
Syberbergs Hitler-Film zeigte, die bis heute nicht ausgestanden ist. Das ist jüngst
eindrucksvoll dokumentiert worden von Einar Schleef, dessen Inszenierungen
von seinen Kritikern als „Nazi-Theater" diskriminiert wurden und dessen „Tätigkeit als Regisseur in der BRD von Beginn an mit einem faschistischen Etikett
versehen" wurde.[2] Der französische Philosoph Philippe Lacoue-Labarthe hat
1981 in einem Kommentar zu Syberbergs Hitler-Film das Dilemma einer traumatischen Verdrängung der Auseinandersetzung mit dem Thema ästhetischer
Faszination im Faschismus charakterisiert. „Eine alte Geschichte im Grunde: zu
Ende der 30er Jahre hin haben Benjamin und Brecht, und zwar sie allein, wie es
scheint, die grundsätzliche Intuition, daß der Nazismus vor allem auf einer ⟨Äs-
thetisierung der Politik⟩, wie sie es nennen, beruht. Wogegen sie, aus der Not der
Kampfsituation heraus, ihrerseits nur die Umkehrung des Schlagwortes zu setzen vermögen: Die Kunst politisieren! Schlagwort beiseite: es war im übrigen
wohl auch nicht sehr gelungen. Doch bleibt die Intuition: die alte Geschichte
(die unsrige): davon ist praktisch nichts geblieben. Vernachlässigt, verdeckt von
zahllosen mühevollen Analysen aller Art und Schreibweise blieb sie; also niemals
ernst genommen (wohl zu ⟨ästhetisch⟩, könnte man meinen), hat sie so gut wie
keinen Anklang gefunden, bevor sich Syberberg – und zwar er allein, wie es
scheint – ihrer erneut annimmt, sie vertieft und seiner künstlerischen Arbeit vor-
an und in ihr Zentrum stellt. Zu Lasten des alten Schlagworts, versteht sich, und
zugunsten eines gänzlich anderen, ungewöhnlicheren, strenger gefaßten und unendlich ⟨subversiveren⟩ Programms: Politik durch Kunst statt politische Kunst."[3]
Ob der in solcher Formulierung markierte Gegensatz es ermöglicht, die Benjamin'sche Unterscheidung zwischen Formen der Ästhetisierung und der Politisierung zu präzisieren und gegenwärtige Aufgaben zu orientieren, bleibt zu prüfen.

„Politik durch Kunst" war ja auch das Programm von Marinettis futuristi-
scher Maschinenästhetik, die auf einer künstlerischen Bewegung eine politische
Partei gründen wollte.[4] Die *Artecrazia* hatte Marinetti als „die artistische Lösung des sozialen Problems" verstanden und das „Fest der Kunst" als Kompensation des „ökonomischen Infernos" prognostiziert. „Das Proletariat des Genies
an der Regierung wird das Theater gratis für alle und das große futuristische
Freilufttheater verwirklichen. Musik wird die Welt regieren. Jeder Platz wird sein
instrumentales und vokales Orchester haben. Es werden überall Harmoniefontä-
nen sein, die Tag und Nacht aus dem musikalischen Genie hervorsprudeln und
im Himmel aufblühen, um den harten, dunklen, gleichförmigen und konvulsiven
Rhythmus des täglichen Lebens zu färben, zu erweichen, zu bekräftigen und zu
erfrischen. Statt der Nachtarbeit werden wir Nachtkunst haben. Die Geschwader
der Musiker werden sich abwechseln, um den Glanz der Tage und die Sanftheit
der Nächte zu verhundertfachen."[5] Die „rivoluzione futurista" präsentierte sich

in Marinettis Programmschrift aus dem Jahre 1920 als politisiertes Gesamtkunstwerk: „Mit uns wird die Zeit kommen, wo das Leben nicht mehr einfach
ein Leben aus Brot und Mühsal sein wird, auch kein Leben in Müßiggang, sondern das Leben als Kunstwerk."[6] Die Programme und Inszenierungen des italienischen Futurismus im Zeichen einer politisch motivierten ästhetischen Revolution haben die „Ästhetisierung der Politik" in Deutschland nicht unwesentlich
orientiert. In einer frühen deutschen Studie aus dem Jahre 1929, die den „politischen Futurismus als Vorläufer des italienischen Faschismus" darstellte, als das,
was der futuristische Maler Umberto Boccioni „die ästhetische Idealität unseres
großen Landes" nannte[7], wird dies als Rhetorik eines italienischen Imperialismus
beschrieben. „Der italienische Futurismus gehört deshalb in eine politische Betrachtung des 'neuen' Italien hinein, weil er nicht nur eine der interessantesten
Erscheinungen der letzten Zeit ist, sondern weil er selbst auch den Standpunkt
vertreten hat, daß sich Kunst und Leben, Philosophie und Politik nicht voneinander trennen lassen, weil er schon Jahre vor dem Kriege die Stimmung des Volkes gegen Österreich und Deutschland aufpeitschte, seine Tätigkeit also einen
wertvollen Beitrag zur Kriegsschuldfrage bildet; weil er Italien bewußt nach
Frankreich hinüberdrängte und weil er dem Faschismus und dem italienischen
Imperialismus von heute in vielem vorgearbeitet hat. Mit Kriegsende war seine
Rolle natürlich nicht ausgespielt, sondern wir finden ihn zunächst auch weiter an
der Seite des Faschismus."[8] Auch in der spanischen Variante eines Faschismus,
dem Falangismus Primo de Riveras, der sich ausdrücklich als „poetische Bewegung" definierte, hat es ähnliche Formen einer „Ästhetisierung der Politik" gegeben, die aber, anders als in Italien, kulturkonservativ und klerikal orientiert waren. So erklärte etwa José Antonio in seiner ersten Rede: „Jetzt werden wir die
Fahne freudig und poetisch verteidigen." „Poesie" wurde als schöpferische Kraft
verstanden, die in der Lage wäre, eine Verwandlung des Menschen zu bewirken.
Der Kampfstil der Falange wollte daher ein poetischer sein. „Poesie – das ist
vielleicht die einzig authentische Ahnung des Menschen." *Guerra de poetas*
(„Krieg der Dichter") nannte der Falangist José María Pemán in diesem Sinne
einmal den Spanischen Bürgerkrieg.[9]

Lassen sich die nach der Zerschlagung oder (wie in Spanien) der Zersetzung
der Faschismen infolge einer Art Reaktion gebrannter Kinder errichteten „Tabuzonen des Ästhetisierungsfluchs" (Syberberg) auch als Effekte einer Verdrängung durch das „kollektive Gedächtnis" erklären, so bleibt doch als eine noch
aufzuklärende, im Vorgang solcher Verdrängung verdunkelte Frage offen. Die
Frage nach den Motiven solcher Verdrängung. Haben vielleicht die faschistischen Formen „falscher Ästhetisierung des Politischen" den Blick für „echte"
solcher Formen verstellt? Das hat Karl Heinz Bohrer in einem bemerkenswerten
Aufsatz vor Jahren im *Merkur* zur Debatte gestellt, als er gegenüber der Politik
der Politiker ein „ästhetisches Defizit" als das „Defizit der symbolischen Form in

der Politik" einklagte. „*Ästhetik und Politik*" war der Titel des Aufsatzes, „*Ästhe-tik der Politik und des Sozialen*" sein implizites Plädoyer. Daß zwischen Ästhetik und Politik ein Gegensatz bestehe, sei „fast eine Gewißheit, jedenfalls in der po-litischen und akademischen Klasse", der nachzufragen sich im Grunde nicht loh-ne. „Warum? Weil Ästhetik es so offensichtlich mit einer künstlerisch-imagina-tiven Sphäre jenseits des Alltags zu tun habe, positiv ausgedrückt – ihr negatives Image wäre der Verdacht von bloß Formalem, Äußerlichem –, während es der Politik gerade um das Praktische des Alltagslebens von Vielen, die Regelung der sozialen Beziehungen nach innen und außen gehe."[10] Vor allem lasse sich das Thema nicht umgehen, weil es durch und seit Walter Benjamin verwirrt worden sei. „Es kommt hinzu, daß die Spannung zwischen beiden Sphären durch einge Sätze Walter Benjamins in seinem einst zum Kultgegenstand erhobenen Aufsatz *Das Kunstwerk im Zeitalter seiner technischen Reproduzierbarkeit* aktualisiert wurde, wo es im Nachwort heißt, der Faschismus laufe 'folgerecht auf eine Äs-thetisierung des politischen Lebens hinaus', um die Massen, ohne Veränderung ihres politisch-sozialen Status, zu ihrem ⟨Ausdruck⟩ (beileibe nicht zu ihrem Recht) kommen zu lassen. ⟨Ausdruck⟩ und ⟨Recht⟩, die faschistische Organisati-on des öffentlichen Lebens in kultischen Formen und die politischen Rechte des einzelnen stehen demnach in notwendigem Gegensatz."[11] Ich zitiere diesen Text, weil er nicht nur die geschichtliche Distanz zu Benjamins Formel von 1935/36 auf eigenwillige Weise markiert, sondern weil diese Distanznahme eines promi-nenten und über sein Medium, den *Merkur*, einflußreichen Autors die Inkom-mensurabilität zwischen Ästhetik und Politik auf eine Weise festschreibt, die die sogenannte „Phänomenalität des Ästhetischen" strikt gegen jede Veränderung oder Transformation ihres Begriffs abdichtet. Damit gerät allerdings ein in der Geschichte der Ästhetisierungspraktiken hinterlassenes, höchst aktuelles Pro-blem aus dem Blick: wie nämlich diese Inkommensurabilität anders als in dem traditionellen Denkrahmen der Autonomie des Ästhetischen politisch zu be-stimmen wäre. „Die Ästhetik am Ausgang ihrer Unmündigkeit", d. h. (wie Karl Heinz Bohrer in einem anderen Text erläutert hat) ihre Emanzipation von den Systemen des deutschen Idealismus durch „Absage an universalistisch-geschichtsphilosophische Argumentation", stünde unter der Prämisse, „daß das Ästhetische vom Wirklichen schon immer getrennt war."[12] Die „⟨Kunst⟩ als Kri-terium ⟨Ästhetischer Theorie⟩ „ und deren doppelte Abgrenzung gegenüber „den Ansprüchen der)Philosophie der Kunst⟩ „ und „gegenüber dem Leben" läßt ei-nen „die Kunst" transzendierenden Begriff von Ästhetik und des Ästhetischen nicht mehr zu, auch wenn in einer aufschlußreichen tautologischen Bestimmung die vormoderne Tradition *sinnlicher Wahrnehmung* mit Adornos „*Ästhetische(r) Theorie*" kontaminiert wird, so daß es dann heißt: „Die wirkliche Veränderung, die stattfindet, betrifft die Aisthesis als *ästhetische Wahrnehmung* (sic!, K. B.). In-sofern ist ⟨Ästhetische Theorie⟩ oder Ästhetik die eigentliche Theorie des Zeitalters. Das ⟨Verstummen der Philosophie vor der Kunst⟩ hat seine Ursache nicht darin, daß sie auch angesichts der Lebensprobleme schweigt, sondern weil sie von Kunst a priori begrifflich unter- oder überboten wird."[13]

Wendemanöver

In welchem Maße ein der Politik angelastetes „ästhetisches Defizit" selbst ein Politikum ist, das hat sich in den Debatten über „die politische Aktualität des Ästhetischen" nach der deutschen Wiedervereinigung gezeigt. In einer dem „Beitrag des Ästhetischen zum Gelingen der Politik" gewidmeten kleinen Programmschrift hat Bernd Guggenberger in einer ironischen Skizze „ästhetische Wahrnehmungsdifferenzen" zwischen Ost- und Westdeutschen mit dem Gegensatz *schön vs. häßlich*, dieser klassischen Leitdifferenz idealistischer Ästhetik, beschrieben, die an Stigmatisierungen erinnert wie sie für die faschistischen Ästhetisierungspraktiken kennzeichnend waren. „Die ressentimentträchtigsten Irritationen zwischen Ost- und Westdeutschen sind gegenwärtig ganz überwiegend auf ästhetische Wahrnehmungsdifferenzen zurückzuführen. Die DDR, die gewesene, sie ist uns im Westen vor allem ein ästhetisches Ärgernis. Wir schauen auf die gesamtdeutsche Politik und ihre Erblast wie auf etwas, das zuerst und vor allem unseren Schönheitssinn beleidigt, unser Empfinden für Proportionen verletzt. Der uneingestandene politische Ästhetizismus, der unseren Blick leitet und verklärt, löst moralische Vieldeutigkeit forsch in platte manichäische Dualismen auf: Opfer oder Täter, Stasi-IM – ja oder nein?

Deshalb betreiben wir als Kammerjäger der sauberen Westwelt Entstasifizierung beinahe so wie anderwärts Entlausung und Entwanzung; und deshalb wird uns auch die rechtliche Bewältigung des Unrechts allein einer wirklichen 'Vergangenheitsbewältigung' im Sinne einer Aneignung des vorher begreiflichen Gewesenen nicht automatisch näherbringen...Hinter dem mechanischen Rigorismus, mit dem der Westen die rechtliche Entsorgung des Unrechts und der Mißwirtschaft auf der Ebene von Treuhand und Gauck-Behörde betreibt, verbirgt sich in Wahrheit ein tiefsitzendes *ästhetisches* Unbehagen. Mehr als das Unrecht ist uns die Häßlichkeit in seinem Gefolge verhaßt, die Degoutanz des Zudringlichen, Nötigenden, der schieren Kreatürlichkeit."[14]

Was die Ironie dieser Ansicht zurücknimmt, das ist die ganz ernst gemeinte Voraussetzung einer ästhetischen und politischen Norm, die wirkliche Differenzen ausblendet, weil sie sie garnicht wahrnimmt. „Eine der großen politisch-pädagogischen Aufgaben des nächsten Jahrzehnts im größer gewordenen Deutschland wird sein, ein gleichermaßen normativ zeitgemäßes wie empirisch gehaltvolles Konzept des Politischen zu entwickeln. Neben der Welt unserer Ästhetik ist die Welt unserer Politik das den Bürgerinnen und Bürgern der Neuländer am meisten Fremde. Weder hatten sie Gelegenheit, Politik zu erfahren, in die man sich relativ risikolos einmischen kann; noch kannten sie Schönheit, die man gleichsam ⟨im Kaufhaus⟩ erwirbt. Während sie sich längst auf den Erkundungsgang durch die Welt der warenästhetischen Konsumofferten begeben haben, verhalten sie zögernd an der Schwelle der Politik. Die anhaltenden Probleme, welche eine große Volkspartei wie die SPD noch immer hat, mit knappen 30.000 Parteimitgliedern in den neuen Bundesländern parteiorganisatorisch Fuß zu fassen, illustrieren dies."[15]

Die Trivialität solcher an gewisse Berichte spanischer Kolonisatoren über die Indios erinnernde Konjunktion zwischen (Waren)-Ästhetik und (Partei)-Politik hat immerhin den Vorteil, daß sie im Klartext ein verbreitetes Denkmuster artikuliert und auf ein Dilemma in der Bestimmung des Spannungsverhältnisses zwischen dem Ästhetischen und dem Politischen aufmerksam machen kann. Auf das Dilemma nämlich, das aus einer gleichsam ontologischen Annahme eines ästhetischen und politischen Wesens resultiert. Die Behauptung einer kompensatorischen Funktion der Ästhetik − „die ästhetische Welt ist eine *tröstbare* Welt"[16] − ist eine verbreitete rhetorische und ideologisierende Figur, die dieses Dilemma darstellt und repräsentiert.

Ästhetisierung und Utopie

Als in verschiedener Gestalt besonders in der deutschen Reflexion seit 1945 immer wiederkehrende, wird diese Figur von der Erinnerung an die NS-Ästhetisierung der Politik und des Politischen als ein latentes Trauma bewegt. Denn seit dem durch zahlreiche Untersuchungen und Analysen erörterten „Funktionszusammenhang von Ästhetik und Politik im Nationalsozialismus"[17], den Susan Sontag die Inszenierung einer mörderischen „utopischen Ästhetik" genannt hat[18], steht jede Betrachtung von Beziehungen zwischen Ästhetik und Politik unter Verdacht. Um so mehr seit im Abstand der Geschichte klarer erkannt wurde, daß Benjamins Vorstellung, faschistische Ästhetisierung der Politik ließe sich in eine Politisierung der Kunst umkehren, eine Illusion war.[19] Eine Illusion, wie man präzisieren muß, weil sie weniger Benjamins Vorstellungen von der dabei einzuschlagenden Richtung dementiert als die Hoffnungen, die er (und viele andere, z. B. Brecht) in die organisierte Arbeiterklasse und in die Sowjetunion damals setzten. Die Ähnlichkeit von Praktiken der Ästhetisierung der Politik im Faschismus und im Stalinismus haben lange Zeit jede Form von Politisierung der Kunst in einem anderen als nur instrumentalisierenden Sinn als abgründig verdächtigt und der Analyse entzogen. Benjamins Kunstwerk-Essay wurde sogar selbst Opfer solcher traumatisierten Lektüre. Seit den 70er Jahren in Westdeutschland breit rezipiert als Orientierung einer neu-kritischen Faschismustheorie[20], geriet der programmatische Grundgedanke in Benjamins Essay aus dem Blick, demzufolge die „Formulierung revolutionärer Forderungen in der Kunstpolitik" auf neuen Begriffen aufbauen müsse, die „eine Anzahl überkommener Begriffe – wie Schöpfertum und Genialität, Ewigkeitswert und Geheimnis – beiseite setzen – Begriffe, deren unkontrollierte (und angeblich schwer kontrollierbare) Anwendung zur Verarbeitung des Tatsachenmaterials in faschistischem Sinn führt."[21]

Was Benjamin in dem Kunstwerkessay von 1935 als Programm (s)einer materialistischen Kunsttheorie auf den Punkt der Politisierung brachte, lief nicht (wie oft behauptet) auf eine empirische Soziologie der Kunst hinaus, sondern auf die Freilegung der Genealogie einer deutschen Tradition ästhetischen (und kunsttheoretischen) Denkens. Was er auch in diesem Sinne 1931 an der deutschen Geistesgeschichte im Vorfeld ihrer faschistischen Gleichschaltung als deren „geile(n) Drang aufs große Ganze" und als siebenköpfige „Hydra der Schulästhetik"[22] diagnostizierte, enthüllte sich dem archäologischen Blick in der faschistischen „Ästhetisierung der Politik" in ihrem „Funktionscharakter", d. h. als ein *Schlachtfeld* des deutschen Idealismus. So konnte Benjamin die Ästhetisierung 1930 in der Besprechung von Ernst Jüngers Sammelschrift *„Krieg und Krieger"* gleich nach ihrem Erscheinen als eine Denkfigur charakterisieren, die als „eine hemmungslose Übertragung der Thesen des l'Art pour l'Art auf den Krieg"[23] gelesen werden könne. Die Intervention des Faschismus zur Überwindung der „klaffende(n) Diskrepanz zwischen den riesenhaften Mitteln der Technik auf der einen, ihrer winzigen moralischen Erhellung auf der anderen Seite"[24] ist in dieser Denkfigur gleichsam präjudiziert. Benjamins radiologische Lektüre der von E. Jünger versammelten Texte beschreibt die faschistische Ästhetisierung als eine vom Einzelnen „Haltung" fordernde Ästhetik des Erhabenen im Angesicht des Todes. „Im Angesicht der total mobil gemachten Landschaft hat das deutsche Naturgefühl einen ungeahnten Aufschwung genommen. Die Friedensgenien, die sie so sinnlich besiedeln, sind evakuiert worden und so weit man über den Grabenrand blicken konnte, war alles Umliegende zum Gelände des deutschen Idealismus selbst geworden, jeder Granattrichter ein Problem, jeder Drahtverhau eine Antinomie, jeder Stachel eine Definition, jede Explosion eine Setzung, und der Himmel darüber bei Tag die kosmische Innenseite des Stahlhelms, bei Nacht das sittliche Gesetz über dir. Mit Feuerbändern und Laufgräben hat die Technik die heroischen Züge im Antlitz des deutschen Idealismus nachziehen wollen. Sie hat geirrt. Denn was sie für die heroische hielt, das waren die hippokratischen, die Züge des Todes...Der Krieg in der metaphysischen Abstraktion, in der der neue Nationalismus sich zu ihm bekennt, ist nichts anderes als der Versuch, das Geheimnis einer idealistisch verstandenen Natur in der Technik mystisch und unmittelbar zu lösen, statt auf dem Umweg über die Einrichtung menschlicher Dinge es zu nutzen und zu erhellen. ⟨Schicksal⟩ und ⟨Heros⟩ stehen wie Gog und

Magog in diesen Köpfen, ihre Opfer sind nicht allein Menschen- sondern Ge-
dankenkinder."[25]

Die apokalyptische Vision am Ende von Benjamins Text wurde zehn Jahre
später Wirklichkeit und läßt die Beschwörung eines Eingriffs in die als schicksal-
haft ausgegebenen Vorgänge als aufgeschobene (und verschobene) Herausforderung bestehen. „Mißglückt die Korrektur, so werden zwar Millionen Menschen-
körper von Gas und Eisen zerstückt und zerfressen werden – sie werden es unumgänglich, aber selbst die Habitués chtonischer Schreckensmächte, die ihren
Klages im Tornister führen, werden nicht ein Zehntel von dem erfahren, was die
Natur ihren weniger neugierigen, nüchterneren Kindern verspricht, die an der
Technik nicht einen Fetisch des Untergangs, sondern einen Schlüssel zum Glück
besitzen. Von dieser ihrer Nüchternheit werden sie den Beweis im Augenblick
geben, da sie sich weigern werden, den nächsten Krieg als einen magischen Einschnitt anzuerkennen, vielmehr in ihm das Bild des Alltags entdecken und mit
eben dieser Entdeckung seine Verwandlung in den Bürgerkrieg vollziehen werden in Ausführung des marxistischen Tricks der allein diesem finsteren Runen-
zauber gewachsen ist."[26] Daß dieser „marxistische Trick" nicht funktioniert hat,
ist unsere Erfahrung und muß uns zu denken geben. An Benjamins diagnostische
Beobachtungen lassen sich daher Fragen anschließen, die die Funktion faschistischer Ästhetisierung der Politik betreffen. Benjamin hat sie im Schlußkapitel des
Kunstwerkessays als Sublimierung von Interessen proletarisierter Massen an einer Veränderung der Eigentumsverhältnisse beantwortet. „Die Massen haben ein
Recht auf Veränderung der Eigentumsverhältnisse; der Faschismus sucht ihnen
einen Ausdruck in deren Konservierung zu geben."[27]

„Schönheit der Arbeit"

Ästhetisierung wäre ein Modus der Gestaltung, der Formierung, der Inszenierung, der Stilisierung von Umwelten mit technischen Mitteln (vor allem optischen wie in den Speer'schen Lichtarchitekturen und akustischen wie im Einsatz
des Rundfunks) zur Verstärkung suggestiver Energien.[28] An den Modi der Ästhetisierung, die der Nationalsozialismus ins Werk setzte, lassen sich zwei Typen
unterscheiden, die einander darin komplementär sind, daß sie auf eine Auflösung
der Grenzen zwischen privater und öffentlicher Sphäre programmiert sind. Auf
der einen Seite die monumentalen Massenaufmärsche und die urbanistischen
Neuordnungen des nach Jahrtausenden rechnenden Dritten Reiches, dessen Zukunft Albert Speer in seiner von Hitler begrüßten *Theorie vom Ruinenwert* bei
der Konzipierung seiner Baupläne einrechnete. Auf der anderen Seite eine *Ästhetik der Produktion* und der *„Kraft durch Freude"*, die als flächendeckendes Programm von dem im November 1933 gegründeten und von Albert Speer geleite-

ten „*Amt Schönheit der Arbeit*" organisiert wurde.[29] Speers erster Stellvertreter in diesem Amt war bis 1936 Karl Kretschmer. Er erklärte, daß sich im Wirken des Amtes „auf dem Weg zum deutschen Sozialismus deutlich zeigt, daß Politik, Wirtschaft und Kunst zusammen gehen können. Vom Politischen her gesehen wollen wir die Gemeinschaft der Menschen; die Wirtschaft will die bessere Leistung; (...) die Kunst aber will das Leben der Gemeinschaft schön gestalten."[30] Das Amt organisierte nicht nur die KdF-Reisen, sondern auch mit großem Werbeaufwand sogenannte „technisch-hygienische Aktionen" (Peter Reichel) zur Arbeitsplatzgestaltung in den Betrieben wie die Aktionen „*Gutes Licht – Gute Arbeit*", „*Saubere Maschinen – sauberer Betrieb*", „*Gesunde Luft im Arbeitsraum*" und „*Warmes Essen im Betrieb*". In das Konzept des Amtes waren Gedanken integriert, die im Laufe des 19. Jahrhunderts von den utopisch-sozialistischen Bewegungen wie der Gartenstadt-Bewegung, des englischen Arts-and-Crafts-Movement (William Morris) sowie von der Psychotechnik und der Arbeitswissenschaft entwickelt und in verschiedenen Formen praktiziert wurden. Unmittelbarer Vorläufer des Amtes war das 1925 von dem nationalkonservativen Ingenieur Karl Arnhold begründete *Deutsche Institut für technische Arbeitsschulung (DINTA)*, das aus Kreisen der rheinischen Montanindustrie unterstützt wurde. Nach 1933 wurde dieses Institut von der Deutschen Arbeitsfront (DAF) übernommen und Arnhold wurde Chef des daraus entwickelten *Amt für Berufserziehung und Betriebsführung*.[31] Die arbeitswissenschaftlichen und betriebspsychologischen Grundlagen des Amtes „*Schönheit der Arbeit*" wurden aus Forschungsergebnissen der in den 20er Jahren einflußreichen betriebspsychologischen Schule um Götz Briefs bezogen, der 1934 emigrierte. Sein Schüler L. H. Adolf Geck schrieb dem Amt die Bibel mit seinem Buch *Soziale Betriebsführung* (1938). Der amerikanische Historiker Anson G. Rabinbach hat das im Amt „*Schönheit der Arbeit*" konzentrierte Netzwerk integrierter Ästhetisierung von Arbeits- und Freizeitsphäre als Ausdruck einer spezifischen „Gemeinschaftsideologie" charakterisiert. „Zusammen mit den Gemeinschaftsveranstaltungen, die von dem *Kulturamt der Arbeitsfront* und dem *Amt für Feierabend* angeregt wurden, und zusammen mit dem Reisenetz von '*Kraft durch Freude*' spiegelte die Gemeinschaftsideologie von *Schönheit der Arbeit* ein stark utopisches Bild nicht-entfremdeter und nicht-proletarisierter Arbeit wider."[32] Man kann diese Gemeinschaftsideologie mit Susan Sontag als eine „utopische Ästhetik" verstehen, die ein Ideal physischer Vollkommenheit zur Schau stellt, utopische Sehnsüchte aufgreift und kanalisiert, die in verschiedenen Kulturkonzepten der Arbeiterbewegung des 19. Jahrhunderts überliefert waren. Insofern stiftet die Selbstbezeichnung des deutschen Faschismus als Nationalsozialismus auch einen Traditionszusammenhang, der verschiedene Elemente in einem regelrechten Programm der Ästhetisierung amalgamiert. Wie Manfred Frank am Beispiel der nationalsozialistischen Thingspiele gezeigt hat, ist „die Attraktivität des Faschismus für die

Massen nicht nur ein Produkt der Irreleitung und der Manipulation; er zehrt vielmehr von einem altsozialistischen, ins nationale und rassistische Fahrwasser abgedrängten 'Erbe', in dem 'Gemeinschaft' ein Synonym für Solidarität und also ein humanistischer, d. h. gerade kein nationalsozialistischer Wert ist."[33]

Die „utopische Ästhetik" des NS war die Vision einer Ordnung, in der „eine schlecht funktionierende Sozialmaschine durch eine vollkommene ausgewechselt wird" (Ernst Bloch[34]). Sie integriert Elemente zweier im 19. Jahrhundert als Reaktion auf die industrielle Modernisierung ausgebaute Modi ästhetischen Denkens, eine Metaphysik des Schönen und eine das Schöne mit dem Nützlichen koppelnde Industrieästhetik. Im *Deutschen Werkbund* hatte diese Konjunktion nach dem Vorbild einer *„Ästhetik von unten"* (Gustav Theodor Fechner) oder einer *„praktischen Ästhetik"* (Gottfried Semper) eine breite und einflußreiche institutionelle Basis gefunden. Eine *„neue technologische Ästhetik"*, wie sie dann z. B. Franz Kollmann in seinem Buch *„Schönheit der Technik"* (1927) vorschlug, wurde von Technokraten wie Albert Speer praktiziert und von Goebbels als deutsche *„stählerne Romantik"* propagiert. „Wir leben heute im Zeitalter der Technik. Das rasende Tempo unseres Jahrhunderts wirkt sich auf alle Gebiete unseres Lebens aus. Es gibt kaum noch einen Vorgang, der sich der starken Beeinflussung durch die moderne Technik entziehen könnte. Es entsteht damit auch zweifellos die Gefahr, daß die moderne Technik die Menschen seelenlos macht. Und darum war es eine der Hauptaufgaben des Nationalsozialismus, die Technik, die von uns nicht verneint oder gar bekämpft, sondern bewußt bejaht wird, innerlich zu beseelen und zu disziplinieren und sie in den Dienst unseres Volkes und seines hohen Kultur- und Lebensniveaus zu stellen. Es ist einmal in der nationalsozialistischen Publizistik das Wort von der stählernen Romantik unseres Jahrhunderts geprägt worden. Dieses Wort hat heute noch seine volle Bedeutung. Wir leben in einem Zeitalter, das zugleich romantisch und stählern ist, das seine Gemütstiefe nicht verloren, andererseits aber auch in den Ergebnissen der modernen Erfindung und Technik eine neue Romantik entdeckt hat."[35]

Jeffrey Herf hat in seinem bemerkenswerten Buch *Reactionary Modernism* (1984) eine „technologische Romantik" im Technikdiskurs der Weimarer Republik und des NS diagnostiziert, der die gängige Vorstellung, die nationalsozialistische Kulturkritik sei dominant technophob gewesen, korrigiert. Die „reaktionären Modernisten", auf deren Ideen die Nazis zurückgriffen „removed technology from the world of Enlightenment reason, that is of *Zivilisation*, and placed it into the language of German nationalism, that is, of *Kultur*. They claimed that technology could be described with the jargon of authenticity, that is, slogans celebrating immediacy, experience, the self, soul, feeling, blood, permanence, will, instinct, and finally the race, rather than what they viewed as the lifeless abstractions of intellect, analysis, mind, concepts, money, and the Jews. By identifying technology with form, production, usevalue, creative (German or Aryan) labor, and German romanticism, rather than with formlessness, circulation, exchange value, and parasitic (Jewish) finance capital, they incorporated technology into the 'anticapitalistic yearnings' that National Socialism exploited. To oppose or defend the Enlightenment and industrial progress together is straightforward enough. The paradox of reactionary modernism is that it rejected reason but embraced technology, reconciled *Innerlichkeit* with technical modernity."[36]

„Beseelung" der Technik durch Romantik und der Politik durch Kunst sind im nationalsozialistischen Diskurs der Ästhetisierung Formeln, mit denen eine Verbindung von Kunst und Alltag proklamiert wurde. Der „schaffende Künstler" wird zum Vorbild des Politikers, der sich (wie Hitler in *Mein Kampf*) schrieb, die „Nationalisierung der Massen" zur Aufgabe macht. In einem Brief an Wilhelm Furtwängler schrieb Goebbels gleich nach der Machtübertragung an die Nazis über den Politiker als Künstler, daß „auch die Politik eine Kunst ist, vielleicht die höchste und umfassendste, die es gibt, und wir, die wir die moderne deutsche Politik gestalten, fühlen uns dabei als künstlerische Menschen, denen die verantwortungsvolle Aufgabe anvertraut ist, aus dem rohen Stoff der Masse das feste und gestalthafte Gebilde des Volkes zu formen."[37] In seinem Tagebuchroman *Michael. Ein deutsches Schicksal in Tagebuchblättern* (1931) hatte Goebbels über den charismatischen Politiker geschrieben: „Der Staatsmann ist auch Künstler. Für ihn ist das Volk nichts anderes, als was für den Bildhauer der Stein ist. Führer und Masse, das ist ebensowenig ein Problem wie etwa Maler und Farbe. Politik ist die bildende Kunst des Staates, wie Malerei die bildende Kunst der Farbe ist. Deshalb ist Politik ohne Volk oder gar gegen das Volk ein Unsinn an sich. Aus Masse Volk und aus Volk Staat formen, das ist immer der tiefste Sinn der Politik gewesen."[38]

Die Übertragung eines bestimmten Paradigmas von Kunst und Ästhetik auf Politik, ihre Ästhetisierung, hat zwei Seiten. Der „Verheißung von Ganzheit, Einheit und Sinn"[39], der Ausrichtung der formlosen Masse (des „Menschenmaterials") auf ein „Ziel ästhetischer Totalität" korrespondiert die ebenso ästhetisch konnotierte Ausgrenzung und Repression alles Fremden, Andersartigen, Undeutschen. Die traditionelle Leitdifferenz *schön vs häßlich* im ästhetischen Diskurs wird biologisch und rassistisch konnotiert wie Philippe Lacoue-Labarthe in seiner Analyse des Nationalsozialismus als *„national-esthétisme"* gezeigt hat.[40] Die faschistischen Darstellungen *„des Juden"* sind karikaturesk und Embleme von Häßlichkeit als dem Unästhetischen. Die politischen Soldaten der SS in ihrem Outfit schwarzer Todesengel repräsentieren ein exterminatorisches Schönheitsideal als „deutsche Ästhetik" und als prophetische Figur mörderischer Exzesse.[41]

Hitler hat in dem Kapitel *„Kriegspropaganda"* in *„Mein Kampf"* die Grenze zwischen Ästhetik und Humanität auf eine Weise markiert, die nach kriegerischen und rassistischen Kriterien den Begriff der Ästhetik spaltet. „Wenn aber

Völker um ihre Existenz auf diesem Planeten kämpfen, mithin die Schicksalsfrage von Sein oder Nichtsein an sie herantritt, fallen alle Erwägungen von Humanität oder Ästhetik in ein Nichts zusammen; denn alle diese Vorstellungen schweben nicht im Weltäther, sondern stammen aus der Phantasie des Menschen und sind an ihn gebunden...Humanität und Ästhetik würden sogar in einer menschlich bewohnten Welt vergehen, sowie diese die Rassen verlöre, die Schöpfer und Träger dieser Begriffe sind.

Damit haben aber alle diese Begriffe beim Kampfe eines Volkes um sein Dasein auf dieser Welt nur untergerodnete Bedeutung, ja scheiden als bestimmend für die Formen des Kampfes vollständig aus, sobald durch sie die Selbsterhaltungskraft eines im Kampfe liegenden Volkes gelähmt werden könnte...Was die Frage der Humanität betrifft, so hat sich schon Moltke dahin geäußert, daß diese beim Kriege immer in der Kürze des Verfahrens liege, also daß ihr die schärfste Kampfesweise am meisten entspräche.

Wenn man aber versucht, in solchen Dingen mit dem Gefasel der Ästhetik usw. anzurücken, dann kann es darauf wirklich nur eine Antwort geben: Schicksalsfragen von der Bedeutung des Existenzkampfes eines Volkes heben jede Verpflichtung zur Schönheit auf."[42] Unmittelbar danach kennzeichnet der Antisemit Hitler das Gegenbild einer Ästhetik ausgerechnet durch den alttestamentlichen Topos vom *„Ebenbild des Herrn"*, in dem sich die Heilserwartung und die nationalistische Religiösität der NS-Ideologie zusammenfassen[43]. „Das Unschönste, was es im menschlichen Leben geben kann, ist und bleibt das Joch der Sklaverei. Oder empfindet diese Schwabinger Dekadenz etwa das heutige Los der deutschen Nation als (ästhetisch)? Mit den Juden, als den modernen Erfindern dieses Kulturparfüms, braucht man sich aber darüber wahrhaftig nicht zu unterhalten. Ihr ganzes Dasein ist der fleischgewordene Protest gegen die Ästhetik des Ebenbildes des Herrn."[44]

Der *„Nazi-Mythos"*, dessen Struktur und Funktion von Philippe Lacoue-Labarthe und Jean-Luc Nancy als eine Verschmelzung von Staats- und Kunstmythos, als der „Produktion des Politischen als Kunstwerk", analysiert wurde[45], verbindet diese Ästhetik mit einem „exterminatorischen Antisemitismus" (Daniel Goldhagen). Was Hitler als „Bolschewismus der Kunst" 1924 beschrieben hat – „die krankhaften Auswüchse irrsinniger und verkommener Menschen, die wir unter den Sammelbegriffen des Kubismus und Dadaismus seit der Jahrhundertwende kennelernten"[46] – muß vernichtet werden. „Die völkische Weltanschauung glaubt an die Notwendigkeit einer Idealisierung des Menschentums, da sie wiederum nur in dieser die Voraussetzung für das Dasein der Menschheit erblickt. Allein sie kann auch einer ehtischen Idee das Existenzrecht nicht zubilligen, sofern diese Idee eine Gefahr für das rassische Leben der Träger einer höheren Ethik darstellt; denn in einer verbastardierten und vernegerten Welt wären auch alle Begriffe des menschlich Schönen und Erhabenen sowie alle Vorstellungen einer idealisierten Zukunft unseres Menschentums für immer verloren.

Menschliche Kultur und Zivilisation sind auf diesem Erdteil unzertrennlich gebunden an das Vorhandensein des Ariers. Sein Aussterben oder Untergehen wird auf diesen Erdball wieder die dunklen Schleier einer kulturlosen Zeit senken.

Das Untergraben des Bestandes der menschlichen Kultur durch Vernichtung ihres Trägers aber erscheint in den Augen einer völkischen Weltanschauung als das fluchwürdigste Verbrechen. Wer die Hand an das höchste Ebenbild des Herrn zu legen wagt, frevelt am gütigen Schöpfer dieses Wunders und hilft mit an der Vertreibung aus dem Paradies."[47]

Es war nur ein Schritt von dieser Unterscheidung ästhetischer Gegensätze zur Vernichtung im Namen einer militanten und totalitären politischen Weltanschauung. Hatte Goebbels das Bismarckwort von der Politik als der „Kunst des Möglichen" zur „Kunst das unmöglich Scheinende möglich zu machen" erweitert, so erklärte Hitler im Juli 1937 in seiner Rede zur Eröffnung der „Großen Deutschen Kunstausstellung" in München das Kulturprogramm der Nazis zum „Säuberungskrieg", dessen Rhetorik das Programm der „Endlösung" präjudizierte. „Wir werden von jetzt ab einen unerbittlichen Säuberungskrieg führen gegen die letzten Elemente unserer Kulturzersetzung. Sollte sich aber unter ihnen einer befinden, der doch noch glaubt, zu Höherem bestimmt zu sein, dann hatte er nun ja vier Jahre Zeit, diese Bewährung zu beweisen. Diese vier Jahre aber genügen auch uns, um zu einem endgültigen Urteil zu kommen. Nun aber werden – das will ich Ihnen hier versichern – alle die sich gegenseitig unterstützenden und damit haltenden Cliquen von Schwätzern, Dilettanten und Kunstbetrügern ausgehoben und beseitigt. Diese vorgeschichtlichen prähistorischen Kultur-Steinzeitler und Kunststotterer mögen unseretwegen in die Höhlen ihrer Ahnen zurückkehren, um dort ihre primitiven internationalen Kritzeleien anzubringen."[48]

Man könnte das Programm eines „Säberungskriegs" im Anschluß an Daniel Goldhagen eine *exterminatorische Ästhetisierung* nennen. Die Begründung politischer Ziele durch ästhetische Kriterien setzt eine bestimmte Vorstellung von Ganzheit und von Organischem voraus, die alle Gegensätze und Widersprüche aufsaugt und „löst" durch Ausgrenzung und Vernichtung. Die Idee des Gesamtkunstwerks als dem politischen Modell des Nationalsozialismus[49] und die Wagner-Rezeption prägen diese Ganzheitsvisionen ebenso wie sie sie motivieren. Der totale Staat wird als Kunstwerk repräsentiert, in dem sich mimetisch die zu Marschblöcken disziplinierten Massen spiegeln. „Zu sagen, das Politische sei organisch, heißt nicht nur, daß der Staat als ⟨lebendige Totalität⟩ begriffen wird. Der Staat ist noch ein zu abstrakter Begriff, d. h. zu verselbständigt...Das wesentlich Organhafte des Politischen ist in Wirklichkeit infra-politisch, sogar infra-sozial (im Sinn von Gesellschaft). Es ist das Organhafte der Gemeinschaft

oder, wie Heidegger sagt, wenn er *die Republik* erläutert, *das Gemeinwesen*. Das
politisch Organhafte ist der für die Selbstdarstellung und das Selbstwertegfühl
einer Nation notwendige Überschuß. Und das ist dann auch die der Kunst zuge-
schriebene Funktion."[50]

Politisierung der Ästhetisierung

Die ausschließliche und ausschließende Subsumtion aller Lebensbereiche unter
ein Primat staatlicher Politik und die Reduktion aller Gegensätze auf den Gegensatz von Freund und Feind löst die „Ästhetisierung aller geistigen Gebiete" ab,
worin Carl Schmitt in der „Politischen Romantik" (1919) das Merkmal einer
„anspruchsvollen Expansion des Ästhetischen" gesehen hat.[51] Im „nationalsozialistischen Führerstaat" sah er 1936 die Chance, die Privatisierung durch das Ästhetische[52] in der „Totalität des Politischen" zu überwinden. „Die Gegensätze
von politisch und religiös, politisch und juristisch, politisch und moralisch, politisch und militärisch usw. enthalten...keine absolut sicheren, unterschiedslos für
alle Sachlagen gefundenen Abgrenzungen. Sie bieten allerdings, bei ruhiger und
gefestigter Lage, im allgemeinen brauchbare Anhaltspunkte, um das Politische
vom Unpolitischen zu unterscheiden. Es ist aber zu beachten, daß der Möglichkeit nach Alles politisch werden kann. Infolgedessen ist die Entscheidung darüber, ob etwas unpolitisch ist, im Streitfalle ebenfalls eine politische Entscheidung. Das beweist, wie sehr heute eine einheitliche, entscheidungsfähige politische Führung für jedes Volk notwendig geworden ist, um den Vorrang der politischen Entscheidung (Primat der Politik) gegenüber der Aufspaltung in die verschiedenen Sachgebiete (Wirtschaft, Technik, Kultur, Religion) zu gewährleisten...Im nationalsozialistischen Führerstaat ist der pluralistische Parteienstaat
überwunden und die unbedingte Einheit des politischen Willens hergestellt...Jede
Politik rechnet mit der Möglichkeit von Widerständen, die sie überwinden muß.
Sie kann nicht auf den Kampf verzichten und sich auf die Taktik des bloßen
Ausgleichens und Ausweichens beschränken. Eine echte ⟨Entpolitisierung⟩ und
einen absolut unpolitischen Zustand hätte nur der erreicht, der grundsätzlich
Freund und Feind nicht unterscheiden wollte. Unter Politik wird aber auch die
Gestaltung und Herbeiführung der Ordnung und Harmonie eines umfassenden
völkischen Ganzen verstanden, innerhalb dessen es keine Feindschaft gibt und
das als Ganzes von sich aus Freund und Feind zu bestimmen vermag."[53]

Dieses Urteil Carl Schmitts aus dem Jahre 1936, das den „Begriff des Politischen" von 1932 aktualisiert, ist aufschlußreich hinsichtlich der totalitären politischen Schlußfolgerungen aus der „Expansion des Ästhetischen". Hatte Carl
Schmitt doch als erster in der „Politischen Romantik" nicht nur den Terminus

„Ästhetisierung" geprägt, er verlieh ihm auch den Status eines in einer bestimmten Tradition verankerten Begriffs.

Diese Tradition beginnt mit Friedrich Schillers Transformation von Kants „Kritik der Urteilskraft" zu einer Politik und Ästhetik integrierenden Utopie eines ästhetischen Staats. Schmitt, der auf Schiller nicht eingeht, konzentriert seine Kritik am „subjektivierten Occasionalismus" der Romantik auf diese Utopie, weil sie (wie er an Novalis' Konzept der Poetisierung aller Wissensbereiche erläutert) die Möglichkeit des Politischen in Frage stelle.[54] „Das ist also der Kern aller politischen Romantik: der Staat ist ein Kunstwerk, der Staat der historisch-politischen Wirklichkeit ist occasio zu der das Kunstwerk produzierenden schöpferischen Leistung des romantischen Subjekts, Anlaß zur Poesie und zum Roman oder auch zu einer bloßen romantischen Stimmung. Wenn Novalis davon spricht, daß der Staat ein Makroanthropos sei, so ist das ein seit Jahrhunderten ausgesprochener Gedanke. Die Romantik liegt erst darin, daß dieser Staat-Mensch ein ⟨schönes⟩ Individuum genannt wird, das Gegenstand der Liebe und ähnlicher Gefühle ist."[55] Es kann hier außer Betracht bleiben, daß diese Ansicht (insbesondere was Novalis betrifft) dessen akratische Idee verfehlt. Entscheidend ist, daß Carl Schmitt in der aus der politischen Romantik abgeleiteten Ästhetisierung eine zu überwindende Zwischenstufe in der „Stufenfolge der wechselnden Zentralgebiete" gesehen hat, die er 1929 im Beitext zu „Der Begriff des Politischen" unter dem Titel „Das Zeitalter der Neutralisierungen und Entpolitisierungen" als geschichtliche Übergänge „vom Theologischen über das Metaphysische und das Moralische zum Ökonomischen" beschrieben hat.[56] Die Ästhetisierung als eine „Zwischenstufe" entfalte im 19. Jahrhundert als dem „Säkulum scheinbar hybrider und unmöglicher Verbindung von ästhetisch-romantischen und ökonomisch-technischen Tendenzen"[57] eine expansive Energie, die der Tendenz zur Ablösung ästhetischer Kunst durch Technik entgegen läuft und einem „Zeitalter der Tizinizität" über ihre romantische Stunde hinaus im Wege steht. „In Wirklichkeit bedeutet die Romantik des 19. Jahrhunderts – wenn wir das ein wenig dadaistische Wort Romantik nicht in romantischer Weise zum Vehikel der Verwirrungen machen wollen – nur die Zwischenstufe des Ästhetischen zwischen dem Moralischen des 18. und dem Ökonomismus des 19. Jahrhunderts, nur ein Übergang, der vermittels der Ästhetisierung aller geistigen Gebiete bewirkt wurde, und zwar sehr leicht und erfolgreich. Denn der Weg vom Metaphysischen und Moralischen zum Ökonomischen geht über das Ästhetische, und der Weg über den noch so sublimen ästhetischen Konsum und Genuß ist der sicherste und bequemste Weg zur allgemeinen Ökonomisierung des geistigen Lebens und zu einer Geistesverfassung, die in Produktion und Konsum die zentralen Kategorien menschlichen Daseins findet. In der geistigen Weiterentwicklung dient der romantische Ästhetizismus dem Ökonomischen und ist er ein typisches Begleitphänomen."[58]

Schmitts geschichtliche Situierung der Ästhetisierung ist Kritik am „romantischen Genie" als ihrem Repräsentanten – „Man darf sich durch das Intermezzo
der romantischen Genies und die vielen Priester einer Privatreligion nicht beirren
lassen"[59] – und als Figur eines universalen Intellektuellen (*Clerc* schreibt Schmitt
wohl mit Bezug auf Julien Bendas 1927 erschienenes Buch *La trahison des clercs*),
die durch die Figur des Sachverständigen abgelöst werde. Dieser wird, wie der
romantische Clerc zuvor, seinerseits zu einer Figur, auf die Sehnsüchte nach
Entpolitisierung projiziert werden, einer Projektion, der Schmitt in allen seinen
Schriften vehement widerspricht. Der zitierte Politik-Artikel von 1936 ist als eine Intervention im Klartext ein Beispiel, das eine Perspektive des Textes von
1929 enthüllt. „Der Prozeß fortwährender Neutralisierungen der verschiedenen
Gebiete des kulturellen Lebens ist an seinem Ende angelangt, weil er bei der
Technik angelangt ist. Die Technik ist nicht mehr neutraler Boden im Sinne jenes
Neutralisierungsprozesses, und jede starke Politik wird sich ihrer bedienen. Es
kann daher nur ein Provisorium sein, das gegenwärtige Jahrhundert in einem geistigen Sinn als das technische aufzufassen. Der endgültige Sinn ergibt sich erst,
wenn sich zeigt, welche Art von Politik stark genug ist, sich der neuen Technik
zu bemächtigen, und welches die eigentlichen Freund- und Feindgruppierungen
sind, die auf dem neuen Boden erwachsen.

Große Massen industrialisierter Völker hängen heute noch einer dumpfen
Religion der Technizität an, weil sie, wie alle Massen, die radikale Konsequenz
suchen und unbewußt glauben, daß hier die absolute Entpolitisierung gefunden
ist, die man seit Jahrhunderten sucht und mit welcher der Krieg aufhört und der
universale Friede beginnt. Doch die Technik kann nichts tun, als den Frieden
oder den Krieg steigern, sie ist zu beidem in gleicher Weise bereit, und der Name
und die Beschwörung des Friedens ändert nichts daran. Wir durchschauen heute
den Nebel der Namen und der Worte, mit denen die psychotechnische Maschinerie der Massensuggestion arbeitet."[60]

Politik des Ästhetischen. Perspektiven

Hatte Carl Schmitt im Rahmen seines Freund-Feind-Schemas eine totalisierende
Politisierung im Begriff des Politischen und der politischen Romantik verankert,
indem er das Politische zur Voraussetzung des Staates und sozialer Ordnung erklärte, so war damit auch eine Unterscheidung zwischen dem Politischen als einer *Sphäre* (oder einem Gegenstandsbereich) und als einem *Aspekt* gewonnen.[61]
In Carl Schmitts Vision ist dieser Aspekt dezisionistisch und pan-politisch als
ein Gegenmodell zur romantisch-occasionellen Ästhetisierung gedacht. Es ist die
Aufhebung aller Ästhetisierungsprojekte mittels Politisierung, die der Kunst und
dem Ästhetischen keinen eigenen (autonomen) Aspekt der Kritik oder des Wi-

derstands zubilligt. Insofern ist Schmitts Politisierungsprogramm nur die Umkehrung einer ästhetischen Ideologie, die an der Trennung von Politik und Ästhetik krankt und sich an der Überbrückung dieser als Stachel empfundenen Kluft abarbeitet. Paul de Man hat diese Situation in mehreren Aufsätzen zur *„Ästhetischen Ideologie"* prägnant als eine Konfusion charakterisiert, der ein *„Ausschließungsprinzip" (principle of exclusion)* zugrunde liegt. „Ein schlagendes Beispiel für eine solche Konfusion ist das Ausschließungsprinzip, das angeblich zwischen der ästhetischen Theorie und der erkenntnistheoretischen Spekulation oder, auf ganz entsprechende Weise, zwischen der Behandlung ästhetischer und politischer Fragen herrschen soll."[62] In einer jüngst aus dem Nachlaß veröffentlichten Mitschrift einer Vorlesung über *„Kant und Schiller"* hat Paul de Man die Hypostasierung des Ästhetischen, „vom entzweiten Moment zum Modell der Einheit, auf die 'romantische' Verzerrung der Kantischen Ästhetik, eine Verzerrung, die mit Schiller beginnt, zurück verfolgt."[63] „Out of a text like Schiller's *Letters on Aesthetic Education*, or the other texts of Schiller that relate directly to Kant, a whole tradition in Germany – in Germany and elsewhere – has been born: a way of setting up the aesthetic as exemplary, as an exemplary category, as a unifying category, as a mode for education, as a model even for the state. And a certain tone that's characteristic of Schiller is a tone which one keeps hearing throughout the nineteenth century in Germany."[64]

Paul de Mans Vorschlag zu einer nicht nur ideologischen Auflösung des *„Ausschließungsprinzips"* geht von einer anderen Logik der Beziehung und Vermittlung von Ästhetik und Politik aus. Beide Sphären lassen sich demzufolge nicht modellhaft ineinander übersetzen. Weder kann das Politische als *„unifying category"* Modell des Ästhetischen sein (wie bei Carl Schmitt), noch das Ästhetische für das Politische (wie im Nationalsozialismus). Literatur, der Paul de Man einen paradigmatischen ästhetischen Status zuschreibt, ist eine „eigentlich politische Diskursform", weil sie Autorität und Machtstrukturen zersetzt. „Die Literatur unterdrückt keineswegs, wie Althusser meint, das Politische, sie ist vielmehr dazu verdammt, die eigentlich politische Diskursform zu sein. Die Beziehung dieser Diskursform zur politischen Praxis kann nicht in psychologischen oder psycholinguistischen Begriffen beschrieben werden, sondern nur in den innerhalb des rhetorischen Modells angesiedelten Begriffen der Beziehung zwischen den semantischen Feldern der Referentialität einerseits und der Figuralität andererseits."[65]

Eine Politik des Ästhetischen, verstanden nicht als *Projekt*, sondern als *Aspekt*, wäre zunächst (so ließe sich schlußfolgern) ex negativo zu bestimmen als Einstellung, die sich jeder Verordnung von Normen und der Ausschließung/Aussonderung durch Figuren der Marginalisierung, der Diskriminierung und der Selektion widersetzt. Das verlangt einen anderen Begriff des Politischen wie des Ästhetischen, eine „Relektüre und Neuformulierung des Politischen"[66], die mit der Unterscheidung zwischen *der Politik* und *dem Politischen* auch einen Begriff des Ästhetischen aktualisiert, wie ihn Kant in der *Kritik der Urteilskraft* als *sensus communis aestheticus* (§ 40) bestimmt hat. Gegen die Fatalität einer *schillernden* politischen Ästhetik oder ästhetischen Politik, die immer möglich sind, stellt sich „the problem of the link between aesthetic and political judgment"[67] als eine permanente alternative Aufgabe. „Es mag wie eine Binsenweisheit klingen, aber wenn uns etwas überraschen und mobilisieren soll, dann eben dies, daß das Politische den Sinn des 'Politischen' (wieder)finden oder (wieder)fundieren muß. Doch genau darum geht es: *polis* bezeichnet die Gemeinschaft nur noch im historischen Kontext. Darüber hinaus gilt es, den ganzen 'Sinn' (wieder)aufzunehmen, sich (wieder) zu eigen zu machen."[68]

Anmerkungen

1   Hans-Jürgen Syberberg, Die freudlose Gesellschaft, München-Wien 1981, S. 352. Mit seinem Buch *Vom Unglück und Glück der Kunst in Deutschland nach dem letzten Kriege* (München 1990) hat Syberberg (wohl unbeabsichtigt) antisemitische Vorurteile wachgerufen, die er in einer Stellungnahme zu den militanten Kritiken an seinem Buch zurückwies: „In Deutschland wurde eine ganze Epoche des Nachdenkens überschlagen, wie es in Frankreich nach Erscheinen des Archipel Gulag stattfand, und wie es sich in Italien in der Figur Pasolinis sinnfällig zeigte. In Deutschland soll und muß daher eine Kombination wie jene von der 'Jüdisch-Linken', zumal in Verbindung mit dem hinzugefügten Wort Mafia, zur Empörung der schnellen Leser führen. Das ist unredlich und behindert das Nachdenken, wo doch gerade dieses behutsame Nachdenken auch über uns, und damit meine ich gerade die Linke und Juden, nötig wäre." (H. J. Syberberg, „Wie man neuen Haß züchtet." In: FAZ, 6. 9. 1990, S. 36.)

2   Einar Schleef, Droge/Faust/Parsifal, Frankfurt/M. 1997, S. 10.

3   Philippe Lacoue-Labarthe, „Syberberg über Deutschland nach Hitler." In: Poeitics/Politics. Katalog der *documenta X*, Ostfildern 1997, S. 480. Vgl. dazu die Kritik an der „totale(n) politische(n) Instrumentalisierung" durch Stephan Huber: „Robespierre in Kassel. Ein Künstler blickt auf die *documenta X*." In: FAZ, 25. 8. 1997, S. 41.

4   Vgl. F, T. Marinetti, „Democrazia futurista Dinamismo politico (1919). In: F. T. Marinetti, Teoria e Invenzione futurista. A cura di Luciano De Maria, Milano 1983, S. 345- 469.

5   Ebd., S. 485 (Al di là del Comunismo, 1920. Übers. K.B.).

6   Ebd., S. 487f.

7   Zit. in: Emilio Gentile, „From Modernist Nationalism to Fascism.". In: Modernism/modernity, (Chicago) Jg. I. (Sept. 1994), Nr.3, S. 69.

8   Adolf Dresler, „Der politische Futurismus als Vorläufer des italienischen Faschismus." In: Preußische Jahrbücher (Berlin). Nr. 217 (1929), S. 340. Vgl. zum Komplex auch Manfred Hinz, Die Zukunft der Katastrophe. Mythische und rationalistische Geschichtstheorie im italienischen Faschismus, Berlin- New York 1985 u. Emilio Gentile, „The Conquest of Modernity: From Modernist Nationalism to Fascism." In: Modernism/modernity (A special issue on Marinetti and the Italian Futurists), Jg. I (Sept. 1994), Nr. 3, S. 55 – 87.

9   Zit. in: Werner Krauss, „Spanien wehrhaft" [1942] In: Werner Krauss, Das wissenschaftliche Werk Bd.8 (Sprachiwssenschaft und Wortgeschichte, hg. v. Bernhard Henschel, Berlin – New York 1997, S.79.)

10 Karl Heinz Bohrer, „Ästhetik und Politik sowie einige damit zusammenhängende Fragen." In: Merkur Bd. 40, Nr. 9/10 (1986), S. 719.

11 Ebd.

12 Karl Heinz Bohrer, „Die Ästhetik am Ausgang ihrer Unmündigkeit." In: Merkur, 44. Jg., H. 10/11 (Okt./Nov. 1990), Nr. 500, S. 862.

13 Ebd., S. 865.

14 Bernd Guggenberger, Die politische Aktualität des Ästhetischen. Eggingen 1992 (Parerga 8), S. 20f. – Vgl. als Beispiel einer anderen Ansicht, die das Monströse solcher Ost-West-Differenzen zeigt, Peter Fuchs, Westöstlicher Divan. Zweischneidige Beobachtungen, Frankfurt/M. 1995.

15 Ebd., S. 35f.

16 Ebd., S. 52.

17 Vgl. Peter Reichel, Der schöne Schein des Dritten Reiches. Faszination und Gewalt des Faschismus, München- Wien 1991.

18 In ihrem Essay „Faszinierender Faschismus" über Leni Riefenstahls Foto-Buch „The Last of the Nuba": „Faschistische Kunst...stellt eine utopische Ästhetik zur Schau – jene der physi-

schen Vollkommenheit." In: S. Sontag, Im Zeichen des Saturn. Essays, München- Wien 1981, S. 112.

[19] Wolfgang Hagen, „Hören und Vergessen. Über nicht-analoges Sprechen im Radio." In: Friedrich A. Kittler/Christoph Georg Tholen (Hg.),Arsenale der Seele. Literatur- und Medienanalyse seit 1870, München 1989, S. 139 – 150.

[20] Vgl. repräsentativ für diese Richtung u. a. Rainer Stollmann, Ästhetisierung der Politik. Literaturstudien zum subjektiven Faschismus, Stuttgart 1978; Ansgar Hillach, „<Ästhetisierung des politischen Lebens>. Benjamins faschismustheoretischer Ansatz- eine Rekonstruktion." In: Burkhart Lindner (Hg.), >Links hatte noch alles sich zu enträtseln...> Walter Benjamin im Kontext, Frankfurt/M., S. 127 – 167; Wolfgang Emmerich, „'Massenfaschismus' und die Rolle des Ästhetischen. Faschismustheorie bei Ernst Bloch, Walter Benjamin, Bertolt Brecht." In: Lutz Winckler (Hg.), Antifaschistische Literatur Bd. 1, Kronberg/Ts. 1977, S. 223 – 290. (Literatur im historischen Prozeß 10, Hg. v. Gert Mattenklott/Klaus R. Scherpe); Ralf Schnell, „Die Zerstörung der Historie. Versuch über die Ideologiegeschichte faschistischer Ästhetik." In: Literaturwissenschaft und Sozialwissenschaft 10., Stuttgart 1978, S. 17 – 55; Ronald Taylor (Hg.), Aesthetics and Politics. Ernst Bloch, Georg Lukács, Bertolt Brecht, Walter Benjamin, Theodor Adorno. (Afterword by Fredric Jameson), London 1977.

[21] Walter Benjamin, Gesammelte Schriften, Frankfurt/M. 1995 , Bd. VII.1, S. 350.

[22] GS Bd. III, S. 286.

[23] Ebd., S. 241.

[24] Ebd., S. 238.

[25] Ebd., S. 247.

[26] Ebd., S. 249f.

[27] GS Bd. VII.2, S. 382.

[28] Vgl. den Beitrag von Inge Baxmann in diesem Band.

[29] Vgl. dazu Chup Friemert, Produktionsästhetik im Faschismus. Das Amt <Schönheit der Arbeit> von 1933 bis 1939, München 1980; Anson G. Rabinbach, „Die Ästhetik der Produktion im Dritten Reich." In: Literaturwissenschaft und Sozialwissenschaft 1o, a.a. O., S. 57 – 85; Peter Reichel, Der schöne Schein des Dritten Reiches, München- Wien 1996.

[30] Karl Kretschmer, „<Schönheit der Arbeit> – ein Weg zum deutschen Sozialismus." In: Wege zur neuen Sozialpolitik. Arbeitstagung der Deutschen Arbeitsfront vom 16. bis 21. Dezember 1935, Berlin 1936, S. 18o. – In einem Leitartikel der von dem Amt hg. gleichnamigen illustrierten Monatsschrift heißt es anläßlich der Verleihung eines „Grand Prix" in der Gruppe „Presse und Propaganda" auf der Pariser Weltausstellung 1937: „Unsere Arbeit begann unter dem Geleitwort, 'Alles für den deutschen Arbeiter', und so wird es bleiben." 2. Jg., H. 9 (Januar 1938), S. 357.

[31] Vgl. dazu das 1o. Kapitel in Anson A. Rabinbach, The Human Motor. Energy, Fatigue, and the Origin of Modernity, Berkeley – Los Angeles 1992 sowie von demselben Autor „Nationalsozialismus und Moderne. Zur Technik-Interpretation im Dritten Reich." In: Wolfgang Emmerich/Carl Wege (Hg.), Der Technik-Diskurs in der Hitler-Stalin-Ära, Stuttgart 1995, S. 94 – 113.

[32] Anson G. Rabinbach in: Literaturwissenschaft und Sozialwissenschaften 10, a. a. O., S. 64f.

[33] Manfred Frank, „Vom <Bühnenweihfestspiel> zum <Thingspiel> und zur Wirkungsgeschichte der Neuen Mythologie." In: Walter Haug/Rainer Warning (Hg.), Das Fest, München 1989, S. 628 (Poetik und Hermeneutik XIV).

[34] Ernst Bloch, Freiheit und Ordnung. Abriß der Sozialutopien, Hamburg 1969, S. 132.

[35] Joseph Goebbels, Rede zur Eröffnung der Automobilausstellung Berlin am 17. 2. 1939. In: Deutsche Technik, März 1939, S. 105f.

[36] Jeffrey Herf, Reactionary Modernism. Technology, culture and politics in Weimar and the Third Reich, Cambridge Mass. 1984, S. 224. – Vgl. auch (zu Herfs These kritisch), Karl Heinz

Roth, Intelligenz und Sozialpolitik im „Dritten Reich". Eine methodisch-historische Studie am Beispiel des Arbeitswissenschaftlichen Instituts der Deutschen Arbeitsfront, München-London-Paris 1993. – Vgl. auch Manfred Lauermann, „Das Soziale im NS". In: Berliner Debatte Initial. Z. f. sozialwissenschaftlichen Diskurs 9 (1998), S. 35 – 52.

[37] Zit. bei Hildegard Brenner, Die Kunstpolitik des Nationalsozialismus, Reinbek 1963, S. 178.

[38] Joseph Goebbels, Michael. Ein deutsches Schicksal in Tagebuchblättern, München 1931, S. 31.

[39] Cornelia Klinger, „Faschismus – der deutsche Fundamentalismus?" In: Merkur, 46. Jg. (Sept./Okt. 1992), H. 522/523, S. 793.

[40] Philippe Lacoue-Labarthe, La fiction du politique, Paris 1987.

[41] Vgl. Peter Reichel, Der schöne Schein des Dritten Reiches, a.a.O. (Kap. 6: Politische Magie und militärische Macht, S. 208- 231).

[42] Adolf Hitler, Mein Kampf, München 1936, S. 195.

[43] Vgl. Friedrich Heer, Der Glaube des Adolf Hitler, Berlin 1989; Hubert Cancik, „Wir sind jetzt eins". Rhetorik und Mystik in einer Rede Hitlers. In: H. C., Antik-Modern. Beiträge zur römischen und deutschen Kulturgeschichte, Stuttgart-Weimar 1998, S. 229-264.

[44] Adolf Hitler, Mein Kampf, München 1936, S. 195f. Vgl auch die Analyse dieser religiösen Konnotation im Kontext der Debatte über das Erhabene bei Claus-E. Bärsch, „Das Erhabene und der Nationalsozialismus", in: Merkur 43. Jg., H. 9/10 (Sept./Okt. 1989), S. 777 – 790.

[45] Philippe Lacoue-Labarthe/Jean-Luc Nancy, Le mythe nazi, Paris 1991, S. 49. – Dieser wichtige Text, der die Diskussion über die faschistische Ästhetisierung auf neue Grundlagen gestellt hat, liegt jetzt endlich in einer Übersetzung von Claus-Volker Klenke vor in: Elisabeth Weber/Georg Christoph Tholen (Hg.), Das Vergessen(e). Anamnesen des Undarstellbaren, Wien 1997, S. 158- 190.

[46] Mein Kampf, a. a. O., S. 283.

[47] Ebd., S. 421.

[48] Der Führer eröffnet die „Grosse deutsche Kunstausstellung 1937". In: Die Kunst im Dritten Reich, 1. Jg. (1937), H. 7/8, S. 61.

[49] Vgl. Philippe Lacoue-Labarthe, La fiction du politique, a. a. O., S. 97.

[50] Ebd., S. 1o8f.

[51] Carl Schmitt, Politische Romantik, Berlin 1991, S. 225.

[52] „Die allgemeine Ästhetisierung diente, soziologisch betrachtet, nur dazu, auf dem Wege über das Ästhetische auch die anderen Gebiete des geistigen Lebens zu privatisieren." In: Ebd., S.21.

[53] Carl Schmitt, Art. „Politik" in: Hermann Franke (Hg.), Handbuch der neuzeitlichen Wehrwissenschaft. Bd. 1: Wehrpolitik und Kriegsführung, Berlin – Leipzig 1936, S. 548f.

[54] Vgl. dazu Friedrich Bahlke, Der Staat nach seinem Ende. Die Versuchung Carl Schmitts, München 1996 (besonders das Kapitel II „Die fixe Idee").

[55] Carl Schmitt, Politische Romantik, a. a. O., S. 172f.

[56] Carl Schmitt, Der Begriff des Politischen, Berlin 1991, S. 88.

[57] Ebd., S. 83.

[58] Ebd.

[59] Ebd., S. 86.

[60] Ebd., S. 94.

[61] Vgl. Kari Palonen, „Die jüngste Erfindung des Politischen. Ulrich Becks 'Neues Wörterbuch des Politischen' als Beitrag zur Begriffsgeschichte." In: Leviathan. Z. f. Sozialwissenschaft, Jg. 1995, S. 417 – 436.

[62] Paul de Man, „Hegel und das Erhabene". In: Paul de Man, Die Ideologie des Ästhetischen. Hg. v. Christoph Menke, Frankfurt/M. 1993, S. 59.

[63] Christoph Menke, „<Unglückliches Bewußtsein>. Literatur und Kritik bei Paul de Man". In: Ebd., S. 275.

[64]   Paul de Man, Aesthetic Ideology. Edited with an Introduction by Andrzej Warminski, Min-
       neapolis- London 1997, S. 130. – Vgl. auch Josef Chytry, The Aesthetic State. A Quest in
       Modern German Thought, Berkeley-Los Angeles-London 1989.
[65]   Paul de Man, „Metapher". In: Die Ideologie des Ästhetischen, a. a. O., S. 254.
[66]   Avital Ronell, „Formen des Widerstreits". In: Elisabeth Weber/Georg Christoph Tholen
       (Hg.), Das Vergessen(e). Anamnesen des Undarstellbaren, Wien 1997, S. 51 – 70; Nikolaus
       Müller-Scholl, „Der Eingriff ins Politische. Bert Brecht, Carl Schmitt und die Diktatur auf der
       Bühne". In: drive b. Theater der Zeit/Brecht Yearbook 23, Berlin 1998, S. 113 – 117.
[67]   David Carroll, Paraesthetics. Foucault-Lyotard-Derrida, New York – London 1987, S. XV.
[68]   Jean Luc Nancy, „Das gemeinsame Erscheinen. Von der Existenz des <Kommunismus> zur
       Gemeinschaftlichkeit der <Existenz>." In. Joseph Vogl (Hg.), Gemeinschaften zu einer
       Philosophie des Politischen, Frankfurt/M., 1994, S. 191f. – Vgl. auch zu dieser in den USA
       und in Frankreich intensiven Debatte: Jean-Francois Lyotard/Jean-Luc Thébaud, Au juste.
       Conversations, Paris 1979; Lindsay Waters/Wlad Godzich (Hg.), Reading de Man Reading,
       Minneapolis 1989; Jutta Georg-Lauer (Hg), Postmoderne und Politik, Tübingen 1992; Klaus
       von Beyme, Theorie der Politik im 20. Jahrhundert, Frankfurt/M. 1991; Jacques Derrida, Po-
       litiques de l'amitié suivi de L'oreille de Heidegger, Paris 1994 (Hier Derridas Auseinanderset-
       zung mit Carl Schmitt).

III.
Rückblick auf den Deutschen Idealismus

Ernst Müller

'Gerichtsbarkeit bis in die verborgensten Winkel des Herzens'.

Ästhetische Religiosität als politisches Konzept bei Kant – Schiller – Humboldt

Kunstreligion und *ästhetische Religiosität* gehören zu den Begriffen der Ästhetik- und Philosophiegeschichte, die eher geeignet sind, wesentliche theoretische, historische und politische Differenzen zu verdecken als sie zu markieren. Von Friedrich Schleiermacher wohl erstmals in seinen Reden *Über die Religion* (1799) literarisch und zunächst in prospektiver Absicht verwendet, wird mit dem Begriff der *Kunstreligion*, der nur im Zeitalter der Autonomie von Kunst und Ästhetik geprägt werden konnte, retrospektiv sogleich auf Antike, Mittelalter und Renaissance, später dann auch auf die Bildungsreligion des liberalen Bürgertums im 19. Jahrhundert oder auf die quasireligiöse Überhöhung der Kunst des l'art pour l'art im fin de siècle Bezug genommen. Aus heutiger Sicht wird das Konzept der Kunstreligion – meist unter dem Gesichtspunkt der konterkarierenden Tendenz zur Ausdifferenzierung von Kunst und Religion – vornehmlich auf die Zeit um 1800 bezogen.

Doch bereits die Verwendungsgeschichte für die Kunstperiode der deutschen Romantik und Klassik zeigt, daß unter ein und demselben Begriff äußerst heterogene ästhetische, aber auch gesellschaftspolitische Strategien subsumiert werden. Zwar läßt sich generell die Tendenz feststellen, daß sowohl Vertreter der klassisch-idealistischen als auch der romantischen Linie Kunst bzw. Ästhetik quasireligiös überhöht und mit solchen metaphorischen Epitheta umschrieben haben, die der religiösen Sprache entnommen waren. Doch unter dem Stichwort kann es um ganz unterschiedliche Fragen gehen: Meint Kunstreligion die Erhebung der Kunst zur Religion oder eine 'künstliche', wie Friedrich Schlegel sagen wird, 'gemachte' Religion? Sollen Kunst und Ästhetik die Funktion der Religion übernehmen, oder soll die ästhetische Amalgamierung der Religion bzw. deren Verschmelzung mit der Kunst letztlich die in die Krise geratene Religion retten? Dient die Kunstreligion der 'innerweltlichen Erlösung' bürgerlicher Entzweiung oder deren emanzipatorischer Überwindung? Werden Ästhetik und Religion in ihrer Verbindung gedacht, um die Trennung zwischen Gebildeten und Volk zu überbrücken und den aufklärerischen Vernunftanspruch universell zu realisieren oder um eine mehr oder minder elitäre Bildungsreligion gerade in symbolischer Differenz gegenüber anderen sozialen Gruppen zu etablieren? Konzentriert man diese Fragestellungen allein auf die Zeit um 1800, auf die berühmten frühromantisch-frühidealistischen Programme einer neuen Religion bzw. Mythologie also, wie sie nahezu gleichzeitig etwa von Friedrich Schlegel oder im *Ältesten Systemprogramm* entworfen wurden, dann erscheint tatsächlich für einen historischen Moment die Indifferenz beider Strategien überzeugender als deren latente Differenzen.

Als ordnende Grundbegriffe gehören sowohl *Ästhetik* als auch *Religion* zur aufklärerischen Topologie des Wissens. Wenn Eagletons These zutrifft, daß die Ästhetik seit 1750 nicht etwa deswegen so große Bedeutung gewann, weil man sich plötzlich des höchsten Wertes von Malerei oder Lyrik bewußt geworden ist, sondern weil auch immer andere Themen mit gemeint waren, die gerade für den Kampf der Mittelklasse um politische Hegemonie von größter Bedeutung waren, so ergibt sich gerade aus diesem Gesichtspunkt ein wesentlicher Zusammenhang zwischen der Ästhetik- und der Religionsproblematik.[1] Das bürgerliche Subjekt meldet einerseits seine Ansprüche gegenüber rationalen und feudal-klerikalen Herrschaftsansprüchen durch Rekurs auf Sinnlichkeit und ästhetisches Gefühl des empirischen Subjekts an, schränkt diese Emanzipation aber sogleich wieder durch Logifizierung und Objektivation ein. Die sozialisierende, Allgemeines und Einzelnes vermittelnde Funktion, die im Absolutismus noch die mit dem Staat verbundene kirchlich institutionalisierte Religion hierarchisch-mechanisch ausfüllte, wird im Zeitalter der Differenzierung zwischen bürgerlicher Gesellschaft und Staat vom ästhetischen, gleichermaßen sinnlich-körperlichen wie innerlichen Gefühl übernommen. Im gleichen Zuge, wie Forderungen nach einer Trennung der Kirche vom Staat, der Religion von der Moral laut werden, treten solche theoretische Entwürfe hervor, die Sozialität nach ästhetischen Mustern entwerfen und Religiosität auf dem ästhetischen Gefühl gründen. Eine Tendenz, die sich in den entwickelten europäischen Hauptländern zu unterschiedlichen Zeiten zeigt. Eine solche Funktionsveränderung von einem christlich-hierarchischen zu einem ästhetisch-pantheistischen Welt- und Menschenbegriff vollzieht sich schon früh in England – etwa bei Shaftesbury und in der schottischen Moralphilosophie (Ferguson); auf den dort entwickelten Gefühlsbegriff greift die deutsche Diskussion im letzten Drittel des 18. Jahrhunderts zurück.[2] Eagleton erkennt in der ästhetischen Emanzipation der Sinnlichkeit und des Gefühls Widersprüchliches: *Einerseits* erweist sich das Ästhetische als genuin emanzipatorische Kraft – als ein Gemeinschaftsgefühl von Subjekten, die durch ihre sinnlichen Antriebe statt durch ein heteronomes Gesetz miteinander verbunden sind und ihre einzigartige Besonderheit gewahrt sehen, obwohl sie zugleich an andere in sozialer Harmonie gebunden sind. *Andererseits* mutiert das Ästhetische zur Herrschaftstechnologie, zur internalisierten Überwachung, wodurch die soziale Macht noch tiefer als der Rationalismus in den Körper eindringen kann; es kann daher als eine überaus effektive Art der politischen Hegemonie fungieren.[3]

In Deutschland hatte sich die aufklärerische Bewegung – im Unterschied zu anderen europäischen Ländern – weder gegen den absolutistischen Staat noch primär gegen die institutionalisierte Religion emanzipiert.[4] Diese Tradition setzt sich bis in den deutschen Idealismus und die Romantik fort und führt dazu, daß deren Vertreter den ästhetischen Gefühlsbegriff zunächst abseits der institutionalisierten Religion entwickeln, bald jedoch die Hegemonie durch Versöhnung mit der christlichen Religion suchen. Um den Bruch mit der Religion zu vermeiden, wird in Deutschland am Ende des 18. Jahrhunderts der Religionsbegriff selbst ästhetisch umgeformt, wodurch zugleich das sensualistische Moment spiritualisiert wird. Einen Höhepunkt dieser Entwicklung bilden Friedrich Schleiermachers Reden *Über die Religion*, in denen mit größter Wirkung auf das gesamte 19. Jahrhundert der ästhetische Gefühlsbegriff mit einem letztlich sehr traditionellem Protestantismus verbunden wird.

Die komplexe Sozialisation der bürgerlichen Gesellschaft, so könnte man eine generelle Tendenz umschreiben, läßt sich nicht mehr über die religiöse Begründung moralischer Normen allein gewährleisten; an ihre Stelle tritt eine Moraltheorie, die keine starren Normen mehr setzt, sondern als Moralität auf das flexiblere ästhetische Gefühl verweist. Das Subjekt bildet Formen ästhetischer Innerlichkeit aus, die die Aufgabe des Gesetzes übernehmen und die gefährlicheren Neigungen sogar wirkungsvoller überwachen. Autoritär-institutionelle Gewalt wird in individuell-internalisierte überführt. Dabei sind zwei Tendenzen zu beobachten: Zum einen wird Religion zur Religiosität verinnerlicht, die selbst Ausdruck des ästhetischen Gefühles ist. Zum anderen wird die innerlich-gefühlsmäßige Begründung der Moral nicht allen Teilen der Gesellschaft, sondern nur den Gebildeten zugestanden. Auch der neue, zunehmend ästhetisierte Religiositätsbegriff wird von der Spätaufklärung bis zur Romantik zumeist nur den gebildeten bürgerlichen Schichten zugestanden, während für die anderen Gesellschaftsschichten die alte, äußerlich wirkende und Allgemeinheit setzende Religion und die mit ihr begründete Moral verbindlich bleiben soll. Friedrich Schleiermacher wird sich in seiner Schrift *Über die Religion* mit seinem ästhetischen Religionsbegriff an die 'Gebildeten unter ihren Verächtern' wenden und die anderen Gesellschaftsschichten von seinem neuen, ästhetisierten Religionsbegriff ausschließen.[5]

Im folgenden soll der wechselseitigen Begründungszusammenhang von Ästhetik und Religion, die widersprüchliche Transformation des Religiösen zum Ästhetischen als Sozialisierungsform eher beispielhaft und an Hand von Konzepten aufgezeigt werden, die noch vor den viel diskutierten Ansätzen der romantischen Kunstreligion bzw. neuen Mythologie entworfen wurden: an Wilhelm von Humboldt und Schiller (III, IV). Humboldts und Schillers Konzepte lassen eine Doppelstrategie des frühen (Bildungs-)Bürgertums erkennen, über das ästhetische Gefühl politische Hegemonie zu erlangen: einerseits soll die gesellschaftliche Funktion der Religion für die Gebildeten von Ästhetik und Kunst übernommen werden, andererseits aber eine auf ästhetischer Basis gedachte Religion für die ungebildeten Schichten des Volkes erhalten bleiben. Um zu zeigen, wie sich bereits in der Aufklärungstheologie ein Funktionswandel und eine folgenreiche Differenzierung im Religionsbegriff angesichts einer sich differenzierenden bürgerlichen Gesellschaft ankündigt, soll zunächst auf Johann Samuel Semlers Unterscheidung zwischen öffentlicher und Privatreligion eingegangen werden (I). Die Idee einer ästhetisierten Religion wiederum läßt sich nur unter den begrifflich-theoretischen Voraussetzungen der Philosophie Kants verstehen, der allerdings diese Folgerungen aus seiner Theorie selbst nicht gezogen hat. (II)

I.

Im letzten Drittel des 18. Jahrhunderts diskutiert die deutsche Aufklärung und Aufklärungstheologie Veränderungen in den Beziehungen zwischen Religion, Moral und Politik. Von Denkern ganz unterschiedlicher Tradition wird reflektiert, daß eine allgemeinverbindliche, die bürgerlichen Individuen übergreifende Religion den sozialen Differenzierungs- und Individualisierungsprozessen nicht mehr gerecht wird.

Johann Jakob Semler, Hallenser Professor und maßgeblicher Vertreter historisch-kritischer Aufklärungstheologie in Deutschland unterscheidet in seiner Schrift *Über historische, gesellschaftliche und moralische Religion der Christen* (1786) Privatreligion (religio privata) von öffentlicher Religion (religio publica, auch Kirchenreligion).[6] Als persönliche Angelegenheit ist 'die neue Privatreligion' keine konstante Größe, sondern durch Erfahrung und Erkenntnisse einem Wandel unterworfen. Statt eines staatsbürgerlichen Glaubensbekenntnisses, das die moralischen Pflichten festlegt, werden die moralischen, mittels Religion verinnerlichten Normen der bürgerlichen Gesellschaft bei Semler vorausgesetzt. Moralität soll nicht mehr von außen, durch Autorität erzwungen werden; auch führt Semler an, daß die Verhaltensoptionen nun so komplex seien, daß eine einheitliche, auf Religion gegründete Moral ihrer sozialen Funktionsfähigkeit eher hinderlich wäre. Daß es Semler nicht vorrangig um die Einführung humaner bürgerlicher Religionsfreiheit an sich, sondern vor allem um Legitimationsprobleme der spätabsolutistischen Gesellschaft ging, beweist seine eindeutig positive Stellungnahme zum Wöllnerschen Religionsedikt. Denn neben der *Privatreligion* hält Semler doch eine staatlich sanktionierte (*öffentliche*) *theologische Lehrmei-*

nung für notwendig, mit der sich die *Privatreligionen* zwar nicht decken müßten, die jedoch gleichsam die Mindestanforderung an die Bürger stellt; dort, wo die Gesellschaft noch keine naturwüchsige einheitsstiftende Funktion ausgebildet habe, muß die kirchliche Lehrmeinung die Einheit äußerlich herstellen. Die Privatreligion stehe, so Semler, nur den „fähigen Bürgern"[7] zu, die sich zur „Classe der geübtern Christen" vereinigen.[8] „Ist also die moralische Religion, die Privatreligion, dem Gewissen des Christen immerfort unterworfen, so muß der Christ auch eine Privatsprache dazu für sich, vor Gott, so frey haben, als gern er in die gesellschaftliche Religionsordnung, ihres großen öffentlichen Zweckes wegen, ohne allen eigenen Schaden, einwilliget."[9] Den unreifen, unfähigen Christen – und Semler impliziert zum Teil sehr deutlich deren sozialen oder bildungsmäßigen Grundlagen – steht einzig die öffentliche Religion offen. Die Unterscheidung einer gesellschaftlich fundierten freien *Privatreligion* von oktroyierter *öffentlicher Religion* als Integrationsmittel der bürgerlichen Gesellschaft ist auch in späteren Entwürfen ästhetischer Religiosität oftmals impliziert.

II.

Kant hat bekanntlich zwischen seinem ideellen, aufklärerischen Moralanspruch und dem sinnlich-bedürfnishaften Menschen kaum Vermittlungen zulassen wollen. Er hat den Anspruch des aufklärerischen Rationalismus, alle Erscheinungen in Natur und Gesellschaft wissenschaftlich reproduzieren zu können, kritisch eingeschränkt und in die 'Grenzen der Vernunft' verwiesen. Wissenschaft kann nicht das Ganze, nicht den Endzweck, nicht das Unbedingte oder Letzte denken, sie taugt nicht für die Etablierung einer Metaphysik. Bliebe Kant dabei stehen, würde er den gesamten Bereich menschlicher Zwecke, das gesellschaftlich-geschichtliche Dasein der Willkür und Kontingenz überantworten. Obwohl Kant in seinen Spätschriften durchaus geschichtsphilosophische, mithin in Ansätzen gesellschaftstheoretische Überlegungen angestellt hat, finden sie in seinem systematischen Projekt keinen Raum. Geschichts- oder Gesellschaftstheorie werden auf Ethik beschränkt bzw. durch Moral ersetzt. Dadurch lädt Kant sich das enorme Problem der Realisierung bzw. Verwirklichung der Vernunft auf. Das zeigt sich gerade in seiner Religionsschrift von 1794, in der er die Probleme religiöser Bedürftigkeit, das Problem der Unsterblichkeit oder der Glückseligkeit, auf die Moralproblematik des Sittengesetzes reduziert. Doch finden sich bei Kant zumindest zwei Theorieelemente, die eine Vermittlung auf der Basis des transzendentalen Idealismus ermöglichen sollen: zum einen den Gedanke der (religiösen und ästhetischen) Symbolisierung von Vernunftideen durch die Einbildungskraft, zum anderen das vermittelnde Konzept der *Kritik der Urteilskraft*.[10]

Religiöse Ideen und Mythologeme entstehen nach Kant durch die Operation der Symbolbildung mittels der Einbildungskraft, die die Verhältnisse der Ideen nach Analogie sinnlicher Erfahrung vergegenständlicht. Religiöse Glaubensinhalte sind Produkte der Einbildungskraft und die biblischen Berichte ästhetisch-anschauliche Symbolisierungen der Moral. Der Religion und ihren Bekenntnissen wird zwar der Erkenntnischarakter abgesprochen, jedoch kann Kant damit auch die sinnlichen Elemente der Religion mit seinem Moralkonzept verbinden. Wenn auch nirgends klar ausgesprochen, so sieht Kant Religion als Resultat einer produktiven Phantasie, die im Offenbarungsglauben nur illusionär verkehrt wird, weil sie nicht als symbolisierende Produkte von Vernunftideen erkannt, sondern als Schematismen von Verstandesbegriffen verkannt werden. Kants Bindung des religiösen Bewußtseins an die produktive Einbildungskraft hat den ihm folgenden Denkern die Idee hinterlassen, daß über die von der Einbildungskraft produzierten Bilder die moralische Vernunft, die darin symbolisiert ist, indirekt und entsprechend dem Legalitätsprinzip die Verwirklichung aufklärerischer Vernunft befördern könne. Im Prinzip ist es für Kant die identische Operation der symbolisierenden Urteilskraft, die uns Gott erkennen läßt und die im Schönen das Sittlichgute symbolisiert.[11] Daß Kant selbst vor den ästhetischen Konsequenzen seines Religionsbegriffes zurückschreckt, zeigt gerade der, immerhin versöhnend gemeinte Schlußabschnitt seiner Auseinandersetzung mit der Gefühlsphilosophie, in dem er konstatiert, daß „dasjenige aber, *jenes Gesetz zu personifizieren* und aus der moralisch gebietenden Vernunft eine verschleierte Isis zu machen [...], eine *ästhetische* Vorstellungsart [...] ist; deren man sich wohl [...] bedienen kann, um durch *sinnliche*, obzwar nur analogische *Darstellung* jene Ideen zu beleben, doch immer mit einiger Gefahr, in schwärmerische Visionen zu geraten, die der Tod der Philosophie ist.“[12]

Kant hat bekanntlich die *Kritik der Urteilskraft* systematisch als Versuch entworfen, um den Dualismus zwischen theoretischer und praktischer Vernunft, zwischen Rationalität und Sinnlichkeit zu vermitteln.[13] Die Ästhetik ist der Ort, an dem Kant die Ideen der Vernunft zum ästhetischen und naturhaften Symbol verschlüsselt. Zwischen der Auflösung der dogmatischen Metaphysik bzw. der Beschränkung der Religion in den Grenzen der Vernunft und der Konjunktur der Ästhetik in der Kantschen Philosophie besteht ein enger Zusammenhang.

Dabei hat Kants Ästhetik in vermittelter Form auch mit seinem Begriff der Religion zu tun, den er in der Schrift *Die Religion in den Grenzen der reinen Vernunft* entwickelt hatte. Zwar hat er die Begründung der Religion aus dem Gefühl verworfen, obwohl er sich gerade vor dem Hintergrund seiner pietistischen Herkunft bewußt sein mußte, daß die Reduktion der Religion auf die Moralproblematik dem im 18. Jahrhundert artikulierten Bedürfnis nach Religion nicht gerecht wird. Die *Kritik der Urteilskraft* ist jedoch auch als indirekter Versuch zu lesen, das Religionsproblem kritisch aufzunehmen: Kant versucht, die auf dem Gefühl beruhende Quelle der Religion in den Begriff des ästhetischen Gefühls zu integrieren und zu überführen, ohne dabei die Grenze zur Metaphysik oder Religion zu überschreiten. Dies ist zwar ausdrücklich so von Kant nicht formuliert worden, läßt sich aber sowohl der immanenten Logik seines systematischen Entwurfs als auch gelegentlichen Bemerkungen entnehmen: So schreibt Kant zum Beispiel im *Streit der Fakultäten*: „Wenn endlich der Quell der sich als Gesetz ankündigenden Lehre nur ästhetisch, d.i. auf ein mit einer Lehre verbundenes Gefühl gegründet (welches, da es kein objektives Prinzip abgibt, nur als subjektiv gültig, ein allgemeines Gesetz daraus zu machen untauglich, etwa frommes Gefühl eines übernatürlichen Einflusses sein würde), so muß es der philosophischen Fakultät freistehen, den Ursprung und Gehalt eines solchen angeblichen Belehrungsgrundes mit kalter Vernunft öffentlich zu prüfen und zu würdigen, ungeschreckt durch die Heiligkeit des Gegenstandes, den man zu fühlen vorgibt [...]."[14] Aus der Perspektive kritischer Philosophie, so ließe sich Kants Satz interpretieren, erscheinen religiöse Gefühle als ästhetische. Die *Kritik der Urteilskraft* muß auch als Antwort auf Fragen gelesen werden, die in der Religionsschrift negativ beantwortet bzw. deren religiöse Interpretation abgewiesen wird.

Ästhetik wird bei Kant zum Medium, in dem die Ideen der Vernunft (Gott, Freiheit, Unsterblichkeit, also vormals die Gegenstände der Metaphysik) nicht nur praktisch postuliert werden, sondern 'vorscheinend' auch präsentiert werden können. Bei Kant ist angelegt, daß der Ästhetik Funktionen zugewiesen werden, die traditionell die Metaphysik (oder lebensweltlich die Religion) inne hatten. Nur wenn man diese Funktion der Kantschen Ästhetik sieht, läßt sich erklären, warum die erst von Kant in dieser Form entwickelte Ästhetik für den Religionsbegriff der nachkantischen Philosophie und Religionstheorie von ausschlaggebende Bedeutung gewinnen konnte.

Kant beschreibt die ästhetische Urteilskraft als dasjenige Vermögen, das indirekt einen Zugang zum Übersinnlichen, zum Noumenon, zum eigentlich unerkennbaren Ding an sich erlaubt; nicht in einem bestimmenden, sondern nur in einem reflektierenden Sinne freilich. Die Einschränkung richtete sich gegen die Gefühlsphilosophie, z.B. gegen Jacobi oder Swedenborg. Deren Anspruch, die Gegenstände der Metaphysik und Religion direkt und über das Gefühl zu erkennen, wird nicht einfach abgewiesen, sondern eben in den Bereich der Ästhetik überführt. Die ästhetische Urteilskraft verweist auf das Ganze, auf die Totalität, auf das Ding an sich. Im interesselosen Geschmacksurteil über das Schöne treten Subjekt und Objekt zusammen, weil sich das Vermögen, ein Objekt zu erfassen, und das Vermögen, den Sinnen ein Beispiel dieses Objekts darzustellen, in freier Übereinstimmung befinden. Zugleich ist das Schöne intersubjektiv, es gründet auf dem Prinzip des Gemeinsinns, dem *sensus communis*.

III.

Hatte Kant sein transzendentalphilosophisches Konzept gleichsam im geschichtslosen Raum entworfen, so stellte sich für die Generation, für die die französische Revolution das entscheidende Erlebnis bildete, die Frage nach der Realisierung der Vernunft als praktisch-politisches Problem. In einem erst aus dem Nachlaß von Albert Leitzmann unter dem Titel *Über Religion* veröffentlichten Fragment Wilhelm von Humboldts, das, um 1790 in Berlin geschrieben, von ihm dann nahezu wörtlich in das VII. Kapitel der *Ideen zu einem Versuch, die Gränzen der Wirksamkeit des Staats zu bestimmen* (1792) eingearbeitet wurde, ging es Humboldt weniger um das theoretische Problem der Religion als darum, die staatsrechtliche und politische Funktion der Religion aus philosophischer Sicht neu zu bestimmen. Politischer Hintergrund war für Humboldt zum einen die Diskussion um das 1788 erlassene Wöllnersche Religionsedikt, das als Katalysator in der politisch-philosophischen Debatte um die Religion wirkte, zum anderen und vor allem aber die französische Revolution, deren Beginn er in Paris als distanzierter Beobachter unmittelbar erlebte und deren Ziele er durch Reformen und durch individuelle, letztlich ästhetische Bildung auf nicht-revolutionärem Weg erreichen wollte. Eine Grundthese im Rahmen seines frühliberalen Staatskonzepts ist die Trennung der Kirche vom Staat, die Humboldt in den *Ideen* dahingehend zusammenfaßt. „dass alles, was die Religion betrifft, ausserhalb der Gränzen der Wirksamkeit des Staats liegt".[15] Damit verbunden ist seine Forderung, die „Unabhängigkeit der Moralität von der Religion" anzuerkennen.[16]

Humboldt plädiert für den Übergang zu einem Staat, der die Bürger nicht mehr als 'gehorchende' und die Religion als 'Zwangsmittel' nutzt, sondern den 'brauchbaren' Bürger voraussetzt und die Religion als 'Bildungsmittel' ansieht. Religion wird im Differenzierungsprozeß zwischen Staat (societas cum imperio) und Gesellschaft (societas civilis) neu verortet. Die Staatsverfassung brauche die innige Verbindung zur Religion nicht mehr, wenn die Bürger auch ohne sie zu höherer Moralität und Bereitwilligkeit gelangen könnten, um den Gesetzen zu gehorchen.

Humboldt geht es um eine Interiorisierung der Religion, die eben eine viel bessere Wirksamkeit erlange, wenn sie nicht als äußeres Zwangsmittel, sondern aus innerer Überzeugung und in engem Zusammenhang mit der Moralität wirke. Damit nimmt Humboldt die Fragestellung Semlers auf, der zwischen öffentlicher und Privatreligion unterschieden hatte. Das Problem der Privatreligion wird von Wilhelm von Humboldt mit der ästhetischen Problematik verknüpft. An die Stelle der Fundierung von Politik und Moral auf der Religion tritt die Fundierung der bürgerlichen Sozialisation auf dem ästhetischen Gefühl.

In seiner Argumentation, daß das ästhetische Gefühl die Funktion der Religion übernehmen soll, konnte Humboldt auf Ideen Schillers zurückgreifen, der in seiner vor der Kurfürstlichen Deutschen Gesellschaft gehaltenen Vorlesung *Die Schaubühne als moralische Anstalt betrachtet* (1784) das Theater als die Institution favorisiert hatte, die nicht nur, wie die Gesetze, die Moral äußerlich bestimmen, sondern, wirkungsvoller als Religion die „Gerichtsbarkeit bis in die verborgensten Winkel des Herzens" fortsetzen soll.[17] Kunst, genauer das Theater, wirkt auf den 'sinnlichen Theil des Volkes' unfehlbarer als die Religion. „Wenn wir nun aber voraussezen wollten, was nimmermehr ist – wenn wir der Religion diese große Gewalt über jedes Menschenherz einräumen, wird sie oder kann sie die ganze Bildung vollenden? – Religion (ich trenne hier ihre politische Seite von ihrer göttlichen) Religion wirkt im Ganzen mehr auf den sinnlichen Theil des Volkes – sie wirkt vielleicht durch das Sinnliche allein so unfehlbar. Ihre Kraft ist dahin, wenn wir ihr dieses nehmen – und wodurch wirkt die Bühne? Religion ist dem größern Theile der Menschen nichts mehr, wenn wir ihre Bilder, ihre Probleme vertilgen, wenn wir ihre Gemählde von Himmel und Hölle zernichten – und doch sind es nur Gemählde der Phantasie, Räzel ohne Auflösung, Schreckbilder und Lockungen aus der Ferne. Welche Verstärkung für Religion und Geseze, wenn sie mit der Schaubühne in Bund treten, wo Anschauung und lebendige Gegenwart ist, wo Laster und Tugend, Glückseligkeit und Elend, Thorheit und Weisheit in Tausend Gemählden faßlich und wahr an dem Menschen vorübergehen, wo die Vorsehung ihre Räzel auflößt, ihren Knoten vor seinen Augen entwickelt, wo das menschliche Herz auf den Foltern der Leidenschaft seine leisesten Regungen beichtet, alle Larven fallen, alle Schminke verfliegt, und die Wahrheit unbestechlich wie Rhadamanthus Gericht hält."[18] Die Schaubühne sei mehr als jede andere öffentliche Anstalt ein „unfehlbarer Schlüssel zu den geheimsten Zugängen der menschlichen Seele."[19]

Ganz in diesem Sinne fordert Humboldt, der Gesetzgeber müsse jetzt „tief in das Studium des Menschen eingehn, alles zu erforschen, was nur irgend Bezug auf Menschenbestimmung und Menschenglückseligkeit hat".[20] Nicht mehr Erzieher soll der Staat sein, sondern auf die „sich selbst gelassene Bildung" vertrauen, um so „die Freiheit des Menschen mit dem Zwang des Staates zu vereinen."[21]

Um zwischen dem sinnlichen und genießenden Geschöpf und dem denkenden und schaffenden Wesen zu vermitteln, will Humboldt ein 'Drittes' nutzen: das 'ästhetische Gefühl'. „Ich will hier von der Fähigkeit reden, sinnliche Vorstellungen mit aussersinnlichen Ideen zu verknüpfen, aus den sinnlichen Eindrükken allgemeine Ideen zu ziehen, die nicht mehr sinnlich sind, die Sinnenwelt als ein Zeichen der unsinnlichen anzusehn, und aussersinnlichen Gegenständen die Hülle sinnlicher Bilder auszuleihen. Es fehlt der Sprache an einem eignen Ausdruk für diese Fähigkeit überhaupt. *Ästhetisches Gefühl* drükt einen Theil davon aus [...]".[22] Unverkennbar ist hier die Ähnlichkeit zu Kants Ideen in der *Kritik der Urteilskraft*, die bei Humboldt jedoch ins Politische gewendet werden.[23]

Noch vor Schiller entwickelt Humboldt ein Konzept ästhetischer Erziehung, wobei das Ästhetische bei ihm im aufklärerischen Sinne der Moral dient:
„Ausbildung und Verfeinerung muss das bloss sinnliche Gefühl erhalten durch
das Aesthetische. Hier beginnt das Gebiet der Kunst, und ihr Einfluß auf Bildung und Moralität. [...] So ist der Zweck der Kunst moralisch im höchsten Verstande des Wortes."[24] Das ästhetische Gefühl dient der Erhebung von der rohen
sinnlichen Begierde zur Moralität, zum sittlich Schönen. Das Verhältnis zwischen (ästhetisch begründeter) Moralität und Religion wird umgekehrt. Religion
entsteht aus dem Bedürfnis ästhetischer Bildung. Die Idee der ästhetischen Bildung tritt funktionell an die Stelle der Staatsreligion als Zwangsmittel. Der Staat
wird überhaupt nur als Mittel gedacht, die Bildung zu befördern, „Religion als
Bildungsmittel" gedacht.[25] Die Aufgabe des Staates besteht nur darin, die Voraussetzungen für die Bildung zu schaffen.

Überhaupt gehört dies zum politischen Hintergrund des Neuhumanismus,
wie er dann im 19. Jahrhundert quasi zum staatstragenden Element wird. Die
Antike erscheint auch im Verhältnis von Moralität und Religion als vorbildhaft:
„Als die Idee des sinnlich Schönen entstand und verfeinert ward, erhob man die
personificirte sinnliche Schönheit auf den Thron der Gottheit, und so entstand
die Religion, die man Religion der Kunst nennen könnte."[26]

Die politisch-moralische Funktionsverschiebung der Religion, die Grundlegung der Religion nicht auf den äußerlichen Normen der politischen Moral, sondern auf einem anthropologisch begründeten Begriff des 'ästhetischen Gefühl' in
Humboldts frühliberalen Entwürfen ist engstens mit einer bemerkenswerten
Umbildung des Religionsbegriffes und signifikanten Terminologieverschiebun-
gen verbunden: Religion wird verschiedentlich durch den Neologismus 'Religiosität' ersetzt. Daß das Wort offenbar erst zu diesem Zeitpunkt von Humboldt
entdeckt wurde, zeigt sich in dem begriffsgeschichtlich interessanten Befund,
daß er in dem Aufsatz *Über Religion* noch einheitlich den Terminus 'Religion'
verwendet, während er den neuartigen Terminus 'Religiosität' in den *Ideen* nur in
neu geschriebenen Passagen und an genau den Stellen verwendet, wo er den individuellen, innerlichen, nichtinstitutionellen Charakter der Religion betonen will.
Der Terminus der 'Religiosität' wird in dem Moment (nämlich erst in den neunziger Jahren) verwendet, wo Religion auf einem innerlichen, ästhetischen Gefühl
aufbaut.

Man muß Humboldts Schrift auch als Reaktion auf Semlers Trennung zwischen öffentlicher und Privatreligion lesen. Humboldt radikalisiert einerseits den
Gedanken der Privatreligion: „Allein so ist Religion ganz subjektiv, beruht allein
auf der Eigenthümlichkeit der Vorstellungsart jedes Menschen."[27] Im Gegensatz
zu Semler, der die Privatreligion nur für die aufgeklärteren (bei Humboldt heißt
es nun: gebildeteren) Schichten fordert und deswegen auch das Wöllnersche Religionsedikt (wohl angesichts der Wirkung auf die breiteren Schichten) befür-

wortete, bemüht Humboldt sich in seiner Argumentation, allerdings vorsichtig, die neue, ästhetische Grundlegung der Religion nicht nur auf die gebildeten, sondern auf alle Schichten zu beziehen; die 'freie Untersuchung' und Aufklärung soll allen Gesellschaftsschichten freistehen. Humboldt nimmt zwar Semlers Bedenken auf, wenn er zunächst konstatiert, daß „jener aufgestellte Begriff von Tugend nur auf einige wenige Classen der Mitglieder eines Staats [paßt], nur auf die, welche ihre äussre Lage in den Stand setzt, einen grossen Theil ihrer Zeit und ihrer Kräfte dem Geschäft ihrer inneren Bildung zu weihen. Die Sorgfalt des Staats muss sich auf die grössere Anzahl erstrekken, und diese ist jenes höheren Grades der Moralität unfähig."[28] Dem 'roheren Teil der Volkes' müsse die Wahrheit in einem anderen Kleid vorgetragen werden. Man sollte mehr zu ihrer Einbildungskraft und zu ihrem Herzen, als zu ihrer kalten Vernunft reden. Durch ästhetische Bildung soll gleichermaßen der rohe, sinnliche Geschmack der Volkes verfeinert und erhoben, der Luxus der herrschenden Klassen seine kritisierbare Grenze an der Kunst und am Begriff des Schönen finden.

Dem Gedanken entspricht Kants Idee der Symbolisierung, wenn Humboldt die Einbildungskraft als die Seelenfähigkeit bezeichnet, die uns vorzüglich zu dieser Verknüpfung des Sinnlichen mit dem Unsinnlichen dient.[29] So ist nun umgekehrt die Gottheit die Frucht geistiger Bildung, die solchermaßen auf den Menschen zurückwirkt. Denn jeder Religion liege eine Personifizierung, eine Art Versinnlichung oder Anthropomorphismus zum Grunde.[30] Die Götter unterscheiden sich nach der Idee der Vollkommenheit, wie sie in jedem Zeitalter und unter jeder Nation herrschen. Die Idee einer Gottheit ist die Frucht wahrer geistiger Bildung.

IV.

Kant hat offenbar mit seinem Begriff des Schematismus und der Symbolisierung die Diskussion unter seinen Anhängern stärker bestimmt als durch die 1794 veröffentlichte Religionsschrift. Dieser religionskritische, Feuerbach gleichsam vorwegnehmende Gedanke wurde von den Gebildeten der neunziger Jahre aufgenommen, dabei aber gleichsam umgekehrt: wenn die Bilder der Religion Symbolisierungen der Vernunftbegriffe und der Einbildungskraft sind, dann muß es umgekehrt auch möglich sein, über sinnliche, ästhetische Bilder auf das Volk einzuwirken. Hier bot sich ein Instrument, mit dessen Hilfe der gebildete Mittelstand Hegemonie erreichen konnte. Wenn nur die heteronome kirchlich-institutionalisierte und mit dem Staat verbundene Religion negiert werden kann, wenn Aufklärung, Bildung und 'freier Untersuchungsgeist' möglich sind, dann wird über die innere, ästhetische Bildung auch eine neue Religion entstehen, de-

ren Bilder und Gottesvorstellungen rückwirkend einen wohltätigen Einfluß auf
die Sinnlichkeit ausüben.

Hatte Kant die Sinnlichkeit als Triebfeder der Moralität verworfen, weil er
in ihr letztlich nur einen Ausdruck der Partikularität des Individuums sieht, so
hat Schiller das damit aufgeworfene Verwirklichungsproblem der Vernunft
scharf gesehen und nach Prinzipien der Legalität, nach einer Verbindung zwischen sinnlichen Neigungen und Moralität gesucht: der frühe Schiller sieht im
Rahmen des Legalitätsprinzips Kants nicht nur Kunst und Ästhetik als mögliche
Vehikel, um der moralischen Vernunft Wirksamkeit zu verschaffen, sondern zugleich auch eine mit Kantischen Prinzipien im Einklang stehende Religion.
„Wenn nun der Geschmack als solcher, der wahren Moralität in keinem Fall
schadet, in mehreren aber offenbar nützt, so muß der Umstand ein großes Gewicht erhalten, daß er der Legalität unsers Betragens im höchsten Grade förderlich ist."[31] „[...] (E)benso sind wir auch verpflichtet, uns durch *Religion* und
durch *ästhetische Gesetze* zu binden, damit unsre Leidenschaft in den Perioden
ihrer Herrschaft nicht die physische Ordnung verletze. Ich habe hier nicht ohne
Absicht Religion und Geschmack in Eine Klasse gesetzt, weil beide das Verdienst
gemein haben dem Effekt, zu einem Surrogat der wahren Tugend zu dienen, und
die Legalität da zu sichern, wo die Moralität nicht zu hoffen ist. Obgleich derjenige im Range der Geister unstreitig eine höhere Stelle bekleiden würde, der weder die Reize der Schönheit noch die Aussichten auf eine Unsterblichkeit nöthig
hätte [...]."[32]

Schiller nimmt das Problem der Religion und des Christentums genau an
dem Punkt auf, wo er die Trennung zwischen Sinnlichkeit und Vernunft bei
Kant kritisiert und dem sinnlichen Bereich der Neigung einen positiven Wert
verleihen will.[33] Erscheinen bei Schiller Ästhetik (Kunst) und Religion zunächst
als zwei mögliche Prinzipien der Legalität, so sucht er Mitte der neunziger Jahre
nach ihrer Verbindung. Während in der *Briefen über die Erziehung* die Kunst
selbst eine quasireligiöse Überhöhung erfährt, hat er umgekehrt auch versucht,
Religiosität mit der ästhetischen Bildung zu verbinden.

Nach der Lektüre der *Bekenntnisse einer schönen Seele* in den *Lehrjahre des
Wilhelm Meister* schreibt Schiller an Goethe: Der Übergang von der Religion
überhaupt zu der christlichen durch Sünde sei von Goethe meisterhaft gedacht.
Über das Eigentümliche christlicher Religion und Religions-Schwärmerei sei jedoch über „dasjenige, was diese Religion einer schönen Seele sein kann [...] noch
nicht genug angedeutet [...]. Ich finde in der christlichen Religion virtualiter die
Anlage zu dem Höchsten und Edelsten [...] Hält man sich an den eigentümli-
chen Charakter des Christentums, der es von allen monotheistischen Religionen
unterscheidet, so liegt er in nichts anderem als in der Aufhebung des Gesetzes
oder des Kantischen Imperativs, an dessen Stelle das Christentum eine freie Neigung gesetzt haben will. Es ist also in seiner reinen Form Darstellung schöner

Sittlichkeit oder der Menschwerdung des Heiligen, und in diesem Sinne die einzige ästhetische Religion; daher ich es mir auch erkläre, warum diese Religion bei der weiblichen Natur so viel Glück macht, und nur in Weibern noch in einer gewissen erträglichen Form angetroffen wird."[34]

Schiller modifizierte Kants Gedanken vom Heiligen, bei dem es eine völlige Angemessenheit des Willens zum moralischen Gesetz, also eine Harmonie von Pflicht und Neigung gibt, um seine eigene Lehre von der schönen Sittlichkeit mit dem Christentum zu identifizieren. [35] Unter dem Heiligen versteht Schiller das moralische Gesetz, aber an dessen Stelle tritt bei ihm die sittliche Schönheit. Das Christentum verkündet nach Schiller auf mythologische Weise als realisierbares Ideal das Einswerden der triebhaften Natur des Menschen mit dem Heiligen, d.h. unbedingten Gebot der Vernunft, der Neigung des Menschen mit seiner Pflicht.

Schiller hat damit nicht nur den Terminus der 'ästhetischen Religion' geprägt. Seine Interpretation des Christentums hat den merkwürdigen Nebeneffekt, daß die lutherische Unterscheidung von Gesetz und Evangelium in das Verhältnis von (kantischer) Moral (Gesetz) und Ästhetik (Evangelium) umgeformt wird.[36]. Bei Schiller koinzidieren letztlich ästhetische Religion und eine ästhetische Bildung, wie er sie in den *Briefe über die ästhetische Erziehung* (1795) entwirft. Nach Schillers eigener Logik bekommt damit ungekehrt das Ästhetische, letztlich die Kunst, eine quasireligiöse Funktion zugesprochen.

Anmerkungen

[1]   Vgl. Terry Eagleton, *Die Ideologie des Ästhetischen*, Stuttgart und Weimar 1994, S. 3.

[2]   Zu Parallelen und Unterschieden der französischen Entwicklung, etwa bei Chateaubriand, vgl. auch das Kap. 'Poetik des Christentums' in: Karlheinz Barck, *Poesie und Imagination. Studien zu ihrer Reflexionsgeschichte zwischen Aufklärung und Moderne*, Stuttgart und Weimar 1993, S. 148-170.

[3]   Eagleton, a.a.O., S. 30.

[4]   Vgl. Panajotis Kondylis, *Die Aufklärung im Rahmen des neuzeitlichen Rationalismus*, München 1986, S. 537 ff.

[5]   „Könnet Ihr mir im Ernst zumuthen, zu glauben, daß diejenigen, die sich täglich am mühsamsten mit dem Irdischen abquälen, am vorzüglichsten dazu geeignet seien so vertraut mit dem Himmlischen zu werden?" Friedrich Schleiermacher,*Über die Religion. An die Gebildeten unter ihren Verächtern*, in: Kritische Gesamtausgabe, hg. von H.-J. Birkner u.a., I. Abt., Bd. 2, Berlin und New York 1984, S. 197.

[6]   vgl. zum folgenden Gottfried Hornig, *Die Freiheit der christlichen Privatreligion. Semlers Begründung des religiösen Individualismus in der protestantischen Aufklärungstheologie*. In: Neue Zeitschrift für systematische Theologie und Religionsphilosophie, 21 (1979), S. 198-211.

[7]   J.J. Semler, *Über historische, gesellschaftliche und moralische Religion der Christen*, a.a.O., S. 9.

[8]   ders., *Magazin für die Religion*, Bd.II, Halle 1780, XXI.

[9]   ebenda, S. 8.

[10] Zum folgenden vgl. vom Vf. *Die ,verschleierte Isis' der Vernunft. Zur Transformation der Religion in Kants Ästhetik*, in: Deutsche Zeitschrift f. Phiosophie (1999) H. 2 (i. Vorb.)

[11] Vgl. *Kritik der Urteilskraft* § 59.

[12] *Von einem neuerdings erhobenen vornehmen Ton in der Philosophie*, 1796; Werkausgabe, a.a.O., Bd. VI, 395 f.

[13] Vgl. zum Folgenden vom Vf. *Beraubung oder Erschleichung des Absoluten? Das Erhabene als Grenzkategorie ästhetischer und religiöser Erfahrung*, in: Die Gegenwart der Kunst. Ästhetische und religiöse Erfahrung heute, hg. von Jörg Herrmann, Andreas Mertin und Eveline Valtink, München: Fink, 1997 (im Erscheinen).

[14] Immanuel Kant, *Der Streit der Fakultäten*, in: Werkausgabe, hg. von Wilhelm Weischedel, Bd. XI, Frankfurt a.M. 1982, S. 296 f.. Ebenso in der *Kritik der Urteilskaft*:: „Die Bewunderung der Schönheit sowohl als die Rührung durch die so mannigfaltigen Zwecke der Natur", so heißt es dort, „welche ein nachdenkendes Gemüt, noch vor einer klaren Vorstellung eines vernünftigen Urhebers der Welt zu fühlen im Stande ist, haben etwas einem religiösen Gefühl Ähnliches an sich." Werkausgabe, a.a.O., Bd. X, S. 451 f.

[15] *Ideen zu einem Versuch, die Gränzen der Wirksamkeit des Staats zu bestimmen*,, in: Werke in fünf Bänden, hg. v. Andreas Flitner und Klaus Giel, Bd. I., Schriften zur Anthropologie und Geschichte, Darmstadt 1980, S. 130.

[16] Ebenda, S. 129.

[17] *Was kann eine gute stehende Schaubühne eigentlich wirken?'*, in: Schillers Werke, Nationalausgabe, hg. v. L. Blumenthal und B.v. Wiese, Zwanzigster Band. Erster Teil, Weimar 1962, S. 87-100, hier S. 91.Hans Robert Jauß sieht in Schillers Schrift die Schlüsselstelle für die Beerbung der Religion durch die Kunst: „Die Erhebung der Kunst zur Autonomie führt dazu, daß Kunst damit auch der Religion das Privileg streitig macht, über Sitte und Moral allein zu befinden". Hans Robert Jauß, *Studien zum Epochenwandel der ästhetischen Moderne*, Frankfurt a.M. 1989, S. 160.

[18] *Was kann eine gute stehende Schaubühne eigentlich wirken?* a.a.O. S. 91.

[19] Ebenda, S. 96.

[20] Wilhelm v. Humboldt, *Über Religion*, a.a.O., Bd. I, S. 7.

[21] Ebenda, S. 8.

[22] Ebenda, S. 10.

[23] Da Humboldts Schrift *Über Religion* nicht eindeutig datiert werden kann, ist auch nicht klar, ob Humboldt Kants *Kritik der Urteilskraft* kennen konnte.

[24] Ebenda, S. 12.

[25] Ebenda, S. 27.

[26] Ebenda, S. 20.

[27] Ebenda.

[28] Ebenda, S. 26. „Man glaube auch nicht, dass jene Geistesfreiheit und Aufklärung nur für Wenige des Volkes sei". S. 31.

[29] Ebenda, S. 10, vgl. dazu auch Eduard Spranger, *Humboldt und die Humanitätsidee*, Berlin 1928, S. 153.

[30] Ebenda, S. 21.

[31] *Ueber den moralischen Nutzen ästhetischer Sitten* (1793), in: Schillers Werke, Nationalausgabe, Einundzwanzigster Band, Philosophische Schriften, Zweiter Teil, Weimar 1963, S. 35.

[32] Ebenda, S. 36 f.

[33] Vgl. den Kommentar, ebenda, S. 327.

[34] Brief an Goethe, 17. August 1795, S. 89.

[35] vgl. Heinz Otto Burger, *'Eine Idee, die noch in keines Menschen Sinn gekommen ist'. Ästhetische Religion in deutscher Klassik und Romantik*, in: 'Dasein heißt eine Rolle spielen'. Studien zur deutschen Literaturgeschichte, München 1963, S. 237 ff.

[36] vgl. dazu Dorothee Sölle, *Realisation. Studien zum Verhältnis von Theologie und Dichtung nach der Aufklärung*, Darmstadt und Neuwied 1973, S. 189.

IV.
Ethisch-ästhetische Lebenskunst?

Waltraud Naumann-Beyer

Ästhetische Kritik – kritische Ästhetik:

Zum Beispiel Herbert Marcuse

1. *Kritisch, Kritik, ästhetisch, Ästhetik*: Vier Worte, die je eine Erörterung verdienten. Und noch diesen Erörterungen stünde ein Propädeutikum wohl an, das den Streit zwischen den Extremisten der Kontextualität und den Verteidigern der Verständigung über die Frage reflektierte, ob Kommunikation vermittels dieser Zeichen überhaupt möglich ist. Doch allzu weitreichende Erkundungen sollen hier ausgeklammert bleiben. Stattdessen sei kurzentschlossen vorgeschlagen, mit *kritisch* und *Kritik* eine Haltung zu bezeichnen, die etwas Positivem ein *Nein* entgegenhält. Ein *Nein*, das aber nicht unbestimmt und ziellos, sondern qualifiziert und gerichtet ist: eine bestimmte Negation also, die einem gegebenen Zustand das *Ja* zu einer anderen Qualität gegenüberstellt.

Kritik in diesem Sinne bedarf einer unabhängigen Norm, eines *Sollens* in Distanz zum *Ist*. Benötigt ist der normative Eigensinn von Urteilskriterien, die sich dem Beurteilten nicht assimilieren. Ein qualifiziertes *Nein*, das wirklich Kritik und nicht bloß entlastendes Schimpfen genannt zu werden verdient, ist potentiell subversiv. Seine Subversivität erfordert, daß die andere Logik, der es folgt, nicht schwach und subordiniert, sondern stark und von ebenbürtigem Rang ist. Die Sprache dieser Kritik sperrt sich gegen die Aufhebung in einem gleichschaltenden Meta-Diskurs oder in einem den Wider-Spruch versöhnenden Dritten. Kritik, an die hier gedacht wird, steht unter einem Paradigma der Differenz, dem das Heterogene, auf dem sie fußt, nicht lediglich als *innere* Differenz einer umfassenden Identität erscheint. Sie unterscheidet sich – auch wenn sie durch mich an mir selbst geübt wird – von der Schonhaltung reiner Selbstkritik, die nur einen anderen Teil des Ich gegen es wendet. Sie ist auch als Selbstkritik zugleich stets Fremdkritik, insofern sie dem Selbst etwas zumutet, das nicht zu einem Moment seiner Totalität synthetisierbar ist. Ein Selbstbewußtsein, dem das Andere nur als integraler Bestandteil der eigenen Identität gilt, kann von diesem nicht wirklich erschüttert werden; stattdessen strebt es nach Aneignung und Selbstbereicherung. *Aneignung, Selbsterfahrung im Fremden, Sich-Verstehen in einer Sache, Verschmelzung* und *Synthese* waren denn auch Begriffe einer Hermeneutik, die einem

kulturellen Selbstbewußtsein entsprach, das von Derrida dem alten Europa zugeschrieben wurde. Er schrieb: „Bestimmt, gebildet, kultiviert" habe sich Europa
stets nur „im Für-sich-sein seiner höchsten Eigentlichkeit, in seiner eigenen
Differenz, die ein Mit-sich-Differieren ist, ein Von-sich-selber-Unterscheiden,
das bei sich selber bleibt, in der Nähe seiner selbst". Statt sich vom Fremden in
Frage stellen zu lassen, habe sich der alte Kontinent durch dessen „Verwandlung
in eine bloß innere Grenze" *beruhigt*.[1]

In der Aufhebungs-Dialektik Hegelscher Art, zu deren Typus auch die auf
Horizontverschmelzung orientierte Hermeneutik gehört, wird der Gang der Geschichte von deren eigenem Logos bestimmt. Das Widerständige reduziert sich
auf ein bloßes Moment des Prozesses, der es in doppelten Wortsinn *richtet*, ohne
daß es seinerseits dem Prozeß eine gegenläufige Richtung geben oder ihm unabhängig Gericht sprechen dürfte. Hegels Dialektik der „Identität der Identität und
Nichtidentität"[2], in der das „Negative zu einem Untergeordneten und Überwun-
denen verschwindet"[3], gehört zum Fundus der europäischen *Moderne*. Sie kon-
trastiert mit dem an der *Postmoderne* geschulten Konzept einer Kritik, die das
Negative als irreduzible, gleichberechtigte Gegenmacht akzeptiert und als solche
mit dem Risiko grundstürzender Veränderung auf das Positive bezieht.

Kritik, die etwas bewirken will, bedarf nicht nur der starken Alterität ihrer
normativen Basis. Um einen normativen Kontakt aufzubauen, ist außer Unabhängigkeit auch Verbindung, Nähe oder Vermittlung nötig. Das Andere, an dem
das Eigene zu messen wäre, darf nicht so weit entfernt sein, daß überhaupt keine
Über-Setzung möglich wäre. Normativer Kontakt ist nämlich nur dann möglich,
wenn die andere Logik mit *meinen* Mitteln und in *meinem* diskursiven Kontext
als andersartig erkannt und anerkannt wird. Das Inkommensurable muß trotz
seiner Ferne zum Maß des Eigenen werden können. Würde das Andere lediglich
als Fremdheit realisiert – warum sollte es mich dann irritieren? Beliebigkeit und
Laisser-faire sind das Resultat verabsolutierter Differenz, auf dessen Kehrseite
eine neue, nicht kritisierbare Totalität erwächst: *Alles* ist, wie es ist und damit im
zweifachen Wortsinn *gleich-gültig*. Eine andere, nicht selten mit der affirmativen
Gleich-Gültigkeit verquickte Konsequenz absoluter Unübersetzbarkeit ist ein
post-nietzscheanischer Energetismus, in dem sich das Heterogene nur noch als
abstrakte Kraft begegnet. Wo aber die qualitative Differenz auf den quantitativen
Unterschied der verschiedenen Energiemengen reduziert ist, verwandelt sich die
kritische Beziehung aus einer logischen und axiologischen Relation in die rein
dynamische Konstellation von Zusammenstoß, Kampf oder *Widerstreit*. Während unter den postmodernen Denkern Lyotard zur Verabsolutierung der Differenz und deren Weiterungen tendierte, hat sich andrerseits Derrida dezidiert für
das *Sowohl-als-auch* von Pluralität und Verbindung ausgesprochen – entgegen
dem Vorurteil, daß er die Vielheit verabsolutiert und die Einheit *dämonisiert*
hätte.[4] Seine Gedanken über Europa kreisen um den schmalen Grat zwischen

Heterogenität und Verbindung, zwischen den „kleinlichen Nationalismen" und der „vereinheitlichenden Autorität" eines hegemonialen Europa. „Weder Monopol noch Zerstreuung oder Zersplitterung – so lautet also die erste Konsequenz".[5] Diese Konsequenz könnte zugleich als Voraussetzung für ein die Erfahrungen von Moderne *und* Postmoderne bedenkendes Konzept von Kritik verstanden werden, das auch aus Wolfgang Welschs Plädoyer für *transversale Vernunft* abzulesen ist. Hier finden sich philosophische Hilfestellungen für einen Kritikbegriff, der nicht nur die Skylla absoluter Vermittlungslosigkeit und das mit dem „Hyperdifferenz-Theorem"[6] verbundene Laisser-faire, sondern auch die Charybdis der Arroganz der eigenen Norm, ja überhaupt die ontologische oder gnoseologische Priorität irgendeiner Norm vermeidet, von der die anderen Maßstäbe aufgehoben, übergriffen oder subordiniert werden.

2. Wenn wir unter *ästhetischer Kritik* eine Kritik aus der Perspektive, unter Maßgabe oder in Hinsicht auf die Herausforderungen des Ästhetischen verstehen, dürfte nach diesen Vorklärungen einleuchten, daß dasjenige, worauf sich diese Kritik richtet, mit dem Ästhetischen weder identisch, noch völlig von ihm isoliert sein darf. Wie für Kritik im allgemeinen, so gilt auch für das Besondere der ästhetischen Kritik, daß eine irreduzible Eigenlogik ihrer normativen Basis notwendig ist, die jedoch nicht absolut unvermittelbar dem Beurteilten gegenüberstehen darf. So wie das Ästhetische bei seiner heteronomen Überformung durch die Ordnung des Normalen kein gezieltes und qualifiziertes *Nein* aussprechen kann, so wenig ist dies zu gewärtigen, wenn das Ästhetische völlig selbstgenügsam ist oder als reines *Chaos* in unvermittelbaren Gegensatz zur Ordnung überhaupt gestellt wird. Das autistische Kunstwerk ist so wenig kritisch wie die ästhetische Wiederholung der Wirklichkeit. Wie so oft, berühren auch hier sich die Extreme: die Verabsolutierung der ästhetischen Differenz begegnet sich mit ihrer Eliminierung in der Verschonung des Gegebenen. Die kompensatorische Feierstunde mit Beethovens *Neunter* oder der Gang ins Museum, nach dem die Pantoffeln wieder in die Langschäfter für den Kampf im Alltag eingetauscht werden, ist nicht subversiver als die Suppendosen Andy Warhols oder die *readymades* von Marcel Duchamp, die – scheinbar gerechtfertigt durch die historische Erschöpfung des künstlerischen Formenkatalogs – die Spezifik des Ästhetischen in die Fähigkeit setzen, *alles*, auch das Urinal, zum Ästhetikum zu erklären.

Daß ein autonomes Ästhetisches, dessen Alterität sich vor der politischen Wirklichkeit verschließt und im Reich des schönen Scheins von der Gesellschaft dualistisch abspaltet, zwar zur Flucht aus der häßlichen Realität ins Reich des Schönen einladen kann, daß aber seine soziale Wirkung keine Provokation, sondern bloß Trost, Erholung vom erlittenen Unrecht oder Mangel-Kompensation ist und die ökonomisch determinierten sozialen Legitimitätskriterien nicht tangiert – das alles hat Herbert Marcuse bereits in seinem 1937 publizierten Aufsatz *Über den affirmativen Charakter der Kultur*[7] überzeugend dargelegt.

Allerdings entspringen auch der entgegengesetzten, monistischen Konzeption des Ästhetischen affirmative Konsequenzen. Ob es sich nun um die resignative Hinnahme der sozialen Gebundenheit der Kunst, um die eschatologische Hoffnung auf ihre künftige Verwirklichung oder um die emphatische Forderung nach ihrer historischen, ethischen oder politischen Funktionalisierung handelt – in jedem Falle handelt es sich um eine Nivellierung der ästhetischen Differenz, die mit dem eigenen Territorium des Ästhetischen seine Unabhängigkeit und die für ästhetische Kritik nötige normative Spannung zum Schwinden bringt. Alle Strategien, die auf diese oder jene Weise das Schöne, die Kunst oder das Ästhetische zum integralen Faktor der Gestaltung des Wirklichen ermächtigen, teilen die strukturelle Aporie einer Praxis, von der die derart erhöhte Kunst zugleich zum Mittel eines fremden Zwecks erniedrigt wird. Damit wird das Ästhetische um die Dimension seiner Autonomie und um jene Sphäre gebracht, aus welcher kontrafaktischer Widerstand erwachsen könnte. Das dürfte einer der Gründe dafür gewesen sein, daß bisher alle Träume von der Verwirklichung des Ästhetischen oder von der Aufhebung der Kunst in Leben „falscher Programmzauber" blieben – und wohl auch bleiben müssen.[8]

Mit Benjamin lassen sich zwei Bewegungen unterscheiden, die aus entgegengesetzter Richtung Alterität, Unabhängigkeit und kritische Negativität des Ästhetischen bedrohen: der Übergriff der Gesellschaft bzw. der Politik auf die ästhetische Sphäre und die Ausweitung des Ästhetischen auf das gesellschaftliche Leben bzw. auf die Politik. Das erste hat Benjamin als „Politisierung der Kunst" dem *Kommunismus* zugeschrieben, der damit auf die „Ästhetisierung der Politik" durch den *Faschismus* antworte.[9] Wenngleich Benjamin nur die faschistische Ästhetisierung ablehnte, so hat doch die historische Erfahrung gelehrt, daß auch die gegenstrebige Tendenz der sozialistischen Politisierung in die Sackgasse führt. Noch heute vollzieht sich eine Angleichung von *Kunst und Leben*; und auch diese verläuft in jenen zwei Bewegungsrichtungen, die Benjamin an den historischen Formen von Faschismus und Kommunismus thematisiert hat. Da ist zunächst die *Verweltlichung der Kunst* als Resultat der imperialen Generalisierung der sozioökonomischen Faktizität, die mehr und mehr Freiräume überformt, aus denen Widerspruch erwachsen könnte. Die von Adorno kritisierte Totalisierung der ökonomisch determinierten Kultur, in deren Verlauf die „Tauschgesellschaft auch die künstlerische Produktion in die Fänge genommen und zur Ware präpariert hat" (ÄT 466), ist mitnichten sistiert. Mehr denn je wird die künstlerische Produktivität für Reklame und Werbung oder für die *Verschönerung* des Bestehenden in Dienst genommen, gefällt sich das Ästhetische als Konsumstimulans und Animationsinstrument. Der profanisierende Übergriff der Wirklichkeit auf das Ästhetische und die Kunst trifft auf eine *Verkunstung der Welt*, die in dem

Schlagwort „Aesthetization of Everyday Life"[10] eingefangen ist. Was einst vor allem im engen Bereich der Kunst begrifflich-theoretisch signifikant gewesen ist, wird nun an der alltäglichen Lebenswelt, den allgemeinen Verhaltensweisen und Dispositionen der Menschen oder an der ontologischen Beschaffenheit der Welt überhaupt bemerkt. Das zog eine Entgrenzung des Begriffs des Ästhetischen nach sich, der inzwischen bereits dann in Anwendung gebracht wird, wenn etwas *Artifizielles, Fiktionales, Imaginäres, Mediales, Konstruiertes, Verschönertes* oder *Bildliches* gemeint ist bzw. wenn *Hervorbringung, spielerisches Verhalten, Inszenierung,* die Existenzmodellierung im Sinne von Foucaults *Ästhetik der Existenz* oder die *Wahrnehmung* schlechthin in Rede steht. Die natürliche und soziale Wirklichkeit, da auch sie Bild, Vorstellung, Fiktion und Kreation oder zumindest irgendwie künstlich sei, wurde ebenso zum Ästhetikum erklärt wie die Wissenschaft[11] oder das Subjekt. Die unkritischen Implikationen dieser Ästhetisierung sind unverkennbar. Doch resultieren sie nicht bereits aus der extensionalen Universalisierung des Ästhetischen, die ein Reflex auf reale Vorgänge ist, denen sich keine ästhetische Theorie ungestraft verschließen kann. Sie entspringen erst aus einer oft damit einhergehenden intensionalen Entspezifizierung, die vergißt, daß Ubiquität nicht gleichbedeutend mit Identität sein muß. Wenn alles unterschiedslos als ästhetisch gilt – dann kann das Ästhetische keine Gegen-Macht mehr sein. Ohne *qualitative* Differenz zwischen ästhetischer und Alltagserfahrung, zwischen ästhetischer poiësis und gewöhnlichem Machen, zwischen ästhetischem Genuß und tagtäglichem Warenkonsum, ist an Widerstand im Namen des Ästhetischen nicht mehr zu denken. Ahmen die Fassaden der Häuser die technologische Fremd-Sprache nach, dann kann das Ästhetische *dieser* Architektur keine Kritik der technologischen Entwicklung provozieren. Verstehen wir die Kunst als einen mit Ökonomie und Technik strukturell identischen Ausdruck einer quasi-erotischen Weltenergie, die alles *isomorph* macht[12] – wie wäre dann noch länger Widerstand aus ihr zu begründen? Behandeln wir wie Paul Virilio[13] das Ästhetische als restlos geprägt von den technischen *Geschwindigkeiten,* woher sollte es dann Kraft gegen das von diesen vorgeblich erzeugte *Verschwinden* der Realität beziehen? Fordern wir mit Baudrillard, das Kunstwerk in der Warenwelt solle „selber seine traditionelle Aura...zerstören, um in der reinen Obszönität der Ware wiederaufzustrahlen"[14], so bleibt nur das zynische *Nun-gerade-so,* gemäß seinem Motto: „Es gilt, sich der Nichtigkeit des Realen anzunähern".[15]

Ein falsch verstandener Avantgardismus, der das Ästhetische auf den für morgen erwarteten soziokulturellen Kontext abstimmt, kann kein Nein zum Kommenden evozieren. Er nimmt das Ästhetische für die Beseitigung des Subjekts in Dienst, das ohnedies zum Objekt seiner verselbständigten Prothesen zu werden droht; statt die ästhetische Wahrnehmung gegen das Bevorstehende zu rüsten, präpariert er das Individuum zum vorauseilenden Gehorsam. Die Provo-

kation des Ästhetischen, so sehr sie möglicherweise auch gewünscht wird, verkehrt sich in Zustimmung zu dem, was die gesellschaftliche Faktizität als eigene
Zukunft ohnehin in sich trägt. In diese Situation, Ausdruck des allgemeinen
postmodernen Dilemmas der Kritik[16], geriet beispielsweise Lyotard mit seiner
Tätigkeit als *Generalkommissar* der Ausstellung *Die Immaterialien*, die 1985 im
Pariser Centre Pompidou stattfand. Lyotard hat nach seinem Abschied von den
emanzipativen *Metaerzählungen* der Geschichte dennoch auf Widerstand beharrt
und gefragte: „Wo verläuft aber die Linie unseres Widerstandes, wenn es keinen
Emanzipationshorizont mehr gibt?" Mit Adornos *Ästhetischer Theorie*, von der
er sagte, „der Titel ist...schlecht, aber das Buch ist sehr gut"[17], verband ihn die
Überzeugung, daß die ästhetische Dimension den Menschen gegen das *Abschlaf-
fen* und die *Despotie der Medien* wappnen und für eine neue Wahrnehmungsweise
konditionieren könne. Doch für solchen Widerstand wäre eine Alterität des Ästhetischen nötig, die er nicht nur in dieser Exposition aufgekündigt hatte. Er
setzte der Ausstellung das Ziel, „eine post-moderne Sensibilität zu wecken".[18]
Ganz bestimmte Raum-Zeit-Strukturen sollten das Denken des Besuchers *beun-
ruhigen*, seine Wahrnehmung über die gewohnten Gegensätze zwischen Mensch
und Maschine, Zentrum und Peripherie oder Geist und Materie hinausführen
und das Subjekt in „Desidentifizierung" bringen.[19] Das Ästhetische auf die kulturellen und lebensweltlichen Folgen eines *Fortschritts* einschwörend, den er der
Geschichte zwar abgesprochen hatte, von der Technologie und den Informati-
onsmaschinen jedoch offensichtlich erwartete, konzipierte er diese *Überausstel-
lung (surexposition)* als Vorgriff auf etwas Künftiges, das er in der nordamerika-
nischen Lebenswelt bereits gegenwärtig sah: „Fährt man im Wagen von San Die-
go nach Santa Barbara,...durchquert man eine Zone der *Verstadtung* (Zersied-
lung). Das ist weder Stadt noch Land noch Wüste. Der Gegensatz zwischen Peripherie und Zentrum verschwindet, ja, es gibt auch kein Innen (Stadt der Menschen) und kein außen (Natur) mehr...Es wäre eher angemessen, von einem Ne-
belgebilde zu sprechen, in dem Materialien (Gebäude, Straßen) metastabile Zustände einer Energie sind. Die *städtischen* Straßen sind ohne Fassaden. Die Information zirkuliert über Strahlungen und unsichtbare Interfaces. Ein solcher
Zeit-Raum...wird gewählt, um *Die Immaterialien* aufzunehmen."[20]

Wie aber soll eine solche Ausstellung eine Sensibilität provozieren, die kritisch und widerständig gegenüber dem kommenden Faktischen ist? Die Presse-
mitteilung der Veranstalter enthüllte das Affirmative dieser Art von ästhetischer
Mäeutik: „Es wird eine Sensibilität zu erwecken gesucht, von der wir glauben,
daß sie beim Publikum bereits vorhanden ist, jedoch ohne Ausdrucksmittel."[21]

3. Wenn wir unter *Ästhetik* die Konzeptualisierung des Ästhetischen verstehen,
dann wäre von einer *kritischen Ästhetik* ein Begriff des Ästhetischen zu erwarten,
der dessen kritische Potentiale deskriptiv und präskriptiv hervorhebt. Eine con-

ditio sine qua non wäre demnach die Konzeptualisierung jener doppelten Anforderung an das Ästhetische, sowohl unabhängige Alterität zu sein, als auch in Verbindung mit der Realität zu stehen. Es müßte als Gegen- *und* Mitwelt, Ab- *und* Anwesenheit, autonom *und* heteronom zugleich begriffen werden. Ein kritischer Begriff des Ästhetischen hebt nicht allein auf dessen Aura ab, jene „einmalige Erscheinung einer Ferne, so nah sie sein mag"[22]; er akzentuiert neben der Ferne und Geschlossenheit zugleich Nähe und soziokulturelle Öffnung. Eine *aktuelle* kritische Ästhetik wäre darüberhinaus gehalten, das Ästhetische sowohl in seiner extensionalen Universalität, als auch in seiner intensionalen Spezifik zu definieren. Darüberhinaus dürfte das Ästhetische nicht bloß als spezifischer Bezirk innerhalb einer anders regierten Gesamtheit aufgefaßt werden. Wer – wie Max Weber – das Ästhetische als eigenartige Wertsphäre zwar anerkennt, diese jedoch der rational-technischen und der ethischen Wertsphäre hierarchisch unterordnet[23], verfehlt den Anspruch kritischer Ästhetik. Denn diese Marginalisierung würde es bestenfalls als Rüstkammer für harmlose Rebellionen, als Requisitenkammer zur Ausschmückung des Vorhandenen oder für karnevaleske Entlastungen tauglich sein lassen. Bei aller Verbindung, Offenheit und kunstüberschreitenden Entgrenzung müßte dem Ästhetischen deshalb auch noch eine *starke* Andersheit konzediert werden. Denn wirklich machtvoll zu widerstreiten vermag es nicht schon kraft *eigener*, sondern erst kraft *gleichberechtigter* Eigen-Logik.

Das Erfordernis wird von Konzeptionen nicht erfüllt, die das Ästhetische gegenüber anderen kulturellen Manifestationen zwar *ausdifferenzieren*, es zugleich aber als besondere Partikularität einer übergeordneten Rationalitätsform subordinieren. Ebensowenig wird es von jenen *Korrespondenztheorien*[24] erfüllt, die das Spezifische des Ästhetischen darein setzen, in einer besonders widerstands- oder reibungslosen Weise den historischen Logos oder ein ähnlich wirkendes Meta-Prinzip zum Ausdruck zu bringen. Unter derartigen Prämissen tritt die Alterität des Ästhetischen hinter einer Ähnlichkeit zurück, die es in Struktur, Stil oder Bewegungsform der Ökonomie, Technik oder Lebenswelt angleicht. Doch das kritische Defizit dieser Theoreme liegt vor allem darin, daß sie das Ästhetische niemals gegen das bestimmende Grundprinzip selbst kehren können. Auch wenn es gegenüber den anderen kulturellen Manifestationen eine avancierte Überlegenheit wahrt, so bleibt es dennoch jenem Meta-Prinzip untergeordnet, das bei Hegel die absolute Vernunft war und das von den Modernen vitalistisch, biologistisch, energetisch oder strukturalistisch aufgefaßt wurde. Somit kann das Ästhetische zwar als Impuls für Reformen gelten, die früher oder später ohnehin auf der normalen Tagesordnung stehen; das bestimmende Prinzip oder das Telos der Geschichte jedoch bleibt unberührt. Als nobilitiertes Moment innerhalb eines gerichteten Prozesses, den es nicht um-richten, dessen Ziel es höchstens vorstellen oder verkünden kann, wird es zum *Vorschein* auf ein nicht

von ihm abhängendes Finale. Das aber entkräftet seine Utopie zu einem Ge-
misch aus Prophezeiung und Prognose.

Einen Weg, wie dem Bedürfnis nach einer starken Alterität des Ästhetischen
zu willfahren wäre, das sich jedoch nicht gegen das soziale Außen abschottet, hat
Adorno mit seiner *Ästhetischen Theorie*[25] beschritten. Unzählig sind die Aussagen, in denen er die notwendige Teilhabe der Kunst am Anderen und ihre Abgrenzung zugleich konstatierte: „Sie ist für sich und ist es nicht, verfehlt ihre
Autonomie ohne das ihr Heterogene" (ÄT 17) Gemäß der Überzeugung: „Keine
Kunst, die nicht negiert als Moment in sich enthält, wovon sie sich abstößt" (ÄT
24), betonte er deren Verbindung mit der sozialen Empirie. Über Kunstwerke
sagte er: „Gerade als Artefakte aber, Produkte gesellschaftlicher Arbeit, kommu-
nizieren sie auch mit der Empirie, der sie absagen, und aus ihr ziehen sie ihren
Inhalt. Kunst negiert die der Empirie kategorial aufgeprägten Bestimmungen und
birgt doch empirisch Seiendes in der eigenen Substanz" (ÄT 15.) Das Eindringen
des gesellschaftlichen Außen stifte jenen „Doppelcharakter der Kunst als autonom und als fait social" (ÄT. 16), der sie auch als „Antithese zur Gesellschaft"
gesellschaftlich sein lasse (ÄT 19).

Nun gibt es durchaus Sätze bei Adorno, die an eine Übereinstimmung des
Ästhetischen mit der Logik der Geschichte erinnern: „Daß die Kunstwerke als
fensterlose Monaden das *vorstellen*, was sie selbst nicht sind, ist kaum anders zu
begreifen als dadurch, daß ihre eigene Dynamik, ihre immanente Historizität als
Dialektik von Natur und Naturbeherrschung, nicht nur desselben Wesens ist wie
die auswendige, sondern in sich jener ähnelt, ohne sie zu imitieren."(ÄT 15)
Doch sowohl die *Negative Dialektik* als auch die *Dialektik der Aufklärung* ver-
bieten, Adorno dem auf Annäherung von Kunst und Leben setzenden Korre-
spondenztheorem zuzuschlagen oder ihn gar als dessen „entschiedenen Vertreter" zu behandeln.[26] Adorno zerstört jegliche Hoffnung auf ein historisches Finale, das die in der Kunst verzeichnete *Spur des Leidens* vergilt oder ihre *promesse
du bonheur* erfüllt. Die Versöhnung bleibt unversöhnt; sie ist das Paradoxon eines unerfüllbaren Desiderates, das sich durch keine politische Tagesordnung er-
ledigen läßt. Wenn Adorno sagt: „Noch im sublimsten Kunstwerk birgt sich ein
Es soll anders sein"[27], so ist mit dem Anderen kein Zustand gemeint, der in Zukunft wirklich würde. Gedacht ist an den Verweis auf eine dem Realen inkommensurable Ordnung. Adornos Ästhetik gewahrt auch noch an der *schönen*
Kunst die Signatur des Erhabenen und ist daher treffend als eine „implizite Ästhetik des Erhabenen" bezeichnet worden.[28] Er konzedierte dem Kunstwerk einen kritischen Überschuß, der vom Gang der Geschichte prinzipiell uneinholbar
ist. Von *Korrespondenz* bei ihm zu sprechen, wäre also nur dann gerechtfertigt,
wenn an *negative* Entsprechung, an Bruch, Schweigen oder an einen Widerspruch
gedacht wird, der sich niemals positiv-dialektisch *aufheben* läßt: „Die Kommunikation der Kunstwerke...mit der Welt, vor der sie selig oder unselig sich ver-

schließen, geschieht durch Nicht-Kommunikation." (ÄT 15) In Adornos Augen ergibt sich aus dem Kontakt zwischen Kunst und Gesellschaft keine asymtotische Annäherung, von der die kritische Spannung nach und nach aufgelöst würde. Das Wesen dieser Beziehung sah er in einem „polemischen Apriori"[29], das die Kunst auf jeder historischen Stufe und gemäß dem jeweiligen gesellschaftlichen Zustand stets aufs Neue konkretisiert.

Nicht, daß Adorno an eine Koinzidenz von Kunst und Wirklichkeit geglaubt und damit die Alterität und subversive Kraft des Ästhetischen geschwächt habe, wäre demnach gegen ihn einzuwenden. Bedenklich hingegen stimmt die Intransigenz einer reinen Kunst-Ästhetik, die das normativ-kritische Vermögen des Ästhetischen ausschließlich auf die *authentische Kunst* beschränkt und die gesamte *Kulturindustrie* nicht einmal der Frage nach etwaigen inneren kritisch-ästhetischen Potenzen für würdig erachtet. Bedenklich stimmt auch ein Essentialismus, für den die Dialektik von Mit- und Gegenweltlichkeit, jene Kommunikation durch Schweigen oder die unabgeltbare kritische Subversion der Kunst unverlierbar mit ihrem Wesen gegeben ist. Es ist kaum wahrscheinlich, daß Adorno die „Assimilierung" der modernen Kunst „durch die spätbürgerliche Kultur" entgangen sein soll[30]; wahrscheinlich hingegen ist, daß solche Kunst für ihn aufhörte, ihrem Begriff zu entsprechen. Die wesenskundliche Unbeirrbarkeit, daß wahre Kunst notwendig polemisch sei und sich vom Heterogenen niemals fremdbestimmen lasse, verbindet Adorno ungewollt mit der Philosophie der *Eigentlichkeit*, deren *Jargon* er verachtete. Eher als eine Veränderung am Begriff der Kunst zuzulassen, hätte er die Kunst überhaupt aufgegeben. In der Tat war ihm der Gedanken an ein historisches Ende der Kunst nicht fremd, nach dem der Philosophie ihre kritischen Funktion zufällt.

4. Ein lehrreiches historisches Exempel für *trial and error* in Praxis und Theorie ästhetischer Kritik bietet Herbert Marcuse. Werk und Vita können als ontogenetische Abbreviatur einer theoriegeschichtlichen Entwicklung angesehen werden, die vom vehementen Widerspruch der Moderne gegen die überkommene Autonomieästhetik über den Versuch, die Kunst zu politisieren und die Logik des Ästhetischen für die Neuordnung der Realität zu funktionalisieren bis zu einem heautonomen Konzept reicht, das sich in der Nähe Adornos befindet.

In dem Aufsatz *Über den affirmativen Charakter der Kultur*, der zu einer Programmschrift der 68-ger kulturrevolutionären Bewegung wurde, hatte Marcuse die *ontologische Absonderung* des Schönen von der alltäglichen Lebenswirklichkeit kritisiert. Er lastete vor allem den großen klassischen Kunstwerken an, daß sie den Glücksanspruch der Individuen in einer *Schein-Wirklichkeit* aufgefangen und somit als Trost, Erbauung und Mangelkompensation für die reale Lustversagung mit dem Effekt gewirkt hätten, daß die Menschen „sich glücklich fühlen, auch wenn sie es gar nicht sind."(AK 90). Durch den „Schein gegenwärtiger Befriedigung" (AK 87) habe die *hohe Kultur* die Menschen von ihrem Anspruch auf reale Bedürfnisbefriedigung abgehalten und so der Affirmation des restriktiven Bestehenden gedient. Schon in diesem Aufsatz forderte Marcuse die „Zurücknahme der Kultur in den materiellen Lebensprozeß". (AK 98) Er sagte: „Die Schönheit wird eine andere Verkörperung finden, wenn sie nicht mehr als realer Schein dargestellt werden, sondern die Realität und die Freude an ihr ausdrücken soll...Vielleicht wird aber auch die Schönheit und ihr Genuß überhaupt nicht mehr der Kunst anheimfallen." (AK 99)

Was der kulturrevolutionären Bewegung, an der er wie kein anderer Vertreter der *Kritischen Theorie* sowohl reflektierend als auch unmittelbar praktisch teilgenommen hat, zunächst weithin entging, war die Betonung der Ambivalenz der ästhetischen Enklave, die außer der Befestigung der restriktiven Realität auch deren Bedrohung berge: „Der Glücksanspruch hat einen gefährlichen Klang in einer Ordnung, die für die meisten Not, Mangel und Mühe birgt." (AK 68) Marcuse sah in der Kunst nicht nur das Ghetto, sondern ebenso den Schutz- und Trutzraum einer anderen Ordnung: „Indem die große bürgerliche Kunst das Leid und die Trauer als ewige Weltkräfte gestaltet hat, hat sie die leichtfertige Resignation des Alltags immer wieder im Herzen der Menschen zerbrochen; ... hat sie neben dem schlechten Trost und der falschen Weihe auch die wirkliche Sehnsucht in den Grund des bürgerlichen Lebens gesenkt...Die klassische bürgerliche Kunst hat ihre Idealgestalten so weit von dem alltäglichen Geschehen entfernt, daß die in diesem Alltag leidenden und hoffenden Menschen sich nur durch den Sprung in eine total andere Welt wiederfinden können." (AK 67) Und dieser *Sprung*, daran läßt der zu dieser Zeit sowohl Heidegger als auch Marx verpflichtete Autor keinen Zweifel, ist die Umkehr aus der Uneigentlichkeit in die Eigentlichkeit des Seins, die zugleich als revolutionärer Neubeginn der Geschichte begriffen wird.

In seiner Auseinandersetzung mit Freud[31] hat Marcuse den Gedanken an die Überführung der *ästhetischen Dimension* ins Leben weitergedacht. Eine wichtige Anregung dafür gewann er aus Schillers Briefen *Über die ästhetische Erziehung des Menschen* (1795), die er in aktiver Lektüre nicht wie die altlinke[32] oder die orthodox-marxistische[33] Schillerrezeption als Aufforderung zur *Flucht* in ein Reich des *schönen Scheins*, sondern als Provokation der gesellschaftlichen Wirklichkeit durch das Ästhetische las. In der Absicht, „den vollen Gehalt der Aufassung Schillers vor der wohlwollenden ästhetischen Behandung zu retten, die die traditionsgemäße Deutung ihr zuteil werden ließ" (TG 185), griff er Schillers Begriff des ästhetischen Staates auf, dem die Vorstellung einer Harmonie von individuellem Begehren und allgemeinem Zweck eingeschrieben war.

Daß Schiller die mit *Schönheit* „in weitester Bedeutung" gleichgesetzte „ästhetische Beschaffenheit"[34] aus der Kunstsphäre herausgeführt hat, wurde von Marcuse als „Versuch, die Sublimierung der ästhetischen Funktion rückgängig zu machen" (TG 184) mit emphatischer Zustimmung bewertet. Er sah darin „eine der fortschrittlichsten Denkpositionen" überhaupt. (TG 186-188) Sein eigenes Bestreben, die vom Gehäuse der Kunst umhegte „Ordnung der Sinnlichkeit" zu entsublimieren, die „Logik der Erfüllung" (TG 183) in die Gesellschaft zu entlassen und damit das geltende Realitätsprinzip zu verändern, verstärkte sich im Laufe der Bewegung der *Neuen Linken*. Kurz vor dem Höhepunkt des Pariser Mai 1968 hielt Marcuse die Zeit für gekommen, wirklich Ernst zu machen mit dem Gedanken an das „Ästhetische als möglicher Form einer freien Gesellschaft", in der „die ästhetische Dimension als eine Art Eichmaß" gilt.[35] Das „Bündnis der neuen Sinnlichkeit mit einer neuen Rationalität", welche bislang „der Wesenszug der Kunst" gewesen sei, sollte zur *gesellschaftlichen Produktivkraft* werden und den „Umbau der Gesellschaft" leiten (VB 62). „Dabei würde sich der historische *Topos* des Ästhetischen wandeln: er fände Ausdruck in der Umgestaltung der Lebenswelt – der Gesellschaft zum Artefakt." (VB 72) Marcuse erwartete von der ästhetischen Produktivität als Prinzip einer „kollektiven *Praxis der Produktion von Umwelt*" (VB 54) nicht nur elementar lebensfreundliche Teilresultate wie „Schutz vor Lärm und Unrat", „Absperrung ganzer Stadtteile für Automobile", „Entkommerzialisierung der Natur" (VB 49), sondern auch den radikalen „Neubau der Gesellschaft", der aus der „Wirklichkeit insgesamt...ein *Kunst*werk machen" würde (VB 54). Die Überführung ästhetischer Produktivität und Rezeptivität in das Leben sollte auch den Menschen selber, seine Triebverfassung, Sprachmuster und Wahrnehmungsweisen, verwandeln. Aus den avantgardistischen Kunstwerke blickte ihm *gemalte oder modellierte Erkenntniskritik* entgegen, geeignet, die vertraute Syntax zu zerbrechen und überlieferte Sichtweisen zu revolutionieren. Zugleich vermerkte er jedoch, daß die künstlerischen Avantgarden mit ihrem Verharren in der Kunstform und in der Apartheit von Kunstgalerie oder Konzertsaal die *affirmative* Funktion der Kunst prolongieren: „Die...versöhnende Kraft der Kunst haftet selbst den radikalsten Erscheinungen der nicht-illusionären und der Anti-Kunst an. Sie sind immer noch Oevres: Gemälde, Skulpturen, Kompositionen, Gedichte und haben als solche ihre eigene Form und mit ihr eine eigene Ordnung: ihren eigenen Rahmen (obwohl er unsichtbar sein mag), ihren eigenen Raum, ihren eigenen Anfang und ihr eigenes Ende....Mit dieser...Ordnung erreicht die Form in der Tat eine *Katharsis* – der Terror der Wirklichkeit und das Vergnügen an ihr werden gereinigt. Aber das Ergebnis ist illusionär, falsch und fiktiv: es verbleibt in der Dimension von Kunst, ein Kunstwerk; in Wirklichkeit setzen sich Furcht und Versagung unvermindert fort" (VB 70).

Insofern war es nur folgerichtig, daß Marcuse mit der Forderung der Überführung der Kunst ins Leben zugleich auch deren Ende postulierte. Da er meinte, daß auch die radikalste Kunst – *qua Kunst* – tröstlich oder kompensatorisch bleibe, legte er nahe, den *Rahmen* überhaupt aufzugeben und ihre umstürzende und subversive Kraft unmittelbar in die Gestaltung der Gesellschaft einmünden zu lassen. Er machte mit dem Anspruch der noch immer kunstförmigen *Anti-Kunst* ernster als diese selbst und setzte „Selbstvernichtung" der Kunst an die Stelle der innerfamiliären Kritik einzelner Kunstformen oder Stile (VB 67). Analog zu Hegel, der einst das *Ende der Kunst* in ihre Vergeistigung setzte, proklamierte er das „*Ende* der Kunst durch ihre Verwirklichung" (vgl. VB 71). Als „Produktivkraft der materiellen wie der kulturellen Umgestaltung" würde die Kunst zum „integralen Faktor beim Gestalten der Qualität und der *Erscheinung* der Dinge, der Realität, der Lebensform. Dies würde die Aufhebung der Kunst bedeuten, das Ende der Trennung des Ästhetischen vom Wirklichen." (VB 54) Doch anders als Hegel, der mit seiner These keinen raum-zeitlichen Abschluß, sondern die Aufbewahrung in einem Höheren meinte und von der Kunst, obschon sie aufgehört habe, „das höchste Bedürfnis des Geistes zu sein", trotzdem erhoffte, daß sie „immer mehr steigen und sich vollenden werde"[36], tendierte Marcuse zur faktischen Negation der Kunst. Daß damit auch jener Schutz- und Hegeraum preisgegeben war, der es dem ästhetischen Prinzip ermöglicht, sich auf eigener Basis zu erneuern und eine unabhängige Normativität zu entfalten, derartige Bedenken bewegten ihn weniger zu einer Zeit, da die Jugend- und Studentenbewegung einen neuen Menschen mit nichtaggressiver, erotisch dominierter Triebstruktur hervorgebracht zu haben schien. Die französische *jeunesse en colère* bestärkte seine Hoffnung auf das „Entstehen eines qualitativ neuen Typus menschlicher Wesen"[37], deren *zweite Natur* sich in jene Richtung transformiert zu haben schien, die er in seiner Auseinandersetzung mit Freud antizipiert hatte.[38] „Diese neuen Menschen werden die sozialistische Gesellschaft begründen."[39] Es ist verständlich, daß ihm angesichts des aufgebrochenen Widerspruchs zwischen dem neuen *Humanum* und dem alten Sozialsystem die normative Spannung zwischen dem *Ästhetischen* und der Wirklichkeit sowie die Aufrechterhaltung einer intangiblen ästhetischen Dimension weniger wichtig erschien.

Dazu kommt, daß schon längst eine Politisierung des Ästhetischen eingesetzt hatte, die das Ihre getan haben mag, sein Interesse von der Erhaltung der Kunst auf ihre Verwirklichung umzulenken. Eine Initiatorin war die experimentalkünstlerische Gruppe *Cobra*. Ihre Mitglieder hatten sich schon in den fünfziger Jahren aufgespalten in solche, die das Berufskünstlertum fortsetzten und den Erfolg auf dem Markt genossen, und in jene, die sich der Kunstform und ihrer Kommerzialisierung verweigerten. Deren Bestreben, der avantgardistischen Provokation ein soziales Ziel zu setzen und anstelle der dem Absterben überlassenen Kunst die Lebensweise umzustürzen, verband sie mit den Intentionen der Pariser Gruppe *Internationale Situationniste*.[40] Hier bündelten sich surrealistische, dadaistische oder lettristische Energien, die von den Revolten innerhalb der Kunstszene zur *Schöpfung einer neuen Kultur* weiterstrebten. Seit 1957 wirkte als deutsche Sektion der *I. S.* in München die *Gruppe Spur*, aus der 1963 die um Dieter

Kunzelmann gescharte *Subversive Aktion* hervorging. Mit ihren Aktionen wollte diese Gruppe soziale Verhältnisse *demaskieren*.[41] Sie war Mitinitiatorin des *To-maten-Terror-Bombardements* gegen das Auto Moise Tschombés, des in Berlin zu Besuch weilenden kongolesischen Ministerpräsidenten – eine Aktion, die Rudi Dutschke als „Beginn unserer Kulturrevolution" bezeichnete.[42] Derartige Aktivitäten reihten sich in eine Vielzahl von *Provo-Aktionen* und Happenings der Studentenbewegung ein, mit denen die symbolbildende, sinnlichkeitsaffizierende und veranschaulichende ästhetische Kreativität aktiviert wurde, um soziale Herrschaftsmechanismen *sinnlich erfahrbar* zu machen. Zu den Inszenierungen gehörten die öffentliche Verbrennung von Militärausweisen und Dollarnoten, Autodafés von Politiker-Pappköpfen, gespielte Schlachten zwischen *Kapitalisten* und *Kommunisten* oder auch die sinnenfällige – freilich nicht ungesühnt gebliebene – Darmentleerung vor einem Richtertisch in Berlin-Moabit.[43] In vielen dieser Aktionen schlug die Politisierung des Ästhetischen in die Ästhetisierung des Politischen um.[44] Der Verlust der ästhetischen Differenz brachte es mit sich, daß man nicht selten bereits mit der gelungenen Darstellung zufrieden war. Der Kampf wurde zum Spektakel, und das Spektakel ersetzte den Kampf; so entmachtete die symbolische Entmachtung die Entmachtung selbst, indes draußen die symbolisierte Gegenmacht unbehelligt zum Schlag ausholte. Auf diesem Kurs ist Dieter Kunzelmann zur Narrenfreiheit eines ungefährlichen Politclowns gelangt.

Auch während des Pariser Mai 1968 [45] vollzog sich eine Politisierung des Ästhetischen, die von einer Ästhetisierung des Politischen begleitet war. Die Politisierung wurde besonders signifikant in den Vorgängen im Theater Odéon, wo für ein paar Tage das von Marcuse vorhergesehene Ende der Kunst zur Aufführung kam. Ein Tempel der künstlerischen Moderne, die von den Situationisten wegen ihres Verharrens im artistischen Spezialistentum noch vor der traditionellen Kunst zum Haßobjekt erklärt worden war, war seines Rahmens und des von ihm beschützten Inhalts beraubt worden. Als *Theater* wurde es besetzt und damit als Kunststätte geschlossen; als *Tribune libre* öffnete es sich für alle, und zwar zu allen Tages- und Nachtzeiten. Nicht Schauspiele, das neue Leben wurde geprobt. Anstatt professioneller Künstler setzten alle Versammelten ihre Phantasie und Kreativität ein – nicht um eine neue Theateraufführung, sondern um eine neue Gesellschaft zu entwerfen.

Die Resolution der Aktivisten vom Odéon stand unter der Überschrift: *Die Phantasie übernimmt die Macht*.[46] Damit war ein Thema angeschlagen, das für die von den Kulturrevolutionären gewünschte Verwirklichung des Ästhetischen eine zentrale Rolle spielte. Das schon seit der Ästhetik der Aufklärung als genuin ästhetisch anerkannte Vermögen der Phantasie sollte – wie auch die Sinnlichkeit – in ein Gestaltungsprinzip der Realität umgewandelt werden. Der Ruf *l'imagination au pouvoir* verbreitete sich über die Ländergrenzen und stieß auf entgegen-

kommende Aufnahme, deren Nachhall sich bis in die achtziger Jahre als wissen-
schaftliches Interesse an der unterdrückten Geschichte der Imagination fort-
setzte. 1969 forderte Peter Schneider, die Phantasie solle sich nicht länger im
Traum oder in der „ohnmächtigen Kunst" abkapseln, die „zur Vertretung der
Bürokratie im Reich der Einbildung" geworden sei: „Die progrediente, die
brauchbare Phantasie ist im Spätkapitalismus überhaupt nicht mehr in der Kunst
zu Hause, sondern dort, wo sie ihre Befriedigung...in der revolutionären Veränderung der Gesellschaft sucht."[47] *Imagine* sang 1971 John Lennon und forderte,
sich das Diesseits einer „brotherhood of men" ohne Hunger, Krieg und Mangel
und vor allem ohne deren religiöse Kompensation vorzustellen: „You may say
I'm a dreamer, but I'm not the only one." Und noch 1978 wollte Robert Jungk in
Zukunftswerkstätten die in *soziale Phantasie* verwandelte Einbildungskraft für gesellschaftliche Entwürfe aktivieren.[48]

Auf vielfältige Art war auch die Literatur vom Sog der Verwirklichung des
Ästhetischen erfaßt worden. Hierfür hatte schon 1965 Peter Weiss mit der Ur-
aufführung seines Oratoriums *Die Ermittlung* einen Auftakt gegeben. Mit dem
Aufgreifen des Ausschwitzthemas stand es für eine Literatur, die „als politisches
Gegenmedium...die Leerstellen des öffentlichen historischen und politischen
Bewußtseins zu füllen versucht: sie greift die Auseinandersetzung im politischen
Raum auf bzw. will solche mit den Mitteln des Theaters stimulieren und beein-
flussen, ohne auf eine besondere Autonomie der Form zu setzen".[49]

Die Politisierung der Literatur, für die man den *Tod der Poesie* nicht nur in
Kauf nahm, sondern regelrecht feierte, wurde auch von Hans Magnus Enzensberger befördert. Er orientierte die Schreibkundigen auf die „begrenzte, aber
nutzbringende Beschäftigung" der „politischen Alphabetisierung" und nannte es
ein „gutes Zeichen", wenn intelligente Köpfe auf Belletristk verzichten.[50] Im
gleichen *Kursbuch* sprach Yaak Karsunke von einer Literatur, die „allen Autono-
mievorstellungen und absoluten Qualitätsfiktionen" entsagt, „sich als funktional
und gesellschaftsabhängig" begreift und die Illusion zerstört, „ein abhängiger
Mann sei dann plötzlich unabhängig, wenn er Worte zu Papier bringt".[51] Die Reduktion der Literatur auf ihren praktisch-politischen *Gebrauchswert*, die auch
Daniel Cohn-Bendit sagen ließ: „wir pfeifen ...auf einen guten literarischen
Stil"[52], nahm nicht zuletzt Peter Schneider vor, der schon 1965 forderte: „Nicht
Gedichte, sondern politische Manifeste sind...zu schreiben"[53] Er hielt für die *revolutionäre Kunst* – ähnlich wie Wladimir Iljitsch Lenin für den Parteiarbeiter –
eine *agitatorische* und eine *propagandistische* Aufgabe parat. Als Agitation sollte
revolutionäre Kunst die materielle wie auch die *libidinöse* Ausbeutung bloßstel-
len; als Propaganda hingegen sollte sie die in den tradierten Kunstwerken ver-
steckten Wünsche reformulieren und in politische Programme übersetzen. Ihre
„Ästhetik müßte die Strategie der Verwirklichung der Wünsche sein".[54]

Noch als die Grablegung der Kunst-Literatur in vollem Gange war, vollzog Marcuse eine Wende und distanzierte sich von jenem kulturrevolutionären Extremismus, den er mit seinem *Essay on Liberation* nicht nur reflektiert und antizipiert, sondern auch stimuliert hatte. Bereits 1970 verteidigte er Hermann Hesses *Steppenwolf* gegenüber Enzensberger, der in ihm „ein rein innerbürgerliches" Problem sah, das einem „jungen Arbeiter...nichts zu sagen" habe.[55] Und in *Konterrevolution und Revolte* fragte Marcuse: „Wenn wir einem Zerfall der bürgerlichen Kultur gegenüberstehen, der aus der inneren Dynamik des zeitgenössischen Kapitalismus...resultiert, stimmt dann die Kulturrevolution, sofern sie darauf abzielt, die bürgerliche Kultur zu zerstören, nicht mit der kapitalistischen Anpassung und Neubestimmung der Kultur überein?"[56]

Von nun an plädierte Marcuse wieder für die Einrahmung des Kunstwerks und die Rückkehr zur Kunstform. Auch in dem letzten größeren Text vor seinem Tode trat er für die Wiedererrichtung der Schranken zwischen dem Ästhetischen und dem Leben ein: Mit *Die Permanenz der Kunst*[57] bestand er *wider eine bestimmte marxistische Ästhetik* auf der „Qualität der ästhetischen Form, die den gesellschaftlichen Verhältnissen gegenüber weitgehend autonom ist" (PK 7). Ähnlich Adorno meinte er jetzt: „Je unmittelbarer direkt, expliziter politisch ein Werk sein will, desto weniger wird es revolutionär, subversiv sein" (PK 9.) Konträr zu seinen Angriffen auf die Kunstform ein Dezennium zuvor verteidigte er die von der Kunst ermöglichte „Flucht aus der Realität", weil nur diese Kräfte freisetze, die zur Entwertung der bürgerlichen Werte führen (PK 15). „Die Kunst bedarf einer Form des Ausdrucks, die den Inhalt (das Gegebene) als verwandelte Realität...erscheinen läßt. Diese Welt des Widerspruchs entsteht in der ästhetischen Formgebung." (PK 20)

Indem Marcuse forderte, die Kunst solle ihren an die Gesellschaft gerichteten „kategorischen Imperativ" *innerhalb* ihrer ästhetischen Andersartigkeit formulieren (PK 23), reagierte er auf eine historische Situation, in der das Scheitern der von der kulturrevolutionären *Neuen Linken* an der Gesellschaft geübten ästhetischen Kritik offenkundig geworden war. Gleichsam in der Situation des Zauberlehrlings, sah er sich mit ungewollten Konsequenzen aus Prämissen konfrontiert, die er selber aufgestellt hatte. Spätestens Mitte der siebziger Jahre hatte sich nämlich gezeigt, daß die Verwirklichungsstrategien zwar die Literatur, nicht jedoch den Kapitalismus geschwächt, geschweige denn beseitigt hatten. Es ließ sich nicht länger leugnen, daß der *Tod der Literatur* keine neue Gesellschaft zum Leben erweckt hatte. Die Operationalisierung der Kunst hatte zwar das Instrument verbraucht, der Operierte jedoch war trotzdem nicht recht gesund geworden. Nun wurden *Entkunstung* oder *Überpolitisierung* der Literatur negativ apostrophiert; der „illusionäre Charakters der zeitgenössischen Aktionskunst" sowie das Scheitern der künstlerischen Operationsmodelle wurden kritisch-selbstkritisch vermerkt.[58] 1977 stand im *Kursbuch* das ernüchterte Resümee: „Die Kunst

wurde zum Vehikel zweiter Klasse, zur Dienstmagd linker Tagespolitik, zur bloßen *Gesinnungskunst* also, die sich in Wehklagen gegen Fabrikherren und Haus-
besitzer, gegen Springer, gegen den Paragraphen 218 und die Brutalität im Stra-
ßenverkehr erging. Indem die Kunst mit Brachialgewalt aus dem *Reich der Freiheit* in das *Reich der (politischen) Notwendigkeit* zurückgeholt wurde, konnte sie
nicht mehr das Medium sein, in welchem sich die neuen freiheitlichen Stimmungen der politischen Bewegung ausdrückten. Vieles, was die Künstler und Literaten in diesen Jahren produzierten, trug ... *die ängstliche Form seines Zwecks und
die Spuren der Dienstbarkeit* an sich. Bei vielen hatte man ... den Eindruck, daß es
ihnen vor lauter politischer Gesinnung die poetische, dramatische und filmische
Sprache verschlagen hatte: ihr Theater wurde umso spröder, je mehr Gesinnung
es zur Schau stellte, ihre Lyrik poetisch umso ärmer, je *engagierter* sie sich gebär-
dete, und ihre Filme wurden umso hausbackener, je korrekter sie den *proletari-
schen* Standpunkt abzubilden vorgaben."[59]

Die Enttäuschung über die Ohnmacht der Kunst war Teil einer allgemeinen
Resignation. Das Scheitern der Revolte hatte die Neigung der Entpolitisierung
verstärkt; der Euphorie war der Katzenjammer gefolgt. Man konstatierte eine
zweite Innerlichkeit und sprach vom erneuten „Rückzug in den Elfenbeinturm".[60]
Die „Enttäuschung über die Revolte" beförderte nicht zuletzt einen linken *Psychoboom*.[61] Die Doppelstrategie der Befreiung von Phantasie und Sinnlichkeit,
die ursprünglich auf gesellschaftliche *und* anthropologische, öffentliche *und* private Veränderung gerichtet war, verengte sich mehr und mehr auf das subjektive
und private Zielgebiet; immer ferner rückte die einstige Absicht, zusammen mit
dem neuen Menschen *ganz andere* soziale Verhältnisse zu schaffen, in denen die
Einbildungskraft ein Betätigungsfeld und die Sinne Befriedigung fänden.

Versuchen wir, das vielfach bezeugte Scheitern der ästhetischen Kritik mit
Blick auf deren Strukturbedingungen zu erklären, so ergeben sich zwei systematische Gründe: Außer der Assimilierung des Ästhetischen an die Wirklichkeit,
die durch Politisierung der Kunst und Ästhetisierung des Lebens bzw. im Zu-
sammenwirken beider Tendenzen zur Annihilierung der ästhetischen Differenz
und damit zur Schwächung der für Kritik unverzichtbaren normativen Spannung
führte, war es der Umstand, daß die Gesellschaft nicht bereit oder fähig war, sich
selbst in Frage zu stellen und ihre *Identität* zugleich auch als *Nichtidentität*, ihre
Vernunft auch als *Nichtvernunft* zu begreifen. Das wäre vielleicht auch zu viel
verlangt gewesen von einer Gesellschaft, deren Funktionieren gerade auf der
Verblendung gegenüber der Unvernunft eines ökonomisch determinierten Wir-
kungszusammenhangs beruht, der global mit immer mehr Wissen, Gütern und
Produktivität immer mehr psychisches und materielles Elend erzeugt oder dieses
zumindest nicht verringert.

Als Marcuse die Wiedereinrahmung der Kunst betrieb, erfüllte er nicht nur
ein Desideratum, das ohnehin auf der kulturpolitischen Tagesordnung der *Neuen*

Linken stand: „Nach der Verkündigung des Todes der Literatur, nach ihrer Indienstnahme als Instrument politischer Veränderung wird nun wieder erzählt, gar gedichtet."[62] Im Schwung dieses Pendelschlags erschienen ab 1974 auch im *Kursbuch* Gedichte, die man dort seit 1969 vergebens suchte.[63] Und 1976 strebte nicht nur Peter Handke zurück zu einer *reinen, freien und autonomen* Kunst.[64] Indem Marcuse das Ästhetische in das Gehäuse der Kunst rettete, wollte er auch die unkritischen Konsequenzen der heteronomen Überformung des Ästhetischen als Kehrseite seines unmittelbaren Geltungsanspruchs revidieren. Natürlich beabsichtigte er kein Zurück zur ästhetizistischen Selbstbezogenheit. Mit Blick auf die heautome Gleichzeitigkeit von sozialer Ver- und Entbindung betonte er: Kunst „kann ihren Realitätsgehalt nur bewahren, wenn sie der Realität gegenüber ihr eigenes Gesetz befolgt." (PK 40) Mit dieser Präskription erfüllt er eine notwendige Bedingung kritischer Ästhetik in ähnlicher Weise wie Adorno.

Mit Adorno teilte er allerdings auch die Schwäche jeder auf die Kunst und das Kunstwerk kaprizierten Ästhetik. Er vergab sich die Chance, nach der restituierten Alterität des Ästhetischen weiterhin an dessen Vordringen auch außerhalb der Kunst festzuhalten und verschloß sich somit einem Konzept ästhetischer Kritik, das normative Kontakte und kritische Reibeflächen auch *innerhalb* der Lebenswelt oder der Medien- und Unterhaltungskultur anerkennen und damit das kritische Potential des Ästhetischen immens vervielfältigen würde. Die extensionale Begrenzung des Ästhetischen auf Kunst, die dem ästhetischen Paradigma der Moderne entspricht, verschob nolens volens das für Kritik notwendige Gleichgewicht zwischen An- und Abwesenheit, Nähe und Ferne, Verbindung und Geschlossenheit zugunsten von Distanz und Abgrenzung. Daher sah zum Beispiel Peter Gorsen in Marcuses Wende einen *Rückfall*.[65] Und noch heute wird Marcuses Reagieren auf die nivellierende Funktionalisierung des Ästhetischen durch dessen eneute Reduktion auf den Kunstbereich als „Vorwand für eine defensive Rückzugsstrategie" angesehen.[66]

Marcuses Beispiel legt nahe, in einem kritischen Begriff des Ästhetischen, der die Erfahrungen der Moderne wie auch die Denkanstöße der Postmoderne aufnimmt, Heteronomie und Autonomie zu verbinden. Dabei ist es unmaßgeblich, ob die Gleichzeitigkeit von Ver- und Entbindung mit den Kategorien der Dialektik als *Widerspruch* oder in der Sprache der Dekonstruktion als *Paradoxon* bezeichnet wird.[67] Allerdings sollte das Ästhetische nicht länger in Abtrennung von der außerkünstlerischen kulturellen Lebenswelt konzeptualisiert werden. Ein Begriff des Ästhetischen, der dessen Anwesenheit auch jenseits der Kunst akzeptiert, der aber mit der ästhetischen *Distanz* nicht zugleich auch die ästhetische Spezifik oder *Differenz* aufgibt, würde es ermöglichen, ästhetische Kritik nicht außschließlich als Kritik von der elitären Warte der Kunst herab zu denken. Dieser Begriff wäre ein kategoriales Hilfsmittel, um *in den Medien* so gut wie *im Alltag*, *in der Lebenswelt* so gut wie *in der Ökonomie* die spezifische Logik des

Ästhetischen gegen die Logik des Normalen zu kehren. In solcher Perspektive erschiene auch Enzensbergers Appell nicht mehr so illusionär, mit dem er forderte, die den modernen Kommunktionsmedien inhärenten emanzipativen Möglichkeiten gegen deren politische Instrumentaliserung zu wenden.[68] Der erfolgreiche Einsatz des Ästhetischen als Faktor von Kulturkritik erheischt jedoch die Öffnung der kulturellen Wirklichkeit auf das Andere des Ästhetischen hin. Soll Kritik wirklich werden, muß auch das Kritisierte dazu disponiert sein, sich von sich selbst zu unterscheiden. An die Stelle abwiegelnder Selbstgerechtigkeit muß die Einstellung auf eine Gerechtigkeit treten, die – wie Derrida einmal bemerkte – „das Kommen des Anderen ist, dieses immer anderen Besonderen".[69] Nicht zuletzt Derridas Reflexionen verdeutlichen, daß die Konzeptualisierung eines kritikfähigen Ästhetischen den disziplinären Rahmen ästhetischer Theorie sprengt und auf die sozialen Begriffe übergreift. Wollen wir uns eine gesellschaftliche Realität vorstellen, die sich vom Ästhetischen nicht nur schmücken und verschönern, in ihrem Wesen bestätigen oder zu ihrem eigenen Fortschritt animieren, sondern wirklich erschüttern läßt, so muß ihre Souveränität durch Öffnung für das Inkommensurable geschwächt werden. Ob sich jedoch die Selbstgerechtigkeit der soziokulturellen Realität erschüttern läßt, ob die Gesellschaft bereit sein wird, ihre *Identität* zugleich auch als *Nichtidentität* zu verstehen und der *Hetero-Dekonstruktion* durch das Ästhetische mit *Auto-Dekonstruktion* entgegenkommen – das liegt natürlich nicht in der Macht ästhetischer Kritik.

Anmerkungen

[1]   Jacques Derrida, Das andere Kap. Die vertagte Demokratie. Zwei Essays zu Europa, Frankfurt am Main 1992, S. 23.

[2]   Georg Wilhelm Friedrich Hegel, Sämtliche Werke Band III, Wissenschaft der Logik 1. Teil, hrgs. v. Georg Lasson, Leipzig 1948, S. 59.

[3]   Ders.: Vorlesungen über die Philosophie der Weltgeschichte. Vollständige neue Ausgabe von Georg Lasson. Erster Band: Die Vernunft in der Geschichte. Einleitung in die Philosophie der Weltgeschichte, Leipzig 1944, S. 25.

[4]   Peter Koslowski, Supermoderne oder Postmoderne? Dekonstruktion und Mystik in den zwei Postmodernen, In: Postmoderne – Anbruch einer neuen Epoche? Hrsg. Günther Eifler und Otto Saame , Wien 1990, S.92.

[5]   Derrida, a.a.O., S. 31-33.

[6]   Vgl. Wolfgang Welsch, Vernunft. Die zeitgenössische Vernunftkritik und das Konzept der transversalen Vernunft, Frankfurt am Main 1996, S. 433 ff..

[7]   Herbert Marcuse: Über den affirmativen Charakter der Kultur. In: Zeitschrift für Sozialforschung, 6, 1, (Paris 1937), S. 54-94. Im Text als AK, zitiert nach: Marcuse, Kultur und Gesellschaft I, Frankfurt am Main 1965.

[8]   Martin Seel: Die Kunst der Entzweiung. Zum Begriff der ästhetischen Rationalität, Frankfurt 1985, S. 24.

[9]   Walter Benjamin, Das Kunstwerk im Zeitalter seiner technischen Reproduzierbarkeit. In: Walter Benjamin, Gesammelte Schriften, Band 1. 2., hrsg. v. Rolf Tiedemann und Hermann Schweppenhäuser, Frankfurt am Main 1978 (2. Aufl.), S. 508.

[10] Vgl. Mike Faetherstone, Consumer Culture and Postmodernism. London 1991, S. 65-82.

[11] Vgl.: Paul Feyerabend, Wissenschaft als Kunst, Frankfurt am Main 1984.

[12] Vgl.: Jean-François Lyotard, Die Malerei als Libido-Dispositiv. In: Essays zu einer affirmativen Ästhetik, Berlin 1982, S.45-93.

[13] Paul Virilio, Esthétique de la disperation, Paris 1980; dt.: Ästhetik des Verschwindens, Berlin 1986.

[14] Vgl.: Jean Baudrillard, Les stratégies fatales, Paris 1983; dt.: Die fatalen Strategien, München 1991, S. 146.

[15] Ebenda, S. 220.

[16] Vgl. Waltraud Naumann-Beyer, Der schweigende Körper, die konforme Sinnlichkeit: das Dilemma der Kritik. In: Nach der Aufklärung? hrsg. v. Wolfgang Klein und Waltraud Naumann-Beyer, Berlin 1995, S. 231-245.

[17] Jean-François Lyotard, Kunst heute? In: Jean-François Lyotard u.a., Immaterialität und Postmoderne, Berlin 1985, S.68 f..

[18] Ebenda, S. 71.

[19] Vgl. Immaterialien. Konzeption. In: Immaterialien und Postmoderne, S. 77-89.

[20] Ebenda, S. 87 f.

[21] Immaterialien. Presse-Mitteilung vom 8.1.1985. In: Immaterialien und Postmoderne, S. 11.

[22] Vgl.: Walter Benjamin, a.a.O., S. 480, FN 7.

[23] Vgl. Cornelia Klinger, Flucht – Trost – Revolte. Die Moderne und ihre ästhetischen Gegenwelten, München – Wien 1995, S. 14 f..

[24] Vgl. ebenda, S. 33-44.

[25] Theodor W. Adorno, Ästhetische Theorie, Gesammelte Schriften Band 7, hrsg. v. Gretel Adorno und Rolf Tiedemann, Frankfurt am Main 1972. Im Text zitiert als ÄT.

[26] Vgl. Klinger, a.a.O.S. 40 ff..

[27] Adorno, Engagement. In: Gesammelte Schriften Band 11, hrsg. v. Rolf Tiedemann, Frankfurt am Main 1974, S. 429.

[28] Wolfgang Welsch, Adornos Ästhetik: Eine implizite Ästhetik des Erhabenen. In: Ders., Ästhetisches Denken, Stuttgart 1990, S. 114-156.

[29] Adorno, Engagement, a.a.O., S. 410.

[30] Karl Otto Werckmeister, Das Kunstwerk als Negation. Zur Kunsttheorie Theodor W. Adornos. In: Die Neue Linke nach Adorno, hrsg. v. Wilfried F. Schoeller, München 1969, S. 117.

[31] Herbert Marcuse, Eros and Civilisation (1955). Im Text zitiert als TK nach: Triebstruktur und Gesellschaft. Ein philosophischer Beitrag zu Sigmund Freud, Frankfurt am Main 1971.

[32] Vgl. Franz Mehring, Schiller. Ein Lebensbild für deutsche Arbeiter, in: Aufsätze zur deutschen Literatur von Klopstock bis Weerth, Gesammelte Schriften, Band 10, Berlin 1961, S. 190 f..

[33] Vgl. Klassik. Erläuterungen zur deutschen Literatur, Autorenkollektiv, Berlin 1974 (7. Auflage), S. 238 ff..

[34] Friedrich Schiller: Ueber die ästhetische Erziehung des Menschen in einer Reihe von Briefen. In: Schillers Werke, Nationalausgabe, 20. Band, Philosophische Schriften, 1. Teil, Weimar 1962. S 355.

[35] Herbert Marcuse, Essay on Liberation (1968). Zitiert im Text als VB nach: Versuch über die Befreiung, Frankfurt am Main 1972 (3. Aufl.), S. 46 und S. 48.

[36] Georg Friedrich Wilhelm Hegel: Ästhetik, Band I, Berlin und Weimar 1965, nach der zweiten Auflage von Heinrich Gustav Hotho (1842). Redigiert und mit einem ausführlichen Register versehen von Friedrich Bassenge, S. 110.

[37] Herbert Marcuse, Zu aktuellen Problemen der Emanzipationsbewegung – Ein Interview, Offenbach 1969, S. 2.

[38] Er betrachtete „the student rebellion as a practical verification of his anthropological foundation for critical theory." Morton Schoolman, The Imaginary Witness. The Critial Theory of Herbert Marcuse, London 1980, S. 311.

[39] Marcuse, a.a.O.

[40] Vgl. Was die Freunde der *Cobras* sind und was sie darstellen. In: Der Beginn einer Epoche. Texte der Situationisten. Edition Nautilus. Aus dem Französischen von Pierre Gallisaires, Hanna Mittelstädt, Roberto Ohrt, Hamburg 1995, S. 61 – 63.

[41] Vgl. Ingo Juchler, Die Avantgardegruppe *Subversive Aktion* im Kontext der sich entwickelnden Studentenbewegung der sechziger Jahre. Weimarer Beiträge Heft 1 (1994), S. 72 – 88. Siehe auch: Martin Hubert, Politisierung der Literatur – Ästhetisierung der Politik: eine Studie zur literaturgeschichtlichen Bedeutung der 68-er Bewegung in der BRD, Frankfurt am Main-Bern-New York-Paris 1992, S. 117-123.

[42] Rudi Dutschke, Vom Antisemitismus zum Antikommunismus, In: Uwe Bergmann u.a.: Rebellion der Studenten oder Die neue Opposition, Hamburg 1968, S. 63.

[43] Vgl. Peter Mosler, Was wir wollten – was wir wurden. Studentenrevolte – zehn Jahre danach, Hamburg 1977, S.285.

[44] Zu den verschiedenen Seiten der Ästhetisierung des Politischen vgl. Hubert, a.a.O., S. 108 f.

[45] Vgl. Ingrid Gilcher-Holtey, *Die Phantasie an die Macht*. Mai 68 in Frankreich, Frankfurt am Main 1995.

[46] La Chienlit. Dokumente zur französischen Mai-Revolte, hrsg. im Auftrag eines Komitees der Bewegung des 22. März von J.J. Lebel, J.L. Brau und P.Merlhès, Darmstadt 1969, S. 183.

[47] Peter Schneider, Die Phantasie im Spätkapitalismus und die Kulturrevolution, in: Kursbuch 16 (1969), S. 27 und 21.

[48] Robert Jungk, Statt auf den großen Tag zu warten...Über das Pläneschmieden. Ein Bericht aus Zukunftswerkstätten. In: Kursbuch 53 (1978), S. 1-10.

[49] Hubert, a.a.O., S. 75.

[50] Hans Magnus Enzensberger, Gemeinplätze, die Neueste Literatur betreffend, Kursbuch 15 (1968), S. 196 f. und S. 189..

[51] Yaak Karsunke , Anachronistische Polemik, Kursbuch 15 (1968), S. 165-168.

[52] Daniel Cohn-Bendit, Linksradikalismus, Hamburg 1968, S. 9.

[53] Peter Schneider, Politische Dichtung. Ihre Grenzen und Möglichkeiten (1965), zitiert nach dem Wiederabdruck in: P. Stein, Theorie der Politischen Dichtung, München 1973, S. 154.

[54] Ders., Die Phantasie..., a.a.O., S. 31.

[55] Fragen an Herbert Marcuse. In: Kursbuch 22 (1970), S.56.

[56] Herbert Marcuse, Konterrevolution und Revolte, Frankfurt am Main 1973, S. 1O2.

[57] Herbert Marcuse, Die Permanenz der Kunst, München 1977. Im Text zitiert als PK.

[58] Z.B. H.G. Helms, Vom Proletkult zum Bio-Interview. In: Literatur als Praxis? Hrsg. v. R. Hübner, E. Schütz, Opladen 1976, S. 73.

[59] Michael Schneider, Von der alten Radikalität zur neuen Sensibilität, Kursbuch 49 (1977), S.175.

[60] Bernd Witte, Über die Notwendigkeit des Schreibens. In: Literatur als Praxis? Hrsg. v. R. Hübner, E. Schütz, Opladen 1976, S. 15.

[61] Vgl. Klaus-Jürgen Bruder, Der Psychoboom der 60-ger und 70-ger Jahre. In: Empfindsamkeiten, hrsg. von Klaus P. Hansen, Passau 1990, S. 242 f.

[62] Witte, a.a.O.

[63] Vgl. Hans Burkhard Schlichting, Das Ungenügen der poetischen Strategien: Literatur im Kursbuch 1968-1976. In: Literatur und Studentenbewegung, hrsg. v. Martin Lüdke, Opladen 1977. S. 34.

[64] Vgl. Uwe Timm, Über den Dogmatismus in der Literatur. In: Kontext 1: Literatur und Wirklichkeit, hrsg. v. Uwe Timm und Gerd Fuchs, München 1976, S. 23 und 25.

[65] Peter Gorsen, Transformierte Alltäglichkeit oder Transzendenz der Kunst? In: Das Unvermögen der Realität. Beiträge zu einer anderen materialistischen Ästhetik, Berlin 1974, S. 136 ff..

[66] Gérard Raulet, Die Form ist die Kunst. Kritische Überlegungen zur Ästhetik Marcuses. In: Kritik und Utopie im Werk von Herbert Marcuse, hrsg. v. Institut für Sozialforschung, Frankfurt am Main 1992, S. 294.

[67] Helga Geyer-Ryan, Die Paradoxie der Kunstautonomie. Ästhetik nach Marcuse. In: Kritik und Utopie im Werk von Herbert Marcuse, S. 272 -285.

[68] Vgl. Hans Magnus Eneznsberger, Baukasten zu einer Theorie der Medien. In: Kursbuch 20 (1970), S. 159-186.

[69] Derrida, Gesetzeskraft. Der *mystische* Grund der Autorität, Aus dem Französischen von García Düttmann, Frankfurt am Main 1991 S. 51.

Wilhelm Schmid

Politik und Lebenskunst

Die Lebensführung ist nicht völlig autonom; sie bewegt sich in „strukturellen"
Zusammenhängen, mit denen das Individuum sich auseinander setzen und zu
denen es eine Haltung finden muß: Ablehnung, Widerstand, Hinnahme, Veränderung oder pragmatischer Umgang. In welchen strukturellen Zusammenhängen
lebe ich? Wer oder was hat sie geprägt? Was kann ich daraus machen? Muß ich
mich mit ihnen, so wie sie sind, wirklich abfinden? *Strukturell* ist das zu nennen,
was eine Bedingung der Möglichkeit von Leben ist, relativ festgefügt und nicht
jederzeit veränderbar. Strukturelle Zusammenhänge (ökologische, ökonomische,
politische, rechtliche, soziale, familiäre) wirken von *Außen*, aus nächster Nähe
oder von ferne auf das Individuum ein; es gibt sie aber auch im *Inneren* des Individuums selbst: „psychische", leibliche, genetische, kulturell vermittelte Strukturen, die vielleicht von Außen ins Innere eingewandert sind und die zusammen
mit den Strukturen des „Charakters" und der eigenen Originalität das Konglo-
merat der Vorlieben und Abneigungen, der Leidenschaften und Träume, der be-
glückenden und traumatischen Erfahrungen prägen, in denen sich das „Selbst"
erkennt. Eine prinzipielle Schwierigkeit besteht darin, daß Strukturen sich zual-
lermeist dem Blick nicht unmittelbar darbieten; sichtbar sind vielmehr nur die
Phänomene, die sie hervortreiben und von deren Regelmäßigkeit auf das, was ihnen zugrundeliegt, zurückgeschlossen werden muß.

In prämoderner Zeit herrschen Strukturen von langer Dauer vor, natürliche,
religiöse, machtpolitische, die unhinterfragbar und unveränderlich erscheinen; sie
beanspruchen absolute *Notwendigkeit* für sich, überdauern mühelos die Generationen, fallen zuweilen dem Vergessen anheim, um plötzlich wieder hervorzu-
treten; Lebensführung kann da allenfalls bedeuten, sie stoisch hinzunehmen und
in ihnen sich einzurichten. In moderner Zeit verlieren Strukturen diese Selbstverständlichkeit; die Idee der Moderne ist die *Freiheit* von jeder Notwendigkeit,
und Lebensführung heißt nun, mit dieser Freiheit zurechtzukommen. Daß das
Leben von Individuen, ihr Tun, irgendwelchen Notwendigkeiten und zwingenden Gründen unterliegt, ist im Zuge der Aufklärung nicht mehr zu rechtfertigen;
der Stolz des modernen Subjekts drückt sich darin aus, nicht mehr nur den
Strukturen der Notwendigkeit verhaftet zu bleiben, sondern *freie Gründe* für
sein Leben und Denken, Tun und Lassen zu finden, Gründe, die aus seiner Frei-

heit resultieren und eine „Causalität der Vernunft" realisieren.[1] Lange Zeit in der
Moderne geht es dann darum, von sämtlichen Bedingungen und strukturellen
Zusammenhängen freizukommen; aber diese Freiheit wird schließlich zur Beliebigkeit, wenn keinerlei strukturelle Verbindlichkeit mehr existiert und auch nicht
aus freien Gründen selbst hergestellt wird. Zwar wird *Autonomie* geltend gemacht, aber sie wird nur als absolute Freiheit, nicht als Formgebung und „Selbst-
gesetzgebungen die doch ihr eigentlicher Sinn ist, verstanden. Da Strukturen das
Netz der Zusammenhänge bilden, in denen wir leben, und folglich unverzichtbar
sind, wären sie aus freien Gründen neu ins Werk zu setzen; aber sie erscheinen
nur als Feinde der Autonomie, jede Arbeit der Veränderung scheint nur ihr voll-
ständiges Verschwinden zum Ziel zu haben, damit von selbst alles „gut" werden
und das authentische Leben abseits aller determinierenden Strukturen möglich
sein soll.

In der anderen Moderne kommt es darauf an, die Autonomie nicht als völli-
ges Freisein von Notwendigkeit zu verklären, und sich nicht damit zu begnügen,
daß „alles möglich", also nichts notwendig ist, sondern eine Notwendigkeit aus
freien Gründen für sich selbst einzuführen („Eins ist not"), um sich und seinem
Leben Form zu geben. Die Arbeit der *Aufklärung von Strukturen* wird darüber
nicht etwa überflüssig: Um Lebenskunst überhaupt entfalten zu können, ist es
erforderlich, die bestehenden strukturellen Zusammenhänge zu kennen, mit denen zu rechnen ist und in die gegebenenfalls auch verändernd eingegriffen werden soll, um Möglichkeiten für die Lebensgestaltung zu schaffen. Im übrigen
sind Strukturen nicht von sich aus „böse", sie sind keineswegs nur hinderlich für
eine Lebensgestaltung, sondern können förderlich für sie sein; zur Aufklärung
gehört daher die Beurteilung, wie sich dies in der jeweiligen Situation verhält, um
nicht blind anzurennen gegen jede Struktur.

Maßgebend für die Lebenskunst in einer anderen Moderne ist es, den Glauben an die Verzichtbarkeit der Struktur zu vermeiden, um der *Arbeit der Strukturierung* Raum zu geben, die vom Individuum geleistet und zur Geltung gebracht
werden kann, sowohl im eigenen Umfeld als auch bei der Beteiligung am Aufbau
gesellschaftlicher Strukturen. Arbeit ferner an bestehenden Strukturen, in mehr-
facher Hinsicht: Auch wenn Strukturen allen Äußerungen des Subjekts zugrunde-
deliegen (denn es bedient sich der Sprache), sein Umfeld prägen (denn es wohnt
in Gebäuden), seine Bewegungen dirigieren (denn es folgt den Straßen und Wegen), so kommt es doch in jedem Fall auf die *Arbeit des Gebrauchs* an, den es davon macht. Nicht nur „die Sprache spricht", sondern das Individuum spricht jeweils auf seine eigene Art. Ohne diesen Gebrauch ist die Struktur nichtig; es
kommt immer darauf an, ob, wie, in welcher Weise sie mit Leben erfüllt wird.
Darüber verfügt das Individuum allein, ein Beweis dafür ist die Unvorhersehbar-
keit der Art und Weise, in der es eine Position der Struktur ausfüllen wird, denn
dies ist eben nicht durch die bloße Existenz der Struktur schon determiniert. Ei-

ne ganze asketische *Arbeit an sich selbst* kann sich darauf richten, diese Eigenart auszubilden und zu verstärken und auf diese Weise auf Strukturen einzuwirken. Der Zusammenhang von Individuum und Struktur ist nicht einseitig, sondern wechselseitig: Strukturen wirken auf das Individuum ein, umgekehrt ist es aber das Individuum, das auf Strukturen einwirkt und sie eben nicht als dieselben beläßt. Strukturen machen Individuen, aber Individuen machen auch Strukturen, das gerät bei der Anonymität ihres Funktionierens leicht in Vergessenheit. Das bezieht sich erst recht auf die gezielte *Arbeit der Veränderung*, die aus der koordinierten Aktion mehrerer oder vieler Individuen hervorgeht und die je nach historischer Verankerung der Strukturen viel Zeit in Anspruch nehmen kann, also einer Solidarität und eines langen Atems bedarf. Ein Ansatzpunkt dafür ist die Unzufriedenheit mit bestehenden Verhältnissen, die Idee von anderen Verhältnissen, um die individuelle Entfaltung und Gestaltung des Lebens möglich zu machen. Die Gestaltung von Strukturen zielt in Wahrheit auf die Gestaltung seiner selbst. Strukturen werden fragwürdig und problematisch von dem Standpunkt aus, den das Subjekt einnimmt, wie bedingt dieser selbst auch wiederum sein mag; das Subjekt bedarf nicht erst eines Beobachterstandpunkts in einem absoluten Außen, um seine Wahl zu treffen. Vor allem aber muß es die Wahl treffen, auf welche Veränderung die Kräfte konzentriert werden sollen. Sinnlos wäre der Traum, alle Strukturen auf einmal ausheveln und verändern zu wollen. Sinnlos nicht nur, weil es als unmöglich erscheint, sondern weil es keinen Grund für die Annahme gibt, daß die Veränderung auf Anhieb „besser" wäre und das Ensemble der neuen Strukturen problemlos funktionieren würde. Der bloße Akt der Veränderung garantiert noch nicht für die Bewährung in der Zeit.

Das größte Problem im Umgang mit Strukturen besteht darin, daß sie zunächst *hinzunehmen* sind. Sie sind das Gegebene, mit dem fürs erste gerechnet und gearbeitet werden muß; veränderbar sind sie, insofern sie Strukturen sind, nicht ad hoc. Mit den meisten Strukturen haben wir uns abzufinden oder sie kommen gar nicht erst in unseren Blick, während wir bei anderen ansetzen; einige sind relativ leicht, andere kaum zu verändern, abhängig von ihrer bisherigen Dauer, ihrem Eingewurzeltsein in der Zeit, in der Mentalität. Nicht jede Veränderung steht jederzeit in unserer Macht, und schon aus diesem Grund erscheint es sinnvoll für eine Lebenskunst, Strukturen auch gelassen so *sein zu lassen*, wie sie sind. Es geht nicht nur darum, Strukturen, die uns problematisch erscheinen, zu verändern, sondern andere einstweilen zu akzeptieren, uns in ein Verhältnis dazu zu setzen und anstelle einer Befreiung von ihnen eine Freiheit des Umgangs mit ihnen zu erreichen.

Die Auseinandersetzung mit Strukturen ist immer eine Auseinandersetzung mit „der Macht", denn Strukturen, insofern sie durch die Festigkeit und Regelmäßigkeit von Zusammenhängen bestimmt sind, üben Macht aus, äußerlich wie innerlich; „das Subjekt" erscheint demgegenüber zunächst als ein Unterworfenes. Machtinteressen bedienen sich vorzugsweise der Einflußnahme auf Strukturen, um sich durchzusetzen, bestimmte Möglichkeiten des Lebens freizusetzen, andere zu verschließen. In diesem doppelten Sinne der Macht von Strukturen und der Einflußnahme von Macht auf Strukturen sind alle Strukturen auch *Machtstrukturen*, die das Subjekt durchziehen, Bedingungen der Existenz für den Einzelnen darstellen und zugleich über den Einzelnen weit hinausgehen, viele betreffen und lange dauern. Die Verhältnisse, in denen Individuen leben, ihre Beziehungen zueinander, wie immer sie gestaltet sind, sind immer auch durch Macht strukturiert, und auch das Zerbrechen dieser Beziehungen kann Gründe haben, die in struktureller Macht und in Machtstrukturen zu finden sind.

* * *

Die strukturelle Macht und die Machtstrukturen können subjektivierende Wirkung haben, d.h. sie unterwerfen Subjekte nicht nur, sondern bringen sie hervor und prägen sie, indem sie ihre Seele, ihren Körper, ihr Denken durchdringen, formen, transformieren, ja überhaupt erst produzieren. Das moderne Subjekt, das den Stolz seiner Autonomie vor sich herträgt, ist in ungeahntem Maße vorstrukturiert ausgeliefert einer Heteronomie, von der es sich kaum einen rechten Begriff zu machen vermag. Wenn es dennoch in der Lage ist zu einer *Selbstmächtigkeit*, dann nur in dem Maße, wie es in der Lage ist zu einer aufgeklärten Autonomie: sich so weit wie möglich klar zu werden über die eigene strukturelle Bedingtheit, und bereit zu sein zu einer Arbeit der Gestaltung an sich selbst und an äußeren Strukturen. Wie bei den Strukturen allgemein geht es auch bei den Machtstrukturen um eine Neustrukturierung von Grund auf, soweit sie in der eigenen Macht liegt, in jedem Fall aber um die Art des Gebrauchs, die Arbeit an sich selbst und die Arbeit der Veränderung gemeinsam mit Anderen. Die Selbstmächtigkeit meint nicht nur die Macht, die das Subjekt selbst einer äußeren, „heteronomen" Macht entgegenzusetzen hat, sondern die, die es über sich selbst und seine eigene Ausübung von Macht gegenüber Anderen erlangt. Die Machtfrage muß eine vierfache sein: 1. Wie funktionieren die Machtstrukturen allgemein in der bestehenden Gesellschaft? 2. Was ist die besondere Macht Anderer über mich, was ist angesichts dessen meine Ohnmacht? 3. Was ist meine eigene Macht über mich und meine Ohnmacht in Bezug auf mich selbst? 4. Was ist meine eigene Macht über Andere und demzufolge deren Ohnmacht? Denn nicht nur, was wir von Anderen und von „Außen" erfahren, hat Machtwirkungen auf uns, sondern auch wir selbst sind ein „Machtapparat", wirken auf uns selbst und wiederum auf Andere, ohne uns darüber gewöhnlich allzuviel Rechenschaft abzuverlangen; es ist sehr viel leichter, die Ausübung äußerer Macht gegen uns zu kritisieren, da wir ihre Folgen unmittelbar spüren, als uns über die eigene Ausübung von Macht klarer zu werden, die uns als geringfügig, vernachlässigenswert und ohnehin immer schon „gut gemeint" erscheint.

Für das Grundanliegen der Lebenskunst im Hinblick auf Machtstrukturen kann die Arbeit Foucaults an einer Machtanalyse herangezogen werden.[2] Er unterschied zwischen Machtbeziehungen (*relations de pouvoir*), die prinzipiell umkehrbar sind, und Herrschaftszuständen (*états de domination*), die einseitig sind, in dieser Einseitigkeit starr und von Gewalt geprägt sind. Alle Aufmerksamkeit in einer Lebenskunst sollte sich darauf richten, die Umkehrbarkeit von Machtbeziehungen herzustellen oder aufrecht zu erhalten und Verhältnisse der Herrschaft zu vermeiden. Nichts und niemand soll unumschränkt herrschen; vielfältige Machtbeziehungen dienen dazu, einseitige Herrschaftsverhältnisse unmöglich zu machen. Wo es dennoch um die Ausübung etwa staatlicher Herrschaft geht, muß ihre Legitimation und gegebenenfalls Korrektur durch die Machtausübung der Individuen grundlegend sein. Solange eine Umkehrung prinzipiell möglich ist, geht es um das Spiel der Macht, nicht um den Zustand der Herrschaft.

Macht wird dabei nicht als etwas Essentielles betrachtet, ihr eignet keine ontologische „Wesenhaftigkeit", vielmehr ist sie ein soziales Phänomen: Einfluß auf die Handlungen von jemandem oder auf bestehende Verhältnisse zu nehmen, zumindest die Möglichkeit dazu zu haben, mit dem Ziel, jemanden zu etwas zu veranlassen und bestehende Zustände, auch Meinungen, zu verändern.[3] Das aber geschieht nicht nur bei „Machtakten", die jeder als solche erkennt, sondern schon bei fast jeder Kommunikation, die ja nur dann Sinn hat, wenn sie nicht auf nichtssagenden Allgemeinplätzen beruht, nicht Gleichgültigkeit hervorruft, sondern Wirkung auf den Anderen hat, und auf andere Weise kann man wohl kaum miteinander verkehren. Die Machtbeziehungen betreffen allgemein die Art und Weise, in der Individuen sich wechselseitig führen und beeinflussen und Einfluß auf Wesen und Dinge ausüben. Jedes Individuum kann hierbei seine eigene Macht und Selbstmächtigkeit ins Spiel bringen. Das strukturbildende Moment der Macht ist die Regelmäßigkeit ihres Funktionierens, ihre Regelhaftigkeit – gemäß von Regeln, die meist nur implizit sind und ohne weiteres Nachdenken verinnerlicht werden.

Ein Problem von Herrschaftszuständen ist die *Repression*, die Unterdrükkung, die Individuen daran hindert, ihr eigenes Leben zu führen. Die Vorstellung aber, daß Individuen unentwegt einer blanken Repressionsmacht unterworfen sind, erschien Foucault zu simpel. In der Tat funktionieren Machtverhältnisse in modernen Gesellschaften subtiler; zu ihnen zählt, wie zurecht bemerkt worden ist, die *Submission*, die Selbstunterwerfung der Individuen unter Herrschaftszustände, die nicht als solche kenntlich sind; äußerlich gibt sich das Subjekt dabei den Anschein der freien „Selbstentfaltung".[4] Der Grund dafür ist z.B. die Optimierung der Chancen bei der Bewerbung um einen Arbeitsplatz oder bei der Hoffnung auf Beförderung. Unterminiert dies nicht den Glauben an die Möglichkeiten der Selbstmächtigkeit? Keineswegs; es befördert nur die Einsicht, daß die *Antworten der Lebenskunst auf die Machtfrage* vielfältiger sein müssen als nur „die Macht" anzuprangern oder abschaffen zu wollen. 1. Gegenüber der repressiven Macht kann es klug sein, ihr auszuweichen, „wegzutauchen" und dadurch die Selbstmächtigkeit zu exerzieren. 2. Im Hinblick auf die Submission ist es möglich, sich den Erwartungen einer herrschenden Macht zeitweilig anzupassen, unter der stillschweigenden Voraussetzung, die Umkehrbarkeit der Machtverhältnisse im Zuge ihres Gebrauchs wieder herzustellen. 3. Gegenüber der Repression wie den Zumutungen der Submission gibt es die Möglichkeit, offenen Widerstand zu leisten – sich aber darüber bewußt zu sein, daß Widerstand sich in hohem Maße über die Macht, der widerstanden wird, definiert und in Gefahr steht, nur den Widerstand als Machtausübung anzuerkennen, also die Umkehrbarkeit von dieser Seite her, selbst zu torpedieren. 4. Unabhängig von Repression und Submission kommt es darauf an, Macht über sich selbst zu gewinnen, um für einen „inneren" Zusammenhang zu sorgen, der jedoch auch hier keine einseitige Herrschaft etwa des Intellekts über Leidenschaften und Gefühle meint. 5. Die Macht über sich kann gebraucht werden, um sich unabhängiger zu machen von äußeren Mächten, die mit den inneren Zwistigkeiten und Bedürfnissen der Subjekte ihr Spiel treiben. 6. Ebenso befähigt die Macht über sich dazu, eine eigene Macht ins Spiel zu bringen, um die Machtausübung Anderer zu mäßigen und der Forderung nach Umkehrbarkeit Nachdruck zu verleihen. 7. Und schließlich kann die Macht über sich die Gewähr dafür bieten, eine eigene Macht über Andere, auch andere Wesen und Dinge, maßvoll einzusetzen und sie nicht zur Etablierung von Herrschaftsverhältnissen zu mißbrauchen.

Es ist die fehlende Unterscheidung zwischen Herrschaftsverhältnissen und Machtbeziehungen, die in der politischen Praxis dazu geführt hat, Veränderungen nur im Sinne einer spiegelgleichen Umkehrung von Herrschaft anzustreben, statt die Einseitigkeit der Machtausübung in ein vielseitiges Spiel von Machtbeziehungen überzuführen. Der Blick war zu sehr auf die herrschaftliche Seite der Macht, die *Macht von oben* gerichtet, in der die Macht nur als Mittel zur Organisation von Massen, als Infrastruktur, als Logistik erscheint: Politische, wirtschaftliche, militärische, ideologische Macht, die untereinander kombinierbar sind und sogar die „Geschichte der Gesellschaft überhaupt" darstellen sollen.[5] Es ist nicht zu leugnen, daß es diesen Aspekt „von oben", die Verfügungsgewalt über die Strukturen, die zugleich Machtstrukturen sind, gibt. Aber es gibt ebenso die *Macht von unten*, zum einen als *individuelle Macht*, denn Individuen sind keineswegs immer nur „Opfer" anonymer Mächte; solange sie eine eigene Macht ins Spiel bringen können, ist es zu einfach, mit Strukturen alles erklären und letztlich auch entschuldigen zu wollen, um dem Individuum nur die Opferrolle zuzuweisen. Zum anderen als *soziale Macht*, die auf „Kooperationsnetzen" beruht: Interessengruppen, Bürgerinitiativen, gesellschaftliche Bewegungen. Keine Macht

„von oben", auch nicht eine totalitäre, kann auf Dauer auf die „Akzeptanz", die individuelle wie die soziale, „von unten" verzichten; in ihrer Einseitigkeit kann sie nicht einmal den Begriff der Macht für sich in Anspruch nehmen, sondern ist nur Gewalt. Sie mag ein beliebig großes Potential haben und ihr Potential auch aktualisieren – wenn sie es nicht „moralisch" legitimieren kann, nämlich durch Umkehrbarkeit, dann ist das ihr Tod. Das ist eine historische Erfahrung u.a. aus der Phase der Perestrojka vor dem Zusammenbruch des sowjetischen Herrschaftssystems: Denn innenpolitisch kann sie rückblickend als Versuch beschrieben werden, die Legitimität der Macht wiederzugewinnen, die längst verloren war; der imperialen Macht nämlich, die zusammenbrach, als ihr diese neue „moralische" Machtbasis verweigert ,wurde, die als „neues Denken" daherkam, die aber weder eine individuelle noch eine ausreichende soziale Basis fand.

Der Politikbegriff ist „von unten" her neu zu bestimmen; er wird allzu sehr von den Vorstellungen einer *großen Politik* dominiert, einer Haupt- und Staatspolitik, die erst auf der Ebene der Parteipolitik einsetzt und vielleicht in moderner Zeit dafür verantwortlich war, daß eine ganze Maschinerie „auf das Leben und die Lebenskunst übergriff".[6] In der Lebenskunst kommt es aber darauf an, über der „großen Politik" die kleine Politik und *Kleinstpolitik*, die „Mikropolitik" und „Privatpolitik" der persönlichen Verhältnisse des Subjekts und seines Umfelds nicht zu übersehen. Politik ist schon mein Verhalten auf alltäglicher Ebene, mein Verhältnis zu mir selbst wie zu Anderen, und jede Organisation von gemeinsamer Aktion. Das individuelle Verhalten konstituiert die gesellschaftliche Wirklichkeit und ist der gleitende Übergang in den Raum der Politik, wenn darunter das verstanden wird, was die gesamte Gesellschaft, die *polis* betrifft. „Politik" ist schon vom Wortsinn her diejenige Kunst, *politiké techné*, die das Leben aller angeht und das Miteinanderleben zu gestalten versucht. Politik zu machen heißt, im Raum der Gesellschaft zu handeln und mit dem komplizierten Geflecht von Machtbeziehungen, die sie durchziehen, zu tun zu haben. Die „Lufthoheit" in diesem Raum sollte das Subjekt der Lebenskunst nicht „Politikern" überlassen – nicht etwa, weil Politiker, die sich hauptamtlich mit den Dingen der gesamten Gesellschaft und der Gestaltung ihrer Strukturen befassen, verzichtbar wären: das ist vielmehr ihre Arbeit, ihre Dienstleistung. Aber Politik ist nicht ihr Eigentum, und mit den Angelegenheiten der Tagespolitik sind sie so sehr ausgelastet, daß sie den Grund der Politik und ihren Horizont nicht auch noch im Auge behalten können: Politiker denken nicht, und daraus ist ihnen kein Vorwurf zu machen.

Es resultiert daraus aber die Verantwortung jedes einzelnen Bürgers der Gesellschaft, sich um die Politik zu kümmern, sich darum zu sorgen und seine *Selbstsorge* in diesem Sinne zu verstehen, denn letzten Endes ist er selbst derjenige, um den es geht, wenn es um die Gesellschaft geht: Je nachdem, wie die Gesellschaft sich entwickelt und verändert, wird er sein eigenes Leben führen können – oder eben nicht. Daher ist es wichtig, *sich um die Gesellschaft zu sorgen*, Sorge auch um das, was im allgemeinen „Staat" genannt wird. Denn was ist „Staat" anderes als die Struktur, das Netzwerk von Institutionen, von Spielregeln der Macht und der Verwaltung, auf die sich die Mitglieder der Gesellschaft, vielleicht mithilfe von Repräsentanten, verständigen, zu keinem anderen Zweck als zur Organisation der Gesellschaft – im Auftrag der Gesellschaft. Der Staat ist ein „Machtapparat", denn die Organisation der Gesellschaft setzt die Möglichkeit zur Einflußnahme auf Menschen und Verhältnisse voraus; die Sorge aber muß sich darauf richten, daß die Individuen die Möglichkeit zur Umkehrung der Machtverhältnisse haben, wenn die Einflußnahme ihnen nicht rechtens und ungerecht erscheint; das ist unter anderem der Sinn des verkannten „Rechtsstaats".

Lebenskunst zu thematisieren, heißt daher auch von vornherein, nicht nur von einer privaten Lebenskunst, sondern von einer *Politik der Lebenskunst* zu sprechen: Politik, die die strukturelle Ermöglichung eigener Lebensgestaltung zum Ziel hat; Lebenskunst, die den politischen Horizont von Grund auf in den Blick nimmt, um nicht die politischen, rechtlichen, sozialen Grundlagen aus den Augen zu verlieren, derer sie bedarf. In der Politik wird das mögliche Leben vorstrukturiert, der Raum der Möglichkeiten wird gestaltet, dem noch größere Bedeutung zukommt als dem Raum der „Wirklichkeit"; auch in diesem Sinne ist die Politik die *Kunst des Möglichen*, nicht nur im Sinne des Spielraums, den sie hat. Daß das Mögliche aber zwangsläufig daran gemessen wird, was wirklich wird, ist der Grund dafür, daß alle Politik prinzipiell enttäuschend ist – denn was wirklich wird, ist von Natur aus beschränkter als das breite Spektrum des Möglichen: ein unlösbares Problem, das bereits im Zusammenhang mit der Praxis der Freiheit zu erörtern ist; Lebenskunst heißt, auch im Bereich der Politik mit diesem mißlichen Umstand zurechtzukommen. Entgegen einer verbreiteten Auffassung kann die Politik nicht alles, und am meisten leiden darunter die Politiker selbst, denn es widerspricht ihrer Vorstellung von Omnipotenz; Politik kann nicht jedem zu jeder Zeit und in gleicher Weise gerechtwerden, denn das hieße, die gleichzeitige Realisierung aller Träume zu bewerkstelligen. Politik kann allenfalls wandernde Schwerpunktsetzung zur Realisierung bestimmter Möglichkeiten sein, und daher geht in ihr der Streit vorzugsweise um Prioritäten, Präferenzen und die schwerpunktmäßige Verteilung dessen, was es zu verteilen gibt.

Politik der Lebenskunst, das meint, zurechtzukommen mit der Macht und den Problemen, die sie aufwirft; eine *Kunst der Macht* zu entwickeln und dies als Bestandteil einer Kunst des Lebens zu begreifen, statt die Macht nur zu verteufeln und ihr damit beliebig freie Bahn zu geben. Die Politik als eine „Kunst des Lebens und der Macht" zu verstehen, hat Thomas Mann nicht ohne Grund von den Deutschen gefordert,[7] nachdem er sich selbst erst in „Betrachtungen eines Unpolitischen" ergangen hatte. Das Eigentümliche einer freien Gesellschaft ist die Politik, die sich nur dort entfalten kann, wo es keine einseitige Herrschaft gibt. Herrschaftszustände werden dirigiert mit Erlassen, Dekreten, „Ukassen"; Politik dagegen ist die Kunst der Macht und muß in komplizierten Prozessen erst „gemacht" werden. Es ist nicht angebracht, allzu ideale Vorstellungen von dieser Kunst der Macht zu hegen, denn im Raum der Politik stoßen sich die Körper hart – aufgrund der entschieden divergierenden Interessen der Individuen, zwischen denen nur mühsam ein *Modus vivendi* zu finden ist, der mit einigen geläufigen, aber ungeliebten „Kunstgriffen" der Macht zu tun hat: Streit, gemeinsame Beratung, Tauschhandel, Kompromiß, Koalition, Mehrheitsentscheidung, Minderheitenschutz. Auch auf der Ebene der „großen Politik" hat man es, keine Frage, mit „Kleinstpolitik" zu tun, mit kleinsten Mächten, die sich wechselseitig übervorteilen, kontrollieren, widersprechen, korrigieren, immer inkarniert in Individuen, die die Macht grammweise abwiegen. Die Politik der Lebenskunst ist aufmerksam auf dieses kleine Spiel der Machtbeziehungen, um zu wissen, wie sich Macht in der bestehenden Gesellschaft bildet, wie sie sich organisiert – nicht nur offiziell, institutionell und sichtbar, sondern anonym, in Gruppen, Clans und Clubs und unsichtbar; Machtbeziehungen, die schließlich Machtstrukturen prägen, mit denen das Individuum zu rechnen hat, auf die es aber möglicherweise Einfluß nehmen kann. Es kommt darauf an, die Innenverhältnisse der Macht zu kennen, zumindest exemplarisch, denn „die Macht" ist strikt persönlich, getragen von Individuen, die Namen und eine Geschichte haben, in Beziehungen zueinander stehen und ansprechbar sind.

Politik der Lebenskunst, das ist die Lust, sich einzumischen in dieses Phänomen „Politik" und „etwas zu machen", was gewiß noch keine Politik im engeren Sinne ist, aber ein erster Schritt dazu, sich dieses Terrain anzueignen; Politik, die nicht erst mit dem pathetischen Anspruch des hochreflektierten, hyperpolitischen, auf Weltrevolution geeichten Bewußtseins einsetzt, wie es im Gefolge der Bewegung von „1968", die selbst noch in die caesarische Geste verliebt war, vorausgesetzt wurde. Statt auf die Revolution aller Verhältnisse zu hoffen, die mit einem Schlag alles zum „Guten" wenden würde, müht sich die Politik der Lebenskunst um die geduldige und skeptische *Arbeit der Modifikation* hier und da, unternimmt den vorsichtigen Versuch zur Verbesserung einzelner Punkte und Veränderung von Strukturen, ohne an die Abschaffung des „Schlechten" schlechthin zu denken. Die Arbeit der Modifikation will nicht die „Negativität" endgültig hinter sich lassen, sondern eingreifen in bestehende Verhältnisse und Strukturen, um etwas, nicht alles, anders zu machen, nämlich das, was anders nicht mehr hinnehmbar erscheint.

In keinem Fall aber geht diese Arbeit der Veränderung in einer Politik der Lebenskunst am Subjekt selbst vorbei. Selbsttechniken dienen ihm dazu, Macht über sich selbst zu gewinnen und Modifikationen an sich selbst vorzunehmen, um die so gewonnene Macht und Modifikation in den gesellschaftlichen Raum einzubringen. Die Art der Gestaltung der Existenz, die „Ästhetik der Existenz" selbst wird zur Politik. Gegen dieses *existentielle Argument*, die Inkarnation von Veränderung, ist wenig einzuwenden; es kann überzeugender wirken als so manches theoretische Argument und ist zugleich die nachhaltigste Veränderung von Gesellschaft, die Realisierung des richtigen Lebens im „falschen". Es gibt diese Möglichkeit zur Selbstkonstituierung, die politisch relevant ist, potentiell für jedes Individuum in der Gesellschaft; sie ist nicht nur für einen elitären Kreis von Kulturträgern gedacht. Foucaults Interesse war es, auf dieser Basis „eine neue Vorstellung von Politik entstehen zu lassen", und er warf dem Marxismus vor, nur in Kategorien von Herrschaftszuständen, die umzukehren seien, gedacht zu haben und damit „zur Verarmung der politischen Phantasie beigetragen zu haben".[8]

Ist diese Mikropolitik nicht das Ende aller Utopie? In keiner Weise, insofern „Utopie" weiterhin das Hervortreten aus herrschenden, verfestigten Verhältnissen meint, das Verlassen eines Ortes, auf den man zu sehr fixiert ist, um einen anderen Horizont zu gewinnen. Die Utopie ist ein unverzichtbarer Kunstgriff der Lebenskunst und ein Bestandteil der Mikropolitik des Individuums; ausgehend von der individuellen Ebene kann sie sehr wohl wieder gesellschaftliche Bedeutung gewinnen.

Anmerkungen

[1] Kant, Grundlegung zur Metaphyisk der Sitten, Riga ²1786, S. 119 (Akademie-Ausgabe 4, 458).

[2] Michel Foucault, Überwachen und Strafen (1975), Frankfurt/M. 1976. Ders., Der Wille zum Wissen (1976), Frankfurt/M. 1977, 113 ff.; frz. Text 121 ff. Ders., Freiheit und selbstsorge (Gespräch, 1984), hg. v. Helmut Becker u. Lothar Wolfstetter, Frankfurt/M. 1985; frz. Text in: Ders., Dits et Ecrits, Paris 1994, IV, Nr. 356.

[3] Zur Herkunft dieses Verständnisses aus der philosophischen Reflexion von Macht sh. Peter Koller, Facetten der Macht, in: Analyse & Kritik 13,2 (Dez. 1991).

[4] These von Hartwig Schmidt, Subjektivierende Unterwerfung, in: Ders., Das unterwürfige Selbst. Zur Kritik des Ipsismus, Mainz 1995, 125 u.ö.

[5] Michael Mann, Geschichte der Macht, 4 Bde., hier Bd. 2, Frankfurt/M. 1991, 425.

[6] Leonard Woolf, Principia Politica. A Study of Communal Psychology, London 1953, 10.

[7] Thomas Mann, Deutschland und die Deutschen 1945, Hamburg 1992, 27.

[8] Gespräch zwischen Yoshimoto Takaaki und Michel Foucault in Tokyo 1978, in: Kulturrevolution 22 (Jan. 1990), 10; frz. Text in: Michel Foucault, Dits et Ecrits, Paris 1994, III, Nr. 235, S. 599.

Die Herausgeber erlauben sich den Hinweis auf: W. Schmid, Philosopie der Lebenskunst. Eine Grundlegung, Frankfurt/M. 1998.

Dieter Kliche

Politische Ironie/Ironische Politik

Über Richard Rortys Begriff der Ironie mit
gelegentlicher Rücksicht auf Friedrich Schlegel und
Sören Kierkegaard

Die Befunde sind scheinbar gegensätzlich: Auf den Kulturseiten der großen
deutschen Zeitungen wird vom Verschwinden der Ironie in der Literatur und
Kunst gesprochen und gut feuilletonistisch damit erklärt, daß unserer Gegenwart
durch Haß und Erschlaffung das Lachen vergangen sei[1]. In Bielefeld versammelte
Karl Heinz Bohrer Ende 1995 eine illustre Schar international renommierter Literaturwissenschaftler und Philosophen und diskutierte mit ihnen die „Sprachen
der Ironie und die Sprachen des Ernstes". Wenn man den Berichten glauben darf,
war der zentrale, von keinem Teilnehmer angezweifelte Befund, daß man den
„vollständigen Paradigmenwechsel im literarischen, historischen und philosophischen Diskurs der Moderne" als Ironieverlust und Enturbanisierung beschreiben
könne. Inbesondere in Deutschland habe die idealistische Kunst- und Ge-
schichtsphilsophie, das ist v.a. Bohrers These, die er bereits 1993 in seiner Zeitschrift „Merkur" vorgebracht hatte, den Bruch mit der kosmopolitischen Tradition des Witzes, des erotischen Bewußtseins, somit einer ganzen Dimension von
anthropologischem Wissen und von Neugier zur Folge gehabt[2].

Andererseits: Als am 29.Februar 1996 das Kaufhaus Lafayette in der Berliner Friedrichstraße eröffnet wurde, war wenige Tage später im Feuilleton des
„Tagesspiegels" unter der Überschrift „Das urbane Erotikon" zu lesen: Der an-
gekündigte Krawall der Kreuzberger Autonomen gegen das Kaufhaus blieb aus.
Das müsse man als Zeichen dafür nehmen, daß die antikapitalistische Militanz,
die alles Warenästhetische einen ganzen Kalten Krieg lang unter kollektiven
Ideologieverdacht gestellt hatte, auf einmal verpufft war. „Kein Wunder angesichts der Architektur Jean Nouvels. Verschmitzt hat ja der französische Architekt [...] die Kritik an Warenfetischismus und Konsumismus gleich mitgeliefert.
[...] Oben die alles überwölbende, durchsichtige Kuppel, der als Pendant der um-
gehbare, sich nach unten öffnende gläserne Trichter entspricht: vergleichbare
Volumina finden sich auch in den phantastischen, nie verwirklichten Plänen des

frz. Revolutionsarchitekten Etienne-Louis Boullée. Sein 1793 entworfener 'Tempel der Natur und Vernunft' bedient sich ebenfalls zweier Halbkugeln: die untere felsige Hälfte versinnbildlichte die Natur, die obere glatte die Vernunft." Gebaute Ironie in urbaner Funktion, sagt der Feuilletonist: „Welch ein ironischer Kommentar Nouvels zu den Idealen der Französischen Revolution, zum Ausgang des Menschen aus seiner selbstverschuldeten Unmündigkeit dank des Vernunftgebrauches – ausgerechnet in einem Kaufhaus!"[3]

Es scheint, daß der Verlust von Ironie auf bestimmten Gebieten beklagt wird, gerade weil Ironie auf anderen Gebieten, u.a. eben in der postmodernen Architektur und im Verhalten von bildenden Künstlern und Literaten zu vorgefundenen ästhetischen pattern der Massenkultur wieder große Bedeutung erlangt hat. Neben der erstaunlichen modernen Karriere des Erhabenen ist Ironie eine zweite ästhetische Kategorie, die nach akademischem Tiefschlaf am Ende des 20. Jahrhunderts wieder zu ganz neuen Ehren gekommen ist. Nachdem es schien, daß Ironie nur noch eine bestimmte Art reflektierten Erzählens meint, somit vorzugsweise Gegenstand einer Disziplin, der Literaturwissenschaft ist, hat sie in der Postmoderne als Modell überdisziplinärer ästhetischer Erfahrung und Reflexion wieder immense Bedeutung gewonnen. Als Hypothese wäre zu setzen: Die Berufung auf die Ironie als Weltverhalten ist wie der Rückgriff auf das Erhabene Versuch der Bewältigung von Kontingenz, gewissermaßen in einer tragischen und einer komischen Variante.

In diesem Zusammenhang steht auch Richard Rortys Buch „Kontingenz, Ironie und Solidarität"[4].

Bei Rorty wird Ironie als ästhetische Grundhaltung innerhalb eines Versuchs eingesetzt, Grundsätze von Demokratie in einer liberalen Utopie neu zu begründen, verbunden mit der Forderung nach einer strikt postmetaphysischen Kultur, Rorty nennt sie auch 'postphilosophische Kultur', die die Erfahrungen von Moderne und Postmoderne hinter sich hat. Rortys Buch ist eine weitere Stimme in dem mittlerweile auf Chorstärke angewachsenen Lager derjenigen, die eine philosophische Ethik mit Hilfe der Ästhetik zu rehabilitieren und zu reformulieren suchen. Hier werden Probleme der Zukunft von Demokratien im Zusammenhang mit ästhetischen Fragestellungen gestellt. Dahinter steht der Versuch zu einer neuen Einheit von Leben und Kunst vorzustoßen, mit gesteigertem Interesse an der Subjektemanzipation des Einzelnen. Dabei hat die Verschwisterung von Ethik und Ästhetik immer auch implizite politische Dimensionen.

Das Neue an Rortys Fragestellung in diesem Chor ist die Substitution der objektiven Wahrheit der Erkenntnistheorie durch die 'Wahrheit' der Ethik und Solidarität. Kontingenz wird zum antimetaphysischen Grundbegriff und die Ironie zur Kardinaltugend, zur antieschatologischen und antimetaphysischen Rede

par excellence. „Sie schließt den Ernst dessen ein, der keiner Substanz mehr gewiß sein kann." (Werner Hamacher auf dem Bielefelder Kolloquium[5])

Rortys Berufung der Ironie soll im folgenden unter verschiedenen Blick-
winkeln betrachtet werden:

1. Das literarische Jenseits der Philosophie (Jacques Poulain): Zum erkenntnis-
   kritischen Hintergrund von Rortys Ironie-Konzept
2. Exkurs zur Begriffsgeschichte I: Strukturelle Ironie. Zur angelsächsischen
   Tradition des Ironiebegriffs bei Rorty.
3. Ironie versus Grausamkeit, Macht, Erhabenheit.
4. Exkurs zur Begriffsgeschichte II: Politische Ironie bei Friedrich Schlegel und
   Kierkegaards Verbindung von Ethik und Ästhetik qua Ironie
5. Ironische Politik oder Der Chiasmus in der Rhetorik der liberalen Ironikerin.

1. „Das literarische Jenseits der Philosophie" (Jacques Poulain). Zum erkenntniskritischen Hintergrund von Rortys Ironiekonzept

Zunächst soll versucht werden, die Kernsätze um die Rortys Versuch einer ironistischen liberalen Utopie kreist, auf einen möglichst knappen Nenner zu bringen. Rorty sagt: Seit Platon hat es immer wieder Versuche gegeben, die Bereiche
des Privaten und Öffentlichen zu verschmelzen. Das setzte die theologische und
metaphysische Annahme voraus, das Streben nach eigener Vollkommenheit lasse
sich mit dem Da-Sein für die Gemeinschaft vereinen. Das wiederum schloß die
Annahme ein: alle Menschen haben eine gemeinsame Natur. Seit Hegel nun treten historische Denker („Historisten") auf, die bestreiten, daß es eine einheitliche, gemeinsame Natur des Menschen gebe. Diese Historisten sagen, daß Sozialisation und historische Bedingtheit alles bestimmt, und daß es unterhalb von
Geschichte und Sozialisation nichts zur Definition des Menschseins gebe. Mit
dieser Wendung zum Historismus geschieht die Befreiung von Theologie und
Metaphysik. Statt Wahrheit ist nun Freiheit das Ziel des Denkens und des sozialen Fortschritts[6].

Aber auch nach dieser Wendung bleibt die Spannung zwischen Privatem
und Öffentlichem und somit auch das Lager der Historisten gespalten. Die eine
Partei versammelt unter ihrer Flagge Leute wie Kierkegaard, Nietzsche, Baudelaire, Proust, Heidegger, Nabokov oder Foucault. Diese Namen sind Beispiele für
private Vervollkommnung und selbstgeschaffenes autonomes menschliches Leben. Sie sehen Sozialisation mit den Augen Nietzsches als private Autonomie
und innere Instanz des Menschen. Die andere Partei sind die Marx, John Stuart
Mill, John Dewey, George Orwell, Habermas u.a[7].

Man sieht, worauf diese Entgegensetzung hinausläuft: es ist der Widerstreit
zwischen Habermas und Foucault, der in die Tiefe des nachhegelschen 19. Jh.

zurückprojiziert wird und somit unter den Etiketten „private Vervollkommung" und „Solidarität", man könnte mit Kierkegaard auch sagen als Streit zwischen A und B, zwischen dem Ästhetiker und Ethiker prototypische Bedeutung erlangt. Soweit so gut.

Rorty sagt aber nun, und das macht die fortdauernde Provokation seines Philosophierens aus, daß es keine einheitliche Vision geben kann, die diese beiden Pole (Selbsterschaffung und Gerechtigkeit, private Autonomie und Solidarität) zusammenführen könnte. Beide Parteien stehen demzufolge auch gar nicht im Status der Opposition zueinander. Zwischen beiden Lagern kann es keine Entscheidung geben, weil sie verschiedene Zwecke und gleiches Gewicht haben. Die Forderung nach Selbsterschaffung einerseits und nach Solidarität andererseits sind gleichwertig, aber für alle Zeiten inkommensurabel und auf theoretischer Ebene nicht zu lösen[8].

Die ironische Pointe des Philosophierens von Rorty besteht nun darin, daß „er eine Umverteilung innerhalb der liberalistischen Sphärentrennung vornimmt. Während man gewöhnlich Theorie mit sozialer Hoffnung und Literatur mit privater Perfektionierung verbindet, ist es für Rorty genau umgekehrt. Erst dadurch wird der Liberalismus 'ironistisch'. Er vollzieht mit der Umkehrung der Zuordnung der beiden gesellschaftlichen und kulturellen Sphären zugleich eine Umgewichtung, eine Aufwertung des Privaten, für das nunmehr die Theorie zuständig ist, und des Literarisch-Ästhetischen, das nunmehr für das Öffentliche zuständig ist."[9] Wenn aber die Theorie als eine Sache privater Selbsterschaffung angesehen wird, können auch so provozierende Denker wie Nietzsche und Heidegger ihre politische Anrüchigkeit verlieren. Rorty sagt: als politische Philosophen, wenn ihre Theorien aus dem Privaten ins Politische gewendet werden, sind sie im besten Falle uninteressant, im schlimmsten Fall gefährlich und 'sadistisch' [10]. Auf der anderen Seite tragen Literatur und Kunst zur Ausbreitung von Solidarität bei, weil man ihnen abhören kann, wie sich Andere, Fremde selbst beschreiben. Dies führt zu gesteigerter Sensibilität für das Leiden und die Not anderer.[11]

Dennoch bleibt die prinzipielle Inkommensurabiltät und Irreduzibilität von privater Autonomie und Gerechtigkeit, von Ironie und Solidarität und angesichts dieser nur das liberale Ziel optimaler Annäherung. „Die größtmögliche Annäherung an eine Vereinigung der beiden Bestrebungen ist erreicht, wenn wir das Ziel einer gerechten freien Gesellschaft darin sehen, daß sie ihren Bürgern erlaubt, so privatisierend, 'irrationalistisch' und ästhetizistisch zu sein, wie sie mögen, solange sie es in der Zeit tun, die ihnen gehört und soweit sie anderen keinen Schaden damit zufügen und nicht auf Ressourcen zurückgreifen, die von weniger Begünstigten gebraucht werden".[12]

Es ist offensichtlich: dies verlangt Lebenskunst/Lebensführung und die Vermittlung von Ethik und Ästhetik in einer Ästhetik der Existenz. Den Platz dieser Vermittlung nimmt bei Rorty die Ironie ein. Akteur und Protagonist wird die „liberale Ironikerin". Es handelt sich bei ihr um eine Person, die der Tatsache ins Gesicht sieht, daß ihre zentralen Überzeugungen und Bedürfnisse kontingent sind, und die so „nominalistisch und historistisch eingestellt ist, daß [sie] die Vorstellung aufgegeben hat, jene zentralen Überzeugngen und Bedürfnisse bezögen sich zurück auf eine Instanz jenseits des raum-zeitlichen Bereichs."[13] Die „liberale Ironikerin" lebt jenseits aller Metaphysik. Sie weiß bei ihrer privaten Autonomisierung, daß es kein höheres soziales, solidarisches Ziel als die Vermeidung von Grausamkeit gibt. Auf die Weiblichkeit der liberalen Ironikerin wird noch zurückzukommen sein.

Auf zwei erkenntniskritisch zentrale Hintergründe von Rortys Ironie-Begriff soll hingewiesen werden:

Im 'linguistic turn' Mitte der 60er Jahre[14] wird von Rorty die Kontingenz der Sprache, d.h. ihr Gemachtsein und ihre Variabilität in verschiedenen Praxisdiskursen entdeckt. Dies leitet die Wendung zur Überzeugung ein, daß die individuellen, sprachabhängig konstituierten Weltbilder als idiosynkratische Vokabulare zu verstehen sind, die sich immer wieder verändern, nichts abbilden oder repräsentieren und sich demzufolge auch keiner wahren Wirklichkeit oder wirklichen Wahrheit annähern können. In einem zweiten Schritt, in seiner großangelegten Erkenntniskritik der Philosophie, die er 1979 liefert[15], setzt auf dieser Grundlage die radikale Kritik der Philosophie als Erkenntnistheorie und Metaphysik ('Wissen vom Zeitlos-Wesentlichen') ein. Angriffspunkt ist die Vorstellung von Erkenntnis, in der Bewußtsein als Spiegel oder Bild von etwas figuriert. Rorty zieht die Konsequenz, daß wir in elementarer und existentieller Weise auf unsere Beschreibungssysteme verwiesen sind. Nur innerhalb dieser Deutungssysteme können wir von Wirklichkeit sprechen: Wirklichkeit ist „Wirklichkeit unter einer [bestimmten] Beschreibung"[16]. Rorty verwendet in diesem Zusammenhang den Begriff des abschließenden Vokabulars ('final vocabulary')[17] und meint damit das Sortiment von Wörtern, das jeder Mensch zur Rechtfertigung seiner Handlungen, Überzeugungen und seines Lebens und Lebensplans anwendet. Dieses Vokabular besteht aus einem kleinen Teil blasser, dehnbarer Begriffe (schön, richtig, wahr, gut usw.) und einem größeren Teil dichter, starrer, enger Begriffe (Revolution, Christus, England, progressiv usw.). Diese zweite Gruppe der engen Begriffe leistet den Hauptteil der Arbeit. Wichtig ist in diesem Zusammenhang, daß 'abschließend' (final) von Rorty nicht im temporalen Sinne verstanden wird (dieses Vokabular ist ja per definitionem vergänglich), sondern als abgrenzend, Grenzen zum Anderen ziehend. Wird nämlich der Wert eines Wortes in diesem abgrenzenden Vokabular von einem anderen angezweifelt, so hat der Nutzer keine Zuflucht mehr zu nicht-zirkulären Argumenten. Über die Wörter hinaus kann er mit Sprache nicht kommen, „jenseits davon kann er sich nur in hilfloser Passivität oder in Gewalt retten".[18] Leute, die diese Zusammenhänge in aufgeklärter Unerschrockenheit einsehen und darüber weder verzweifeln noch metaphysisch werden, nennt Rorty Ironiker, „weil ihre Erkenntnis, daß alles je nach Neubeschreibung gut oder böse aussehen kann, und ihr Verzicht auf den Versuch, Entscheidungskriterien zwischen abschließenden Vokabularen zu formulieren, sie in die Position bringt, die Sartre 'metastabil' nennt: nie ganz dazu in der Lage, sich selbst ernst zu nehmen, weil immer dessen gewahr, daß die Begriffe, in denen sie sich selbst beschreiben, Veränderungen unterliegen; immer im Bewußtsein der Kontingenz und Hinfälligkeit ihrer abschließenden Vokabulare, also auch ihres eigenen Selbst."[19]

Als ein zweites erkenntniskritisches Moment in Rortys Ironiebegriff soll seine Forderung nach einer antinormativen und antimetaphysischen Hermeneutik herausgehoben werden. In „Spiegel der Natur" unterscheidet Rorty im letzten Kapitel, das sein Programm entwickelt und 'Philosophie ohne Spiegel' überschrieben ist, zwischen der traditionellen systematischen Philosophie und dem was er eine bildende Philosophie nennt. Traditionelle Philosophie wollte universale Vergleichbarkeit in einer „endgültigen Sprache"[20]. Rorty dagegen strebt eine bildende Philosophie ('former philosophy') an. Damit meint er: Wo große systematische Philosophen konstruktiv sind und Argumente liefern, da reagieren große bildende Philosophen, indem sie „Satiren, Parodien und Aphorismen [schreiben]). Sie wissen, daß ihre Schriften ihre Stoßkraft einbüßen werden, wenn die Epoche, auf die sie reagieren, vorüber ist. Sie halten sich absichtlich an der Peripherie auf. Große systematische Philosophen bauen wie große Wissenschaftler für die Ewigkeit. Große bildende Philosophen zertrümmern um ihrer eigenen Generation willen. Systematische Philosophen möchten ihr Fach auf den sicheren Pfad einer Wissenschaft führen. Bildende Philosophen wollen dem Staunen seinen Platz erhalten wissen, das die Dichter manchmal hervorrufen können – dem Staunen, daß es etwas Neues unter der Sonne gibt, etwas, das nicht im genauen Darstellen des schon Vorhandenen aufgeht, etwas, das (zumindest im Augenblick) nicht zu erklären und kaum zu beschreiben ist."[21] Demzufolge will bildende Philosophie keine 'objektive Wahrheit' finden, „sondern sie sucht das Gespräch in Gang zu halten"[22]. Diese Verbindung von Gespräch, Ironie und Hermeneutik greift übrigens auf ein romantisches Projekt zurück, das Schleiermacher bereits 1799 formulierte.[23] Mit Rekurs auf Jean-Paul Satres Unterscheidung zwischen unserem Selbstverständnis als pour-soi und unserem Selbstverständnis als en-soi heißt es schließlich über die „kulturelle Rolle des bildenden Philosophen", daß er helfen soll „die Selbsttäuschung zu vermeiden, der wir verfallen, wenn wir unsere Selbsterkenntnis durch die Erkenntnis objektiver Tatsachen zu erzielen glauben."[24] Soweit die Rolle der bildenden Philosophen, zu denen Rorty in erster Linie seine philosophischen Gewährsmänner John Dewey, Wittgenstein und Heidegger, dann die großen Dichter und Romanciers (im Ironiebuch sind es Proust, Nabokov und Orwell) faßt, schließlich auch Naturwissenschaftler, Bildhauer, Anthropologen, Mystiker, Psychologen zählt: alle diejenigen, die fähig und in der Lage sind, radikale Neubeschreibungen zu liefern. Hieran schließt sich die Kernthese an: Alle diese Diskurse (und dazu gehören schließlich auch alle anderen Vokabulare und Selbstbeschreibungen x-beliebiger Menschen) sind inkommensurabel, auch irreduzibel, aber kompatibel[25]: also unvergleichbar, nicht auf aufeinander rückführbar, aber miteinander verträglich und anschließbar.

Dieses Konzept von Philosophie hat von verschiedenen Seiten schärfste Kritik erfahren. Ich gehe stellvertretend auf die ein, die Wolfgang Welsch in seinem Buch über die transversale Vernunft vorgebracht hat[26]. Welsch sagt, bei aller Berufung auf Kontingenz und Antimetaphysik entstehe bei Rorty ein neuer Generalismus, der sich fragen lassen müsse, wie sich prinzipielle Inkommensurabilität und Irreduzibilität mit der gegenläufigen These allgemeiner Kompatibilität verbinden lasse. Doch nur, „indem man sich dem Konflikt und Widerstreit der verschiedenen Ansätze dadurch entzieht, daß man ihre divergierenden Thesen und Wahrheitsansprüche von vornherein nicht so ernst nimmt, wie sie diese Ansätze selbst verstehen und vertreten."[27] Das schließt ein: Verzicht auf Wahrheitsanspruch der verschiedenen Ansätze. Sie sind bloße Beiträge in einem Gespräch. Soweit beschreibt Welsch, dann aber die Kritik: Er moniert, daß als Bedingungen für ein Gespräch „alle Momente von Härte, Anspruch, Konflikt, Auseinandersetzung" fehlen. In der Konsequenz stelle dies die Reduktion der Philosophie auf bloße Konversation, auf ein großes „Palaver" dar. Die inkommensurablen Diskurse könnten, wenn ihnen das Moment der Auseinandersetzung mit anderen fehlt und auf ein externes Maß von Wahrheit verzichtet wird, nur Beiträge zur Entropie sein. Schließlich wird noch Stephen Toulmin in den Zeugenstand gerufen, der in seinem Buch „Kosmopolis. Die unerkannten Aufgaben der Moderne" (1991) schreibt: „Die Lektüre der Arbeiten Rortys läßt an eine Gesellschaft von Veteranen denken, die, in den geistigen Kriegen zu Invaliden geworden, bei einem Glas Wein ihre Erinnerungen an 'alte, vergessene, weitab liegende Dinge und lange vergangene Schlachten' austauschen".[28]

Dies trifft sicherlich (satirisch überspitzt) Momente von Rortys Philosophieren. Es bleibt aber einzuwenden, daß eine solche Polemik nur geführt werden kann, wenn man sich nicht auf Rortys Ironiebegriff einläßt. Gespräch ist ja kein Geplapper oder Palaver oder unverbindliche Konversation, wenn jeder sich immer in Bezug auf den anderen versteht, die Partialität seiner Überzeugungen und der Überzeugungen der Anderen bewußt hält. Und dies leistet ja der Ironie-Begriff in Rortys Konzept: das eigene abschließende Vokabular und das der anderen ist nicht so ernst zu nehmen, daß man deswegen in Streite gerät und im schlimmsten Fall Kriege beginnt. Mit Ironie wird zugleich der unablässige ernste Versuch unternommen, die anderen Vokabulare zu verstehen und zum eigenen in Beziehung zu setzen. Dies ist auch der Kern einer „reziproken Hermeneutik", wie sie Rorty im Abschnitt „Hermeneutik und Bildung" von „Der Spiegel der

Natur" mit Rückgriff auf Hans-Georg Gadamers Wahrheit und Methode (1960) einfordert und die schließlich auch von Welsch gewürdigt wird. Hermeneutik in Gadamers Sinne betreiben heißt für Rorty, sie als „polemischen Terminus" gegen das „klassische Bild vom Menschen" und die darauf fundierte erkenntnistheoretische Philosophie einzusetzen.[29]: Einem Opponenten gegenüber den hermeneutischen Standpunkt einzunehmen heißt, zu zeigen, „wie die seltsamen oder paradoxen oder anstößigen Dinge, die er sagt mit seinen übrigen Aussagen zusammenhängen und wie sie zu stehen kommen, wenn man sie in ein anderes Idiom übersetzt."[30]

Mir scheint, daß Welsch die konzeptbildende Rolle der Ironie in Rortys Philosophieren unterschätzt. Er liest den „Spiegel der Natur" ganz ohne das dort noch latente Ironie-Konzept, so auch „Kontingenz, Ironie und Solidarität", wenngleich er jetzt einräumt, daß das Buch vieles Haltbare für eine transversale Vernunft enthalte.[31] Was die Ironie bei Rorty leistet, hat ein weiterer Kritiker Rortys, Jacques Poulain, wenn auch ex negativo, deutlich beschrieben: Poulain nennt Rortys Philosophieren das „literarische Jenseits der Philosophie", wo im programmatischen Kontext die Ironie als ästhetische Figur des Bewußtseins in den Subjekten hervortritt. „Die Subjekte erfreuen sich ihrer eigenen Vernichtung als quasi göttlicher Subjekte [...]Es scheint, als bestehe die ironische Anamnese darin, sich das anzueignen, was einen jeden seit jeher gezwungen hat, sich der Kontingenz des Lebens sowie der Kontingenz der Aneignung der Welt und seiner selbst zu unterwerfen und sich bei dieser Unterwerfung der Nichtigkeit des Traums von der Allwissenheit und Allmächtigkeit zu erfreuen."[32]

2. Exkurs zur Begriffsgeschichte I :
Strukturelle Ironie – zur angelsächsischen Tradition
von Rortys Ironie-Begriff

Um zu verstehen, auf welche Weise Rorty mit seinem Ironiekonzept an eine spezifisch angelsächsische Tradition der Ironie anknüpft, sollen holzschnittartig und lexikalisch die gewissermaßen welthistorischen Gestalten von Ironie umrissen werden.[33] Ich bleibe dabei ganz im Usus der Ästhetik und Literaturwissenschaft, die relativ einmütig zwischen einer klassischen und einer romantischen Ironie-Form unterscheiden. Im Übergang von der einen zur anderen findet die moderne Aufladung des Begriffs statt. Klassische Ironie meint die seit der Antike bekannte rhetorische Ironie, eine der Redefiguren des uneigentlichen, verstellten Sprechens, verwandt mit dem Sarkasmus, der Abschwächung, der Übertreibung (Hyperbel) und der Verneinung des Gegenteils (Litotes), aber auch mit der Allegorie. Der Ironiker verstellt sich zum Geringeren hin, weicht nach unten von der Wahrheit ab und meint das Gegenteil des wörtlich Gesagten. Dieser Methode bedient sich auch die sokratische Hebammenkunst (Mäeutik), indem sich der Fragende als Unwissender gibt, sich also auch zum Geringeren hin verstellt, und im Dialog des Symposiums gemeinsam mit den Gesprächsgefährten auf die Wahrheit zu kommen sucht. Wahrheit ist Ergebnis des dialogischen Prozesses. Beide Formen der klassischen Ironie, die rhetorische und die sokratische, zeichnet die gemeinsame Überzeugung aus, daß es eine wirkliche Wahrheit oder eine wahre Wirklichkeit gibt, der man sich (mitunter eben auch mit Hilfe der Verstellung) nähern kann. Diese Überzeugung bleibt in der gesamteuropäischen Überlieferung des rhetorischen Ironiebegriffs bis zum Ende des 18. Jahrhunderts intakte Tradition.[34]

Die romantische Ironie, vor allem verbunden mit dem Namen Friedrich Schlegels und seinen Lyceums- und Athenäums-Fragmenten (ab 1797), knüpft an diese Tradition an, bringt aber etwas völlig Neues in sie ein. Ich fasse hier vor allem die Momente des Schlegelschen Ironie-Begriffs, die im Blick auf Rortys Konzept interessant sind. Auf die Einwände der Kritiker des „Athenäums" antwortete Schlegel mit dem Aphorismus: „Ein großer Teil von der Unverständlichkeit des Athenäums liegt unstreitig in der Ironie, die sich mehr oder minder überall darin äußert."[35] Die Ironie der Aussage liegt darin, daß Schlegel damit nichts erklärte, sondern, weil er dem traditionellen Begriff der Ironie einen völlig neuen Sinn gab und dabei den Begriff enorm erweiterte, eine neue Unverständlichkeit sagte. Was das Neue ist, faßt am prägnantesten die Schlegelsche Formel von der Ironie als der „transzendentalen Buffonerie"[36]. Zwar knüpft auch er an das philosophische Verhalten der Sokratischen „besonnenen Verstellung" an (zu den großen Projekten Schlegels zählte eine „Charakteristik der Sokratischen Ironie"[37], die dann erst Kierkegaard schreiben wird), aber die entscheidende Wendung, die er dem Ironiebegriff gibt, liegt auf der Achse des von Kant inaugurierten Problems der Transzendentalität und der Entdeckung der selbstreferentiellen Struktur des modernen Erkenntnis-Subjekts. Fichte faßte dieses Problem in der Wissenschaftslehre so: Das Ich in schöpferischer Aktion hat eine doppelte Bewegungsrichtung: ein zentrifugales, oder schaffend aus sich heraus tretendes Streben; und ein zentripetal in das Ich zurückkehrendes und dieses damit bestimmendes Streben. Schlegel gibt diesem philosophischen Problem eine „kühne Wendung", indem er es mittels des ästhetischen Verhältnisses Ironie zu lösen sucht.[38] Die ästhetische Subjektivität des ironischen Ich beherrscht ein steter Wechsel von „Selbstschöpfung und Selbstvernichtung"[39], von Enthusiasmus und Skepsis. Mittels der Ironie kann es sich über sein begrenztes Leben erheben und die Spannung zwischen dem Bedingten und Unbedingten, zwischen Ideal und Wirklichkeit aushalten. Es gibt demzufolge kein fertiges Sein, sondern nur ein ewiges Werden. Qua Ironie, dies ist weiterhin im Blick auf Rorty hervorzuheben, wird die Poesie als „progressive Universalpoesie" zur eigentlichen Philosophie. Und schließlich: Auch die Auffassung der Philosophie als ein Gespräch und unendlicher dialogischer Vorgang findet sich, vermittelt über die Ironie bei F. Schlegel vorgebildet, so wenn es in einer der späten Vorlesungen über die platonischen Dialoge heißt: Auch „wenn man die Überschriften und Namen der Personen, alle Anreden und Gegenreden, überhaupt die ganze dialogische Einkleidung wegnehmen und bloß den inneren Faden der Gedanken, nach ihrem Zusammenhange und Gange herausheben wollte, das Ganze dennoch ein Gespräch bleiben würde, wo jede Antwort eine neue Frage hervorruft, und im wechselnden Strom der Rede und Gegenrede oder vielmehr des Denkens und Gegendenkens sich lebendig fortbewegt."[40]

Man sieht, daß die Erkenntniskritik Rortys in dem frühromantischen Zweifel an der Verfügbarkeit der Wahrheit und der Verläßlichkeit des Wissens und seiner Systeme bereits voll ausgebildet ist; und auch die kulturelle Spitzenstellung der Poesie und die Abwertung systematischen Philosophierens ist ähnlich. Dennoch kann nicht gesagt werden, daß Rorty in direkter Tradition der deutschen Frühromantik steht. Die Rezeptionswege sind verschlungener.

Dabei ist zunächst darauf hinzuweisen, daß die zeitgenössische Wirkung von Schlegels Ironie-Konzept, von heute aus schauend, nicht überschätzt werden darf. Sie traf, wenn sie nicht überhaupt totgeschwiegen wurde, auf erbitterte Kritik. Hegel, daran ist hier nur zu erinnern, sah die romantische Ironie „als Fertigsein des subjektiven Bewußtseins mit allen Dingen [...] als das Spiel mit allem. Dieser Subjektivität ist es mit nichts mehr Ernst, sie macht Ernst, vernichtet ihn aber wieder und kann alles in Schein verwandeln."[41] Und nicht nur für Hegel war die romantische Ironie ein eher intellektualistisches Ornament zu dem alten rhetorischen Begriff, unverantwortliches Spielen mit der Wahrheit und Objektivität, das einige exzentrische Intellektuelle sich herausnehmen. Die Ironie-Artikel der Wörterbücher und Enzyklopädien nehmen denn auch bis zur Mitte des 19. Jahrhunderts. von romantischer Ironie kaum Notiz und halten sich an die traditionellen Definitionen der klassischen rhetorischen Form.

Es kann deshalb nicht Wunder nehmen, daß die romantische Ironie auch im angelsächsischen Bereich kaum rezipiert wird. Rezipiert dagegen wird in der angelsächsischen Tradition eine andere Linie der Begriffsausbildung, die von August Wilhelm Schlegel, Adam Müller und Karl Wilhelm Friedrich Solger ausgeht und sich um den Kern dramatischer oder tragischer Ironie kristallisiert. Ohne auf die Feinstrukturen dieser Diskussion eingehen zu können[42] ist festzuhalten, daß die frühromantische Ironie Friedrich Schlegels sich vorzugsweise auf die erzählende Poesie bezieht und v.a. eine Welthaltung meint, die tragische Ironie dagegen sich auf die Gattung des Dramas bezieht und eher mit einem werkstrukturellen Moment der Fiktionsironie verbunden ist.

Mit der einflußreichen Studie des anglikanischen Bischofs Connop Thirlwall „On the Irony of Sophocles" von 1832, die dieser in enger Fühlung mit Ludwig Tieck ausarbeitete, prägte sich eine eigene angelsächsische Tradition des Ironie-

begriffs aus.[43] Diese Schrift von Thirwall hatte bedeutenden Einfluß auf den im
20. Jahrhundert in der britischen und amerikanischen Literaturkritik ausgebilde-
ten Begriff der strukturellen Ironie bei I.A. Richards und v.a. bei Cleanth Brooks
in „Irony as a Principle of Structure" von 1947. Hier gibt Brooks der Ironie eine
dezidiert werk- und sprachimmanente Wendung und setzte sie nun ausdrücklich
gegen die romantische Ironie ab. Strukturelle Ironie meint bei Brooks, daß im
literarischen Kunstwerk „Positionen und Gegenpositionen bezogen werden und
konträre Haltungen einander unentwegt relativieren, so daß der Sinn (außer im
gröbsten Thesenstück) in keiner einzigen ablösbaren, platten Aussage zu finden
ist, sondern allein im vollen Erlebnis des dramatischen Wechselspiels liegt."[44] Die
werk- und sprachimmanente Wendung der Literaturkritik des New Criticism
wird für den philosophischen Pragmatismus im linguistic turn dann auch zum
Modell sprachimmanenter Sicht der Wirklichkeit. Hinsichtlich des Rortyschen
Ironiebegriffs wird hier das Anknüpfen an die spezifisch angelsächsische Tradition struktureller Ironie greifbar: die Ambiguität von Werk und Fiktion als Modell
des Zusammenspiels von Kontingenz und Ironie.

Ein weiterer spezifisch angelsächsischer Anknüpfungspunkt liegt in der
Modellsetzung des Typus eines Kritikers, der für Rorty zum Typus des ironischen Dialektikers wird. Matthew Arnold, Walter Pater, F. R. Leavis, T.S. Eliot,
Lionel Trilling und Harald Bloom werden als Haupvertreter einer in der demo-
kratischen Hochkultur an führende Stelle tretenden Kulturkritik deklariert. Die-
se Kultur- und Literaturkritik nehme die Stelle ein, die vormals Religion, Natur-
wissenschaft und dann zuletzt die Philosophie innehatte. Warum diese kulturelle
Spitzenstellung? Diese „Literaturkritiker verwenden ihre Zeit darauf, Bücher im
Kontext anderer Bücher, Gestalten im Kontext anderer Gestalten einzuordnen.
Diese Einordnung wird in derselben Weise vorgenommen, wie wir einen neuen
Freund oder Feind in den Kontext alter Freunde oder Feinde einordnen. Im
Verlaufe dieser Unternehmung revidieren wir unsere moralische Identität, indem
wir unsere abschließenden Vokabulare revidieren. Für uns leistet Literaturkritik
das, was die Suche nach allgemeinen Moralprinzipien für Metaphysiker leisten
soll."[45]

3. Ironie versus Grausamkeit, Macht, Erhabenheit

Bei Jacob Taubes findet sich folgendes Zitat, das aus aus dem Pariser Streitge-
spräch mit Kurt Sontheimer über Carl Schmitt (März 1986), also genau ein Jahr
vor Taubes Tod, stammt: Taubes war gefragt worden, warum er an der Libera-
lismus-Kritik von Carl Schmitt etwas finde könne. Taubes hatte geantwortet:
„Da ist ein Präsident der FU, Herr Lämmert [...] und das ist ein äußerst mutiger
und liberaler Mann, mit dem ich oft zusammen war. Ich sagte ihm, lieber Läm-

mert, ich möchte auch gern liberal sein: denken Sie nicht auch, daß ich es gern
wäre? Aber die Welt ist nicht so, daß man liberal sein kann. Das geht auf Kosten
anderer; die Frage ist, wer zahlt das; und die dritte und vierte Welt, die fünfte
und sechste Welt, die auf uns zukommt, die werden also gar nicht liberal sein,
sondern da werden brutale Forderungen sein. Die Frage ist, wie geht man damit
um, wenn man damit umgeht. Wenn man sich nur auf dieser liberalen Ebene der
Demokratie bewegt, bemerkt man nicht, was in der Geschichte passiert".[46]

Dies ist eine Ausgangsfrage auch bei Rorty und zugleich der Kern der Kritik, die gegen seine liberale Ironie von Habermas bis Welsch und Poulain vorgebracht wird. Rorty könnte darauf erwidern: an der dritten, vierten und fünften
Welt kann sich nur etwas ändern, wenn eine ganze erste. Welt umdenkt und ihre
Prioritäten grundsätzlich anders setzt. Es zeigt sich ja in unseren Tagen, daß Regierungen unfähig, angesichts der Finanz- und Wirtschaftsmiseren in ihren Ländern auch nicht willens sind, daran etwas zu ändern. Im Umkehrvorwurf könnte
man also sagen: Was berechtigt die Kritiker nun gerade dem ironistischen Liberalen vorzuwerfen, daß er dieses Problem nicht lösen kann. Es ist eigentlich noch
kein Argument gegen Rortys Theorie, der ja auch gar nicht den Anspruch erhebt, auf dieses Problem eine befriedigende Antwort zu geben. Die Kritik sistiert
hier, wo Rorty gar nicht spricht. Aber bei genauerem Zusehen: Rorty spricht
darüber. Ich nehme noch einmal seinen bereits zitierten Kernsatz: Das Ziel einer
gerechten, freien Gesellschaft liegt darin, „daß sie ihren Bürgern erlaubt, so privatisierend, 'irrationalistisch' und ästhetizistisch zu sein, wie sie mögen, solange
sie es in der Zeit tun, die ihnen gehört und soweit sie anderen keinen Schaden
damit zufügen und nicht auf Ressourcen zurückgreifen, die von weniger Begünstigten gebraucht werden".[47] Wohlgemerkt: Rorty spricht von einem Ziel und
offensichtlich beherrscht diese Ausage ja auch ein tiefer Widerspruch, den er
provozierend ins Bild setzt: sich heute in einer Gesellschaft privatisierend, irrationalistisch und ästhetizistisch zu verhalten, beschädigt natürlich andere, stiehlt
anderen die Zeit und greift auf deren lebensnotwendige Ressourcen zurück.
Taubes' Forderung, daß der Liberale die Perspektive wechseln muß, damit er die
katastrophische Geschichte erkennt, ist also vollzogen, das Problem erkannt.
Aber wie ist ihm beizukommen?

Rortys allgemeine Antwort darauf ist[48]: Da private Selbsterschaffung und
soziale Solidarität zwar gleichwertige, aber für alle Zeiten inkommensurable Forderungen sind, bleibt nur, die Schmerzempfindlichkeit des einzelnen zu erhöhen,
denn sie ist die einzige Verbindung des Individuums mit „der übrigen Spezies
humana". Von daher entwickelt er seinen Vorschlag, wie diesem Widerspruch
beizukommen sein könnte: Radikal jenseits aller Metaphysik von Doktrin, Bildung, Belehrung, Aufklärung, Überzeugung usw. und nur über den Aufbau einer
politischen Haltung von unten, beim einzelnen, im Privaten, in indidueller Au-

tonomie-Ethik, so wie es schon der uralte ethische Appell der Kunst sagt: Er-
kenne dich selbst und: Du mußt dein Leben ändern.

Bevor man dies pauschal als „Glaube an romanhafte Erlösung" und als
„Selbsthingabe der pragmatischen Vernunft an die Kunst des Bildungsromans"[49]
denunziert und achselzuckend daran vorübergeht, sollten doch die Möglichkeiten und Stärken dieses Denk-Ansatzes geortet werden. Dazu muß man sich zunächst Rortys liberale Ironikerin genauer ansehen.

Sie ist eine Person, die unausgesetzt Zweifel an ihrem abschließenden Vokabular hat, sie betrachtet es als kontingent und hinfällig und ist deshalb auch bereit, es jederzeit zu korrigieren, ja es ganz umzustürzen und neu aufzubauen. Sie
ist Nominalistin und Historistin; ihr Vokabular besteht aus Begriffen wie 'Weltanschauung', 'Perspektive', Dialektik', 'Begriffsrahmen', 'historische Epoche',
'Sprachspiel', 'Neubeschreibung' und natürlich: 'Ironie'. Ihr Widerpart ist der
Metaphysiker mit seinem gesunden Menschenverstand, der dieses Vokabular
natürlich relativistisch findet und auf Wahrheit pocht. Zwischen beiden, der liberalen Ironikerin und dem Metaphysiker gibt es Streit, aber keine Sprachlosigkeit
– und so werden die Argumente gegenseitig ausgetauscht.[50]

Dies ist insgesamt typisch für Rortys Philosophieren: Es herrscht ein dis-
kursiver Grundgestus, der sich ästhetischer Mittel bedient und nicht nur ironisch, sondern auch selbstironisch ist. Dazu gehört auch, daß die zentrale Figur
des Spiels, die liberale Ironikerin (in der Rorty sich selbst und seine Überzeugungen inszeniert) weiblichen Geschlechts ist. Warum dies so ist, darüber rätseln
inzwischen schon Magisterarbeiten. Rorty bezieht sich mit dieser Idee vermut-
lich auf Derridas Konzept des weiblichen Schreibens, bei dem mehrere Texte
miteinander verbunden sind und verschiedene Sprachen gesprochen werden. In
Derridas Aufsatz „Sporen – die Stile Nietzsches" findet Rorty seine Ironikerin
vorgebildet: die Frau als Wesen der Lockung und Distanz, der Verstellung und
des Scheins, des Versprechens und des Entzugs. Die Frau verfährt so, weiß darum und setzt diese Strategie bewußt ein. Solcherart verkörpert sie die Scheinhaf-
tigkeit und Nichtgreifbarkeit der Wahrheit.[51]

In ähnlicher Weise streiten sich auch bei Rorty mit der liberalen Ironikerin
und dem Metaphysiker eine Frau und ein Mann, und im Hintergrund steht die
ironische Verabschiedung eines alten Rollenmusters: die Frau ist kraft ihrer Beschäftigung mit Ästhetik, Kunst und Romanen (gerade diese Beschäftigungen
galten ja als Beweis ihrer Untauglichkeit für das harte Erwerbsleben) dem logischen, metaphysischen Mann weit überlegen. Sie ist toleranter und weniger grausam als der Metaphysiker. Liberal-ironische Toleranz erwächst aus der Bereitschaft, das eigene abschließende Vokabular immer und grundsätzlich als kontingent und transistorisch zu verstehen und zugleich aus der Bereitschaft, ja Neu-
gierde so viel wie möglich andere Vokabulare, d.h. Sprach-Weltbilder kennenzulernen, sich mit ihnen zu konfrontieren und dabei auf Kompatibilität mit dem

eigenen Sprach-Weltbild zu prüfen. Deshalb wird ja auch der Literaturkritiker zu einem Paradefall des liberalen Ironikers. Er ist nicht in erster Linie an dem literarischen Wert der Bücher interessiert, sondern daran, neue Bücher in den Kontext der bereits vorhandenen zu stellen. Eine Stimme macht die andere nicht überflüssig, sondern vermehrt die wünschenswerte Vielstimmigkeit. Der Literaturkritiker ist der Künstler, der die auf den ersten Blick antithetischen Schriften von Nietzsche und Mill, Marx und Baudelaire, Trotzki und Eliot, Nabokov und Orwell im Zuge der Kanonerweiterung zur Koexistenz bringt. So auch die ständige, das Fremde und Andere einbeziehende Kanonerweiterung der liberalen Ironikerin, die Rorty als einen eminent politischen Vorgang innerhalb der privaten Autonomie des einzelnen versteht. Die Neueinordnungen in den literarischen Kanon oder in die Menge der möglichen abschließenden Vokabulare „wird in derselben Weise vorgenommen, wie wir einen neuen Freund oder Feind in den Kontext alter Freunde oder Feinde einordnen. Im Verlaufe dieser Unternehmung revidieren wir unsere Meinungen über die alten und die neuen. Gleichzeitig revidieren wir unsere moralische Identität, indem wir unsere abschließenden Vokabulare revidieren."[52] Das ersetzt die Suche nach allgemeinen Moralprinzipien, auf die die Metaphysiker so scharf sind.

Soweit das Rortysche Fundament der Toleranz. Wie agiert nun die Ironie gegen Grausamkeit und Macht? Diese zentralen ethischen Drehpunkte seines Konzepts entwickelt Rorty in einer weitausgreifenden Auseinandersetzung mit Habermas, in der es um die politische und soziale Verantwortung des Intellektuellen geht und in der auf Rortys Seiten der Wunsch nach einer prinzipiell und total säkularen Gesellschaft maßgebend ist, die auch auf die religiösen Reste Habermascher Metaphysik in Gestalt des Glaubens verzichten soll, daß Philosophie den sozialen Leim für eine liberale Gesellschaft liefern könne.[53] Die Ursachen und Mechanismen von Grausamkeit, Verletzung, Demütigung und Macht werden in Rortys sprachlich konstituierter Welt auch im Bereich der abschließenden Vokabulare gesucht – und zwar mit konsequent durchgehaltenem Bezug auf die Ethik und Ästhetik des Ironikers selbst. Grausamkeit und die Fähigkeit zu Verletzung und Demütigung sind nicht in erster Linie eine Sache der anderen, sondern auch im unwesentlichen Detail zuerst bei sich selbst zu suchen und zu analysieren.

Der Begriff des abschließenden Vokabulars legt fest, daß jedes Individuum in seiner inkommensurablen und irreduziblen Sprachwelt lebt. Was aber geschieht nun, wenn diese Sprachwelt des einzelnen angezweifelt wird, wie es ja der Ironiker forgesetzt tut? Rorty sagt: damit ist auch die Existenz des anderen in Frage gestellt, was potentiell unerhört grausam ist, weil durch das Infragestellen des Vokabulars das Selbst des Anderen und seine Welt als vergeblich, als veraltet oder ohnmächtig erkärt wird. Aber diese Grausamkeit und Demütigung ist zugleich unausweichlich, wenn man auf Neubeschreibung setzt. Neubeschreibung, d.h. die Kritik alter, überholter Vokabulare und ihr Wiederaufbau in einem neuen System demütigt in jedem Falle.⁵⁴

Rortys Antwort auf diese Aporie kann man so interpretieren, daß sie auf zwei verschiedene Dimensionen des Ironiebegriffs, seiner Anwendungen und Effekte verweist. Als paternalistisch kann seine Antwort hinsichtlich des Verhältnisses von Intellektuellen und Massen gelten. Dazu spricht Rorty ausdrücklich: „In der idealen liberalen Gesellschaft wären die Intellektuellen immer noch Ironiker, die Nicht-Intellektuellen aber wären nicht Ironiker, sondern auf eine dem gesunden Menschenverstand entsprechende Weise Nominalisten und Historisten. Sie würden sich selbst als durch und durch kontingent verstehen, ohne besondere Zweifel an den Kontingenzen ihrer Existenz zu hegen. Da sie keine Intelektuellen sind, wären sie keine Bücherwürmer, suchten auch nicht moralischen Rat bei Literaturkritikern. Sie wären aber vernünftige Nicht-Metaphysiker, so wie mehr und mehr Menschen in den reichen Demokratien vernünftige Nicht-Theisten geworden sind."⁵⁵ Diese Unterscheidung von reflektiert leben (die Ironiker) und naiv leben (die Massen) ist zwar paternalistisch, aber, wie ich meine, nicht elitär, weil Ironie generell nicht elitär sein kann. Oder sollte man Umberto Ecos ironischen Roman „Der Name der Rose" als elitär und grausam verstehen, weil viele Leser die Mehrfach-Kodierungen des Romans nicht nachvollziehen und ihn vorzugsweise als Kriminalroman lesen?⁵⁶ Ironie läßt naives Verstehen ja zu. Das Sprachspiel wird so inszeniert, daß auf einer zweiten Ebene und unter denen, die diese zweite Sprache verstehen, auch ein zweites Verstehen möglich wird, ein zweiter Sinn, der aber den ersten nicht außer Kraft setzt. Und von diesem zweiten Verstehen ist keiner prinzipiell ausgeschlossen, sondern hat potentiell Zugang, wenn er denn den Code dieser Meta-Kommunikation knackt.

Rortys Antwort auf die besagte Aporie geht zum anderen dahin, daß dieses Verhalten des Ironikers zwar potentiell grausam und demütigend ist, zugleich aber emanzipativ und befreiend im Vergleich mit dem Verhalten des Metaphysikers. Rorty argumentiert, daß ja auch der Metaphysiker fortgesetzt Neubeschreibungen gibt, mit ihnen aber im Unterschied zum Ironiker unentwegt Proselyten machen will. Er suggeriert Leuten, daß derjenige, der die metaphysische Belehrung annimmt, Macht über andere gewinnen kann. Dieser Vorgang reicht von der noch harmlosen Suggestion, daß Wissen Macht ist, über die Suggestionen, daß nur bestimmte Neubeschreibungen uns befreien können, bis zur grausamsten und sadistischen Suggestion, man müsse nur den rechten Glauben oder die richtige Ideologie annehmen, um über andere Macht zu gewinnen.⁵⁷

Die Ironikerin hat dagegen keinerlei Macht zu vergeben. Sie braucht keine Metaphysik, Religion und Ideologie, sondern die unentwegte Bekanntschaft mit anderen alternativen Vokabularen, um wirkliche, vermeintliche oder mögliche Demütigungen derjenigen zu verstehen, die alternative Vokabulare benutzen. Tut sie dies, vermeidet sie Grausamkeit und übt Solidarität. Sie kann ihre Ironie mit ihrem liberalen Status verbinden, indem sie in ihrer privaten Autonomie Schmerzfähigkeit sensibilisiert und die Empfindlichkeit für Demütigung schärft, somit solidarisch ist, ohne präzeptiv im öffentlichen Bereich Grundsätze aufstellen zu müssen. Im Rahmen von Rortys radikalem Denken der Kontigenz halte ich diesen Argumentationsansatz für einen bedeutenden Beitrag zur Diskussion des Ethischen und Ästhetischen.

Dies trifft meines Erachtens auch auf den Zusammenhang zu, den Rorty mit Bezug auf Foucault und Lyotard (diese Beziehungen wären eigehender zu untersuchen) zwischen der Schönheit, dem Erhabenen und der Macht herstellt – ein Zusammenhang, der seinem Ironie-Konzept eine weitere Kontur gibt.

Das falsche Versprechen, daß neues Wissen Machtgewinn und Befreiung von Ohnmacht sei, entdeckt Rorty bei allen Metaphysikern, auch bei denen, die er zu den theoretischen Ironikern zählt, überraschenderweise sogar bei Hegel, allerdings nur beim Hegel der „Phänomenologie". Nietzsche und Heidegger waren zwar Ironiker, indem sie Ernst machten mit radikaler Neubeschreibung (Nietzsche in der „Götzendämmerung"; Heidegger im „Brief über den Humanismus"), aber sie blieben Metaphysiker. Rorty kritisiert, daß sie als Ironiker nicht abließen, mit einem bestimmten Kanon, einem Gesetz oder einer Norm das Private und Öffentliche wieder zu verbinden. Als Philosoph des öffentlichen Lebens, in seinen Kommentaren zu Technik und Politik im 20. Jh. sei z.B. Heidegger ärgerlich, kleinlich, schief und zwanghaft und in seinen übelsten Ausprägungen, als er Hitler rühmte, nachdem die Juden von den Universitäten vertrieben worden waren, auch sadistisch. Die theoretischen Ironiker usurpieren wieder Macht, indem sie das Feld privater Ironie verlassen und sich mit der Ohnmacht auf dem Feld des Öffentlich-Politischen nicht zufriedengeben. Mit der Machtusurpation wird zugleich auf neue Erhabenheit Anspruch gemacht: „Aber sowie sie versuchen eine Meinung über die moderne Gesellschaft oder die Bestimmung Europas oder die Politik vorzubringen, sind sie bestenfalls nichtssagend und im schlimmsten Fall sadistisch".[58] So ist die „Recherche" von Proust 'schön', weil sich dessen radikale Neubeschreibung ganz im Privaten hält, als mannigfaltig und vergänglich versteht, während die machtanmaßenden Theorien Hegels, Nietzsches oder Heideggers (das 'Ende der Geschichte', das 'Ende der Kunst', 'Europa', 'das Sein' usw.) dauernd nur auf 'Erhabenheit' Anspruch machen, weil sie auf Metaphysik und Macht zielen. Außer 'Metaphysik' und 'Macht' wird damit auch das Erhabene zum strikten Gegensatz des Ironischen, das sich bei Rorty in angelsächsischer Tradition mit einem Begriff des Schönen verbindet, der keine geschichtsphilosphische Aufladung und idealistische Überhöhung erfahren hat. In einer weiterführenden, hier nicht zu leistenden Analyse wäre die eingangs registrierte doppelte (postmoderne) Ästhetik des Komischen und Tragischen, der Ironie und des Erhabenen in ihrer Gegensätzlichkeit und Widersprüchlichkeit weiter zu verfolgen.[59]

4. Exkurs zur Begriffsgeschichte II: Politische Ironie bei Friedrich Schlegel und Sören Kierkegaards Verbindung von Ethik und Ästhetik qua Ironie.

Die in angelsächsischer Tradition wurzelnden Momente von Rortys Ironiebegriff sind erstens die Ambiguität von Werk und Fiktion und zweitens die kulturkritische Rolle des Literaturkritikers als Prototyp des dialektischen Ironikers. In dieser Tradition aber geht Rortys Ironiebegriff keineswegs auf. Begriffsgeschichtlich ist die Gegenthese zu setzen, daß Rorty einen angelsächsisch tradierten Ironie-Begriff reinterpretiert zu einer Welthaltung. Damit steht er im gesamteuropäischen Begriffskontinuum des Ironie-Begriffs. Die drei Momente, die für Rortys Ironieverständnis darüberhinaus entscheidend sind – privat-autonomer Begriff des Politischen, Bewältigung von Kontingenz und Verbindung zwischen Ethik und Ästhetik – sind in der historischen Reflexionsgeschichte der Ironie seit Ende des 18. Jahrhunderts deutlich zu verfolgen. Ich möchte das an zwei Autoren verdeutlichen, zum einen an Friedrich Schlegel, zum anderen an Kierkegaard.

Die These ist, daß das ästhetische Prinzip der Ironie bereits in der romantischen Ironie eine Komponente des Politischen einschließt, die sich über die Betonung subjektiver Autonomie aufbaut. Es gehört zum programmatischen Ansatz in den romantischen Denkstrukturen, eine Subjekt-Objekt-Entzweiung in Formen individueller Allgemeinheit aufzuheben, die Ganzheit des Individuums durch Individualisierung der Vernunft zu wahren, bzw. das reale konkrete Individuuum unmittelbar zum Gattungswesen zu erheben. In einer Epoche, in der sich in der Beziehung bürgerliche Gesellschaft und Staat gerade ein Begriff des Politischen ausspezialisiert, der mit 'Politik' ein bestimmtes Feld staatlicher Souveränität meint, setzt die romantische Subjekt-Autonomie einen anderen, alternativen Begriff des Politischen. Der frühromantische Begriff des Politischen ist nicht als ausspezialisiertes, arbeitsteiliges Gebiet zu verstehen, sondern als ein Weltverhalten, in dem sich das Subjekt u.a. qua Ironie zum Gattungswesen machen will und die noch nicht gelebten Möglichkeiten vertritt. Deshalb greifen auch die politischen Zuweisungen nicht, die vom Revolutionszyklus direkt abgezogen auf die Romantik angewandt werden: erst war die Romantik politisch progressiv, weil sie die Französische Revolution bejahte, dann wurde sie reaktionär, weil sie sich der Restaurationspolitik verschwägerte. Das hat keiner besser als Carl Schmitt ex negativo in seiner „Politischen Romantik" (1925) gefaßt: „Es fehlt der Romantik nicht nur der spezifische Zusammenhang mit der Restauration [...], auch mit der Revolution besteht keine notwendige Beziehung. Das isolierte absolute Ich ist über beides erhaben und benutzt beides als Anlaß." In der Entgensetzung von causa und occasio, liegt der Begriff des Politischen bei Carl Schmitt natürlich auf Seiten der causa und decisio und der Romantik wird ihr ästhetisches Weltverhalten vorgeworfen. Aber die Ironie ist, daß in der negativen

Beschreibung Schmitts zugleich die andere Möglichkeit des Politischen aufscheint, die die Romantik mit ihrer ästhetischen Subjektphilosophie vertritt: Es
werde behauptet, sagt Schmitt, der Romantiker ist immer auf der Flucht. Das
treffe nicht den Kern. „Der Romantiker weicht der Wirklichkeit aus, aber ironisch und mit der Gesinnung der Intrige. Ironie und Intrige sind nicht die Stimmung eines Menschen auf der Flucht, sondern die Aktivität eines Menschen, der,
statt neue Wirklichkeiten zu schaffen, die eine Wirklichkeit gegen eine andere
ausspielt, um die jeweilig gegenwärtige, begrenzende Wirklichkeit zu paralysie-
ren. Ironisch entzieht er sich der beengenden Objektivität und schützt sich davor, auf irgendetwas festgelegt zu werden; in der Ironie, liegt der Vorbehalt aller
unendlichen Möglichkeiten. So wahrt er sich seine innere geniale Freiheit, die
darin besteht, keine Möglichkeit aufzugeben[...] Was überhaupt an konkreten
Leistungen in realiter vorliegt, ist für ihn nur ein Abfall, er protestiert dagegen,
daß er oder irgendeine Manifestation von ihm in der Beschränktheit gegenwärtiger Realität genommen werde. Das ist er nicht, das ist nicht sein Ich, er ist immer
gleichzeitig noch unendlich vieles Andre, unendlich mehr, als er jemals in irgendeiner konkreten Sekunde oder bestimmten Äußerung sein könnte".[60]

Ich habe das ausführlich zitiert, weil ich diese Passage für eine glänzende
Beschreibung des politischen Moments der romantischen Ironie halte. Im Übrigen kann auch Schmitts dezisionistisch abgeleiteter Begriff des Politischen so
interpretiert werden, daß er den okkasionalistischen der Romantik zumindest
nicht ausschließt. Die dezisionistische Freund-Feind-Unterscheidung für den
Begriff des Politischen faßt Schmitt ja bekanntlich sehr weit: „Die Unterscheidung von Freund und Feind hat ja den Sinn, den äußeren Intensitätsgrad einer
Verbindung oder Trennung, einer Assoziation oder Dissoziation zu bezeichnen.
[...] Der politische Feind braucht nicht moralisch böse, er braucht nicht ästhetisch häßlich zu sein [...]. Er ist eben der andere, der Fremde, und es genügt zu
seinem Wesen, daß er in einem besonders intensiven Sinne existentiell etwas anderes und Fremdes ist."[61] Jacob Taubes stellt angesichts dieser Definition fest:
„Politik ist bei Schmitt kein Gebiet [...], sondern eine Intensität, alles kann politisch werden. [...] politisch heißt ein Gebiet, das man nicht nach dem ABC-
Register durchgehen kann, sondern jede menschliche Weise kann politisch werden, indem es um Leben und Tod geht, indem der Ernstfall in den Horizont
kommt."[62]

Und der Ernstfall kommt auch, so wäre fortzusetzen, bei der Ironie mit ins
Spiel. Das zeigt sich in dem Zusammenhang, den Rorty zwischen Ironie und Solidarität als Vermeidung von Grausamkeit herstellt. Dem gibt Kierkegaard Ausdruck, wenn er von der Ironie als dem Substantiellen in Sokrates' Dasein spricht.
Das zeigt sich aber auch schon bei dem Frühromantiker Friedrich Schlegel: Ironie als „tranzendentale Buffonerie" heißt ja Tendenz auf das Unendliche, Höchste, Allgemeine als Setzung und zugleich deren Annihilation. In der Selbstver-

nichtung ist immer zugleich das Moment der Selbstschöpfung. Die romantische Ironie ensteht aus dem Widerspruch zwischen der ontologischen Notwendigkeit der Synthese und ihrer logischen Unmöglichkeit. Ästhetikgeschichtlich gesehen, indiziert der Einsatz des Konzepts der Ironie das Scheitern von Schlegels Versuch im Studium-Aufsatz, das Schöne als alleiniges substantielles Zentrum einer modernen Ästhetik zu setzen.[63] Der Ernst und die Würde des Schönen sind ohne die annihilierende Kraft der Ironie nicht mehr möglich. Sie zeigt sich als ästhetisches Mittel der Kontingenzbewältigung und Reaktion auf katastrophische Geschichtsverläufe. Begriffsgeschichtlich klärt also der Rückgriff auf Schlegel, daß Rortys politisch verstandene, mit der Idee des Liberalismus verbundene Konzipierung der Ironie in der Frühromantik ihren Ursprung hat.

Der zweite Punkt, der von Rorty aus zurückzuverfolgen ist, betrifft die Kierkegaardsche Verbindung von Ethik und Ästhetik durch Ironie. In der 15. These seiner Dissertation „Über den Begriff der Ironie mit ständiger Rücksicht auf Sokrates" (1841) heißt es: „Ebenso wie die Philosophie mit dem Zweifel, ebenso beginnt ein Leben, das menschenwürdig genannt werden kann, mit der Ironie".[64] Dies trifft schon den Kern der Kierkegaardschen Ironie-Auffassung. Ein menschenwürdiges Leben heißt für Kierkegaard: das menschliche Individuum im Bewußtsein seiner Subjektivität – und dies ist ein historisches Ereignis, das er mit Sokrates ansetzt. An der Nahtstelle zwischen klassischer und christlicher Auffassung (dafür steht ihm Sokrates) wird die harmonische Einheit der schönen Individualität durch Ironie gestört, das Bewußtsein des Todes entsteht und die Bewußtwerdung zur Subjektivität. Gleich dem Gesetz ist die Ironie eine ungeheure Forderung, „denn sie verschmäht die Realität und heischt die Idealität".[65] Wie in der frühromantischen Auffassung so auch bei Kierkegaard geschieht mit der Ironie und als Ausdruck moderner Kontingenz-Erfahrung die Brechung des Schönheitsmonopols in der Ästhetik. Trotz aller Kritik der Romantik und der romantischen Ironie im Fahrwasser von Hegels Vorwurf absoluter Negativität vollzieht Kierkegaard diese frühromantische Folgerung mit und vermittelt sie an das 20. Jahrhundert.

Moderne Subjektivität und Ironie in der Spannung zwischen klassisch und christlich bringt als weiteres Kernthema mit sich: das Leben des Ironikers auf der Grenze – so bei Sokrates das Leben an der Grenze des Guten, Wahren, Schönen. Kierkegaard greift Hegels Formel von der „unendlichen absoluten Negativität" der Ironie auf und macht daraus eine Definition der historischen Leitfigur des Ironikers als Grenzgänger. Der Ironiker tritt aus seiner eigenen Zeit heraus und bezieht gegen sie Stellung. Und auch was die Zukunft bringen wird, weiß er nicht. „Was da kommen wird ist ihm verborgen, liegt hinter seinem Rücken; die Wirklichkeit jedoch, der er feindlich gegenübergetreten ist, ist das, was er vernichten soll. [...] Ironie ist Negativität, denn sie tut nichts als Verneinen [...].sie richtet nichts auf; denn dasjenige, was errichtet werden soll, liegt hinter ihrem

Rücken. Sie ist ein göttlicher Wahnsinn, der gleich einem Tamerlan wütet, und keinen Stein auf dem anderen läßt."[66] Der Ironiker ist somit nur seiner selbst gewiß und Ironie wird als Aufgabe jedes einzelnen Individuums verstanden, sich eine Lebenshaltung zu geben: „Ironie setzt Schranken, verendlicht, begrenzt, und gewährt damit Wahrheit, Wirklichkeit, Inhalt; sie züchtigt und straft und gibt damit Haltung und inneren Zusammenhalt. [...] Wer Ironie schlechterdings nicht versteht, wer für ihr Raunen kein Gehör besitzt, er ermangelt eben damit (eo ipso) desjenigen, das man den absoluten Anfang des persönlichen Lebens nennen könnte."[67] Das menschenwürdige Leben des Ironikers ist also ein Leben auf der Grenze. Die Grenze ist seine Existenz.

Kierkegaards große Frage nun, die sein Hauptwerk „Entweder/Oder" prägt, ist, wie sich die Grenzexistenz des Ironikers und Ästhetikers in einer Ästhetik der Existenz mit einem Ethos verbinden läßt. Dabei spielt der Begriff der Ironie, wenn auch in bestimmter Inversion, weiterhin eine zentrale Rolle. Der Zusammenhang ist in aller Kürze folgender: Kierkegaard sagt: das „Entweder/Oder" seines Titels sei nicht disjunktiv zu verstehen, beide Teile gehören zusammen und müssen in einem Wort geschrieben werden. Es ist eine „Interjektion [...] welche ich der Menschheit zurufe."[68] Deshalb gibt es auch keine eindeutige Entscheidung gegen die Ästhetik für Ethik und Religiosität. Der duale Aufbau A und B von „Entweder/Oder" ist nicht so zu verstehen, daß hier Lebensentwürfe in parataktischer Anordnung gegeben werden. Vielmehr handelt es sich um die Analytik der Möglichkeiten existentiellen Verhaltens in den drei Sphären des Ästhetischen, des Ethischen und des Religiösen in einem Zusammenhang, indem es freilich die problemreichen Grenzdialektiken zwischen Ästhetik/Ethik und Ethik und Religiosität gibt. Zu solcher Grenzdialektik gehört, daß in der Sphäre B des Ethik-Diskurses von Entweder/Oder ästhetische Figuren und Kategorien zu entdecken sind, die daran mitarbeiten, daß Kierkegaards Ethik sich von einer Sollens-Ethik (die Frage, was soll ich tun) zu einer Wollens-Ethik (wer, was für ein Mensch will ich sein) wandelt. An dieser Wollensethik arbeitet dann die Ironie wieder kräftig mit. Ironie wird gewissermaßen zu einer Methode indirekter Kommunikation, mit der die totalitären Verdinglichungtendenzen der abstrakten Vergesellschaftung so aufgebrochen werden, daß sie weiterhin Subjektivität ermöglichen, ohne diesen Verdinglichungtendenzen selbst ausgeliefert zu sein.[69] Ironie ermöglicht die Negation abstrakter Intersubjektivität, das Geltenlassen des Anderen und die Selbstbehauptung des Sprechenden und Mitteilenden.

Rortys Verbindung von Ethik und Ästhetik findet so in Kierkegaard einen ihrer Stammväter, und Rorty bezieht sich in diesem Punkt auch ausdrücklich auf Kierkegaard, so wenn er ihn als einen der Theoretiker „indirekter Kommunikation" beruft bzw. zum strikt antimetaphysischen Vertreter ironistischer Theorie macht.[70]

5. Ironische Politik oder der Chiasmus in der Rhetorik der liberalen Ironikerin: Habermas ist kein Ironiker; Foucault ist kein Liberaler

Um seinen dritten Weg zwischen privater Autonomie und sozialer Solidarität noch plastischer zu machen, greift Rorty zum Mittel des rhetorischen Chiasmus: Foucault ist zwar ein Ironiker, aber kein Liberaler; während Habermas zwar ein Liberaler, aber kein Ironiker ist.[71] Was ist das tertium comparationis? Natürlich die liberale Ironikerin, die in der Konfrontation mit Habermas und Foucault weitere ihrer Charaktereigenschaften zeigt. Gegen Habermas kehrt Rorty den Ironiker heraus und erklärt die „kommunikative Vernunft" als irreführende Reinkarnation aufklärerischen Rationalismus. Worauf das hinausläuft, dürfte bekannt sein. Wichtig ist in diesem Zusammenhang, daß Rorty gegen Habermas einen typisch pragmatischen Liberalismusbegriff einsetzt: Man kann eine Gesellschaft dann liberal nennen, wenn sie sich damit zufriedengibt, 'wahr' (oder 'richtig' oder 'gerecht') zu nennen, was immer sich als Resultat einer unverzerrten Kommunikation ergibt, was immer sich als Meinung in einer freien, offenen Begegnung durchsetzt.[72]

Interessanter ist der andere Pol der Kritik, auf dem Foucault des mangelnden Liberalismus geziehen wird. Rorty meint damit den Zusammenhang in Foucaults großen Rekonstruktionen, wo z.B. in „Wahnsinn und Gesellschaft" gezeigt wird, daß die Vernunft nie ihr Doppel, den Wahnsinn los wird. Ja mehr noch: je stärker die Vernunft dagegen arbeitet, um so stärker treibt sie den Wahnsinn in seinen verschiedenen Formen hervor. So kann Foucault sagen, daß es „in unserer Kultur keine Vernunft ohne Wahnsinn geben kann".[73]. Oder im anderen großen Buch Foucaults, in „Überwachen und Strafen", die Grundthese, daß die Macht, die ehemals strafte, indem sie in öffentlicher Schaustellung den Körper malträtierte, nun zu einer Macht einer Disziplinargesellschaft geworden ist, die bis in jeden privaten Winkel hinein überwacht und diszipliniert. Hinter Foucaults Analysen steht also die Überzeugung, daß die demokratischen Gesellschaften mit ihren Freiheiten ihren Mitgliedern stets neue Formen von Zwang auferlegt haben.

Hier setzt Rorty seine Kritik gegen Foucault an: Er räumt ein, daß die liberalen Gesellschaften ihren Anghörigen Einschränkungen einer Art aufgezwungen haben, von der alte prämoderne Gesellschaften sich nicht hätten träumen lassen. Er wirft Foucault aber vor, die Verminderung von Schmerz (also etwa die Abschaffung der körperlichen Folter und öffentlicher Hinrichtungen) nicht als Kompensation für diese Einschränkungen gelten zu lassen.[74] Hier tut sich in der Tat ein ziemlich grundlegender Dissens zwischen Foucault und Rorty auf. Foucault mißtraut dem liberalen System der westlichen Länder, Rorty hält es für die beste aller möglichen Welten. Er hält Foucault entgegen, daß die zeitgenössische liberale Gesellschaft schon genug Einrichtungen habe, um die von Foucault

benannten Gefahren zu bannen. Ja, der blinde Glaube an diese beste aller möglichen Welten geht soweit, daß nicht einmal Reformen für nötig erachtet werden,
um die Funktionsfähigkeit liberaler Demokratie zu sichern. „Ich habe den Verdacht, das soziale und politische Denken der westlichen Welt, hat die letzte Be-
griffs-Revolution, die es noch brauchte, hinter sich. John Stuart Mills Vorschlag,
daß die Regierungen sich auf die Optimierungen des Gleichgewichtes zwischen
Nicht-Einmischung in das Privatleben und Verhindern von Leiden konzentrie-
ren sollten, scheint mir ein passendes Schlußwort zum Thema zu sein."[75] Diese
nur schwer zu verstehende Blindheit, die zu den schwächsten Punkten von Rortys Philosophieren führt, ist offensichtlich dem Systemzwang pragmatischen
Denkens und seiner Kernthese geschuldet, daß nicht 'Vernunft', sondern die
darwinistisch verstandene Evolution über das Bessere und Schlechtere entscheidet.[76]

Der zweite Punkt, den Rorty gegen Foucault einwendet, hängt mit dem ersten eng zusammen: Da Foucault Rortys Optimismus in das Funktionieren liberaler Demokratie nicht teilt, kann er auch kein „wir" bilden, wie das Rorty forgesetzt im Sinne von „wir Liberalen" tut.[77] Foucault bezweifelt überhaupt, ob es
nützlich ist, sich in einem Wir zu plazieren, um die Grundsätze und Werte, die
man anerkennt, durchzusetzen oder ob es nicht eher notwendig sei, zunächst
analytisch zu bleiben und damit die Formierung eines künftigen „Wir" zu ermöglichen. Dies interpretiert Rorty so, daß Foucault mit Marx und Nietzsche
die Überzeugung teile, es ist schon soweit mit uns gekommen, daß eine Alternative zu der jetzigen Gesellschaft überhaupt nicht mehr denkbar ist. Dies sei die
heimliche Sehnsucht nach einer totalen Revolution, in der sich die Forderung
und Hoffnung versteckt, daß die privat errungene Autonomie eines Tages in den
Institutionen verköpert werde.

Die Gegenargumente Rortys lassen auch hier Paternalismus erkennen: Autonomie, wie sie selbstschöpferische Ironiker von der Art Nietzsches, Derridas
oder Foucaults suchen, könne nie von sozialen Institutionen verwirklicht werden. Autonomie sei nichts, was alle Menschen hätten, sondern nur bestimmte,
besondere Menschen tief in ihrem Innersten. Der Nietzsche-Foucaultsche Versuch zur Autonomie dürfe nicht sozialisiert, sondern müsse privatisiert werden,
damit die liberalen Ironiker sich davor schützen können, „in eine politische Einstellung abzuleiten, die euch zu der Überzeugung bringen würde, daß es ein
wichtigeres soziales Ziel, als die Vermeidung von Grausamkeit gibt".[78]

Das Fazit: Der Chiasmus bleibt in der Antithese und wird nicht zur Synthe-
se. Die Stärke von Rortys Argumentationen liegt auf dem Punkt des privaten
Aufbaus einer ethisch-ästhetischen Lebenskunst. Darin findet nun auch Ironie
politisch ihre Grenze. Sie ist insofern politisch, als sie private Autonomie des
Subjekts stärkt, damit Ethik bildet, die ihrerseits politische Valenz hat, auf den
Bereich des Öffentlichen aber von Rorty nicht angewendet wird.

Wo Rorty nicht hinschaut wegen seines Dogmas der absoluten Trennung von privat und öffentlich, ließe sich mit Rorty und seinem begrifflichen Inventar weiterfragen: Läßt sich zur Sphäre privater Autonomie Analoges für die Gesellschaft der Moderne vielleicht sagen? Läßt sich die Einheit moderner Gesellschaften in einem Modell denken, das wie in Rortys privatem Modell nicht auf Kosten und nicht gegen die Differenzierung und Autonomie ihrer Teile gerichtet ist? Die Frage pointiert: läßt sich analog der politischen, beim Subjekt ansetzenden Ironie eine Ironie der Politik denken? – eine Politik also, die mit den Kontingenzen der modernen Gesellschaft in einer zunehmend binnen-. und funktionsdifferenzierten Struktur umgehen könnte, indem sie sich selbst und die Programme ihrer Teilsysteme nicht so ernst nimmt, dafür aber um so ernster an „einer Arbeitsgemeinschaft von Exzentrikern arbeitet", die sich wechselseitig als autonom und interdependent akzeptieren und an der Vervollkommnung der jeweiligen Vokabulare arbeiten, mit der sich die Welt angemessener beschreiben läßt.

Dieser Versuch ist, auf Rortys Buch aufbauend, bereits unternommen worden, und zwar als Beitrag zur modernen Staatstheorie im Umkreis der Luhmann-Schule und der Systemtheorie. Helmut Wilke versucht eine Ironik des Staates, die, wie bei Richard Rorty, gegen den Nicht-Ironiker Jürgen Habermas und sein Muster intersubjektiver Verständigung gerichtet ist, das angesichts des konstanten Mißlingens subjektiver Verständigung zwischen selbstreferentiellen gesellschaftlichen Systemen ja auch Rorty schon als unbegründete Leichtfertigkeit erschien. Die skeptische Ironie Rortys legt deshalb für Wilke nahe, die Kommunikation als Prozessieren von Differenzen zu verstehen und in der Evolution von Semantiken die Transformation von Differenzmustern zu erkennen. Die Frage, wie Verständigung, Abstimmung, Koordination oder gar Steuerung zwischen komplexen selbstreferentiellen Systemen möglich sein soll, wenn deren Identität gerade in der Differenz zueinander, auf unterschiedlichen Kontingenzräumen und Semantiken beruht, läßt sich mit dem Satz der liberalen Ironikerin beantworten: „Die Einsicht, daß die Geltung der eigenen Überzeugungen nur relativ ist, und dennoch unerschrocken für sie einzustehen, unterscheidet den zivilisierten Menschen vom Barbaren". Innerhalb seiner Staatstheorie plädiert Willke dafür, den „iron cage" durch den „ironic cage" auszutauschen. Damit meint er, daß die externen Zwänge gegenüber den selbstreferentiellen Systemen in einer hochkomplexen Gesellschaft durch den ironischen Selbstzwang im Rortyschen Sinne ersetzt werden muß. So werde der Optionen-Reichtum der Teilsysteme ausgeschöpft und nicht wie beim Fremdzwang vernichtet. Freilich soll sich dabei auch der Staat selbstironisch weit zurücknehmen, um nicht unentwegt kontraproduktiv in die Optionenvielfalt hineinzuregieren. Man sieht, daß Wilke Rortys Ironiebegriff nicht einfach als Metapher aufgenommen hat, sondern verbunden mit einem Weiterdenken des Konzepts. Daß dies möglich ist, spricht für Rorty und die politische Produktivität seines Ironiebegriffs. Allerdings muß sich Willke fragen lassen, was sein Ironiebegriff des Selbstzwangs noch mit dem rhetorischen, romantischen, strukturellen oder postmodernen Ironiebegriff zu tun hat. Aber vielleicht ist diese Frage auch falsch gestellt. Mit Rorty ließe sich ja sagen, daß Neubeschreibungen zwar traditionelle Begriffe verwenden, aus ihnen im Zuge der Neubeschreibung aber ganz neue machen. Dann ist also die Begriffsgeschichte von Ironie noch nicht am Ende und man wird abwarten müssen, ob und wie sich die Innovationen Rortys oder Wilkes in das Begriffskontinuum einzeichnen werden.[79]

Anmerkungen

[1] Vgl. Erwin Chargaff: Das Verschwinden der Ironie. In: FAZ vom 27.1.1996.

[2] Vgl. den Bericht von Jürgen Paul Schwind in der FAZ vom 25.11.1995.

[3] Thomas Medicus: Das urbane Erotikon, in: Der Tagesspiegel vom 10.3.1996.

[4] Richard Rorty: Kontingenz, Ironie und Solidarität, übers. von Christa Krüger. Frankfurt/Main 1992 (Suhrkamp-Taschenbuch Wissenschaft; 981). Englische Originalausgabe unter dem Titel Contingency, Irony, and Solidarity, Cambridge 1989.

[5] Vgl. den Bericht von Jürgen Paul Schwind: 'Ernstfall Ironie' in der FAZ vom 25.11.1995.

[6] Vgl. Rorty: Kontingenz, Ironie und Solidarität. a.a.O., S. 11.

[7] Vgl. ebda. S. 11f.

[8] Vgl. ebda. S. 12 ff.

[9] Josef Früchtl: [Artikel] Richard Rorty, in: Metzler Philosophen Lexikon. Hg. von Bernd Lutz. ^{2}Stuttgart/Weimar 1995, S. 747.

[10] Vgl. Rorty: Kontingenz, Ironie und Solidarität, a.a.O. S. 199.

[11] Vgl. ebda. z. B. S. 138 f.

[12] Ebda. S. 13.

[13] Ebda. S. 14.

[14] Vgl. den von Richard Rorty herausgegebenen Band: The Linguistic Turn. Recent Essays in Philosophical Method. Chicago 1967.

[15] Vgl. Richard Rorty: Philosophy and the Mirror of Nature. Princeton 1979. Dt.: Der Spiegel der Natur: Eine Kritik der Philosophie. Übers. v. Michael Gebauer. Frankfurt/Main 1981.

[16] Ebda. S. 409.

[17] Rorty: Kontingenz, Ironie und Solidarität. a.a.O., S. 127.

[18] Ebda. S. 127.

[19] Ebda. S. 128.

[20] Rorty: Der Spiegel der Natur... a.a.O. S. 399.

[21] Ebda. S. 400 f.

[22] Ebda. S. 408.

[23] Vgl. Friedrich D. E. Schleiermacher: Versuch einer Theorie des geselligen Betragens. In: Schleiermacher, Philosophische Schriften. Hg. und eingel. v. J. Rachold. Berlin 1984; S. 41-64.

[24] Rorty: Der Spiegel der Natur. a.a.O., S. 404.

[25] Vgl. ebda. S. 420.

[26] Vgl. Wolfgang Welsch: Die zeitgenössische Vernunftkritik und das Konzept der transversalen Vernunft. Frankfurt/Main 1995, S. 211-224.

[27] Ebda. S. 219.

[28] Vgl. ebda. S. 220 ff.

[29] Rorty: Der Spiegel der Natur. a.a.O. S. 387.

[30] Ebda. S. 395.

[31] Welsch: Die zeitgenössische Vernunftkritik...a.a.O. S. 225.

[32] Jacques Poulain: Die Versinnlichung der Vernunft in der Philosophie und die pragmatische Ästhetisierung des Daseins. In: Paragrana 4 (1995), H. 1, S. 203 f.

[33] Vgl. zum folgenden auch Ernst Behler: Klassische Ironie, romantische Ironie, tragische Ironie. Zum Ursprung dieser Begriffe. Darmstadt ^{2}1972 und Armin Paul Frank: Zur historischen Reichweite literarischer Ironiebegriffe. In: Zeitschrift für Literaturwissenschaft und Linguistik (LiLi) 8 (1978), H. 30/31, S. 84-104.

[34] Vgl. Armin Paul Frank: Historische Reichweite literarischer Ironiebegriffe. a.a.O. S. 88.

[35] Friedrich Schlegel: Kritische Friedrich Schlegel Ausgabe. Hg. von Ernst Behler. Darmstadt 1958 ff., Bd. 2, S. 368.

[36] Friedrich Schlegel: Lyceums-Fragment No. 42. In: Kritische Friedrich Schlegel Ausgabe. Bd. 2, S. 152.

[37] Ebda. Bd. 23, S. 356.

[38] Vgl. Behler: Klassische Ironie, romantische Ironie, tragische Ironie. a.a.O. S. 86 f.

[39] Athenäumsfragment No. 51. In: Kritische Friedrich Schlegel Ausgabe a.a.O. S. 165.

[40] Kritische Friedrich Schlegel Ausgabe, Bd. 10, S. 352 f.

[41] Hegel: Geschichte der Philosophie I. Teil. In: Hegel: Werke, Bd. 18, Frankfurt/M. 1971, S. 460.

[42] Vgl. dazu Ernst Behlers Darstellung in: Klassische Ironie, romantische Ironie, tragische Ironie. a.a.O. S. 134-154.

[43] Vgl. dazu: Armin Paul Frank: Zur historischen Reichweite literarischer Ironiebegriffe. a.a.O., S. 98 ff.

[44] Ebda. S. 101.

[45] Rorty: Kontingenz, Ironie, Solidarität. a.a.O. S. 138.

[46] Jacob Taubes: [Diskussion mit Kurt Sontheimer]. In: Taubes, Ad Carl Schmitt. Gegenstrebige Fügung. Berlin 1987, S. 52 f.

[47] Rorty: Kontingenz, Ironie und Solidarität. a.a.O., S. 13.

[48] Vgl. ebda. S. 14-17.

[49] Poulain: Die Versinnlichung der Vernunft in der Philosophie...a.a.O., S. 205 u. 202.

[50] Vgl. Rorty: Kontingenz, Ironie und Solidarität. a.a.O., S. 127-130.

[51] Vgl. dazu Welsch: a.a.O., S. 296 f.

[52] Rorty: Kontingenz, Ironie und Solidarität. a.a.O., S. 138

[53] Vgl. ebda. S. 142 ff.

[54] Vgl. ebda. S. 153 f.

[55] Ebda. S. 149.

[56] Vgl. Umberto Eco: Nachschrift zum 'Namen der Rose'. München/Wien 1984, S. 63 ff.

[57] Vgl. Rorty: Kontingenz, Ironie und Solidarität. a.a.O. S. 155.

[58] Ebda. S. 199.

[59] Vgl. zum Ansatz einer 'doppelten Ästhetik' die Arbeit des Siegener Germanisten Carsten Zelle: Die doppelte Ästhetik der Moderne. Revisionen des Schönen von Boileau bis Nietzsche. Stuttgart/Weimar 1995.

[60] Carl Schmitt: Politische Romantik (2. Auflage 1925). Berlin 1991, S. 106..

[61] Carl Schmitt: Der Begriff des Politischen (1932). Berlin 1991, S. 27.

[62] Jacob Taubes: Ad Carl Schmitt. Gegenstrebige Fügung. a.a.O., S. 62.

[63] Vgl. Zelle: Die doppelte Ästhetik der Moderne... a.a.O., S. 241.

[64] Sören Kierkegaard: Über den Begriff der Ironie mit ständiger Rücksicht auf Sokrates. In: S. Kierkegaard, Gesammelte Werke. Hg. von E. Hirsch und H. Gerdes. 31. Abteilung, S. 4.

[65] Ebda. S. 219.

[66] Ebda. S. 266.

[67] Ebda. S. 331.

[68] Kierkegaard: Entweder/Oder (1843). Zweiter Teil, Bd. 2. In: Kierkegaard: Gesammelte Werke. a.a.O. 2. und 3. Abt. (2. Aufl. 1987), S. 170.

[69] Vgl. Markus Lilienthal: Entweder – Oder? Zur Dialektik von Ethik und Ästhetik bei Kierkegaard. In: Ethik und Ästhetik. Nachmetaphysische Perspektiven. Hg. von G. Gamm und G. Kimmerle. Tübingen 1990, S. 161 ff.

[70] Vgl. Rorty: Kontingenz, Ironie und Solidarität. a.a.O., S. 176 f.

[71] Vgl. Ebda. S. 111.

[72] Vgl. Ebda. S. 120.

[73] Michel Foucault: Wahnsinn und Gesellschaft. Frankfurt/Main 1969, S. 12.

[74] Vgl. Rorty: Kontingenz, Ironie und Solidarität. a.a.O. S. 113 f.

[75]   Ebda. S. 114.

[76]   Vgl. dazu Rorty: Hoffnung statt Erkenntnis. Eine Einführung in die pragmatische Philosophie. Wien 1994, S. 34 ff.

[77]   Vgl. Rorty: Kontingenz, Ironie und Solidarität. a.a.O., S. 116.

[78]   Ebda. S. 117.

[79]   Vgl. Helmut Wilke: Ironie des Staates. Grundlinien eine Staatstheorie polyzentrischer Gesellschaften. Frankfurt/Main 1992.

Cornelia Klinger

Über einige Verschiebungen im Verhältnis von Ethik und Ästhetik in der Gegenwart

Seit alters her ist das Verhältnis zwischen dem Guten und dem Schönen, zwischen Ethik und Ästhetik, von tiefen Ambivalenzen geprägt gewesen. So oft wie einerseits die Hoffnung gehegt wurde, dass es eine Korrespondenz zwischen dem Schönen, dem Wahren und Guten geben möge, so oft sind auf der anderen Seite diese Annahmen bestritten worden. Bekanntlich hat schon Platon die Dichter bezichtigt, zu lügen, und dass der schöne Schein trügt, dass die ästhetischen Qualitäten mit Moral und Wahrheit nicht unbedingt übereinstimmen, führen beispielsweise die mittelalterlichen Darstellungen der „Frau Welt" in ihrer Diskrepanz von glänzender Vorderseite und wurmstichiger Rückseite im Medium der Kunst selbst eindringlich vor Augen. Die Ambivalenz zwischen dem Schönen und Guten hat tiefe Wurzeln in der abendländischen Kultur und eine lange Tradition in ihrer Geschichte.

Unbeschadet solcher Ambivalenzen kann jedoch bis an die Schwelle der Moderne davon ausgegangen werden, dass enge und positive wechselseitige Beziehungen zwischen dem Wahren, Guten und Schönen grundsätzlich für möglich, für erstrebenswert und auch für relativ wahrscheinlich gehalten worden sind. Unter den traditionellen gesellschaftlichen Funktionen der Künste hatten die Aufgaben der ästhetischen Repräsentation des Wahren und der Hinführung zum Guten einen prominenten Platz.

In schematischer Vereinfachung betrachtet lassen sich drei Funktionen der schönen Künste in der vormodernen westlichen Gesellschaft angeben. In allen drei Funktionen ist ein Bezug auf das Gute in seinen unterschiedlichen Bedeutungen enthalten:

1. Am Anfang steht die *ornamentale Funktion*, das heisst die Verschönerung des Nützlichen, des Gebrauchsgegenstandes, die Zierde, das schmückende Beiwerk; und noch einen Schritt darüber hinaus allgemein: die Verschönerung des Alltags durch Zerstreuung und Unterhaltung. Auf dieser Ebene haben wir es mit dem Dienst des Schönen an einem im trivialen Sinne verstandenen, d.h. mit dem Nützlichen gleichgesetzten Guten zu tun.

2. Aufgrund der symbolischen Struktur der ästhetischen Einbildungskraft, die
   es erlaubt das Sinnliche und Gegenständliche transparent werden zu lassen,
   zum Zeichen, zur Metapher für etwas ausserhalb seiner selbst Liegendes, tritt
   die Kunst zweitens in den Dienst an einer höheren Macht. Am kultischen
   Ursprung der Kunst ist dies eine religiös begründete, in einem Jenseits veran-
   kerte, Wahrheit beanspruchende Ordnung, die sich in der künstlerischen
   Darstellung und durch sie hindurch manifestiert. In weiterer Folge transformiert sich diese Funktion zur Repräsentation einer sich auf transzendente
   Legitimationsgrundlagen stützende weltliche Macht. In beiden Fällen geht es
   darum, mit ästhetischen Mitteln Ehrfurcht und Bewunderung (und in der
   Folge Zustimmung) zu wecken für eine jenseits des Ästhetischen liegende
   Instanz: eine höhere, als wahr und gut geltende Ordnung wird besungen,
   durch ästhetische Darstellung verherrlicht und beglaubigt. Zusammenfassend
   lässt sich das als die *repräsentative Funktion* bezeichnen.
3. Von Verschönerung/ Unterhaltung und Repräsentation lässt sich drittens die
   didaktische, die den Menschen zum Wahren und Guten hinführende Funktion der Kunst, unterscheiden. Dass die Kunst als „Lockspeise des Guten"[1]
   dienen solle, dass sie den sittlichen Prinzipien sinnliche Anschaulichkeit und
   emotionale Eindringlichkeit verleihen könne, das hat zum letzten Mal die
   Aufklärung im achtzehnten Jahrhundert ernsthaft und nachdrücklich propagiert.

* * *

Erst seit dem späten 18. Jahrhundert, mit dem Anbruch der Moderne, auch der
ästhetischen Moderne in der Romantik, entwickelt sich eine grundsätzliche Opposition gegen die Verbindung von Ethik und Ästhetik bzw. gegen die Dienstbarkeit des Schönen für das Gute. „... ein gutes Kunstwerk kann und wird zwar
moralische Folgen haben", schreibt Goethe in „Dichtung und Wahrheit", aber
„moralische Zwecke vom Künstler fordern, heißt ihm sein Handwerk verderben"[2]. Sehr entschieden klingt die berühmte Unabhängigkeitserklärung des Ästhetischen, die der junge Friedrich Schlegel in den Athenäums-Fragmenten ganz
am Ende des achtzehnten Jahrhunderts (1798) postuliert: „Eine Philosophie der
Poesie ... würde mit der Selbständigkeit des Schönen beginnen, mit dem Satz,
daß es vom Wahren und Sittlichen getrennt sey und getrennt seyn solle und daß
es mit diesem gleiche Rechte habe"[3].

Diese innerhalb der ästhetischen Debatte sich vollziehende Trennung von
Ethik und Ästhetik steht in einem grossen epochalen Rahmen. Sie vollzieht sich
vor dem Hintergrund des Modernisierungsprozesses der westlichen Gesellschaft.
Der Prozess der abendländischen Moderne ist durch einen in seinem Ausmass
und in seiner Form einzigartigen Prozess sozialer Differenzierung charakteri-

siert. Recht, Ökonomie, Politik, Wissenschaft usw. bilden sich zu autonomen Funktionssystemen aus. Alle genannten Bereiche durchlaufen dabei einen Prozess der Säkularisierung, d.h. sie entziehen sich der Unterordnung unter religiöse und den aus ihnen abgeleiteten ethisch-moralischen Normen. Sie folgen ausschliesslich ihrer jeweiligen eigenständigen Entwicklungslogik. Diese ist in allen Fällen an einem Konzept von Rationalität orientiert, das auf dem Prinzip der Effizienz basiert[4] und auf ihre subsystemspezifische Fortschreibung abzielt.

Im Zusammenhang und als Konsequenz dieses umfassenden Differenzierungsprozesses muss auch die Ausbildung der Sphäre der Kunst, des Ästhetischen zu einem autonomen System verstanden werden. „Die Kunst nimmt an Gesellschaft teil schon dadurch, daß sie als System ausdifferenziert wird und damit der Logik eigener operativer Geschlossenheit unterworfen wird – wie andere Funktionssysteme auch"[5]. Die These, die den Ausgangspunkt meiner Überlegungen bildet, lautet in einem Satz zusammengefasst: Als systematisch angelegter und grundsätzlich unlösbarer Konflikt wird das Dilemma zwischen Ethik und Ästhetik erst in der Moderne und als Resultat des Modernisierungsprozesses virulent.

In der Folge dieses Vorgangs findet ein tiefgreifender Funktionswandel der Kunst statt. Wiederum schematisch zusammengefasst heisst das:

1. An die Stelle der Repräsentation einer höheren transzendenten/sakralen oder weltlichen Ordnung tritt die Vorstellung der Eigengesetzlichkeit und Eigendynamik der ästhetischen Sphäre, das Prinzip der *Autonomie*.
2. An die Stelle der Vermittlung des Wahren und Guten rückt die Aufgabe, dem künstlerischen Ich, der Phantasie und dem inneren Gestaltungsdrang, der Kreativität des (genialen) Subjekts Ausdruck zu verleihen. Ich bezeichne das als das Prinzip der *Expressivität*.
3. Auf der Grundlage der Prinzipien von Autonomie und Expressivität ergibt sich als drittes das, was ich die *Alterität* des Ästhetischen nennen möchte. Die vom Dienst an der bestehenden Gesellschaft freigesetzte (= autonome) und sich ausschliesslich auf die innere Stimme bzw. Vision des Künstlers gründende (= expressive) Kunst kann sich – zum ersten Mal in ihrer abendländischen Geschichte – prinzipiell und radikal gegen die Gesellschaft wenden. Die radikale Distanz *von* der Gesellschaft eröffnet die Möglichkeit von Kritik *an* der Gesellschaft und daraus kann schliesslich die Parteinahme für eine *andere* Wirklichkeit erwachsen. Auf dem Prinzip der Alterität basiert das Konzept der Avantgarde, der Vorreiterrolle der gegenwärtigen Kunst für eine künftige Gesellschaft.

Alle drei Begriffe sollen im folgenden noch etwas näher erläutert werden.

Das Prinzip der Autonomie möchte ich – genauer als üblich – nach drei Hinsichten bzw. in drei Stufen differenzieren. Autonomie kann *erstens* die Unabhängigkeit des Künstlers (auf der Ebene der Produktion) bedeuten, *zweitens* die Zweckfreiheit des Werkes und *drittens* die Insichgeschlossenheit der ästhetischen Erfahrung (auf der Ebene der Rezeption).

Die Unabhängigkeit des Künstlers ergibt sich an der Schwelle zur Moderne durch die Entstehung eines Marktes für Kunst und Literatur. Der anonyme Markt entpersonalisiert das Verhältnis von Künstler und Publikum und macht die Künstler von den direkten An- und Einsprüchen konkreter Auftraggeber unabhängig; der Markt vermittelt zwischen dem Selbstausdruck des Produzenten und einem entfernten, aber potentiell gleichgestimmten Rezipienten, den die künstlerische Expression des Subjekts als Subjekt anspricht[6].

Die Zweckfreiheit des Werkes ergibt sich aus dem Abschied von der Repräsentationsfunktion und vom Prinzip der Mimesis. Ebenso wie die anderen sich ausdifferenzierenden Systeme vollzieht die Kunst in der Moderne eine Wendung auf sich selbst, auf die formalen Regeln und Gesetze des Ästhetischen und ihre rein immanente Fortschreibung im Medium der Kunst: „'Art for art's sake' and 'pure poetry' appear, and subject matter or content becomes something to be avoided like plague"[7] resümiert der amerikanische Kritiker Clement Greenberg. Die Lösung von der Welt ausserhalb der Kunst ebnet den Weg für die Entstehung der abstrakten Kunst. „In turning his attention away from subject matter of common experience, the poet or artist turns in upon the medium of his own craft ... Picasso, Braque, Mondrian, Miró, Kandinsky, ... derive their chief inspiration from the medium they work in. The excitement of their art seems to lie most of all in its pure preoccupation with the invention and arrangement of spaces, surfaces, shapes, colors, etc., to the exclusion of whatever is not necessarily implicated in these factors. The attention of poets like Rimbaud, Mallarmé, Valéry, Éluard ..., appears to be centered on the effort to create poetry ... rather than on experience to be converted into poetry"[8]. Das Prinzip der Selbstreferentialität macht die Sphäre des Ästhetischen zu einem selbstgenügsamen und geschlossenen Kosmos.

Dieser Prozess der Autonomisierung der Kunst in ihrer eigenen Sphäre ist vollendet, wenn er sich schliesslich auch drittens auf die Ebene der Rezeption auswirkt. Während Goethe sich zwar gegen die Zumutung moralischer Rücksichten an die Adresse des Künstlers gewehrt hat („moralische Zwecke vom Künstler fordern, heißt ihm sein Handwerk verderben"), ging er doch im Hinblick auf die Rezeption von Kunst dessen ungeachtet weiterhin von einer intakten Beziehung zwischen Kunst und Moral aus („ein gutes Kunstwerk kann und wird ... moralische Folgen haben"). Dagegen schneidet Kants für die moderne Ästhetik massgeblich gewordenes Prinzip des interesselosen Wohlgefallens die Verbindungen in beide Richtungen ab: weder darf ein praktisches Interesse Ursache, noch darf es Folge eines ästhetischen Urteils sein. Bis in unsere Gegenwart hinein hat sich die moderne Tradition der Interesselosigkeit radikalisiert. So heisst es bei dem jungen deutschen Philosophen Christoph Menke: „die Geltung des ästhetisch Erfahrenen [ist] ... notwendig partikular: sie ist relativ auf diejenige Sphäre des Erfahrens, die durch die Orientierung am spezifisch ästhetischen Wert des Schönen umgrenzt wird. Wie und was wir ästhetisch erfahren, hat keinerlei bestreitende oder bejahende Kraft für das, was Gegenstand unseres nichtästhetischen Erfahrens und Darstellens ist. Die autonome Gestalt des Ästhetischen ist gerade darin ein Moment *in* der ausdifferenzierten modernen Vernunft, daß es sich den anderen ... in ihre wohlunterschiedene Eigengesetzlichkeit freigegebenen Diskursen weder über- noch unter-, sondern nebenordnet"[9]. Die Sphären des Moralisch/Ethischen und des Ästhetischen, die praktische und die ästhetische Rationalität scheiden sich in der Moderne am Kriterium des Interesses bzw. der Interesselosigkeit.

Nicht nur die neue Kategorie der Autonomie steht in Widerspruch zu den traditionalen Funktionen der Kunst, sondern auch das eng mit ihr verbundene Konzept der Expressivität. Sich selbst, seine wahren Intuitionen, Ideen und Empfindungen soll das geniale künstlerische Ich zum Ausdruck bringen. Folgt der Künstler hingegen lediglich Regeln der Zunft oder ist der Ausdruck des Gefühls bloss den Gesetzmässigkeiten einer bestimmten Kunstgattung (zum Beispiel der Gattung Liebeslyrik) geschuldet oder kalkuliert der Künstler gar mit den Konventionen der Gesellschaft und dem Geschmack des Publikums, dann gilt das als empfindliche Beeinträchtigung des ästhetischen Wertes. Aus dem Prinzip der Expressivität folgt die Verpflichtung auf Authentizität. Sie stellt so etwas wie einen inner-ästhetischen Wahrheitsanspruch dar. Freilich handelt es sich dabei um eine subjektive Wahrheit, also um *Wahrhaftigkeit*, um die Treue des künstlerischen Subjekts zu sich selbst, was von einer Verpflichtung auf eine objektive, ausserhalb der ästhetischen Sphäre liegende Wahrheit unterschieden ist. Sehr wohl kann die subjektive Wahrheit des Ausdrucks der Innerlichkeit des Subjekts in Gegensatz treten zu den Regeln und Gesetzen der objektiven Welt. Der wahrhaftige Ausdruck etwa von Sadismus, Hass oder jeder anderen Art unsublimierter Triebhaftigkeit genügt, sofern er eine künstlerisch gelungene Form findet, durchaus den Massstäben der modernen Ästhetik. Die Blumen des Bösen können schön sein.

Mit anderen Worten: sowohl vom Prinzip der Autonomie als auch vom Prinzip der Expressivität her ergibt sich die Möglichkeit eines grundsätzlichen Konflikts zwischen Ethik und Ästhetik. Ein solcher Konflikt ist unmittelbares Ergebnis der Ausdifferenzierung und Autonomisierung von Wertsphären, die ihrer jeweiligen Eigengesetzlichkeit ohne Rücksicht auf einen grösseren Zusammenhang und ohne die Möglichkeit eines regulierenden oder kontrollierenden Eingriffs von aussen folgen dürfen. Es gibt keine der Ästhetik immanenten Bremsmechanismen und Tabus gegen die Darstellung des absolut Bösen oder wenigstens des moralisch Indifferenten[10]. Unter der Voraussetzung, dass Moder-

nisierung einen unumkehrbaren und fortschreitenden Ausdifferenzierungsprozess darstellt, liegt eine immer weiter gehende Befreiung der Kunst von moralischen, ethischen oder anderen normativen Rücksichten in der Entwicklungslogik
der Moderne selbst. Das bedeutet indes nicht, dass es an Versuchen gefehlt hätte,
der Kunst solche Rücksichten aufzuzwingen. In gewisser Weise lässt sich gerade
das Zeitalter der Autonomie zugleich auch als das Zeitalter der Zensur betrachten. Aber dessen ungeachtet bzw. eben deswegen fehlt den Einsprüchen und
Eingriffen in die Freiheit der Kunst die Legitimationsgrundlage. Die Entwicklung der letzten hundert bis zweihundert Jahre zeigt ein klare Tendenz in Richtung auf Autonomisierung der Kunst, der gegenüber alle Versuche der Beeinträchtigung als unerträglich und letztlich auch als vergeblich erscheinen müssen.

Einzig vom dritten Charakteristikum der ästhetischen Moderne, vom Prinzip der Alterität her, scheint sich ein etwas anderes Bild zu ergeben. Auf der einen Seite basiert auch die Alterität des Ästhetischen auf den Prinzipien von Autonomie und Expressivität. Auf der anderen Seite besteht hier ein Spannungsverhältnis. In Konflikt mit dem Prinzip der Autonomie tritt die Alterität, insofern
als sie die Distanz von der tatsächlich gegebenen Realität im Engagement für eine
künftige wahre und gerechte Ordnung aufs Spiel setzt; in Konflikt mit dem
Prinzip der Expressivität tritt die Alterität, insofern als Konzepte wie etwa das
einer „Neuen Mythologie" zwar in der Subjektivität des Künstlers ihren Ausgangspunkt haben sollen, aber doch auf die Überwindung des bloss Subjektiven
und auf die objektive Geltung der ästhetischen Vision in der Gestaltung einer
allgemeinverbindlichen, wahren und gerechten Ordnung zielen. Mit anderen
Worten: vom Prinzip der Alterität her käme wieder eine Verbindung der Kunst
zu Fragen der Gesellschaftsordnung und der Prinzipien des Wissens und Moral
in den Blick. Allerdings nicht in Bezug auf die etablierte, real existierende Gesellschaft, sondern in Hinblick auf die Möglichkeit ihrer künftigen Umgestaltung.

Das Prinzip der Alterität ist im Verlauf der Geschichte der Moderne immer
mit einer gewissen revolutionären Naherwartung verbunden gewesen; sei es die
Hoffnung, dass eine politische Revolution die Grundlagen für eine Revolutionierung der Kunst und ihres Verhältnisses zur Gesellschaft schaffen werde – sei es
umgekehrt die Hoffnung, dass eine ästhetische Vision, eine von einem genialen
künstlerischen Genie hervorgebrachte Neue Mythologie, zur Entstehung einer
neuen Gesellschaft beitragen möge. In beiden Formen ging es gleichermassen um
eine Überwindung der Moderne und ihrer Grundbestimmtheit der Ausdifferenzierung. Diese wurde als Entfremdung und Entzweiung kritisiert. Das Ziel lag
beide Male in der Herbeiführung eines gesellschaftlichen Zustandes, in dem in
einer zugleich wahren, guten und schönen Ordnung nicht nur die Kluft zwischen Ethik und Ästhetik überwunden werden könnte, sondern in dem die
Kunst mit dem 'Leben' überhaupt versöhnt wäre.

Warum richten sich eigentlich solche Erwartungen auf eine Kritik und Transzendierung der durch den Ausdifferenzierungsprozess der Moderne erzeugten Leiden und Probleme ausgerechnet an die Kunst, deren moderne Gestalt doch dem Prozess der Ausdifferenzierung genauso unterworfen und durch ihn geprägt ist, wie die anderer Bereiche auch? Warum wird gerade in der Kunst, mehr als etwa in Religion, Wissenschaft oder Politik ein solches Potential der Modernitätskritik und -überwindung vermutet? Der Grund dafür dürfte in der spezifischen Fähigkeit der ästhetischen Formgebung zu finden sein, etwas Einzelnes oder Besonderes als allgemeingültig, einen Ausschnitt der Welt, ein Stück, ein Bruchstück der Wirklichkeit als ganz, ja geradezu als das Ganze, etwas Zufälliges als notwendig, etwas Flüchtiges als dauerhaft, einen Augenblick als Ewigkeit, etwas Zufälliges/Beliebiges als sinnhaft/sinnvoll erscheinen zu lassen. Es ist die narrative Struktur, die einer banalen Geschichte in der Form der Erzählung einen Anfang und ein Ende gibt, und so durch die Formgebung Sinn und Bedeutung stiftet. Es ist die Komposition, die einem Ausschnitt der Welt, und sei es bloss ein Rasenstück (Dürer) im Bild einen Rahmen und damit Zusammenhang, Einheit und Harmonie verleiht. Kurzum: die ästhetische Bearbeitung verleiht ihren Gegenständen *Monumentalität*. Mit dieser Fähigkeit der Einheits-, Ganzheits- und Sinnstiftung verspricht Kunst etwas zu leisten, was sonst im Zuge des Modernisierungsprozesses unmöglich und auch illegitim geworden zu sein scheint.

Die Spannung zwischen der Autonomie, dem *dégagement* vom „Leben" und der Alterität, aus der ein *engagement*, für ein 'anderes' Leben, eine andere Gesellschaftsordnung erwächst, begleitet den gesamten Verlauf der Moderne in konjunkturellen Wellenbewegungen, in denen sich der geschichtliche Verlauf des zwanzigsten Jahrhunderts abbildet und in die sich die verschiedenen Kunstrichtungen und -strömungen auf verschiedenen Seiten einschreiben[11]. Während auf der einen Seite die ästhetische Ideologie der Moderne jede Form der Dienstbarkeit für die Gesellschaft entschieden zurückweist, hat keine Epoche mit solcher Selbstverständlichkeit angenommen, dass Kunst den Zustand der Gesellschaft reflektiert, kritisch kommentiert und – *à la limite* – transzendiert.

Freilich haben sich die Hoffnungen auf eine Überwindung der Moderne in einem neuen Zeitalter der grossen Synthese bislang nicht erfüllt. Daher hat das Prinzip der Alterität das der Autonomie bzw. die Ausdifferenzierung der Kunst zu einer besonderen Sphäre und ihre Trennung vom „Leben" nicht in Frage stellen können. Infolgedessen ist auch die Trennung zwischen Ethik und Ästhetik bislang nicht beseitigt worden durch die Unterordnung der Kunst unter eine revolutionäre Moral. Im Gegenteil, das Prinzip der Alterität, die Avantgarde-Funktion der Kunst für eine neue Gesellschaft ist durch den Missbrauch, den die totalitären Regime des Nationalsozialismus bzw. Faschismus und des Stalinismus mit einer politisierten Ästhetik oder einer ästhetisierten Politik getrieben haben, ernsthaft in Misskredit geraten. Das utopische Projekt einer Versöhnung von

Kunst und Leben und die damit einhergehende Infragestellung der Moderne als
Ausdifferenzierungsprozess gilt nach dem Ende des Zweiten Weltkriegs als defi-
nitiv gescheitert, als illusorisch oder desavouiert oder beides zugleich. Jede Infra-
gestellung der Ausdifferenzierungen der Moderne ruft seither unvermeidlich den
Verdacht hervor, in ihrer widerverzaubernden Intention und totalisierenden
Tendenz totalitären Neigungen und Bestrebungen Vorschub zu leisten.

* * *

Vor diesem Hintergrund der im Gesamtzusammenhang des Konzepts von Moderne und Modernisierung angelegten und aus der bitteren Erfahrung des Totalitarismus heraus erst recht noch weiter verfestigten Trennung autonomer Sphären kommt der Perspektivenwechsel überraschend, der sich neuerdings im Hinblick auf das Verhältnis zwischen Ethik und Ästhetik beobachten lässt. In den
letzten Jahren ist die Frage nach einem Zusammenhang, einer Verbindung von
Ethik und Ästhetik auf einmal aktuell geworden.[12].
    Es fragt sich, was diesen plötzlichen Wandel ausgelöst hat und was er be-
deutet. Auf dem Wege zu einer Antwort, möchte ich zunächst eine Reihe von
Beispielen vorstellen, in denen sich dieser Wechsel der Perspektive manifestiert.
    Meine beiden ersten Beispiele stammen aus der zeitgenössischen amerikani-
schen Moralphilosophie. In seinem Buch „After Virtue" führt Alasdair MacIntyre den Begriff der Einheit des menschlichen Lebens (unity of a human life) ein in
der Hoffnung, auf diese Weise den im Zuge der Pluralisierung von Lebensweisen
in der Moderne problematisch gewordenen Zusammenhang zwischen Tugenden
und Lebensweisen herstellen zu können, ohne normativ bestimmte Lebensweisen vor anderen auszeichnen zu müssen. Das Kriterium der Einheitlichkeit des
Lebens findet MacIntyre in der Narrativität der Lebensgeschichte, in ihrer kohä-
renten und kohärenzstiftenden Erzählbarkeit. Narrativität ist klarerweise eine
ästhetische Kategorie. Hier dient der Rekurs auf Ästhetik dazu, moraltheoreti-
sche Positionen, die sich auf dem Boden von Moraltheorie selbst aus bestimmten
Gründen nicht mehr behaupten lassen, zu beglaubigen.
    Noch enger, nämlich wechselseitig ist die Beziehung zwischen Kunst und
Leben, zwischen Ethik und Ästhetik, die Martha Nussbaum befürwortet. Wenngleich sie sich nur auf die verhältnismässig schmale Basis des realistischen Romans des 19. Jahrhunderts stützt, formuliert Nussbaum weitreichende Thesen:
„... the novel is itself a moral achievement, and the well-lived life is a work of literary art"[13], „The artist's task *is* a moral task"[14] und umgekehrt: „Our whole moral task ... is to make a fine artistic creation"[15]. Nussbaum behauptet die moralische Vorbildlichkeit literarisch gestalteter Lebenssituationen für die Wirklichkeit
vor allem im Hinblick auf den hohen Grad an Sensiblität für die Besonderheit
von Situationen und Personen, den die literarische Darstellung zu vermitteln

vermag. „.... a respect for the irreducibly particular character of a concrete moral context and the agents who are its components; a determination to scrutinize all aspects of this particular with intensely focused perception; a determination to care for it as a whole"[16]. Die Literatur empfiehlt sich also sowohl durch Achtung vor der Partikularität als auch aufgrund ihrer Fähigkeit, das Partikulare am Ende wieder zu einem Ganzen zusammenzufügen („to care for it as a whole")[17].

Stärker und einseitiger den Aspekt der Differenz betonend als Nussbaum steht der Gedanke des Respekts vor der Partikularität bei meinem nächsten Beispiel im Vordergrund. In der Einleitung zu dem von ihnen herausgegebenen Sammelband „Ethik der Ästhetik" schreiben Christoph Wulf, Dietmar Kamper und Ulrich Gumbrecht programmatisch: „In der Erfahrung der Rätselhaftigkeit des Ästhetischen wird der aus Macht- und Durchsetzungsansprüchen konstituierte Sinn alltäglichen Handelns erschüttert. Dadurch leistet die ästhetische Erfahrung einen Beitrag zur Offenheit für das Fremde und zur Sorge für das Andere und damit zu einer Ethik der menschlichen Existenz. Die Ethik der Ästhetik liegt ... in der Möglichkeit des Ästhetischen, für die Rätselhaftigkeit der Welt und des Anderen zu sensibilisieren. Der Widerstand von Kunst und Literatur gegen Versuche, das Geheimnis des Anderen abzuschaffen, und ihr Eintreten für das Unsagbare und Undurchschaubare sind Ausdruck einer genuinen Ethik der Ästhetik"[18].

Noch einen Schritt weiter in diese Richtung geht im selben Band Wolfgang Welsch, indem er der Ästhetik eine Tendenz zu Gerechtigkeit und Toleranz unterstellt: „Ästhetische Erfahrung ... sensibilisiert für Grundunterschiede und für die Eigenheit und Irreduzibilität von Lebensformen. Zugleich fördert sie die Bereitschaft wahrzunehmen, wo Überherrschung geschieht, wo Verstöße vorliegen, wo es für das Recht der Unterdrückten einzutreten gilt. Insofern vermag ästhetische Kultur auch zur politischen Kultur beizutragen"[19]. Einen ganzen „Kodex ästhetischen Bewußtseins" stellt Welsch auf: „Spezifitätsbewußtsein", „Partialitätsbewußtsein", „Wachsamkeit", „Aufmerksamkeit", „Anerkennungstendenz" und „Gerechtigkeitstendenz" soll er umfassen[20].

Eine weitere Variante der Neubestimmung des Verhältnisses von Ethik und Ästhetik knüpft an Ideen und einige Äusserungen Michel Foucaults aus seinen letzten Lebensjahren an. In einem Interview hat Foucault den Ausgangspunkt seines Gedankens so beschrieben: „die Idee einer Moral im Gehorsam gegenüber einem Regelkodex ist heute im Verschwinden begriffen und ist schon verschwunden. Und diesem Fehlen von Moral will und muß die Suche nach einer Ästhetik der Existenz antworten"[21]. In einem anderen Gespräch findet sich folgende, inzwischen unendlich oft zitierte Passage: „Was mir auffällt ist die Tatsache, dass in unserer Gesellschaft Kunst zu etwas geworden ist, das nur mit Objekten, nicht aber mit Individuen oder dem Leben zu tun hat, dass Kunst etwas ist, das sich spezialisiert hat bzw. das von Experten betrieben wird, die Künstler sind. Warum sollte eine Lampe oder ein Haus ein Kunstwerk sein, aber unser Leben nicht?"[22]. Mit diesen wenigen und von ihm selbst kaum weiter theoretisch ausgearbeiteten Äusserungen hat Foucault ganz offenkundig den Nerv der Zeit getroffen, denn eine Fülle von neuen Auseinandersetzungen mit der Frage der Versöhnung von Kunst und Leben bzw. nach einer neuen Lebenskunst knüpft hieran an.

Ich habe mehrere Beispiele angeführt, um deutlich werden zu lassen, dass die Absichten und Bestrebungen, die mit der neuerdings aktuell gewordenen Diskussion um das Verhältnis von Ethik und Ästhetik verbunden sind, in sehr unterschiedliche Richtungen gehen können. Während die beiden amerikanischen Beispiele im Kontext neo-aristotelischer Moraltheorie angesiedelt sind und letztlich die Rehabilitierung einer prämodernen Ethik anstreben[23], geht es bei den beiden deutschen Beispielen um eine ästhetische Beglaubigung bestimmter ethischer Prinzipien, die auf eine etwas vage Weise mit den spezifisch modernen Idealen von Emanzipation und Autonomie verbunden werden, nämlich dann, wenn Welsch sich auf eine spezifisch ästhetische Sensibilität beruft, die in der Lage sein soll, wahrzunehmen, „wo Überherrschung geschieht, wo Verstöße vorliegen, wo es für das Recht der Unterdrückten einzutreten gilt". Der im ersten Fall eher konservativen und im zweiten Fall eher progressiven politischen Einstellung korrespondiert es, dass die Konzeptionen von Kunst, die dabei jeweils zugrunde gelegt werden, einerseits eher einem traditionellen und andererseits einem modernen Verständnis von Kunst verpflichtet sind. Bei MacIntyre und Nussbaum wird ganz ungeniert auf eine Auffassung von Schönheit und Harmonie, von Einheit durch Narrativität Bezug genommen, so als ob es die ästhetische Moderne, die dieses Ideal unterminiert, ironisiert, negiert und schliesslich längst destruiert hat, nie gegeben hätte. Dagegen scheinen die Versuche, emanzipatorische ethische Prinzipien in der Ästhetik aufzufinden, eher mit der ästhetischen Modernitätserfahrung kompatibel zu sein. Wenngleich wiederum auf etwas verschwommene Weise wird hier auf die Eigenschaften einer modernen Ästhetik angespielt, d.h. auf eine Kunst, die den Bruch mit überkommenen Wahrnehmungsmustern, die Schockierung des gesellschaftlichen Konventionalismus, den Kult des Neuen zum Prinzip gemacht hat.

Der konservative und der progressive Ansatz stimmen freilich in einem entscheidenden Punkt überein. Beide rekurieren auf Ästhetik, weil sich die Ethik, die sie jeweils vertreten, auf ihrem eigenen Terrain, also auf dem Gebiet einer praktischen Vernunft, die Wert- und Zielvorstellungen mit normativem Geltungsanspruch formuliert, nicht mehr begründen lässt. Das gilt nicht nur im Hinblick auf den an einem vormodernen Welt- und Gesellschaftskonzept orientierten neoaristotelischen Ansatz, sondern das gilt auch für den im Horizont der Moderne stehenden progressiven Ansatz. In einer Zeit, in der sich Gerechtigkeit und Freiheit als politische Ziele auf der geschichtsphilosophischen Grundlage des Fortschritts der Aufklärung zur Emanzipation des Menschengeschlechts mit normativen Allgemeinverbindlichkeits- und Universalitätsanspruch nur noch schwer behaupten lassen, bedürfen auch sie der ästhetischen Abstützung.

Das letzte Beispiel unterscheidet sich von den beiden ersten Beispielpaaren gerade an diesem Punkt. Bei Foucault wird klar und deutlich ausgesprochen, was die anderen Autoren durch ihren Rekurs auf Ästhetik bemänteln, verdecken bzw. reparieren möchten, nämlich dass „die Idee einer Moral im Gehorsam gegenüber einem Regelkodex ... heute im Verschwinden begriffen und ... schon verschwunden" ist; und dass die Suche nach einer Ästhetik der Existenz gerade eben diesem Fehlen von Moral antworten will[24]. Während der konservative neo-aristotelische und auch der liberale Ansatz mit ästhetischen Hilfsmitteln moral-philosophische und normative „Begründungslücken" (wie Welsch das wörtlich nennt[25]) zu schliessen versuchen, tendiert der poststrukturalistische Ansatz dazu, den Ausfall der Moral als gegeben anzuerkennen und Ethik durch Ästhetik zu ersetzen. Foucault bekennt sich zu dem, was Nietzsche als Bedingung der nach-metaphysischen Welt erkannt hat, dass nämlich das Dasein nur noch als ästhetisches gerechtfertigt werden kann.

* * *

Ganz gleich, ob Ethik durch Ästhetik gestützt oder ersetzt werden soll, jeden-falls stimmen die unterschiedlichen Beispiele in der Auffassung überein, dass eine Krise der Ethik und Moral zugrunde liegt. Die Debatte kreist auf die eine oder andere Weise um die Ausdifferenzierung der Sphäre der praktischen Vernunft nach den Hinsichten der Prinzipien der Gerechtigkeit und der Frage nach dem Guten, dem guten Leben.

Die Pluralisierung der Lebensformen, die notwendigerweise aus dem Aus-differenzierungprozess der Moderne resultiert, führt dazu, dass kein Konsens mehr erzielt werden kann über allgemeinverbindliche Werte und Normen, sofern damit Aussagen über das wahre Wesen der Welt und der Dinge, über die Natur des Menschen, über das Ziel der Geschichte usw. explizit zugrunde gelegt oder implizit vorausgesetzt werden. Alle umfassenden Theorien, die das richtige kol-lektive Handeln und das gute individuelle Leben aus einem wahren Wissen, aus der Einheit eines umfassenden Weltbildes ableiten und auf einen substanziellen Begriff des Guten gründen wollen, haben ihre Glaubwürdigkeit definitiv verlo-ren. Denn es hat sich in der Geschichte des Abendlandes gezeigt, dass solche Prämissen zu unüberbrückbaren Konflikten oder zu dogmatischer Bevormun-dung und politischer Tyrannei führen. Es muss davon ausgegangen werden, dass „in a constitutional democratic state under modern conditions there are bound to exist conflicting and incommensurable conceptions of the good"[26]; „... no one any longer supposes that a practical political conception for a constitutional regime can rest on a shared devotion", ganz gleich, ob die gemeinsame Überzeugung religiöser Art sein soll oder eine mit Universalitäts- und Normativitätsanspruch auftretende philosophische oder moralische Doktrin[27].

Wenn das so ist, dann entsteht an dieser Stelle die Frage „... how is social unity understood, given that there can be no public agreement on the one rational good, and a plurality of opposing and incommensurable conceptions must be taken as given?"[28] Moderne freiheitliche und demokratische Gesellschaften beantworten diese Frage mit einer Ausdifferenzierung unterschiedlicher Geltungsbereiche. Der Bereich des kollektiven Handelns, das Zusammenleben der Gesellschaft soll durch Prinzipien der Gerechtigkeit geregelt werden, die möglichst rein formaler und prozeduraler Art sein sollen, um dadurch der irreduziblen Pluralität der Lebensweisen und Glaubensauffassungen gegenüber neutral sein zu können. Auf diese Weise wird eine scharfe Grenze gezogen zwischen dem Öffentlichen und dem Privaten, dem Gerechten und dem Guten, dem Formalen und dem Substantiellen. So unbezweifelbar diese Lösung ein hohes Mass an Pluralität und Freiheit in der Gestaltung des guten Lebens erlaubt und so unbezweifelbar unter den gegebenen Bedingungen moderner Gesellschaften keine Alternative zu diesem Lösungsmodell denkbar erscheint, so kann doch ebenso wenig bezweifelt werden, dass auch gravierende Probleme damit verbunden sind.

Die Schwierigkeiten weisen in zwei, oberflächlich betrachtet entgegengesetzte Richtungen[29]. Auf der einen Seite findet das Individuum in den Prinzipien, die das Handeln auf der Ebene der Gesellschaft als Kollektiv bestimmen, keine Anleitung mehr, um sein Handeln auf der individuellen Ebene danach auszurichten. Nach dieser ersten Seite hin entsteht das Problem eines Orientierungsmangels (um nicht zu sagen der Orientierungslosigkeit); die Individuen sind jedenfallls genötigt, nach anderen Anhaltspunkten zu suchen, um die Frage zu beantworten, wie sie ihr Leben gestalten sollen. Wenn wir aber vom umgekehrten Fall ausgehen, dass die Individuen (oder wenigstens eine gewisse Anzahl von ihnen) ihr Leben nach Grundsätzen führen, die sie für gut und richtig halten, dann sehen sie sich mit der Situation konfrontiert, dass sie zwar frei sind, diesen Grundsätzen in der Gestaltung ihres jeweils eigenen Lebens zu folgen (und das ist immerhin mehr als die meisten Gesellschaftsformationen ihren Mitgliedern zubilligen). Dennoch erscheint diese Freiheit dadurch in ihrem Wert relativiert, dass die guten Lebensgrundsätze der Einzelnen keine Wirkung, keine Folgen, keinen Einfluss, keine Bedeutung auf den gesellschaftlichen Funktionszusammenhang in seiner Gesamtheit haben sollen. Diese Belanglosigkeit der auf den Status reiner Privatangelegenheit reduzierten Prinzipien des guten Lebens wird von den Individuen als Sinnverlust bzw. Sinnlosigkeit erfahren. Aus der Beliebigkeit der je eigenen Orientierung kann dann wiederum das Gefühl der Orientierungslosigkeit entstehen.

In gewissem Sinne durchzieht die Problematik der Isolierung zwischen der öffentlichen und der privaten Dimension auch das Innere des Subjekts. An diesem dritten Aspekt des Problems setzt Alasdair MacIntyre an, wenn er sich auf die Suche nach der Einheit des menschlichen Lebens (unity of a human life) begibt: „... modernity partitions each human life into a variety of segments, each with its own norm and modes of behaviour. So work is divided from leisure, private life from public, the corporate from the personal ... the unity of a human life becomes invisible to us when a sharp separation is made either between the individual and the roles that he or she plays ... or between the different role- and quasi-role- enactments of an individual life so that life comes to appear as nothing but a series of unconnected episodes"[30]. Die immer weiter fortschreitende Ausdifferenzierung einer immer weiter wachsenden Zahl von Subsystemen schlägt sich nieder in „the liquidation of the self into a set of demarcated areas of role-playing .."[31].

* * *

Es fragt sich abschliessend, ob diese Probleme der Handlungsorientierung tatsächlich im Medium und mit dem Instrumentarium des Ästhetischen gelöst oder gemildert werden können. Um die Antwort in einem kurzen Satz zusammenzufassen: gemildert werden können die Probleme – vielleicht; gelöst werden können sie mit Sicherheit nicht.

Die vorgeschlagenen Ansätze zu einer Verbindung zwischen Ethik und Ästhetik rekurieren wieder auf jenes dritte Charakteristikum, die Alterität des Ästhetischen, von dem bereits in der Romantik des 19. Jahrhunderts und in den Avantgardebewegungen des frühen 20. Jahrhunderts alle jene Versuche ausgegangen sind, die aus dem Ausdifferenzierungsprozess der Moderne resultierenden Dilemmata mittels Kunst zu überwinden.

Am deutlichsten rekuriert der konservative Ansatz auf die Fähigkeit der Einheits- und Sinnstiftung durch ästhetische Formgebung. Aber auch das auf Foucault zurückgehende Postulat, nach dem Ausfall moralisch-normativer Leitlinien das eigene Leben zum Kunstwerk zu machen, appelliert letztlich ebenfalls an die einheits- und sinnstiftende Funktion des Ästhetischen. Lediglich jene Beispiele, die das Ästhetische nicht zur Grundlage der Selbstsorge machen, sondern die aus dem Ästhetischen die ethischen Prinzipien der Sorge für den Anderen und das Fremde ableiten wollen, scheinen auf den ersten Blick anders konzipiert und strukturiert zu sein. Hier geht es nicht darum, aus der einheits- und harmoniestiftenden Kraft der Kunst Orientierungshilfen für das Individuum in einer fragmentierten und segmentierten Wirklichkeit zu gewinnen. Denn es wird eine – zumindestens oberflächlich betrachtet – ganz andere Diagnose der Moderne zu Grunde gelegt[32]. In dieser Perspektive erscheint die moderne Gesellschaft nicht

als rettungslos partikularisiert, sondern eher als „stahlhartes Gehäuse" (Max Weber); die moderne Wirklichkeit erscheint als von uniformen und ehernen Gesetzen beherrscht. Daher wird die Kunst nun umgekehrt beschworen, um durch die
„Erfahrung der Rätselhaftigkeit des Ästhetischen" den „aus Macht- und Durchsetzungsansprüchen konstituierten Sinn alltäglichen Handelns" zu erschüttern.
Aber ganz gleich, ob es die Fähigkeit des Ästhetischen ist, den in der Wirklichkeit fehlenden Sinn herzustellen oder gerade umgekehrt, die Möglichkeit den in
der Wirklichkeit herrschenden Sinn zu erschüttern, in beiden Fällen liegt die
Prämisse der Alterität zugrunde: das Ästhetische ist das jeweils Andere gegenüber der gesellschaftlichen Wirklichkeit und soll daher zu einer Veränderung der
Wirklichkeit beitragen.

Allerdings erstreckt sich der ästhetische Impuls zur Wirklichkeitsveränderung ausschliesslich auf die subjektiven, individuellen Aspekte. Darin liegt der
grundlegende Unterschied zwischen den früheren Avantgarde-Bewegungen, die
die Versöhnung von Kunst und Leben auf ihre Fahnen geschrieben hatten, und
den scheinbar gleichlautenden Slogans in der Gegenwart. Die 'klassischen'
Avantgarden von der Romantik bis zum Surrealismus dachten an eine revolutionäre Veränderung der *Gesellschaft in ihrer Gesamtheit*, wenn sie von der Versöhnung zwischen Kunst und Leben sprachen. Anders ausgedrückt: Während die
Alterität des Ästhetischen, die einheits- und sinnstiftende Funktion der ästhetischen Form früher eine Infragestellung des Ausdifferenzierungsprozesses bedeutet hat, fügen sich die aktuellen Versuche der Annäherung von Ethik und
Ästhetik in diese Grundkonstellation der Moderne. In diesem entscheidenden
Punkt stimmen alle hier angeführten Beispiele überein. Sie beanspruchen auf die
eine oder andere Weise zwar alle das Prinzip der Alterität des Ästhetischen, aber
sie definieren es völlig um, indem sie es von der Gesellschaft auf das Individuum
verschieben und es somit gewissermassen einem Prozess der Privatisierung unterziehen.

Nach den verheerenden Erfahrungen des Totalitarismus ist hierzu auch tatsächlich keine Alternative in Sicht. In der Begrenzung der Alterität auf die individuelle und private Dimension[33] entgehen die neuen Ansätze zur Versöhnung
von Kunst und Leben den gravierenden Problemen, die mit diesem Programm
verbunden waren, als es noch auf die gesellschaftliche, politische und öffentliche
Ebene bezogen war. Weder setzen sie sich dem Verdacht aus, irgendeiner Form
von Totalitarismus zu dienen, noch erscheinen sie allzu utopisch und wirklichkeitsfern. Allerdings sind sie eben aufgrund ihrer Begrenzung auf die individuelle
Dimension nicht in der Lage, jene Verbindung zwischen dem Öffentlichen und
dem Privaten herzustellen, die erforderlich wäre, um die Kluft zwischen den
Prinzipien der Gerechtigkeit und denen des Guten, des guten Leben zu überbrücken. Vielmehr ordnen sie sich bedingungslos der Seite des Privaten und Individuellen zu.

Innerhalb der Dimension des Privaten können sie gewisse Orientierungshilfen anbieten – also bestimmte Probleme mildern.

Falls die Behauptung zutrifft, dass ästhetische Erfahrung für die „Grundunterschiede und für die Eigenheit und Irreduzibilität von Lebensformen" sensibilisiert[34], dann bedeutet das, dass Ästhetik gewissermassen zur Erziehung des Individuums beitragen kann. Das Individuum oder die Gruppe lernt dadurch, dass es die Lebensform eines anderes Individuums bzw. einer anderen Gruppe nicht nur als in einer pluralen Gesellschaft unvermeidlich ertragen und aus Gründen der Gerechtigkeit tolerieren muss, sondern ästhetische Erfahrung vermittelt dem Individuum das Gefühl, dass es durch die Konfrontation mit dem, was andere als ihr Konzept des „guten Lebens" betrachten, eine Bereicherung erfahren kann, auch wenn es selbst diese Anschauung nicht teilt. D.h. eine solche ästhetische Erfahrung würde die Bereitschaft steigern, die Gegebenheiten der modernen Gesellschaft nicht nur als objektiv gerecht anzuerkennen, sondern sie auch subjektiv als positiv und sinnvoll zu erfahren[35].

Allerdings scheinen mir Zweifel angebracht, ob angenommen werden kann, dass ästhetische Erfahrung das tatsächlich leistet – und zwar noch obendrein ästhetische Erfahrung als solche und schlechthin und nicht etwa bloss einige ganz spezifische Arten ästhetischer Erfahrung und unter bestimmten Umständen. Es scheint mir ein moralisch gut gemeinter, aber trotzdem einigermassen voluntaristischer Akt zu sein, der Ästhetik *per se* einen „Gerechtigkeitssinn" zu unterstellen, und ihr obendrein bis ins Detail genau jene Art von Gerechtigkeit zu vindizieren, die dem neuesten Zeitgeist gerade entspricht: „Offenheit für das Fremde", „Sorge für das Andere", „Anerkennungstendenz". Wollte man in der Geschichte der Kunst der letzten beiden Jahrhunderte Beispiele suchen, die evtuell Anhaltspunkte bieten könnten für die „Möglichkeit des Ästhetischen, für die Rätselhaftigkeit der Welt und des Anderen zu sensibilisieren", dann wäre an Orientalismus, Exotismus und Primitivismus zu denken. Diese Tendenzen haben in der Entwicklung der modernen Kunst eine wichtige Rolle gespielt, aber ob sie positive politische oder moralische Folgen gehabt haben, das darf mehr als bezweifelt werden. Tatsächlich sind auf der Leinwand der abendländischen Einbildungskraft schöne und geheimnisvolle Bilder des unterdrückten Anderen, des ausgebeuteten, leidenden Fremden und des verlorenen Ursprungs/Paradieses aufgestiegen, während in der gesellschaftlichen Realität Imperialismus und Kolonialismus die Szene beherrscht haben.

Während sich die „Sorge für andere" nur schwer aus der ästhetischen Erfahrung ableiten lässt, findet die „Sorge um sich" eine bessere Grundlage im Ästhetischen. Zur Gestaltung des „guten Lebens" mag die Vorstellung, aus dem eigenen Leben ein Kunstwerk zu machen oder es aus einer narrativen Perspektive als sinnvoll und ganz zu betrachten, ein nützlicher Leitfaden sein – unbeschadet der Frage, ob dieser Vorstellung nun ein überholtes und überlebtes Konzept von

Kunst zugrundeliegt oder nicht. Tatsächlich stimmt diese ethisch-ästhetische Idee ja auch mit gewissen Entwicklungstendenzen in der gesellschaftlichen Wirklichkeit überein, insofern als die Identitätsfindung von Individuen und Gruppen in zunehmdem Masse auf dem Konzept von *life-styles* basiert. Konstitutiv für den *life-style* sind nicht die herkömmlichen Identitätsstiftungsinstanzen wie Normen, Werte, Glaubensüberzeugungen und Traditionen, sondern im wesentlichen ästhetisch konzipierte, d.h. mit bestimmten ästhetischen Merkmalen ausgestattete Konsumgüter. Foucaults Aufforderung aus dem eigenen Leben ein Kunstwerk zu machen, steht nicht – wie es seine vielzitierte Äusserung nahelegt – im Gegensatz zur künstlerischen Gestaltung einer Lampe oder eines Hauses. Vielmehr ist der Besitz und Konsum bestimmter ästhetisch „*gestylter*" Objekte die Grundlage des *life-styles* des Subjekts, das, wodurch das Leben des Individuums eine gewisse Identität und dadurch Sinn und Zusammenhang gewinnt.

Es fällt allerdings auf, dass ausgerechnet der radikale Ansatz, der eine in die Krise geratene praktische Vernunft nicht retten und stützen, sondern kurzerhand durch Ästhetik ersetzen will, sich der Dominanz des Ökonomischen nur umso rückhaltloser ausliefert. Seine Radikalität liegt nicht in der Opposition gegen das Bestehende, sie liegt eher in einem konsequenten Realismus, in einer unbeschönigten Unterwerfung unter das Bestehende. Als Privatangelegenheit tendieren die Fragen nach dem guten Leben bereits von selbst ins Ästhetische: indem sie ins Belieben subjektiver Wahl gestellt werden, erscheinen sie als Geschmackssache.

Auf der Grundlage der Dominanz des Ökonomischen im allgemeinen und im Zuge der Entwicklung der neuen Kommunikationstechnologien im besonderen hat eine umfassende „Ästhetisierung der Existenz"[36], eine „Explosion des Ästhetischen"[37]stattgefunden[38]. Die Wiederannäherung von Kunst und Leben erfolgt damit freilich nicht in der revolutionären und emphatischen Form, die den Avantgarden der Jahrhundertwende vorgeschwebt hatte. Zutreffend unterscheidet Gianni Vattimo zwischen zwei verschiedenen Weisen der Aufhebung der Kluft zwischen Kunst und Leben: im „starken utopischen Sinne" bedeutet das Ende der Kunst ihre Aufhebung „als spezifisches, vom Rest der Erfahrung abgetrenntes Faktum in einer befreiten und wiederhergestellten Existenz; im schwachen bzw. realen Sinne die Ästhetisierung als Erweiterung der Herrschaft der Massenmedien"[39].

Wer heute glaubt, die Vereinigung von Kunst und Leben zu einem theoretischen Programm oder zu einer ethischen Forderung erheben zu müssen, betet also gewissermassen um das, was ohnehin geschieht. Man braucht dem, was ohnehin geschieht, gar nicht einmal allzu kritisch oder pessimisch gegenüberzustehen, um das für überflüssig zu halten.

Anmerkungen

1   so die Formulierung von Johann Georg Sulzer, Allgemeine Theorie der schönen Künste. Reprint nach der zweiten vermehrten Aufl. von 1792 Hildesheim: Georg Olms Verlagsbuchhandlung 1970. Bd. III, S. 76 (Artikel „Künste; Schöne Künste").

2   Johann Wolfgang von Goethe, Dichtung und Wahrheit. Werke Hamburger Ausgabe. Hg.v. Erich Trunz. Bd. 9. München: Beck 1989[11.] S. 539.

3   Friedrich Schlegel Athenäum, Fragmente. Nr. 252. Kritische Schriften und Fragmente. Studienausgabe in sechs Bänden hg.v. Ernst Behler/ Hans Eichner. Bd. 2. Paderborn: Schöningh 1988. S. 129.

4   vgl. Johannes Berger, Modernitätsbegriffe und Modernitätskritik in der Soziologie. In: Soziale Welt. Jg. 39/ 1988. S. 527.

5   Niklas Luhmann, Die Kunst der Gesellschaft. Frankfurt: Suhrkamp 1997. S. 217.

6   vgl. Terry Eagleton, The Ideology of the Aesthetic. Oxford/ Cambridge: Blackwell 1990. S. 368; N. Luhmann, Die Kunst der Gesellschaft, a.a.O., S. 266.

7   Clement Greenberg, Avant-Garde and Kitsch. In: Ders., Collected Essays and Criticism. Vol. 1. Ed. by John O'Brian. Chicago University Press 1986. S. 8.

8   C. Greenberg, Avant-Garde and Kitsch, a.a.O., S. 9.

9   Christoph Menke, Die Souveränität der Kunst. Ästhetische Erfahrung nach Adorno und Derrida. Frankfurt: Suhrkamp 1991. S. 9 f.; vgl. Klaus Disselbeck, Die Ausdifferenzierung der Kunst als Problem der Ästhetik. In: Henk de Berg/ Matthias Prangel (Hg.), Kommunikation und Differenz: Systemtheoretische Ansätze in der Literatur- und Kunstwissenschaft. Opladen: Westdeutscher Vlg. 1993. S. 154: „Die ästhetische Einstellung gegenüber der Kunst ist durch Abstraktion von allem Inhalt, jedem Zweck und Interesse bestimmt. Das Werk kann uns dann weder zu einer moralischen noch politischen oder weltanschaulichen Stellungnahme herausfordern, sein religiöser oder profaner Zweck kann nichts zu unserem Verständnis beitragen, ja wir nehmen im Werk gar keine andere Bedeutung wahr als uns die Form vermittelt."

10 Das entspricht dem vierten Merkmal in der Modernitätsanalyse der klassischen Soziologie, das Johannes Berger als „Imperativ zur immanenten *Leistungssteigerung der Teilsysteme*" bezeichnet. Damit ist gemeint: „es fehlt an systemspezifischen Stoppregeln für innersystemisches Handeln. Das Erziehungssystem z.B. liefert keine Gründe dafür, Erziehung abzubrechen, das Wirtschaftssystem keine Gründe, um Wirtschaftsprozesse zu beenden etc. Alle Systeme setzen auf Kontinuierung, Steigerung und verbesserte Funktionserfüllung" (J. Berger, Modernitätsbegriffe und Modernitätskritik in der Soziologie, a.a.O., S. 527). Das bedeutet, daß alle Systeme auf einen infiniten Progreß angelegt sind, sie enthalten keine Sinn- oder Zielvorstellungen, keinen Begriff des „rechten Maßes" und keine entsprechenden Steuerungsvorrichtungen. Grundsätzlich gilt dasselbe für die Entwicklungslogik der Kunst als ausdifferenziertem gesellschaftlichen Subsystem.

11 Als *nominalistische* versus *aktionistische* Moderne, als *formal modernism* versus *avant-gardist modernism*, als *puristische* versus *radikale* Avantgarde sind verschiedene Versuche einer terminologischen Differenzierung der beiden entgegengesetzten Richtungen in der Diskussion. Während die nominalistische, puristische oder formale Seite gewissermassen den legitimen und gebührenden Ort der Kunst in der Moderne bezeichnet und auch quantitativ den Hauptakzent trägt, erscheint die aktionistische oder radikale Avantgarde prekär, problematisch und in jedem Sinne des Wortes fragwürdig.

12 Während sich einige Autoren dieser Thematik völlig voraussetzungslos zu nähern scheinen, sind sich andere der damit verbundenen Herausforderung an die Tradition der Moderne und der Neuheit dieser Wendung deutlich bewusst. Zu denen, die auf das vor dem Hintergrund der Moderne überraschende Moment in dieser Diskussion hinweisen, gehört z.B. Wolfgang Welsch: Im „Verhältnis der Disziplinen Ethik und Ästhetik ist in den letzten Jahren eine Ver-

änderung eingetreten. Waren sie traditionell und modern einander entgegengesetzt, so treten aktuell Verbindungen in den Vordergrund" (W. Welsch, Ästhet/hik. Ethische Implikationen und Konsequenzen der Ästhetik. In: Ethik der Ästhetik. Hg.v. Christoph Wulf/ Dietmar Kamper/ Ulrich Gumbrecht. Berlin: Akademie Vlg. 1994. S. 3). Der krampfhafte Versuch, Ethik und Ästhetik gegen die gesamte Tradition der Moderne nun auf einmal nicht nur als miteinander kompatibel und verbunden erscheinen zu lassen, sondern geradewegs ineins zu setzen, treibt Welsch zu stilblütenreifen Schöpfungen wie „Ästhet/hik" – Ästhet hick und prost!

[13]   Martha Nussbaum, „Finely Aware and Richly Responsible: Attention and the Moral Task of Literature". In: The Journal of Philosophy LXXXII, 1985. S. 516. Vgl. Dies., Poetic Justice: The Literary Imagination and Public Life. Boston: Beacon 1996.

[14]   M. Nussbaum, Finely Aware and Richly Responsible, a.a.O., S. 527.

[15]   M. Nussbaum, Finely Aware and Richly Responsible, a.a.O., S. 528.

[16]   M. Nussbaum, Finely Aware and Richly Responsible, a.a.O., S. 526.

[17]   Daneben ist es die spezifisch ästhetische Qualität der Desinteressiertheit, die nach Nussbaums Auffassung vorbildgebend für das Handeln in der Wirklichkeit sein kann, indem die ästhetische Perspektive eine vornehme Distanz zur Unmittelbarkeit des Interesses wahrt: „... the novel guarantees by its fictionality that we will be free of jealous possessiveness and 'vulgar heat' toward its characters. So it offers us, by the very fact it is a novel, training in tender and loving objectivity that we can also cultivate in life" (M. Nussbaum, Finely Aware and Richly Responsible, a.a.O., S. 527).

[18]   Ethik der Ästhetik. Hg.v. Christoph Wulf/ Dietmar Kamper/ Ulrich Gumbrecht. Berlin: Akademie Vlg. 1994. S. X f. Vgl. Stuart Hamphire, Thought and Action. London: Chatto & Windus 1982². S. 244 f.: „Any strong aesthetic experience is necessarily an interruption of normal habits of recognition, a relaxing of the usual practical stance in the face of everything external. It is therefore a disturbance, because it is a temporary refusal to classify usefully, and to consider possibilities of action".

[19]   W. Welsch, Ästhet/hik, a.a.O., S. 21.

[20]   W. Welsch, Ästhet/hik, a.a.O., S. 19f.

[21]   Von der Freundschaft als Existenzweise. Michel Foucault im Gespräch. Berlin: Merve 1984. S. 136.

[22]   Michel Foucault, On the Genealogy of Ethics: An Overview of Work in Progress. In: The Foucault-Reader. Ed. by Paul Rabinow. New York: Pantheon 1984. S. 350.

[23]   Klaus Günther, Das gute und das schöne Leben. Ist moralisches Handeln ästhetisch und läßt sich aus ästhetischer Erfahrung moralisch lernen? In: Gerhard Gamm/ Gerd Kimmerle (Hg.), Ethik und Ästhetik. Nachmetaphysische Perspektiven. Tübingen: edition diskord 1990. S. 28.

[24]   M. Foucault, Von der Freundschaft als Existenzweise, a.a.O., S. 136.

[25]   W. Welsch, Ästhet/hik, a.a.O., S. 4.

[26]   John Rawls, Justice as Fairness: Political Not Metaphysical. In: Philosophy and Public Affairs 14/3, S. 245.

[27]   John Rawls, The Idea of an Overlapping Consensus. In: Oxford Journal of Legal Studies 7/ 1, 1987. S. 5.

[28]   J. Rawls, Justice as Fairness, a.a.O., S. 249.

[29]   Auch Klaus Günther formuliert die Problematik als doppelseitig. Auf der einen Seite stellt er fest: „Moralische Verpflichtungen, Prinzipien der Gerechtigkeit ... geben keine Antwort auf die Frage, was ich tun soll, um mein Leben nicht zu verfehlen", und er fährt fort: „Umgekehrt scheinen die Antworten, mit denen jeder und jede einzelne dem eigenen Leben einen Sinn geben mag, ohne allgemeine, öffentliche Bedeutung zu sein" (K. Günther, Das gute und das schöne Leben, a.a.O., S. 11 f.).

[30]   Alasdair MacIntyre, After Virtue: A Study of Moral Theory. London: Duckworth 1981. S. 190.

[31]   A. MacIntyre, After Virtue, a.a.O., S. 191.

[32]   Beide Interpretationen sind übrigens lediglich Kehrseiten derselben Medaille.

[33]   In grossem Masstab findet die Domestisierung von Alterität im Sinne von Einheits- und Sinnstiftung via Privatisierung heute im Therapie- und Lebenshilfe- Sektor statt und auf dem Gebiet der privatisierten Religion. Je weiter ein ganzheitliches Denken aus der Reichweite von Politik, Ökonomie, Recht usw. rückt, desto üppiger gedeiht es innerhalb der Domänen des Privaten.

[34]   siehe oben S. 207.

[35]   In seinem Buch „The Moral Theory of Poststructuralism" empfiehlt May Todd den Ausweg in ein ästhetisches Urteil, um den normativen Anspruch und den zwingenden Charakter des moralischen Urteils zu vermeiden: „Judging lives in aesthetic terms, alongside the moral terms ..., allows us to think about life and how to live it without introducing the burden – oppressive both to theorizers and to the objects of theory – of wondering which kind of lives ought to be universalized and in what way" (May Todd, The Moral Theory of Poststructuralism. University Park: Pennsylvania State University Press 1995. S. 138.). „There is ... a particularity to the aesthetics of living that does not lend it to the kind of universalizing criteria that characterize moral thinking of practice ... Someone whose life is aesthetically pleasing does not necessarily embody characteristics that we would want to see in everybody, but we are glad that person possesses them" (S. 140). „Everyone ... ought to construct a life of some beauty ... but that construction can be different in different cases" (S. 141). Todd offeriert zwei Beispiele zur Illustration seines Konzepts einer „aesthetics of living". Das erste ästhetisch vorbildliche Leben ist das des Jazz Saxophonisten John Coltrane, das Todd als ein ganz dem ästhetischen Selbstausdruck und der Offenheit für künstlerische Innovation gewidmetes Leben preist – auffälligerweise bilden also zwei zentrale Kategorien der ästhetischen Moderne die Grundlage für Todd's positive Einschätzung: Expressivität und Innovativität. Das zweite, offenbar frei erfundene Beispiel ist das Leben einer anonymen Literaturlehrerin, die ihre SchülerInnen für die Kunst des Romans zu begeistern vermag. Todd stattet sein Beispiel gleich noch mit einer weiteren Tugend aus, die auf der amerikanischen Werteskala weit oben rangiert: die Literaturlehrerin ist ausserdem auch Trainerin des Cross-Country Teams ihrer Schule. Um aber auch hier die Verbindung zur ästhetischen Lebensweise nicht abreissen zu lassen, legt Todd seiner Musterlehrerin in den Mund, ihre Schützlinge nicht etwa zum schnell Laufen, sondern zum „schön Laufen" anzufeuern („I imagine her, before a race, exhorting her runners not with some platitude like 'Run hard, girls', but instead with something like 'Run beautifully, and speed will come of itself'„, S. 139). An Beispielen wie diesen springt die Dürftigkeit dessen, was Todd als „Moral Theory of Poststructuralism" anbietet, geradewegs ins Auge.

[36].   Gianni Vattimo, Das Ende der Moderne. Stuttgart 1990. S. 57.

[37]   G. Vattimo, Das Ende der Moderne, a.a.O., S.58.

[38]   Zu recht behauptet Vattimo, daß der Mittelpunktcharakter der Kunst die Moderne „als Basso continuo ... durchzieht und sie charakterisiert" (a.a.O., S. 104); vgl. Wolfgang Welsch, Das Ästhetische – eine Schlüsselkategorie unserer Zeit? In: Ders. (Hg.), Die Aktualität des Ästhetischen. München: Fink 1993. S. 13-47.

[39]   G. Vattimo, Das Ende der Moderne, a.a.O., S. 60 f..

V.
Herschaft und Subversion –
in Antike und Moderne

Sabine Mainberger

Zwei Korrektoren und ein Spitzel

oder

Erzählungen von Eulenaugen, der Farbe Graugelb und einer
Schlange, die sich lieber nicht in den Schwanz beißt.

Zu Texten von George Steiner, Wolfgang Hilbig und José Saramago

In der Literatur des 19. und 20. Jahrhunderts finden sich vielfach die Figuren von
untergeordneten Schreiberlingen – Buchhaltern, Kopisten, Bürogehilfen – oder
Gestalten, die mit Büchern und Schriften in nichtliterarischem Sinn befaßt sind,
etwa als Bibliothekare, Chronisten, Notare. Man denke an Jean Pauls buchbeses-
sene Dorfschullehrer und Provinzjuristen, an die Kanzleibeamten bei Gogol und
Dostoevskij, an Bouvard und Pécuchet, an Bartleby, an Kafkas überlastete Ak-
tenschieber, an Thomas Manns Goethe-Sekretär Dr. Riemer, an Pessoas Hilfs-
buchhalter und viele andere.[1] Sie alle sind auch Bilder von Autoren, selbstironi-
sche Konterfeis des modernen Schreibenden, der sich nicht als repräsentativen
Großschriftsteller oder gar begnadeten Mittler göttlicher Stimmen und Priester
am Kunstaltar sieht, sondern sich in den unscheinbaren, gesichtslos bleibenden
Gestalten an der Peripherie des Schreibens spiegelt.

Die unterste all dieser Gestalten, den Kopisten im eigentlichen Sinne, gibt es
aus technischen Gründen nicht mehr, und die bloße Tippse weicht überall dem
PC. Ein Korrektor von Druckerzeugnissen aber – manchmal bis hin zum Autor
selbst, der sich über dem Umbruch seines Buches die Haare rauft – ist zumindest
unter einem Aspekt die moderne Variante des früheren Kopisten: unter dem der
Verpflichtung auf das 'Original' und dessen unbedingte Autorität. Wie der kleine
Abschreiber muß der Korrektor auf sein eigenes Urteil verzichten, seinen eigenen Geschmack und sogar ein etwaiges besseres Wissen zurückstellen; er hat nur
– und das in unumkehrbarer Reihenfolge – für die Übereinstimmung des zweiten
Textes mit dem ersten zu sorgen, und zwar für die 'absolute'. Er muß selbstlos

gehorsam gegen diesen und repressiv gegen jenen sein; die Verhältnisse sind klar definiert und im Prinzip einfach.

Im Prinzip – nicht jedoch in der tatsächlichen Praxis. Denn wo nichts sein soll als identische Wiederholung, kann unendlich viel passieren; ein Zeichen ändert sich, und mit ihm verschiebt sich der Sinn, verkehrt sich womöglich ins Gegenteil. Der nur Korrekturen Lesende, das kleinste Rädchen im großen Apparat, wird so unter Umständen zum Mitautor oder vielleicht sogar zum Gegenautor.

Daß derart Irrtum in Erkenntnis und Fehler in Poesie umschlagen können, daß das rein Funktionale vom Schöpferischen nur durch einen winzigen Schritt getrennt sein kann, erlaubt es den Literaten, sich mit den machtlosen Hilfskräften der Bücherwelt zu identifizieren. Denn deren von Inhalt und Mitteilung abgewandte Aufmerksamkeit mag entdecken, was sonst unbemerkt bleibt; in diesem Zustand mag es zu dem inventiven Augenblick kommen, den konzentrierte Bemühung vergeblich herbeizuführen sucht. Von der berufsmäßigen Zurückhaltung und dem Verzicht auf eigene Interessen, wie sie mit den Gestalten kleiner Schreiber verbunden sind, läßt sich so gesehen mehr erwarten als von allen hochgesteckten Ambitionen. Jener Habitus des Autoritätslosen ist einer Voraussetzung von Kunst wie von Erkenntnis näher als Anstrengung, Übung, Können und Wissen: der Offenheit für unvorhergesehene Ereignisse.

Doch die Attraktivität der Kopisten für moderne Schriftsteller hat noch andere Facetten. Die Schreiberfiguren werden oft als seltsame, nicht einzuordnende Erscheinungen dargestellt, als Sonderlinge und irritierende Randexistenzen. Menschen mit 'normalen' Denk- und Verhaltensmustern scheitern im Umgang mit ihnen und fühlen sich doch irgendwie in ihrem Bann. Am bekanntesten ist das aus *Bartleby the scrivener*, doch vorher und nachher gibt es viele, die Melvilles Antihelden ähneln: als Verkörperungen eines Unfaßbaren, Sich-Entziehenden. Was den kleinen Schreibern von Berufs wegen eigen ist, läßt sie im modernen Leben unpassend, unzeitgemäß und verloren erscheinen, und zugleich tritt mit ihnen etwas auf den Plan, was dieses Leben nicht wahrhaben möchte oder nur noch heimlich kennt, als Versuchung oder als Bedrohung: die Tendenz zum Verschwinden, zur Aufhebung des Ichseins und der Selbstbehauptung, zu einer Verneinung, die alles Bestimmte und Bestimmbare tilgt und nur einen Ortlosen in jedem Sinn übrigläßt. Ortlos, *atopos*, ist der kleine Schreiber, der sich aus allem zurückzieht und alle denkbaren Identitäten von sich weist. In dieser Verweigerung hat der Unscheinbare etwas Exzentrisches, Ungebärdiges, Anarchisches; er ist – wenn dieser Name für das ganze Syndrom steht – ein Bartleby oder ein Odradek, ein Dada – wie Kunst und Literatur selbst.[2]

In einem anderen und zunächst geläufigeren Sinn gehören jedoch historische Schreiber wie ihre modernen Varianten kraft ihres Tuns und ihrer Position in die Sphäre politischer Fragestellungen, in die Problematik des Verhältnisses von Schreibberufen, Schriften und Macht. Der Korrektor zum Beispiel ist auch einer von den Funktionären und Lobbyisten, mit deren Hilfe Geschriebenes überhaupt nur Autorität bekommen und sie bewahren kann, einer von den Wächtern der Buchstaben und Zeichen in den zur Wahrheit erklärten Texten.³ Als solcher steht er im Dienst der Dogmatiker und Ideologen. Er ist wie diese ein Organ der Macht, wenn auch ein entfernteres und geringeres. Er kontrolliert und rektifiziert. Mit den entsprechenden Befugnissen versehen, ist er ein Zensor. Das scharfe Auge für kleinste Abweichungen vom autorisierten Text oder vom erlaubten Denken haben beide miteinander gemein.

Und wo in diesem Sinn korrigiert und zensiert wird, wo es sanktionierte Texte gibt, da gibt es auch die Argusaugen der Überwachung: vor dem Blick des Zensors kommt der des Spitzels, vor der 'Korrektur' die Denunziation. Zu den Funktionären der Macht, die sich auf Dogmen stützt und eine Orthodoxie des Denkens braucht, gehören auch die Zulieferer von 'Beweismaterial', die Verfertiger von Dokumenten in einem Kontrollapparat, die vielen kleinen grauen Büromäuse im großen Unternehmen der Wahrung und Sicherung der Macht. Sie stellen wahrscheinlich die finsterste Art von schreibender Betätigung dar und die schlimmste aller möglichen Konfusionen, in die die Schriftstellerei geraten kann, – schlimmer vielleicht noch als die Verwechslung von Literatur und Propaganda.

Die Bilder des Schreibers als näheren oder entfernteren Handlangers der Macht sind kritische (Selbst-)Bilder der Schriftsteller, Zerrbilder, die zeigen, was sie nicht selten wirklich waren oder sind und was sie immer auch sein können.

Drei literarische Texte über Schreiberfiguren, deren Existenz und Tätigkeit unmittelbar mit politischen Fragen verbunden ist, möchte ich hier nebeneinanderstellen: George Steiners *Proofs* von 1991⁴, Wolfgang Hilbigs *„Ich"* von 1993⁵ und José Saramagos *História do Cerco de Lisboa* von 1989⁶.

Zwei davon befassen sich mit dem Ende des Staatssozialismus. Ihre Protagonisten sind Literaten im weiten Wortsinn, doch nicht wirklich tätig als Autoren; bei dem einen geht es um die Affinität des distanten, nur in der Zeichenwelt sich Betätigenden zum unmenschlichen Utopisten, bei dem anderen um die zum Spitzel. Beide Texte markieren mit Hilfe von Analogien – parabolisch und an eigens dazu ersonnenen Kunstfiguren – die *déformation professionelle* der 'Schreiber'. Der dritte spielt im heutigen Portugal und damit in einem Land, das eine Diktatur und alles, was für das Schreiben damit verbunden ist, noch in frischer Erinnerung hat. Er erzählt von einem, dem es gelingt, gerade dieser Deformation zu entgehen.

Der Marxist als Korrektor oder von marxistischer Überzeugung

George Steiner läßt einen italienischen Kommunisten[7] die Wende erleben und
mit ihr eine Krise seiner politischen und beruflichen Identität. Der Protagonist
bleibt namenlos, er hat nur zwei Spitznamen – *Professore*, was am besten mit
'Oberlehrer' wiederzugeben wäre, und 'Eule', seiner scharfen Augen und seiner
Nachtarbeit wegen. Er ist Korrektor für Druckerzeugnisse aller Art. Als solcher
prüft er, was am Morgen erscheinen soll, „Gerichtsurteile, Verkaufsurkunden,
öffentliche Finanzmitteilungen, Verträge, Börsennotierungen"[8]. Seinen Schreibtisch passieren Kataloge von Fundsachen, das halbjährlich erscheinende Telefon-
buch, Wahl- und Zensusverzeichnisse, amtliche Protokolle. Seinem Blick entgeht
dabei nicht der kleinste Fehler, und das nicht einmal auf so leserunfreundlichen
Erzeugnissen wie bloßen Aufzählungen.

Er nimmt alles mit gleicher Sorgfalt vor; nichts Geschriebenes ist ihm zu
banal für die gewissenhafte Korrektur. Selbst Zettel, die der Wind ihm auf der
Straße vor die Füße weht, hebt er auf und korrigiert sie, bevor er sie in den Pa-
pierkorb wirft. Seine Aufgaben erfüllt er mit religiösem Ernst, sein Arbeitsplatz
ist eine geweihte Stätte, seine Billigung nach der Durchsicht, das *nihl obstat* am
Ende, eine Heiligsprechung – im Namen der Präzision. Sein Zeichen entläßt die
Texte in die Welt, auf daß sie sie ordnen, wie nur Gedrucktes die Welt ordnen
kann; es ist „legendär wie alles Perfekte".[9]

Den Korrektor fasziniert exaktes Handwerk, das Akkurate und Fehlerlose.
Daß Leute seiner Sparte in der Lage sind, ohne etwas von den Inhalten zu verstehen, einfach nur anhand der Irregularität von Zeichen sogar Werke über ma-
thematische Logik zu prüfen, erfüllt ihn mit Stolz: So weit reicht die Macht der
Regeln, so zwingend ist die innere Gesetzlichkeit, der Notationssysteme folgen!
Er selbst hat sein Leben dieser Macht gewidmet; er bewundert und verehrt sie.
Seine Profession ist, ihr zu dienen. Er tut das mit Überzeugung, und er voll-
bringt Spitzenleistungen. Sein Job ist anstrengend, monoton, einseitig, doch er
erlaubt sich keine Nachlässigkeiten. Nicht einmal zu kleinen Pausen unterbricht
er seine Arbeit; Essen und Trinken bringt er sich mit in seine Klause, den
Schmerz hinter den Augen ignoriert er. Unfehlbarkeit, und sei es nur die beim
Korrekturlesen, gibt es nicht umsonst.

Doch das bereitwillig gebrachte Opfer ist, wie sich zu spät herausstellt, größer, als sein Erbringer selbst wußte: Der Korrektor hat sich in über fünfunddrei-
ßig Jahren selbstvergessener Berufstätigkeit sein Augenlicht ruiniert. Er hat –
doch das erfährt er erst, als die Konsultation eines Arztes unumgänglich geworden ist – immer nur mit einem Auge gesehen, und das strapazierte andere ist nun
auch am Ende. Er droht zu erblinden – wenn er nicht seine Arbeit aufgibt, wenn
er nicht sein Leben vollkommen ändert.

Steiner läßt seine Figur die Tragödie von drohender Blindheit und verspäteter Erkenntnis, von der Leidenschaft für Vollkommenes und der Einäugigkeit, von Skrupulosität auf der einen und Skrupellosigkeit auf der anderen Seite auf zwei Ebenen erleben: am eigenen Leib und am eigenen Denken. Die Nachteule der Textverbesserung ist auch die erst in Dämmerung und Nacht der Geschichte fliegende Eule der Minerva – hier das Emblem ideologisch gebundener Erkenntnis, die zu spät kommt. Der Dienst an den Druckfahnen ist auch der an den politischen Fahnen, an denen des Marxismus. Textverbesserung und Weltverbesserung, die Stimmigkeit der Zeichen, die Makellosigkeit und Ordnung des gedruckten Wortes – der Idee als eines hypostasierten und gegen die Menschen verselbständigten Wortes – und die Rektifizierung der Welt gehören für den Korrektor aus Überzeugung zusammen. „Wissen Sie, was die Kabbala lehrt?" fragt er seinen laxeren, pragmatischen Stellvertreter. „Daß alles Böse und alles Elend der Menschheit entstand, als ein fauler oder unfähiger Schriftgelehrter[10] sich verhörte, einen einzigen Buchstaben, einen einzigen solitären Buchstaben falsch in die Heilige Schrift übertrug. Seitdem kamen alle Schrecken wegen dieses einen Erratums über uns."[11] Und wie einen heiligen, in seiner Orthodoxie zu bewahrenden Text behandelt er die Geschichte: „Utopie bedeutet einfach, es *richtigzustellen*! Kommunismus bedeutet, die Errata aus der Geschichte zu tilgen. Aus dem Menschen. Korrekturlesen."[12]

Eine gegenläufige Anekdote findet sich am Anfang: Ein elisabethanischer Poetaster wird dank eines Druckfehlers – eines weggelassenen Buchstabens – zum Genie. Die Gefühle des Korrektors bei dieser Anekdote sind gemischt; er liebt und haßt sie zugleich. Die Genialität des Zufalls kann er nicht zulassen, bedeutet sie doch Unwahrheit. Und in dem Maß, wie er an der Wahrheit der Vorlage und an der unbedingten Treue zu ihr hängt, unterscheidet er sich von dem, mit dessen Signatur – konkurrrierend mit der religiösen Metaphorik – sein Abzeichnen auch verglichen wird: vom Künstler. Denn Kunst kann den Zufall erwarten und nutzen. Zum Künstler kann der kleine Schreiber, der Kopist, der Lektor, der Setzer werden, wenn er die minimale Veränderung als Chance der Verschiebung statt als Zwang zur Richtigstellung begreift, wenn er nicht die Chimäre einer einzigen gültigen Version verfolgt, sondern alle Hoffnungen auf die Variation setzt. Für den Orthodoxen einer Religion oder eines Denkens aber gibt es nur 'Abweichung', nicht Andersheit und Unterschiedlichkeit, und 'Abweichung' ist nichts als die schlechte, untreue, mißlungene Wiederholung des 'Eigentlichen' und 'Richtigen'; sie muß unterbunden werden.

Das Schema von Original und defizitärer Kopie und die berufsmäßige Angleichung der einen ans andere erscheinen so als Kürzel ganzer Philosophien: derer, die Idealstaaten und Idealgesellschaften konzipieren und die nichtidealen Menschen an sie anzupassen suchen.

Steiner macht die Frage nach der Bewertung des Marxismus nach 1989 zu einer Problematisierung von Ideen, Idealismus, Ideologie überhaupt. Diese erscheinen hier als die anmaßenden Produkte einer Haltung, die den Text zum Fetisch erhebt: Das geschriebene, das gedruckte Wort – und nur dieses – kann korrigiert und wieder korrigiert werden, bis es fehlerlos ist und die Autorität des Vollkommenen annimmt. Nur weil es sich ablöst von der konkreten Situation und von denen, die es gebrauchen, kann es perfekt werden, während die gesprochene Rede immer irrt. Und nur, was so sich ablöst, kann zur Zwangsinstanz werden: als „Dogma" und „tyrannisches Ideal"[13]. Ein Gegensatz zwischen Sprechen und Schreiben in diesem Sinn durchzieht den Text: Für den Perfektionisten ist Reden die Verführung zum Irrtum, zur Unzulänglichkeit, weil zum Ungeprüften, während das geschriebene, vor allem das gedruckte Wort wenn schon nicht 'Wahrheit', dann doch 'Richtigkeit' zu garantieren vermag.

Steiner erzählt in seinem Text, räsoniert und allegorisiert. Im Historischen und Psychologischen bleibt er dabei schematisch; die Handlung und eigentlich auch alle Details stehen vielmehr im Dienst einer intellektuellen Intention: der Marxismus als eine Form asketisch-utopischer Idealbildung und diese als Überschätzung von Ideen, als Hybridisierung des gedruckten Wortes und seiner Autorität zu reflektieren. Doch während eine wirkliche Geschichte nicht zustandekommt – der Korrektor verändert sich trotz seiner Krise nicht – und ein extensives Gespräch in der Mitte des Textes unzählige klischeehafte Argumente für und wider – vor allem wider – den Marxismus bringt, behauptet sich nur die Personifizierung einer Idee – der Idee eines Professors, der doch seinerseits kein *Professore* sein will –: der Korrektor als Marxist, der Marxist als Korrektor. Der allzu künstlich konstruierte Sonderling scheint so tatsächlich, wenn auch gegen die Absicht seines Erfinders[14], ein Porträt des Schreibenden: Wie sein Korrektor bleibt der Autor Steiner fixiert auf das, was sich im Geschriebenen vollkommen kristallisieren kann – auf das Ausgedachte, Intendierte und restlos Kontrollierte. Er läßt nicht zu, was seine Gestalt und seinen Text lebendig machte: die Vertiefung ins Besondere, in einen einzelnen wirklichen Menschen und in das Geflecht der Ereignisse und Motive; vor allem aber nicht die Kraft der Imagination und der Sprache, in der die Allegorie zugrundeginge – und die Literatur die Welt so verkehrte, wie nur die Literatur sie verkehren kann.

Der Literat als Spitzel oder von realsozialistischer Resignation

Einen anderen subalternen Schreiberling entwirft Wolfgang Hilbig: „Er", „ich", „W.", „C.", „Cambert", der vielleicht einmal wieder „M.W." sein wird, ist Literat und Stasispitzel. Seine Aufgabe ist, beobachtete Einzelheiten abzuliefern, Personenbeschreibungen, Berichte; seine lyrische Prosa hat er gefälligst zu amtlichen

Dokumenten umzuarbeiten. Auch dieser Namenlose – doch mit vielen Deckna-
men Versehene – erlebt das Ende des Sozialismus, aus ganz anderer Perspektive
jedoch als der italienische Korrektor: „W." oder „C." erfährt es nicht von draußen, vom Westen und vom Sessel vor dem Fernseher aus, sondern von drinnen
und von unten: aus dem Herzen der IM-Tätigkeit und aus den Kellergewölben
unter der Hauptstadt, wo er sich bevorzugt aufhält. Nicht wie ein überzeugter
Marxist den Zusammenbruch der sozialistischen Staaten übersteht, ist hier das
Thema, sondern wie realsozialistische Existenzen, die schon lange jenseits aller
Überzeugungen sind, sich im endlosen Enden eingehaust haben.

Die Beziehung des Antihelden zum Schreiben ist hier mehr als allegorisch.
„W." ist der korrumpierte Literat, der literarisierende Spitzel, dem die belletristi-
schen Simulationen und die überwachungsdienstlichen durcheinandergeraten. Er
ist bei der Stasi, weil er Literat ist, oder er ist Literat, weil er bei der Stasi ist –
beides trifft zu. Denn die Stasi benutzt nicht nur Literaten, sie produziert sie
auch, und nicht nur als ihre Berichterstatter, auch als Literaten im eigentlichen
Sinn, auf die die 'Szene' blickt und die die 'Westpresse' hofiert. Die Geburt
'nicht-offizieller Literatur' aus den Praktiken der Stasi – das ist eines von Hilbigs
satirischen Überzeichnungen ostberlinischer Gegenkultur vor dem Fall der Mauer.[15] Wo alles verfilzt und verfitzt und der Verdacht ubiquitär ist wie die Sicherheit, ist auch die 'Szene' kein Ort des 'Authentischen'.

„W." beschattet den in der Literaturszene aufsteigenden Stern „Reader".
„W" hat sich auch als Literat versucht und ist – mit Hilfe der Stasi – zu einigem
Erfolg gekommen, auch zu Veröffentlichungen im Westen. Nun ist „Reader"
sein „OV: Reader" – bis sich herausstellt, „Reader" ist selbst ein IM, und wird
zum „OV: IM 'Reader'".

„Reader": die Bezeichnung für den Schriftsteller „S.R.", der Deckname des
'Überwachungsobjekts', das heißt der Name für den 'Operativen Vorgang', der
Spitzel-Deckname, und schließlich wieder, leicht variiert, der Name für einen
neuen 'Operativen Vorgang' – den wahren Namen erfährt man nie. Und mit
„W." oder „C." oder „ich" usw. verhält es sich ähnlich; irgendwann weiß 'er'
selbst nicht mehr, wie er heißt, geschweige was und wer er ist, aber irgendwann
hat er eine erkennungsdienstliche Beschreibung des Trägers seines eigentlichen
Namens, des „operativ-bekannten M.W."[16], angefertigt. Nicht nur die postmoderne Literatur, auch der DDR-Überwachungsapparat im Endstadium liebt die
mise en abîme. Die „Struktur des Genitivs der Genitive"[17], die „Maßlosigkeit des
zweiten Falls", wie etwa in „... *Festlegung der durchzuführenden Zersetzungsmaß-
nahmen auf der Grundlage der exakten Einschätzung der erreichten Ergebnisse der
Bearbeitung des jeweiligen Operativen Vorgangs...*"[18], sind zum zwiebelartigen
'Ich' und zum Namenlos-Vielnamigen nur das sprachphysiognomische Äquiva-
lent. Und schließlich: „W." hält es am Ende für denkbar, daß er selbst „Readers"
OV war, denn das Ziel „des Dienstes" ist die Überwachung aller von allen, die

Mitarbeit aller am „Dienst", so daß er wahrhaft für alle da ist.[19] Auch 'Interpene-
tranz' und Wechselseitigkeit also, Verflochtenheit, und zwar totale, kennzeich-
nen den Endzustand dieser 'geschlossenen Gesellschaft' und setzen – wieder
ganz postmodern – alle lineare Darstellbarkeit der 'Vorgänge' in ihrem Innern
außer Kraft.

Der Literat als Spitzel, der Spitzel als Literat – sie können so gut ihre Plätze
tauschen, weil sie sich zum Verwechseln ähnlich sehen: Beide beobachten, sind
aufmerksam auf das scheinbar Belanglose und Nebensächliche, nehmen sensibel
wahr, besonders das normalerweise nicht Wahrgenommene – in diesem Sinn sind
sie 'Ästheten'; sie registrieren das Gesehene, haben Spürsinn, sind genau. Beide
tun nichts anderes als „Bewußtseinsformen aufzuzeichnen... und zu archivieren.
Deformationen von Bewußtsein, wie sie sich zeigen... und vielleicht erst, nachdem wir sie hervorgelockt haben..."[20] – eine Literatenaufgabe, ein Literatenpro-
blem. Sie pflegen auch die Literatentugend, „die bedeutungslosen Dinge ja nicht
bedeutungslos zu nehmen".[21] Aber welche Bedeutung es ist, danach fragt der
Spitzel selbst so wenig wie der Literat. Sie ist für die Überwacher weiter oben
immer eindeutig, für den Mitarbeiter aber – wie für den Literaten – immer etwas,
das ihn um seiner Aufgabe willen gar nicht interessieren darf. Wer die Bedeutung
der Metapher kennt, braucht die Metapher nicht; wer seine Beobachtungen interpretiert, wird als Beobachter unbrauchbar. Der IM beschränkt sich am besten
aufs Sehen und Sammeln wie der Schriftsteller aufs Schreiben – und überläßt die
Deutung anderen. Literat und Spitzel agieren im Reich der Zeichen und lassen
das 'Signifikat' dahingestellt sein – die einen, weil alles auf alles verweist, die anderen, weil alles immer nur auf eines verweist: 'XY will in den Westen'. Ein politisches System im Verfolgungswahn und ein modischer Antisystemwahn, Sicherheit als Wahnsystem und Intellektualität als Zeichenwahn begegnen sich so
auf wunderliche Weise: als Vexierbilder der offiziellen und neue Fetische der in-
offiziellen Kultur. Was hüben der Literaturmarkt feiert – das praktiziert drüben
die Stasi, und das berühmte Ereignis der Literatur 'der Zeichencharakter der
Sprache löst sich auf', das findet allenthalben in den amtlichen Dokumenten und
offiziellen Sprachregelungen statt.

Dabei ist die Situation von Überwachern wie Schriftstellern die der allgemeinen Resignation – eine Situation, wie sie sich am besten mit Beckett beschreiben läßt: Nichts bewegt sich, alle warten nur noch – warten auf das Ende
des Endspiels. Und wie Becketts Texte nicht nur als Literatur immer wieder auf-
tauchen, sondern sich gleichsam zum Hohn mit politischer Wirklichkeit gefüllt
haben, so zeigen auch die monströsen Genitive schließlich ihre leibhaftige Realität: in den Spitzeln, den IMs. Sie sind „der Genitiv des Menschen ... die Hand
und der Kopf des Berichts der Berichte des Berichtens ..."[22]

Die Verwechslung von Realität und Fiktion ist mehr als ein literarisches Arrangement. Das Verwirrspiel, das – unter anderen Bedingungen – Ideologien

unterlaufen und Dogmen aushöhlen kann, das Glaubensinhalte, die Autorität von Theorien, die Unumstößlichkeit von Gesetzen der Ironie preisgibt, hat hier eine groteske, aber keine befreiende Wirkung.

Hilbigs Roman analysiert nicht die Gründe, nicht die Entstehung der extensiven Verdächtigung und Bespitzelung, sondern beschreibt diese als Sumpfblüte in einem allgemeinen Fäulniszustand. Dessen Beharrlichkeit, Zirkularität, Omnipräsenz und zugleich Ungreifbarkeit versinnlicht er, und zwar als einen Zustand, der alle Sinne beleidigt.

Das ganze Arsenal einer Ästhetik der Trostlosigkeit fährt er dazu auf: Die Erkennungsfarben dieses nicht mehr roten Ostens heißen Graugelb, Nikotingelb, Grauweiß bis Gelblich, Braun und Bräunlich. Die taktilen Werte sind: schleimig, zäh, kotig, exkrementös; ein verdorbener Brei quillt überall hervor. Es riecht übel, nach Abwasser, Urin, Durchfall, nach „ranzigen Fetten und minderwertigen Spirituosen"[23]; die versinterten Wände in den Kellergelassen glitzern davon, von den porösen Mauern tropft es. Der Sessel ist speckig, der Morgenrock der alternden Vermieterin verfleckt, und beim Sex mit ihr muß „W." oder „C." seiner Lust nachhelfen.

In der Untenansicht des verfallenden Staates, so scheint es, darf kein Mittel aus dem Katalog der Widerlichkeiten, kein Manierismus des Ekligen und Abstoßenden fehlen. Aber derartige Kennzeichnungen beschwören auch – Hilbigs großes Thema – bestimmte unverwechselbare Ostberliner oder DDR-Impressionen. Hier ist der Atmosphäre vor dem Fall der Mauer ein Denkmal gesetzt – der ideologischen Ausgehöhltheit, der pervertierten Kommunikation, der Gefangenschaft der Gefängniswärter, der Verkommenheit der menschlichen Dinge, der Resignation und Frustration. Ein Zustand, in dem Literat und Spitzel ununterscheidbar sind, wird sinnfällig in einer hyperbolischen Häßlichkeit.

Andererseits aber gibt es da auch einen gewissen Genuß und eine Lüsternheit, die ganz und gar nichts Morbides haben und die die Melancholie ins Derb-Komische verkehren. „W." treibt sich gern in den Katakomben Berlins herum und verbringt dort, auf einer Gemüsekiste sitzend, das Ohr an der Mauer zum Westen, seine stillen Stunden; mit seinem Führungsoffizier kann er hin und wieder auch vernünftig reden, und dank der Vermieterin gibt es nicht nur ranzige Konserven, sondern sogar in Butter gebratene Schnitzel. Ganz unwohl fühlt er sich nicht, und als er schließlich – obwohl ganz ohne Auftrag – „der Studentin" aus dem Westen hinterherstapft, hat er ein erfüllendes Ziel gefunden. Seine Lebensgeister erwachen, er plant sogar zu 'dekonspirieren'. Der Mann von unten ist doch kein Intellektueller geworden, kein 'Schreiber' durch und durch; sein Begehren ist handfest geblieben und hat sich nicht ganz auf Texte und Zeichen übertragen lassen. Die Fiktionalisierung und Ideologisierung der Welt ist hier nicht total. Hilbig setzt ihr die Erfahrung am eigenen Leib entgegen. Denn wo die Sinne beleidigt werden, sind sie noch nicht stumpf, und wenn es nicht viel

Beglückendes zu erleben gibt, dann ist doch das Verlangen danach noch lange nicht verschwunden; die Lust inmitten des Häßlichen und die literarisch exerzierte Lust an diesem bürgen einstweilen für seine Lebendigkeit. Und sie sprengen das Kafka-Beckettsche Konstrukt.

Der Korrektor als Schriftsteller oder von Skepsis und Engagement

Saramagos Protagonist ist wie der Steiners Korrektor. Er teilt mit jenem die zu seinem Beruf gehörenden Tugenden – Ordnungsliebe, Sorgfalt, Hochachtung vor den Schriften -, ohne jedoch eine vergleichbare Koryphäe zu sein. Einen Korrektor aus Berufung gibt es für ihn nicht; er charakterisiert sich und seinesgleichen nicht von hehren Idealen her, sondern bei aller Achtung vor Worten und Schriften als „wollüstig"[24]. Auch seine professionelle Selbstverleugnung kennt Grenzen. Daß er oft Texte, die eine einzige Lektüre nicht wert sind, vieroder sogar fünfmal lesen muß, erfüllt ihn mit einer gewissen Bitterkeit. Er sieht sich in der Lage des Schusters, der an einem Bild des Apelles Fehler in der Darstellung der Sandalenriemen entdeckte; Apelles ließ sich von ihm belehren, doch als der Schuster dann auch noch die Anatomie des Knies bemängelte, wies jener ihn in seine Schranken: 'Schuster, bleib bei deinem Leisten!' Zum Alltag des Korrektors gehören derartige Versuchungen, die Grenzen seines Metiers zu überschreiten und den Autoren, jeder ein Apelles, dreinzureden, doch der Berufskodex verbietet es ihm.

Saramagos Korrektor ist kein Idealist, sondern ein Zweifler, ein wandelndes Fragezeichen, ein Skeptiker. Vor allem zweifelt er daran, daß man Literatur und Geschichtsschreibung so klar voneinander unterscheiden könnte, wie der Historiker es meint, dessen Elaborat er korrigieren muß.

Das wirkliche Leben glaubt dieser zu Papier gebracht zu haben: Das ist hier die Belagerung des maurischen Lissabon im Mittelalter und die Einnahme der Stadt mit Hilfe der Kreuzfahrer. Dieses tatsächliche Ereignis gehört zu denjenigen, die zu großen Nationalmythen der portugiesischen Geschichte ausgebaut und besonders zu Zeiten der Salazar-Diktatur hochgehalten wurden. Die Episode ist immer und immer wieder beschrieben worden, jeder kennt sie und liest sie immer wieder gern. Auch der Historiker hier tischt das Bekannte nur noch einmal auf, und ganz *comme il faut*: mit flammendem Patriotismus am Ende. Einige Anachronismen sind ihm dabei herzlich gleichgültig. Anders als dem Korrektor: Für den zeigt sich gleich, daß dieser Darstellung nicht zu trauen ist. Er glaubt kein Wort von dem hohen Getön, das ihm da präsentiert wird. Eine Korrektur freilich an einer Stelle zöge andere nach sich und brächte ganze Seiten zum Einsturz, wenn nicht noch mehr. So hält er sich zurück, „wohl wissend, daß dies alles ja nur Lüge ist, dienlich bis zu einem gewissen Punkt", und die Wahrheit ein

Knäuel; zumal das Durcheinander der Bücher, von Bibel, Koran, Kapital, läßt nur die eine Schlußfolgerung zu, „daß die Menschen nicht zu sagen vermögen, wer sie sind, nur eben, daß sie jeweils etwas anderes sind"[25] – eine skeptische Schlußfolgerung.

Als Korrektor ist er professionell mit Fehlern befaßt. Er selbst macht Fehler, er irrt sich, verwechselt etwas, wenn er nicht gar phantasiert beim Lesen, wie der Erzähler, spöttisch Distanz nehmend, verrät. Ein Korrektor aber muß sich disziplinieren und seine Fehlbarkeit nachschlagend zumindest begrenzen. Es gibt so viele Fehlerquellen und Fehler. Bacon nennt vier Arten, von denen vor allem die vierte – die *idola theatri* oder die Fehler der Systeme – unerschöpflich ist.[26] Auch die größten Autoren haben Fehler gemacht, und die kleineren haben sie abgeschrieben, manchmal jahrhundertelang, und schreiben sie weiter ab, gutgläubige oder faule oder parteiliche Kopisten wie auch der Verfasser des Manuskripts auf dem Schreibtisch des Korrektors. Nun gibt es „die Korrektur der Fehler", aber auch „die Fehler der Korrektur"[27]; das weiß zumindest der Erzähler und unterscheidet es genau, und Fehlermachen, das wissen alle, zeichnet den Menschen aus: Saramago läßt seinen Korrrektor in dem Maße Mensch sein, wie er ihn als Unvollkommenen mit Unvollkommenem kämpfen läßt.

Der derart menschliche Korrektor hat – anders als der namenlos bleibende Historiker – einen vollen Namen: Raimundo Benvindo Silva, wobei er den Benvindo lieber wegläßt, und er wird auch eine 'volle' Geschichte haben. Denn Raimundo Silva kann irgendwann jener Versuchung des Schusters nicht mehr widerstehen. Der allzubekannte Satz, der zum Kern von nationaler Stilisierung und Legendenbildung geworden ist, drängt sich ihm gar so auf, nämlich zusammengerückt in einer einzigen Zeile; es ist gar so leicht, einmal jene Grenze der Zuständigkeit zu überschreiten und mit einem einzigen Wort die Welt zu ändern. Und so fügt er schließlich etwas ein, ein kleines Wort nur, das jedoch alles Aufbegehren in sich enthält: ein 'nicht'. „Und nun verkündet das Buch, die Kreuzritter werden den Portugiesen bei der Eroberung Lissabons nicht helfen, so steht es da geschrieben, es ist also zur Wahrheit geworden, wenn auch auf andere Weise, was wir falsch nennen, hat über das gesiegt, was wir wahr nennen, hat dessen Platz eingenommen, es müßte nun einer kommen, und die Geschichte neu erzählen, aber wie."[28]

Raimundo hat damit den Stand der unschuldigen, nicht verantwortlichen Korrektorenexistenz verlassen; das 'nicht' ist sein Sündenfall, und mit ihm ändert sich alles: Raimundo wird es sein, der die Geschichte neu erzählt, der Korrektor wird Schriftsteller. Und mit der neuen Geschichte Portugals – freilich 'nur' in literarischer Form, aber ist das wirklich ein 'nur'? – ändert sich auch sein Leben: Der nicht mehr ganz junge Junggeselle wird zum Liebenden. Eine Frau fordert ihn auf – und zwar gerade die neue Kollegin, die eingestellt wird, damit dergleichen Unkorrektheiten nicht mehr geschehen –, über jenen Moment der Verwegenheit oder der Schwäche hinauszugehen. Statt Kontrolle des Korrektors also Solidarität, statt Maßregelung überraschend Ermutigung. Aus der rebellischen Geste wird so der Aufbruch zu einer anderen beruflichen, persönlichen und nationalen Identität.

Der Korrektor mit vollem Namen korrigiert nicht im Zeichen von Wahrheit oder Richtigkeit. Er revidiert – und darin ist er das Alter ego seines Erfinders – einen Mythos: Er negiert ein Faktum, um das jedoch eine ganze Ideologie gesponnen ist, und erfindet neue Fakten – Möglichkeiten, wie es gewesen sein könnte, aber für keine Geschichtsschreibung seines Landes, von der klerikalen jener Zeit bis hin zu der mythisierenden der jüngsten Vergangenheit, sein durfte. Den Fiktionen im schlechten Sinn von Lüge, Propaganda, ideologischer Vereinnahmung und Ausbeutung der Geschichte und nicht zuletzt der literarischen Tradition setzt er andere Fiktionen entgegen – Fiktionen im Sinn des Möglichen, des vielleicht Vergessenen, Unterschlagenen, ideologisch Unbrauchbaren, Fiktionen auch, die um ihren Fiktionscharakter wissen und sich nicht als Wahrheit ausgeben.

Derart verfährt Saramago als Autor eines Romans, der sich 'Geschichte' nennt und die Geschichte von der *Um*schreibung – oder besser: von der *Um*schreibung der *Um*schreibung – der Geschichte der Belagerung von Lissabon erzählt.[29] Sein Schreibprinzip ist dabei wie der Inhalt: Korrigieren. Er streicht durch, indem er zuvor Gesagtes verneint, eine Alternative nennt, Fragezeichen setzt, kommentierend Stellung nimmt – er pflegt die Schreibweisen der Skepsis. Doch nicht um einer Beliebigkeit willen, sondern in kritischer Verneinung einer Autorität, die wegen ihrer Lügen keine Loyalität mehr für sich fordern darf.

Raimundo Silva mischt sich ein und übernimmt Verantwortung für den Inhalt des Geschriebenen, für die Richtung des Denkens. Er macht einen Fehler, und zwar absichtlich, es ist ein Akt, kein Versehen. Damit wird er von einem berufsmäßig hinter der Autorität Verschwindenden zu einem, der selbst in Erscheinung tritt, der handelt und ein Gesicht bekommt. Das verlangt jedoch mehr als eine Geste des Aufbegehrens. Um die Geschichte neu zu erzählen wie um verantwortlich zu handeln, muß das Verneinen produktiv werden. Raimundo Silva – und hinter ihm José Saramago – erhebt nicht nur Einspruch, sondern entwickelt auch Phantasie – und nicht die anderer Ideale, sondern die des 'Möglichkeitssinns'.

Eine besondere Parteilichkeit

Drei literarische Texte – drei Arten, sich auf das geschriebene Wort zu verpflichten und mit der Autorität von Texten umzugehen, verkörpert in verschiedenen Typen von untergeordneten Schreibern und in verschiedenen Schreibweisen: der erste ein Perfektionist und Ideologe, Utopist und rigoroser Asket, ein Zensor aus Überzeugung – das allegorische Konstrukt eines Intellektuellen; der zweite ein geheimer Kontrolleur, Schnüffler, Denunziant, ein Wächter der Linientreue, doch nur als Helfershelfer, ein kleines Rädchen im großen Apparat der Machterhaltung durch Kontrolle, ein Überzeugungsloser in einem Repressionsbetrieb jenseits aller Überzeugungen, ein Verwirrter und Verhedderter, dem die Welt, die Zeit, sein Ich fast abhandengekommen sind – das Ganze aus einer großen Analogie gesponnen, doch zum Glück nicht nur, denn Erfahrung und Lust am Beschreiben machen sich geltend – auch gegen die Grundidee; der dritte schließlich ein Skeptiker und Zweifler an allen Ideologien, einer, der Autoren und Autoritäten von Schriften mißtraut, denen von anderen und ebenso den eigenen, in einem Roman, der sich die Frage nach Wahrheit und Lüge in Geschichte, Literatur, Rhetorik zum Thema macht und eine andere Antwort darauf findet als die Indifferenz von Fiktion und Wirklichkeit.

Steiners Korrektor ist, obwohl ein ganz kleiner Schriftfunktionär, durchaus nicht harmlos. Unter anderen Umständen als denen in Italien hätte er wahrscheinlich gutgläubig propagandistische Schriften verfaßt, wäre er Chef der Zensurbehörde oder ein höherer Beamter der Stasi. Die Ideologisierbarkeit des 'Schreibers' zeigt sich an einer Gestalt wie ihm vielleicht eindrücklicher als an einem Texte produzierenden Intellektuellen, einem Journalisten etwa oder einem Gelehrten wie Saramagos ungenanntem Historiker. Bei diesen mag die Ideologisierbarkeit als Berufsproblem allzu evident und vertraut scheinen. Hilbigs Spitzel überzeichnen grotesk die Affinität der Schriftberufe zum Machtanspruch über das Wort, vor allem das geschriebene. Dieses ist Gegenstand der Überwachung und zugleich deren hypertroph gewordenes Mittel. Den Kontrollwahn begleitet ein Wahn der schriftlichen Fixierung und Dokumentation; die Akten sind hier die Welt, und um noch eine Welt zu haben, muß der Apparat Akten produzieren. Ein Geheimdienst, der die ganze Gesellschaft durchdringt und sie idealiter umfaßt, ist eine Behörde mit universaler Zuständigkeit; ihre Aufgabe, ihr Gegenstand, ihre Verfahren sind nur noch sie selbst als Behörde, als Bürokratie, als Apparat, der läuft und sich am Laufen hält. Amtliche Schriften zeugen von einer Macht und bestätigen sie; je mehr dergleichen, desto sicherer daher diese Macht – das ist seine Logik.

Steiner und Hilbig sprechen von Extremen des 'Schreibertums', von Perversionen: Der Literat als Spitzel bespitzelt einen Spitzel als Literaten, und der Marxist als Korrektor korrigiert alles, bloß sich selbst nicht, bis er gezwungenermaßen zum korrigierten und nicht mehr korrigierenden Marxisten wird. Beide entfremdet die Geschlossenheit ihrer Welt und ihrer Sicht der Dinge den historischen Geschehnissen, von denen sie als heillos Verspätete dann überrascht werden. Der eine ist geblendet von Idealismus, dem anderen verdunkelt die Resignation den Blick, bis er sich freiwillig dem Apparat ergibt und, selbst ein Vernebel-

ter, am Vernebeln mitwirkt, das 'Aufklärung' heißt. Bei Saramago dagegen wird
der kleine Schreiber, der nicht von Haus aus Autor ist, eine positive Figur, gerade weil er sich den Übersteigerungen seines Metiers verweigert. Seine Unvoll-
kommenheit gibt der Menschlichkeit eine Chance – und auch einer neuen Einsicht. Raimundo Silva wird Schriftsteller im besten Sinn des Wortes. Die Bedingungen – auch im Politischen – sind hier günstig, und im Persönlichen fügt sich
alles wunderbar-unwahrscheinlich– eben wie im Roman.

Seinem Schreiben und vor allem dem des Erzählers liegt eine Überzeugung
zugrunde, die zumindest als Programm den humanen Umgang mit Schreiben,
Schriften, Autorität und Geschichte ausmacht: „... das Besondere des Lebens bestand schon immer in den Unterschieden."[30] Korrigieren als Schreiben, Schreiben
als Korrigieren wäre in diesem Sinn Parteinahme für die Unterschiede – und mit
ihnen Parteinahme für das Leben und die Lebendigkeit, nicht zuletzt für die des
Denkens.

Saramago beginnt seinen Roman mit einer Unterhaltung über das Korrek-
turzeichen für 'Deleatur'. Es sehe aus wie eine Schlange, die dabei sei, sich in den
Schwanz zu beißen, doch im letzten Augenblick davor zurückschrecke. Der sich
schließende Ring ist ein altes Symbol der Ewigkeit, doch davor, heißt es hier,
grause es selbst der Schlange. Die Korrektoren aber – sofern sie 'schriftskepti-
sche' Literaten sind – „hängen sehr am Leben."[31]

Anmerkungen

1   Vgl. Verf.: *Schriftskepsis. Von Philosophen, Mönchen, Buchhaltern, Kalligraphen*, München 1995, Teil III. Die dort aufgestellte Liste von Texten mit Schreiberfiguren kann ich inzwischen um einige Titel ergänzen; vollständig ist die Reihe natürlich auch damit nicht (in Klammern gebe ich jeweils das Jahr der Erstveröffentlichung an): Cl. Brentano: *Die Chronika des fahrenden Schülers* (Urfassung; 1923), Stendhal: *Le rouge et le noir. Chronique du XIXe siècle* (1830), J. Saramago: *Manual de Pintura e Caligrafia* (1977) und *História do Cerco de Lisboa* (1989); F. Ph. Ingold: *Ewiges Leben. Erzählung* (1991); W. Hilbig: *„Ich". Roman* (1993); T. Ruiz Rosas: *El Copista* (1994). – B. Strauß nennt einen Band mit Aufzeichnungen *Die Fehler des Kopisten* (1997), G. Steiner sein jüngstes Buch *Errata* (1997).

2   Mein Buch stellt den kleinen Schreiber als *atopos* in eine philosophische und kulturgeschichtliche Linie, die von den Figuren des Sokrates und des klösterlichen Kopisten markiert wird. – Von den oben genannten ergänzenden Texten gehört nur der von Ingold in diesen Zusammenhang; er entwirft, auch mit ausdrücklichen Anlehnungen und Zitaten, einen Bartleby im 20. Jahrhundert.

3   Diese Seite an den 'Kopistengestalten' habe ich in meinem Buch zurückgestellt.

4   Ich beziehe mich auf den Text in *Proofs and Three Parables*, London/Boston 1992, 1-75, und zitiere nach der deutschen Übersetzung von Hans Günter Holl mit dem Titel *Fahnen* in *Lettre international*, 14, 1991, 12-27. (Der deutsche Text – übersetzt nach der Erstveröffentlichung in *Granta* – ist eine gekürzte Version der 1992 bei Hanser erschienenen Ausgabe; dort ist der Titel *Unter Druck*.) – Diese Erzählung hatte ich in der oben erwähnten Arbeit, wie viele andere, nur genannt.

5   Ich zitiere nach der Ausgabe: *„Ich". Roman*, F.a.M. 1995.

6   Ich zitiere nach der Ausgabe: *Geschichte der Belagerung von Lissabon. Roman*. Aus dem Portugiesischen von Andreas Klotsch, Reinbek b. Hbg. 1995 (zuerst 1992), und gebe außerdem die entsprechenden Seitenzahlen in der 1989 in Lissabon erschienenen Ausgabe an.

7   Die Bezeichnungen 'Kommunist', 'Marxist' u.ä. verwende ich im folgenden, wie der Autor selbst, in sehr weitem Sinn.

8   A.a.O., 12/3. – Die erste Zahl steht für die Seitenzahl im deutschen, die zweite für die im englischen Text.

9   12/7. Im deutschen Text heißt es: „... um die Welt zu ordnen oder zu zerrütten", in dem von mir benutzten englischen dagegen nur „to order the world".

10   Der *scribe*, wie es im Englischen heißt, ist auch der Kopist.

11   25/57.

12   23/51.

13   23/48.

14   Modell für den Korrektor soll der italienische Philologe Sebastiano Timpanaro gewesen sein; vgl. M. Ranchetti: *Incursione nel regno della bestemmia*, in: *L'Indice*, X 3, März 1993, 10 f.

15   Die wirklichen Vorfälle, an die Hilbig anknüpft und das Problem der tatsächlichen Stasi-Mitarbeit von Schriftstellern aus der ehemaligen DDR sollen hier nicht noch einmal diskutiert werden.

16   Vgl. a.a.O., 235 f. Wie viele andere Details verweist auch das auf Autobiographisches.

17   232.

18   23; kursiv bei Hilbig.

19   Vgl. 75.

20   290.

21   260.

22   372.

23   26.

24 Im Original *voluptuoso*; a.a.O., 11/12 und 13/14. – Die erste Zahl steht jeweils für die Seitenzahl im deutschen, die zweite für die im portugiesischen Text.
25 49/42.
26 Vgl. 31 f./28.
27 44/39.
28 58 f./50. Das portugiesische 'não' heißt 'nicht' und auch 'nein'. Im Original ist es groß geschrieben.
29 Unvermeidlich der 'Genitiv des Genitivs' – doch zur Kennzeichnung ironischer, nicht büro-
   kratischer Distanz.
30 9 f./11.
31 Ebd.

Eva Cancik-Kirschbaum

Herrschaftsästhetik im Alten Orient

Vorbemerkung

Die Kulturen des Alten Orients haben im Laufe ihrer mehrtausendjährigen Geschichte verschiedene Formen von Herrschaft hervorgebracht. Aus der Zeit zwischen etwa 3000 v.Chr. und dem Zeitalter des Hellenismus kennen wir beispielsweise die sumerischen „Stadtstaaten", das „Reich" von Akkade, die „Königtümer" von Assur, Babylon und Hatti, die „Imperien" der Meder und Perser, um nur einige zu nennen.[1] Anschauungen, die dort entwickelt wurden, haben, vermittelt vor allem durch hellenische und römische Tradition, auch auf die westeuropäischen Kulturen gewirkt. Trotz grundlegender Unterschiede zwischen einem Stadtstaat des 3. Jts. und einem Territorialreich des l. Jts. haben all diese Gebilde eine monarchische Struktur. An der Spitze steht ein Herrscher, der sich auf göttliche Bestimmung zur Herrschaft und göttlichen Handlungsauftrag beruft. Doch bestand darüber hinaus stets die Notwendigkeit weitergehender Legitimation. Hierfür wurden im Einzelfall, je nach kulturellem und historischem Kontext, unterschiedliche Formen entwickelt.[2] Untersuchungen zu entsprechenden Konzeptionen und ihrer Umsetzung sind im Alten Orient meist mit einer schwierigen Quellensituation konfrontiert.[3] An Zeugnissen stehen für die vorschriftliche Phase (bis etwa zum Ende des 4. Jts.) nur materielle Hinterlassenschaften zur Verfügung. Mit dem Beginn des 3. Jts.v.Chr. treten neben Siedlungsstrukturen, Architektur und Artefakte zunehmend Schriftquellen.[4] Wirtschafts- und Verwaltungsurkunden, Erlasse und Rechtstexte, Korrespondenzen und historische Berichte geben seit der Mitte des 3. Jts. v.Chr. Einblick in Innen- und Außenpolitik der verschiedenen Staaten.[5]

Eine Betrachtung der Quellen in Hinblick auf Aussagen zu Konzeptionen politischer Herrschaft ergibt folgendes Bild: Texte und Denkmäler entstanden im Rahmen der Ausübung von Herrschaft; sie dokumentieren Systeme und Techniken zur Realisierung von Macht. Jedoch geben sie höchstens indirekt Aufschluß über politische Konzepte; sie explizieren keinen Diskurs über die Begründung von Herrschaft und der zu ihrer Umsetzung gewählten Strategien. Hinweise hierauf finden sich gelegentlich in Texten, die nicht primär dem administrativen Kontext angehören, bspw. den kommemorativen Inschriften der alto-

rientalischen Herrscher.[6] Auf der anderen Seite stellen Herrscher und Herr-
schertätigkeit ein zentrales Thema in den überlieferten Denkmälern und Dokumenten dar. Die gesamte Palette der administrativen, juridischen und militärischen Aktivitäten des Königs, seine Einbindung in den Kult, seine Beziehung zu
den Göttern, sein Engagement als Bauherr, Jäger oder Gärtner boten Stoff für
Darstellungen in Text und Bild. Epische und mythologische Erzählungen, historische Berichte, Königstitel und Epitheta, Malerei, Skulptur und Kleinkunst
greifen diese Themen auf und verarbeiten sie. Auf diese Weise überdauern nicht
nur die Taten des Königs und damit sein Name den historischen Augenblick,
sondern sie erreichen auch einen hohen Grad an Öffentlichkeit.[7] Das ungleiche
Verhältnis zwischen der Vielzahl deskriptiver Zeugnisse und verhältnismäßig
wenig reflektierendem Diskurs hat mehrere Gründe.[8] Einigen Anteil hat möglicherweise die altorientalische Vorstellung vom Herrscher als alleinigem Garanten
einer durch die Götter installierten Weltordnung. Die Errichtung bzw. Aufrechterhaltung dieser Ordnung wird in den Texten als zentrales Anliegen altorientalischer Herrscher dargestellt. Dieses „Konzept" legitimiert die Unterwerfung
anderer Völker ebenso wie die Restaurierung von Tempeln, die Gründung neuer
Städte oder die Einrichtung von Kulten. Gleichzeitig erfüllt sich in diesem Handeln die Notwendigkeit, die Umsetzung des göttlichen Anspruches durch den
Herrscher (und damit dessen Berechtigung zur Herrschaft) sichtbar zu machen.[9]
Die Visualisierung von politischer Macht erfolgt auf qualitativ unterschiedlichen
Ebenen und spricht verschiedene Formen der Wahrnehmung an. Das inszenierte
Spektakel eines Triumphzuges des siegreichen Königs, der König im Rahmen ei-
ner Kulthandlung, Bildnisse des Herrschers an unzugänglichen Felswänden, die
Bewältigung monumentaler Bauvorhaben, der Einsatz von Gewalt – eine jede
dieser Situationen erzeugt eine Vielzahl von sensorischen Eindrücken und formt
so ein spezifisches Bild von der Person des Herrschers und seiner Herrschaft. In
Abhängigkeit von Medium, Kontext und Situation können dabei unterschiedliche Aspekte im Vordergrund stehen.[10] Die verwendeten Topoi sind Teil einer
heute nur mühsam zu entschlüsselnden „Herrschaftsikonographie".[11]

Aufgrund der spezifischen Überlieferungssituation zum Alten Orient bleibt
die Rezipientenebene uns weitgehend verschlossen. Text und Bild reduzieren
den ursprünglich sämtliche Sinne umfassenden Gesamteindruck, sie ordnen und
bewerten ihn innerhalb des eigenen Mediums neu. Dennoch sind die zur Verfügung stehenden Quellen für die Frage nach der Ästhetik von Herrschaft im Alten Orient durchaus ergiebig, wie die folgenden Beispiele zeigen. Es geht dabei
um Hinweise, wie ästhetische Aspekte im Zusammenhang mit der Ausübung
von Herrschaft berücksichtigt werden. Die Beispiele greifen überwiegend auf
Material aus der ersten Hälfte des ersten Jahrtausends v.Chr. zurück. Viele der
angesprochenen Konzeptionen sind jedoch bereits im dritten vorchristlichen
Jahrtausend nachweisbar.

1. Das Bild des Herrschers

Die Person des Königs „verkörpert" nach altorientalischer Vorstellung das Königtum. Dies kommt u.a. in der Bezeichnung des Herrscherbildes als *salam šarrūtīja*, d.h. wörtlich als „Bildnis/Abbild meines Königtums" zum Ausdruck. Was jedoch zeichnete den Herrscher vor anderen aus, welche „sichtbaren" Qualitäten eignete er in seiner Funktion als Herrscher? Die Herrschaftszeichen des altorientalischen Königs lassen sich zwei Gruppen zuweisen: es handelt sich zum einen um gegenständliche Objekte (Insignien) und zum anderen um eine Reihe „nichtgegenständlicher" Eigenschaften. Die Gruppe der Regalia, die den Herrscher und seine Aufgaben „bezeichneten" ist nicht eindeutig definiert; je nach Epoche können unterschiedliche Kombinationen auftreten.[12] Am häufigsten werden Krone, Stab (Szepter) und Thron genannt bzw. dargestellt; daneben erscheinen z.B. (Leit-)Seil, Waffe, Prachtgewand und Kappe. Die Funktion der Regalia wird im Akkadischen durch den Begriff *simtu* beschrieben: Krone und Szepter werden als *simāt šarrūti* bezeichnet. *Simtu* bedeutet etwa, „das, was charakteristisch, passend, zugehörig, wesenhaft, zeichenhaft für etwas ist".[13] In einem akkadischen Epos heißt es über den Anfang der Menschheitsgeschichte:

> „Einen König setzten sie (das sind: die Götter) nicht ein unter all den zahlreichen Menschen. Bei diesen ist die Kopfbinde nicht geknüpft, die Kappe und das Szepter mit Lapislazuli nicht besetzt. Nicht sind die Hochsitze allesamt erbaut. Siebenfach sind die Tore verschlossen vor einem Mächtigen. Szepter, Kappe, Stirnband und Hirtenstab sind vor An im Himmel niedergelegt."[14]

Die Insignien symbolisierten nicht nur die Zustimmung der Götter zu dem jeweiligen irdischen Herrscher, sie repräsentierten vor allem eigenständig die Institution der Königsherrschaft.[15] Die Übergabe der Insignien an den König erfolgte im Rahmen einer umfangreichen Thronbesteigungszeremonie, die uns zum Teil durch Ritualtexte und Beschreibungen überliefert ist.[16]

Zu diesen Zeichen des Königtums treten körperliche Begabungen, die dem prädestinierten Herrscher bereits vor seiner Geburt verliehen werden. Weisheit, Entscheidungsfähigkeit, Gerechtigkeit und physische Stärke, machen ihn zu einem König „ohne Gleichen" *(šar lā šanān)*. Bereits der „Urkönig" wird im Rahmen seiner Erschaffung entsprechend ausgestattet; in einem hochliterarischen Text aus dem l. Jt. v.Chr. heißt es:

> „Ea hub an zu sprechen, indem er an Bēlet-ilī das Wort richtete: Bēlet-ilī die Herrin der großen Götter bist du. Du hast den *lullû*-Menschen geschaffen; bilde nun den König, den überlegend-entscheidenden Menschen! Mit Gutem umhülle seine ganze Gestalt, gestalte seine Züge harmonisch, mach schön seinen Leib!"[17]

Derselbe Text verbindet an einer späteren Stelle die Verleihung der Insignien und Eigenschaften:

> „Es gaben dem König den Kampf (als Mittel) die [großen] Götter. Der Gott Anu gab seine Krone, der Gott Enlil gab seinen Thron, der Gott Nergal gab seine Waffe, der Gott Ninurta ga[b seine Ausstrahlung], die Göttin Bēlet-ilī gab seine schöne Erscheinung."

In Hinblick auf Ästhetik von Herrschaft ist die Verleihung von „Ausstrahlung" (akkadisch *šalummatu*) besonders interessant. *Šalummatu* gehört zu einer Gruppe von Synonymen mit der Bedeutung „Strahlen, Glanz, Gleißen", die auch zur Beschreibung der optischen Wirkung von Metallen gebraucht werden. In Verbindung mit Personen (Göttern, Königen, gelegentlich auch bei Mischwesen und Dämonen) ist jedoch etwa „Aura, Ausstrahlung" gemeint. Diese enthält häufig die Konnotation von Furcht und Schrecken. Eine Entsprechung findet *šalummatu* wohl in dem lateinischen Begriff „Majestas".[18] Diese im Alten Orient in gewisser Weise gegenständlich gedachte Eigenschaft des Herrschers (häufig wird hier das Verbum *tabāku* „ausgießen" verwendet) nimmt eine Mittelstellung zwischen den Insignien als realen Objekten und den körperlichen Eigenschaften ein. Majestas konnte ebenso wie die übrigen Insignien einem in Ungnade gefallenen Herrscher von den Göttern genommen und auf eine andere Person übertragen werden.[19] Die *simāt šarrūti* die „Zeichen des Königtums" sind also Instrumente und gleichzeitig visuelle „Sinnbilder" von Herrschaft.

2. Der Palast des Herrschers

Der Herrscherpalast wurde im Alten Orient als *šubat šarrūti* „Sitz des Königtums" bezeichnet: er dokumentierte und repräsentierte die Macht des Herrschers (s. auch u.).[20] Zu Beginn des 6. Jhs. v.Chr. ließ Nebukadnezzar II. den alten Palast seiner Vorgänger in Babylon abreissen und errichtete an derselben Stelle einen neuen Palast.[21] Als Grund nennt er in seinen Bauinschriften: *kummu bēlūtīa ana simat šarrūtīja la šumâ* – „der Schrein meiner Herrschaft war dem *Wesen* meines Königtums nicht angemessen".[22] Nicht nur die Regalia, auch der Palast stellt also eine physische Realisation des Königtums dar.

In derselben Inschrift wird auch der neue Palast, der Nebukadnezzars Königtum angemessen repräsentierte, beschrieben. Durch geschickte Kombination von verschiedenen Perspektiven erzeugt der Autor einen optischen Eindruck:[23]

> „In Babylon, der Stadt meiner Wahl, die ich liebe, war der Palast, das Haus, auf das die Menschheit (staunend) schaute *(tabrâtu)*, das Band *(markasu)* des Landes, der glänzende Schrein, das Heiligtum *(admannu)* meines Königtums (...) baufällig geworden; (...) sein Fundament gründete ich fest, mit Pech und Backsteinen führte ich ihn auf, einem Gebirge gleich; gewaltige Zedernstämme ließ

ich als Bedachung auflegen: Türen aus Zedernholz, überzogen mit Kupfer, Schwellen und Türangeln aus Bronze fügte ich in seine Tore ein. Silber, Gold, erlesene Steine, alles was kostbar und wertvoll ist, Hab und Gut, Zeugnisse des Ruhmes, häufte ich in seinem Inneren auf."[24]

Die Passage wird durch eine imaginierte Bewegung strukturiert. Der Autor führt das Publikum gleichsam aus der Ferne langsam an den Gegenstand der Betrachtung heran: zunächst nach Babylon, sodann vor das Bauwerk; er beschreibt detailliert die Vorgeschichte und das Äußere des Baues und schließt mit einem Hinweis auf das dem gewöhnlichen Menschen unzugängliche Innere des Palastes.

Eine Reihung von fünf Substantiven bezeichnet eingangs die Qualitäten, die ein solcher Bau in sich vereint: *ekallu* („Palast"), *bīt tabrâte* („Haus des Schauens"), *markas māti* („Band des Landes") *kummu* (etwa „Schrein"), *admannu* („Heiligtum"). Es handelt sich dabei nicht um beliebige *Epitheta ornantia*, sondern um bewußt gewählte Begriffe, die bestimmte funktionale und ästhetische Aspekte des Baues hervorheben. *Ekallu* und *markas māti* verweisen auf die Bereiche Administration und Politik. Sie rahmen einen indirekten Hinweis auf das Aussehen des Gebäudes: *bīt tabrâte* „Haus des (staunenden) Beschauens". Die Wirkung des Gebäudes wird nicht etwa mit Adjektiven wie „großartig" oder „prächtig" beschrieben: sie ergibt sich vielmehr aus der Reaktion des imaginären Betrachters, seinem Staunen. *Markas māti* verweist nicht nur auf die politische Funktion des Palastes sondern darüber hinaus auf die mesopotamische Kosmologie; es bezeichnet dort die bei der Schöpfung geschaffene Verbindung zwischen Himmel und Erde bzw. Unterwelt.[25] Dem zeitgenössischen Publikum war bekannt, daß hervorragende Heiligtümer Mesopotamiens dieses Epitheton trugen. Damit leitet *markasu* zu den beiden Synonymen *kummu* und *admannu* über, zwei Termini, die vor allem auf Sakralarchitektur angewendet werden.

Auf die Baugeschichte folgt die Beschreibung des Neubaus: der Autor führt das Auge des Betrachters von den Fundamenten zum Dach des Bauwerkes und assoziiert „Gebirge"; von dort lenkt er den Blick auf jene Punkte, die aus dem Gebirge ein Gebäude machen, die Tore; ihre Verkleidungen und Beschläge aus Edelmetallen lassen das Bild von Glanz und Schimmer entstehen, der vorausweist auf den Reichtum, der im Inneren versammelt ist. Hier wird also ein lebendiges Bild gezeichnet, das den Leser/Hörer explizit einbezieht, denn es ist indirekt seine Wahrnehmung, die hier geschildert wird.

3. Die Organisation des Raumes

Assyrien beherrschte in der ersten Hälfte des 1. Jts. v.Chr. das politische Geschehen im Alten Orient. Seine größte territoriale Ausdehnung erreichte es im

7.Jh.v.Chr.; damals zählte der assyrische Herrscher Assurbanipal (668-627 v.Chr.) die Bewohner von Oberägypten bis zum südlichen Anatolien, von der Mittelmeerküste bis weit hinein in das persische Hochland zu seinen Untertanen. Diese enorme Erstreckung des Herrschaftsgebietes stellte nicht nur hohe Anforderungen an die administrative, militärische und politische Organisation; auch die Systeme zur Präsentation und Repräsentation assyrischer Oberherrschaft mußten diesen Anforderungen Rechnung tragen.[26]

Erschließung und Organisation des Raumes bieten zahlreiche Möglichkeiten zur Visualisierung und damit zur Wahrnehmung von Herrschaft. Dies betrifft die Gestaltung, Ausstattung, Benennung von Bauwerken, Plätzen und Städten sowohl im traditionellen Rahmen herrscherlicher Bautätigkeit innerhalb des Reiches, als auch im Anschluß an militärische Eroberungen zur Eingliederung neuer Territorien. Die historische Praxis wiederum wird als Stoff in der schriftlichen (Annalistik) und bildlichen Überlieferung (erzählende Reliefzyklen) aufgegriffen und innerhalb des jeweiligen Systems neu geordnet und bewertet.

3.1 Organisation des Raumes – Länder und Landstriche

Eroberung, Plünderung, Zerstörung, Entvölkerung auf der einen, Neuaufbau und Wiederbesiedlung, Umbenennung und Neustrukturierung auf der anderen Seite erscheinen seit dem 8. Jh.v.Chr. als feste Bestandteile assyrischer Expansionspolitik.[27] Als Beispiel mag der folgende Ausschnitt aus den Berichten über das elfte Regierungsjahr Sargons II. (722-706 v.Chr.) dienen:

> „Im Zorn meines Herzens zog ich (...) im Eilmarsch nach seiner [des Azuri] Königsstadt Ašdūdu und umzingelte (und) eroberte die Städte Ašdūdu, Gimtu (und) Ašdudimmu. Die Götter, die in ihnen wohnen, ihn selbst zusammen mit den Einwohnern seines Landes, (außerdem) Gold, (und) Silber (und) das Gut aus seinem Palast rechnete ich zur Beute. Diese Städte gestaltete ich völlig neu: Leute aus von mir eroberten Ländern siedelte ich in (ihnen) an, setzte einen meiner Eunuchen als Provinzherrn über sie ein, zählte sie zu den Einwohnern Assyriens und sie schleppten mein Joch."[28]

Die administrative und urbanistische Neuorganisation erfolgt regelmäßig nach demselben Muster. Sie gipfelt in teilweise großräumiger Veränderung der Ortsnamen als Teil der Okkupationspolitik:

> „Die früheren Stadtnamen änderte er und gab ihnen neue Namen. Seine Diener beauftragte er darin als Könige, Provinzverwalter und Statthalter."[29]

Die Umbenennung von Orten, aus unserer eigenen Gegenwart zu gut bekannt, ist ein wirksamer Schritt, einfachste Erinnerungen und damit identitätsstiftende Faktoren zu beseitigen.

Schließlich erfolgt die administrative Reorganisation des gesamten Gebietes durch Angliederung an das assyrische Verwaltungssystem. Die Ortschaften der eroberten Gebiete werden zu Vorratslagern, Militärstandorten und sogar zu Königsresidenzen des assyrischen Reiches umfunktioniert. Diese Nebenresidenzen vermittelten nun das in der Hauptresidenz konzentrierte Programm der Herrschaftsrepräsentation auch an der Peripherie des Reiches.[30] Allerdings werden die Schwerpunkte bspw. in den bildlichen Darstellungen dem veränderten Rahmen angepaßt: die Tributszene ist beherrschendes Thema im Dekor der Provinzpaläste. Mit der Repräsentation des Königs in Form von Bildstelen und Felsreliefs an prominenten Stellen tritt ein weiteres Element zu den verschiedenen Manifestationen assyrischer Herrschaft hinzu.[31]

3.2 Organisation des Raumes – Palast und Residenz

Der Palast (ekallu) ist vor allem administratives und repräsentatives Zentrum der Macht. In ihren Beschreibungen verwenden die Königsinschriften für Aussehen und Wirkung der Paläste häufig ein ähnliches Vokabular wie für die Person des Herrschers selbst. Der Palast erscheint als Verkörperung von Herrschaft und Herrscher. „The rhetorical function of the palace, as exemplified through its affect, is (...) as essential as its residential, administrative, productive and ceremonial functions."[32] Nachdem die assyrischen Könige über mehrere Jahrhunderte die Stadt Assur am Tigris als Haupt- und Residenzstadt genutzt hatten, wurden seit dem späten 13. Jh. v.Chr. die Königspaläste verlagert und neue Residenzen gegründet.[33] Auf diese Weise konnte die Umsetzung politischer Programmatik auch in der Anlage der Stadt sichtbar werden. Die Neugründungen entstanden teilweise auf unbesiedeltem Gebiet, teilweise als Erweiterungen bereits bestehender Städte.

Die neu gegründete Residenz des assyrischen Königs Sargon II. trägt den Namen Dur-Šarrukēn, das bedeutet „Festung des Sargon".[34] Die Anlage der Stadt verband traditionelle Lösungen mit einer Reihe von Neuerungen, die als Indizien für veränderte Konzeptionen in der Darstellung des Königtums gewertet werden. Der Königspalast und mit ihm die Wohngebäude der wichtigsten Würdenträger sowie einige Tempel lagen hoch über dem Niveau der Wohnstadt auf einer stark befestigten Zitadelle am Nordrand, auf der Stadtmauer „reitend"; das bedeutet, die Zitadelle durchbricht die Stadtmauer (und das von ihr gebildete Quadrat) und ragt in die umgebende Landschaft hinaus. Die stadtplanerische Anlage greift damit die überragende, alles beherrschende Position des Königs und des von ihm verkörperten Systems auf und monumentalisiert sie. Gleichzeitig symbolisiert sie Unterwerfung, denn es war bekannt, daß diese Anlage nur mithilfe der erbeuteten Ressourcen entstehen konnte.[35]

Doch nicht nur die Anordnung sondern auch die Benennung von Bauten kann traditionsgemäß Programme, darunter auch politische Programme transportieren. Im Falle von Dūr-Šarrukēn finden sich für die Stadttore Namen, welche den König in seinem Verhältnis zum Pantheon beschreiben: so trägt eines der Tore den Namen „Enlil, Begründer des Fundamentes meiner Stadt".[36]

3.3 Die Umsetzung in bildliche Darstellung

Charakteristisch für Königspaläste der neuassyrischen Zeit (d.h. zwischen dem 9. und Ende des 7. Jh.v.Chr.) ist die Dekoration der Repräsentationsräume, insbesondere des Thronsaales und der öffentlichen Zugänge mit gewaltigen steinernen Wandskulpturen. Themen dieser Reliefdarstellungen sind die Taten des Königs, seine militärischen (Feldzüge, Belagerungs- und Tributszenen), zivilen (Jagd, Baumaßnahmen, Gartenszenen) und religiösen Aktivitäten (Opferszenen u.a.).[37] Auch wenn die Frage der Visibilität und damit die Frage nach den Rezipienten (der „Hof", fremde Gesandte) noch umstritten ist[38], gelten die Reliefs als wichtige Medien zur visuellen Darstellung der Macht.[39] Hinweise auf diese Funktion finden sich mehrfach in kommemorativen Bauinschriften; in der Palastbeschreibung Sargons II. heißt es:

> „Auf großen Kalksteinplatten bildete ich die von mir eroberten Ortschaften ab, umgab damit den unteren Teil seiner [d.i. des königlichen Palastes] Mauern (und) machte ihn (dadurch) zum Gegenstand des Anschauens *(ana tabrâte)*. Die Menschen aller Länder, die ich von Sonnenaufgang bis Sonnenuntergang durch die Kraft Assurs, meines Herrn gefangengenommen hatte, stellte ich durch das Werk der Malerei (?) im Inneren dieser Paläste bildlich dar."[40]

Entscheidend ist hier die funktionale Bestimmung des Mediums und seiner Inhalte als „Gegenstand des Anschauens" *(ana tabrâte)*. Die Darstellung demonstriert Herrschaft durch das konkrete Beispiel. Das Handeln des Herrschers kann auf diese Weise den historischen Moment überdauern.

4. Zusammenfassung

Die vorgestellten Beispiele machen deutlich, daß auch im Alten Orient die Wahrnehmung des Gegenstandes bei der Präsentation von Herrschaft Berücksichtigung findet. Es existieren Maßstäbe, nach denen der Grad der Wirksamkeit bestimmt und, falls unzureichend, verbessert werden konnte. Durch die Auswahl der Komponenten sowie die Art ihrer Darstellung wird ein ästhetischer Eindruck erzeugt, der beim Publikum eine Folge von weiteren Assoziationen auslöst. Genaue Exegese der auf uns gekommenen Denkmäler läßt Grundzüge der Ästhetik altorientalischer Herrschaft erkennen.

Anmerkungen

1. Einen historischen Überblick bietet R. Herzog, Staaten der Frühzeit. Ursprünge Herrschaftsformen (München 1988). Vgl. weiter H.J. Nissen, Grundzüge einer Geschichte der Frühzeit des Vorderen Orients (Darmstadt 1983).

2. Vgl. J.-D. Gauger, Staatsrepräsentation – Überlegungen zur Einführung, in: J.-D. Gauger, J. Stagl (Hgg.), Staatsrepräsentation. Schriften zur Kultursoziologie 12 (Berlin 1992), v.a. 10-15.

3. Einen Überblick über Quellenlage und Forschungsstand im Bereich des Alten Orients vermitteln verschiedene Beiträge eines Symposiums über „Empires in the Ancient World", zusammengestellt in: M. T. Larsen (Hg.), Power and Propaganda. A Symposium on Ancient Empires. Mesopotamia 7 (Copenhagen 1979). Zum Versuch einer Einzelfallbetrachtung vgl. M. Liverani (Hg.), Akkad. The First World Empire. History of the Ancient Near East / Studies V (Padova 1993).

4. Die Entwicklung der Schrift vollzieht sich im südlichen Mesopotamien im Rahmen der wirtschaftlichen Administration. H.J. Nissen, P. Damerow R.K. Englund, Frühe Schrift und Techniken der Wirtschaftsverwaltung im alten Vorderen Orient (Berlin 1990). Zur Frage nach der Bedeutung der Schriftentwicklung für die Organisation der Gesellschaft vgl. M. T. Larsen, The Rôle of Writing and Literacy in the Development of Social and Political Power. Introduction: literacy and social complexity, in: J. Gledhill, B. Bender. M.T. Larsen (Hgg.), State and Society. The Emergence and Development of Social Hierarchy and Political Centralization (London 1988) 173-191.

5. Zur Anwendung des Staatsbegriffes vgl. die Ausführungen von W. Preiser, Zur Ausbildung einer völkerrechtlichen Ordnung in der Staatenwelt des Alten Orients, in: U. Magen, M. Rashad (Hgg.), Vom Halys zum Euphrat. Festschrift für T. Beran. Altertumskunde des Vorderen Orients 7 (Münster 1996) 227f. mit einem Zitat (S. 228) aus K.-H. Zieglers Artikel „Völkerrecht" im Handwörterbuch zur Deutschen Rechtsgeschichte V: „Auch eine altorientalische Monarchie (...) als höchste Organisationsform der auf einem bestimmten Gebiet ansässigen Bevölkerung, die, aus eigenem Recht lebend, sich als autonome Gruppe versteht und zu anderen derartigen Gruppen in friedliche oder kriegerische Beziehung tritt, ist ein ‚souveräner' Staat im Sinne eines möglichen Völkerrechtssubjekts."

6. Vgl. hierzu zusammenfassend D.O. Edzard, „Königsinschriften", in: Reallexikon der Assyriologie Bd. 6 (Berlin, New York 1980-83) 59 § l. Vgl. dort weiter die Ausführungen von J. Renger S. 65ff. sowie ders., Aspekte von Kontinuität und Diskontinuität in den assyrischen Königsinschriften, in: H. Waetzoldt, H. Hauptmann (Hgg.), Assyrien im Wandel der Zeiten. XXXIX Rencontre Assyriologique Internationale Heidelberg 1992 (= Heidelberger Studien zum Alten Orient 6), (Heidelberg 1997) 169-175.

7. Der unterschiedliche Grad der Öffentlichkeit, das jeweils angesprochene Publikum ist ein wichtiger, für die Antike jedoch kaum zu erfassender Faktor.

8. Der auf eine gesellschaftliche Elite begrenzte Zugang zum Medium Schrift prägt die Quellen ebenso wie die jeweilige Zweckbestimmung der überlieferten und ergrabenen Denkmäler.

9. Diesen Zusammenhang charakterisiert Herfried Münkler beim Vergleich von bürgerlich-demokratischem und autoritär-herrschaftlichem Machtgebrauch: „Auf der Ebene der Entscheidungsfindung optiert er <gemeint ist der autoritär-herrschaftliche Machtgebrauch, E.C.-

K. > für Invisibilität, auf der Ebene der Ordnungsstiftung hingegen zum Zwecke einer freiwillig-unfreiwilligen Akzeptanz der Ordnung für Visibilität der Macht." H. Münkler, Die Visibilität der Macht und die Strategien der Machtvisualisierung, in: G. Göhler (Hg.), Macht der Öffentlichkeit – Öffentlichkeit der Macht (Baden-Baden 1995) 213-230.

10. In diesem Zusammenhang ist z.b. auf eine Beschreibung von Königsstatuen in einem Tempel aus dem frühen 2. Jt. v.Chr. zu verweisen. Der Herrscher wird dort gezeigt als „König", als „jugendlicher Krieger", „im Gebet", „als Anführer des Heeres", „bei der Opferschau" usw. D.O. Edzard, Die Einrichtung eines Tempels im älteren Babylonien. Philologische Aspekte, in: E. van Donzel u.a. (Hgg.), Le Temple et le Culte. Compte Rendu de la XX. Rencontre Assyriologique Internationale (1972) 156-163, bes. 162.

11. Den Ausdruck „Herrschaftsikonographie" (iconography of rule) verwendet I.J. Winter im Zusammenhang mit assyrischen Herrscherdarstellungen: „(...) these Assyrian royal Images contain within them (...) vital information about the iconography of rule and the ideology of empire", in I.J. Winter, Art in Empire: The Royal Image and the Visual Dimensions of Assyrian Ideology, in: S. Parpola, R.M. Whiting (Hgg.), Assyria 1995. Proceedings of the 10th Anniversary Symposium of the Neo-Assyrian Text Corpus Project Helsinki, September 7-11, 1995 (Helsinki 1997) 361.

12. J. Krecher, „Insignien", in: D.O. Edzard (Hg.), Reallexikon für Assyriologie Bd. 5 (Berlin - New York 1976-1980) 109-114.

13. Vgl. hierzu die Ausführungen bei W. von Soden, Akkadisches Handwörterbuch II (Wiesbaden 1972) 1045f. unter „simtu".

14. Aus dem Prolog des sogenannten Etana-Epos, zitiert nach C. Wilcke, Die Anfänge der akkadischen Epen, in: Zeitschrift für Assyriologie 67 (1977) 158.

15. Dazu auch T. Podella, Das Lichtkleid JHWHs. Forschungen zum Alten Testament (Tübingen 1996) 255ff, v.a. 259 Anm. 493.

16. A. Livingstone, Court Poetry and Literary Miscellanea (= State Archives of Assyria III), (Helsinki 1989) 26-27 zu einem Ausschnitt aus einer Krönungshymne.

17. Z. 30'-35' nach W. Mayer, Ein Mythos von der Erschaffung des Menschen und des Königs, in: Orientalia N.S. 56 (1987) 55-68. Vgl.weiter E. Cancik-Kirschbaum, Konzeption und Legitimation von Herrschaft in neuassyrischer Zeit, in: Die Welt des Orients 26 (1995) 5-20.

18. Häufiger noch als šalummatu findet sich in den Texten der aus dem Sumerischen entlehnte Begriff melammu, vgl. dazu zuletzt T. Podella, Das Lichtkleid JHWHs (Forschungen zum Alten Testament 15 (Tübingen 1996) v.a. 255ff. sowie I.J. Winter, Radiance as an Aesthetic Value in the Art of Mesopotamia, in: B.N. Saraswati, S.C. Malik, M. Khanna (Hgg.), Art – The Integral Vision. A Volume of Essays in Felicitation of K. Vatsyayan (New Delhi 1994) 123-132.

19. In Fluchformeln wird bei Verfehlungen mit dem Verlust der Majestät gedroht. „Möge der Gott Anu ihm die melam šarrūti wegnehmen" heißt es in den abschließenden Verfluchungen des sogenannten „Codex Ḫammurapi" Kol. XLII 48.

20. Vgl. die verschiedenen Beiträge in P. Garelli (Hg.), Le palais et la royauté. Compte rendu de la XIXe Rencontre Asssyriologique Internationale (Paris 1974).

21. Nebukadnezzar II. herrschte in den Jahren 604-562 v.Chr.

22. S. Langdon, Die neubabylonischen Königsinschriften. Vorderasiatische Bibhothek 4 (Leipzig 1912) 114f. Kol. II, 25f.

23. An anderen Stellen in derartigen Beschreibungen sollen konkrete Zahlenangaben über die (extrem kurze) Bauzeit, die (gewaltigen) Ausmaße des Gebäudekomplexes, die Anzahl der Arbeiter, Gewicht, Größe und Wert der verarbeiteten Materialien den Leser (oder Hörer) beeindrucken.

24. S. Langdon, Königsinschriften (s.o. Anm. 24) 114f. Kol. II, 1-20.

25. Auch die Stadt Babylon selbst wird als markas kibrāti „Band der Gesamtheit" bezeichnet.

26. Eine ähnliche Situation war bereits im 13./12. Jh. v. Chr. gegeben, als Assyrien eine Vormachtstellung in Mesopotamien innehatte. Viele Grundlagen für Entwicklungen des l. Jts. wurden bereits in dieser Zeit gelegt.

27. „This policy involved the liquidation of political bodies and national groups, the annexation of large territories as provinces of Assyria, and the setting up of a permanent and efficient imperial administrative organization in the occupied areas." B. Oded, Mass Deportations and Deportees in the Neo-Assyrian Empire (Wiesbaden 1979) 43.

28. Siehe A. Fuchs. Die Inschriften Sargons II. aus Khorsabad (Göttingen 1994) S. 326 (Ann. II. Jahr, Zeile 248-254).

29. Vgl. zu altorientalischen Belegen H.-U. Onasch, Die assyrischen Eroberungen Ägyptens l, in: Ägypten und Altes Testament 27 (Wiesbaden 1994) 30-37. B. Pongratz-Leisten, Toponyme als Ausdruck assyrischen Herrschaftsanspruchs, in: dies., H. Kühne, P. Xella (Hgg.), Ana šadî Labnāni lu allik. Beiträge zu altorientalischen und mittelmeerischen Kulturen, Alter Orient und Altes Testament 243 (Neukirchen 1997) 325-343.

30. „Mit den Provinzpalästen mußten feierliche und gebührende Rahmen für die Repräsentation des Königs geschaffen werden, gerade auch an den Orten, die an der Peripherie des Reiches lagen und wo die Manifestation assyrischen Königtums ebenso vonnöten war wie in den Residenzen des Mutterlandes." J. Bär, Der assyrische Tribut (Neukirchen 1996) 194.

31. D. Morandi, Stele e Statue Reali Assire: Localizzazione, Diffusione e Implicazioni Ideologiche, Mesopotamia 23 (1988) 105-155.

32. I.J. Winter, „Seat of Kingship" / „A Wonder to Behold": The Palace as Construct in the Ancient Near East, in: Ars Orientalis 23 (1993) 38.

33. Zu „Residenzstadt" vgl. zuletzt M. Novák, Die orientalische Residenzstadt. Funktion, Entwicklung und Form, in: G. Wilhelm (Hg.), Die orientalische Stadt: Kontinuität, Wandel, Bruch. Colloquien der Deutschen Orient-Gesellschaft l (Saarbrücken 1997) 169-197.

34. Sargon II. herrschte von 722 bis 706 v.Chr.

35. „Damals errichtete ich mit den Untertanen der Feinde, meiner Beute, die (die Götter) Assur, Nabû (und) Marduk mir unterworfen haben und die mein Joch schleppten (...) eine Stadt und gab ihr den Namen Dur-Šarru-ukīn." Aus einer Inschrift, die auf den Schwellen des dortigen Königspalastes angebracht war, s. A. Fuchs, Die Inschriften Sargons II. aus Khorsabad (Göttingen 1994) 358.

36. B. Pongratz-Leisten, Ina šulmi īrub. Die kulttopographische und ideologische Programmatik der akītu-Prozession in Babylonien und Assyrien im l. Jahrtausend v.Chr. (Mainz 1994) 28-33, bes. 30.

37. Zu neuassyrischen Palastreliefs vgl. W. Orthmann, Der Alte Orient. Propyläen Kunstgeschichte Bd. 18 (Berlin 1985) Abb. 198ff., zu Sargon II. bes. Abb. 221-227.

38. Der Zugang zum Palast war auf bestimmte Gruppen begrenzt. Zur Diskussion um das Publikum der Darstellungen und der Texte vgl. zuletzt L. Bachelot, La fonction politique des reliefs néo-assyriens, in: D. Charpin, F. Joannès (Hgg.), Marchands, Diplomates et Empereurs. Études sur la civilisation Mésopotamienne offertes à P. Garelli (Paris 1991) 109-128, bes. 15ff.

39. J. Reade, Ideology and Propaganda in Assyrian Art, in: M.T. Larsen (Hg.), Power and Propaganda (Copenhagen 1979) 329-343.

40. Text und Übersetzung zitiert nach A. Fuchs, Die Inschriften Sargons II. aus Khorsabad (Göttingen 1994) 240, Zeile 165-166 und S. 354.

Richard Faber

Politischer Idyllismus in Antike und Moderne

„...selbst ein Arkadien im Kitsch schmachtet
weiter nach Utopien."

Ernst Bloch

1. Kulturlandschaft als arkadische Gesamtidylle

Das griechische Urwort für Idylle ist das seit dem ersten vorchristlichen Jahrhundert (in Anwendung auf Theokrits Gedichte) belegte „eidúllion". Seine Ethymologie als *Bildchen* irrt vielleicht „ethymologisch", doch nicht in der Sache. Ohne eine gewisse Reallogik wäre es zu dem verbreiteten (Miß-)Verständnis kaum gekommen: Die Land(schafts)- und (Winter-)Garten-, aber auch Dorf-, Stadt-, Haus-, Lauben- und Zimmeridylle ist künstlichen, wenn nicht künstlerischen Ursprungs. Und in Synästhesie, Synästhetik, im (auch musikalischen) Gesamtkunstwerk besitzt sie ihre Teleologik – mit der Pointe, daß höchste Künstlichkeit als größte Natürlichkeit wirken, Kunst (einschließlich solcher mechanischer Art) Natur eigentlich erst konstituieren soll. – Gesamtidyllisch in diesem Sinn erweist sich seit dem Renaissancehumanismus (Jacopo Sannazaros und Pietro Bembos, Giorgiones und Tizians) bis in die Mitte des vorigen Jahrhunderts eine Kulturlandschaft, die das Naturschöne auch positiv aufgehoben hat, die Agrikultur 'harmonisch' in eine weitgehend zum Naturpark umgestaltete Freizeitlandschaft einbezogen und historisch 'gewachsene' Dörfer und Städte als quasinatürliche integriert hat.

Als natürlicher, kultureller und politischer Mittelpunkt solcher Kulturlandschaft fungiert ein villenähnliches Schloß, dessen Gesamtanlage ein gesteigertes, eigentlich das Universum reproduzierendes Abbild der es umgebenden Kultur-Natur darstellt. (Von Neros „Domus aurea" und der „Villa Adriana" an.) Fast unmerklich, nur durch einen überwachsenen Graben von Wäldern, Wiesen und Feldern getrennt, beginnt die Schloßanlage mit einem Englischen Park. Dieser ist „parcus" – also von seiner Umgegend separiert – , gibt sich aber die größte Mühe, nur landschaftlich, ja ländlich: natürlicher als die ihn umgebende und bereits kultivierte Natur zu wirken. Potenzierte Kultur-Natur versucht Natur-Kultur zu imaginieren, bis zu künstlichen Felsen, Höhlen und Wasserfällen hin. Diese imitieren besonders geschichts- und kunstträchtige Orte: zum Beispiel und gar nicht selten Tivoli, das antike Tibur, samt seinem Sybillen- und Vestatempel. – Stets verkleinert, um nicht zwergenhaft zu sagen, finden sich mehr oder weniger originalgetreue Denkmale aller Gegenden und Epochen der Welt(geschichte), doch neben Grotte, „Ur(-Moos-)hütte", „Ur(-Rinden-)Haus" und antiken Tempeln wie Sarkophagen („Et in Arcadia ego"!), mittelalterlichen Einsiedeleien (zwecks melancholischer Meditation menschlicher „vanitas" an solchen „loci deserti"), gotischen Burgen und Kapellen, Synagogen, Moscheen und Pagoden stets auch Dörfchen oder wenigstens Meier- und Schäfereien (im Stil der eigenen Zeit).

Die Englische Gartenlandschaft ist entstanden nach den Vor-Bildern, die Claude Lorrain und Nicolas Poussin im 17. Jahrhundert nach der römischen Campagna malten. Die Englischen Veduten sind Nachbilder solcher Nach-Bilder, doch gerade deshalb bukolisch-georgisch oder – um diesen Topos endlich zu nennen – arkadisch. Seit Vergil gilt *Italien* für Arkadien, nicht für die reale, sehr herbe, unfruchtbare und ungastliche Peleponnes-Landschaft dieses Namens, sondern für ein mildes, fruchtbares und menschenfreundliches Bauern- und Hirtenland, in dem sich die „saturnia regna" erhalten haben oder – im Neuen Goldenen Zeitalter des Bauern- und Hirtengottes Octavianus Augustus – wieder, ja erst wirklich zu sich gekommen sein sollen.

Vor Vergil wurden die „saturnia regna" nicht arkadisch konnotiert, gab es weder arkadische Dichtung noch Landschaft im seitdem gebräuchlichen Sinn (unbeschadet dessen, daß ein partieller „locus amoenus" seit Homer einen Topos darstellt). Sie ist – von Vergil an – eine traumhaft-poetische oder imaginär-fiktive: eine *Kunst*landschaft, mit dem fundamentum in re, daß schon das Arkadien des Peleponnes, seiner archaischen Jäger und Sammler (nicht unähnlich den Waldbewohnern der „Germania") als Heimat des Pan und der Pansflöte, solcher Musik(instrumente) und ihrer Poesie galt. (Sie allein sollen die *Rohheit* dieses Arkadien gemildert haben.) – Von daher ist natürlich auch das künstl(er)i(s)che Arkadien eine Landschaft der Dichter und Musiker, obgleich nicht in solcher Ausschließlichkeit, daß schon Vergils „Bucolica" für „Dichtung der Dichtung" und sonst nichts angesehen werden könnten. Solche Interpretation (E.A. Schmidts) ist anachronistisch und so sehr, daß noch das – Arkadien spielende – Landleben der späten Feudalität näher bei Vergil sich befindet als dem (anti-) bourgeoisen „l'art pour l'art" von der Mitte des 19. Jahrhunderts an. (Schließlich verstanden sich die Whigs des frühen Empire wie noch die napoleonischen Adeligen nach 1800 insgesamt neurömisch.)

2. „Einfaches Leben" und Kapitalisierung der Landwirtschaft

Ein Phänomen wie Marie-Antoinettes „Le Hameau" im Park von Versailles ist fast überrepräsentativ für die Schäfer(-und Meier)ei; jenes niedliche Gehöft, dem man um der Echtheit willen einige kleine Schäden zugefügt hat, und wo die Hofdamen frische Milch aus Sèvrestassen trinken, die nach den schönen Brüsten der Königin geformt sind. – Selten deutlich täuscht sich – am Vorabend der Revolution – eine leisure class über das wirkliche Leben hinweg, das im *urbanen* oder *höfischen* Arkadien immer schon mit der Lebenslüge geführt wird:
– daß die Natur unschuldig sei;
– daß Hirten und Bauern als Naturkinder zu gelten hätten;
– daß unter den freien Naturkindern Einfalt und Eintracht herrschten (gerade auch in eroticis. Und unabhängig davon, ob eher das aphroditische „Erlaubt ist, was gefällt" oder das junonische „Erlaubt ist, was sich ziemt" gegolten haben soll).

Solche – von Heinrich Lützeler vorgetragene – Kulturkritik ist nicht falsch, vernachlässigt aber die *Sozial*kritik. Sie vergißt die Sozial*geschichte*, für die es keinen Zweifel gibt, daß schon die Existenz der Vergilschen Kleinbauern und ihrer „Landgütchen" alles andere denn repräsentativ war: Bereis im Zeitalter der Punischen Kriege ist die italische Bauernschaft der aufgehenden Weltherrschaft und Weltwirtschaft zum Opfer gefallen, hat sich die Latifundienwirtschaft herausgebildet und ist der Großgrundbesitz aufgekommen. Die sich aus Profitgründen anbietende und dann aus Konkurrenzgründen nötige Umstellung der Landwirtschaft vom Getreidebau auf die Weidewirtschaft und Oliven- wie Rebenkultur konnte sich nur ein Mann mit *Kapital* leisten.[1]

Dessen ungeachtet, 150 Jahre nach dem ungefähren Beginn dieser Entwicklung, und nachdem sie bereits abgeschlossen ist, schreibt Vergil Georgica 2, 461-68: „Wenn nicht aus stolzen Pforten das ragende Haus die gewalt'ge/Woge der morgens Grüßenden speit aus all seinen Räumen, / Wenn sie auch nicht nach den schillernden Pfosten aus herrlichem Schildpatt / Gaffen, nach goldverbrämten Gewändern, korinthischen Bronzen, / Nicht mit phönikischem Gift die weiße Wolle gefärbt wird / Und nicht mit Zimt verderbt der Gebrauch des lauteren Öles: /Doch dafür ist sorglos der Schlaf und ehrlich das Leben, / Reich an verschiedenen Schätzen, doch Friede herrscht auf dem Landgut." – Seine Hütte ist „ärmlich" und das Feld „klein, aber mein"; man ist „mit wenig zufrieden". Selbst die Muse des Gesangs ist „von ländlicher Einfalt": Man übt sich „mit bescheidenem Schilfrohr … in ländlichen Weisen"[2]

Alles ist ganz und gar im Gegensatz zur Welt der Reichen und Mächtigen, des Augustus zumal: seinem „ragenden Haus" mit den „stolzen Pforten", „den schillernden Pfosten aus herrlichem Schildpatt" und den „korinthischen Bronzen". Und doch sollen *beide* Bereiche der goldenen Zeit zugehören: die „naturgegebene Ordnung" des „Einfachen (Bauern-)Lebens" wie der Luxus des augusteischen Hofes, seine feierlichen Zeremonien wie der graue Alltag des Landguts. Auch er ist eben ein vergoldeter – weil verlorener: „Unablässig blähen sich Ausdrücke und Situationen eines ... nicht mehr existenten Alltags auf, als wären sie ermächtigt und verbürgt von einem Absoluten"[3].

Das „einfache Leben" der 'Georgica' und 'Bucolica' ist genausowenig mehr existent wie das des *arkadischen* Gründers der römischen Stadtburg Euander (Aeneis VIII, 813), dessen Behausung „eng" war und der seinem Gast Äneas nur ein Lager, „weich von Blättern"[4], bereiten konnte: Nicht mehr ist „die 'cultura', der Anbau und die Pflege des Landes ..., das Urbild aller Kultur, auch der höchsten"[5], was die augusteische ja zweifellos für Vergil war. Und doch hat Friedrich Klingner recht, wenn er in Euander einen von Vergil bewußt konzipierten „Typos des Augustus" erkennt.[6] Deswegen müßte freilich auch Thyrsis' Lob Augustus aus dem Herzen gesprochen sein: „Ich ... lob' mir den Herd, wo harzige Kloben beständig / lohen im Feuer und rußender Rauch färbt die Pfosten der Türe."[7]

Goethes „Augustus", seinem Herzog Karl August, *war* dieses Lob aus dem Herzen gesprochen, wie das Gedicht „Ilmenau" belegt: „Wo bin ich? ists ein *Zaubermärchen*-Land? / Welch nächtliches Gelag am Fuß der Felsenwand? / Bei *kleinen Hütten*, dicht mit Reiß bedeckt, / Seh ich sie froh ans *Feuer* hingestrekket. / Es dringt der Glanz hoch durch den *Fichten*-Saal, / Am *niedern Herde* kocht ein *rohes* Mahl; / Sie scherzen laut, indessen, bald geleeret, / die Flasche frisch im Kreise wiederkehret." – Der Dichter fühlt „durch die Rohheit ... edle Sitten" und fragt: „Wie nennt ihr ihn? Wer ists, der dort gebückt / Nachlässig stark die breiten Schulter drückt? ... / Die markige Gestalt aus altem *Helden*stamme ... / Gutmütig trocken weiß er Freud und Lachen / Im ganzen Zirkel laut zu machen, / Wenn er mit ernstlichem Gesicht / Barbarisch bunt in fremder Mundart spricht. / Wer ist der andre, der ... seine langen, feingestalten Glieder / Ekstatisch faul nach allen Seiten dehnt / Und, ohne daß die Zecher auf ihn hören, / Mit Geistesflug sich in die Höhe schwingt / Und von dem Tanz der himmelhohen Sphären / Ein monotones Lied mit großer Inbrunst singt?" (SW 1, 360/61)

Mittelpunkt der „muntern Schar" sind – ganz vergilisch – der Dichter und sein Fürst; in einer Landschaft, von der bewußt offen bleibt, ob sie mehr „barbarische" Natur oder schon – vom Dichter angelegt – „edler" Park ist. Das wirklich Edle ist natürlich und ein *Urtümlich*-Barbarisches edel. So jedenfalls wird es – sentimental – nahegelegt. Läßt man dies auf sich beruhen, so erlebte gerade auch die Goethezeit, ungleich radikaler als die augusteische, eine nachhaltige Krise des „einfachen Lebens".

Wenn man will, spielen die Großgrundbesitzer in ihren „Sonntagslandwirtschaften" à la „Le Hameau" *das* Bäuerchen, das sie hundert- bis tausendfach „ge-

legt" haben. Einige der alles andere, nur nicht „idyllischen Methoden der ursprünglichen Akkumulation" gehören bereits zu den *Entstehungs*-Bedingungen
des Landschaftsgartens; ganz besonders die gewaltsame Verjagung der Bauernschaft von dem Grund und Boden, worauf sie denselben feudalen Rechtstitel be-
saß wie der große Feudalherr. „Den unmittelbaren Anstoß dazu gab" – nament-
lich im England des 16. Jahrhunderts – „das Aufblühen der flandrischen Woll-
manufaktur und das entsprechende Steigen der Wollpreise. Den alten Feudaladel
hatten die großen Feudalkriege verschlungen, der neue war ein Kind seiner Zeit,
für welche Geld die Macht aller Mächte. Verwandlung von Ackerland in *Schaf-
weide* war also sein Losungswort."[8]

Das neue Arkadien des Englischen Parks beginnt ganz prosaisch mit der
Schaffung riesiger Weideplätze, deren Raub alles andere als „idyllisch" war.
Schon Thomas Morus sprach in seiner „Utopia" von dem sonderbaren Land, wo
„Schafe die Menschen auffressen". Doch das war, dem literarischen Genre entsprechend, Satire oder Real*karikatur*, daher freilich auch Prophetie: Zu Zeiten
des Morus vollzog sich der Akkumulations-Prozeß als individuelle Gewalttat,
wogegen die Gesetzgebung 150 Jahre lang vergeblich *ankämpft*. Der Fortschritt
des 18. Jahrhunderts offenbart sich darin, daß das Gesetz selbst jetzt zum Vehikel des Raubs am Volksland wird. Karl Marx erwähnt die „'Bills for Inclosures of
Commons'…, in anderen Worten Dekrete, wodurch die Grundherren Voksland
sich selbst als Privateigentum schenken, Dekrete der *Volks*expropriation."[9]

Die Staatsmacht, die konzentrierte und organisiserte Gewalt der Gesellschaft, wurde benützt, „um den Vewandlungsprozeß der feudalen in die kapitalistische Produktionsweise *treibhausmäßig* zu fördern und die Übergänge abzu-
kürzen. Die Gewalt ist der Geburtshelfer jeder alten Gesellschaft, die mit einer
neuen schwanger geht. Sie selbst ist eine ökonomische Potenz." Die beiden
letzten Sätze sind mit Recht berühmt und auch an dieser Stelle nicht zu übergehen, an der es darum geht, daß die „Bills for Inclosures of Commons" Gesetze
zur *Einhegung* des Gemeindelandes sind, seine Umwandlung in einen *Park*[10];
denn dieses Wort bedeutet ursprünglich Umzäunung oder *Gehege*. Und – bis
zum „Englischen Park" einschließlich – gilt: „Die … Erbauer von Gärten waren
auch Mauerbauer, die herrschenden Verzehrer des abgepressten Mehrproduktes,
welche abgetrennt von der fronenden Masse ihrem Vergnügen nachgingen."[11]

Bereits zu Beginn des 18.Jahrhunderts hatte fast die Hälfte aller nutzbaren
Böden eine Einhegung erhalten. Zum anderen hatte prekärer Holzmangel schon
seit dem 17. Jahrhundert zu umfangreichen, mit Nachdruck geförderten Baum-
pflanzungen in allen Teilen Englands geführt; dabei hatte man weniger in großen
Flächen aufgeforstet, als in Anlehnung an den französischen Garten das Land
mit zahllosen geraden Baumalleen durchzogen und auch in die Einhegungen
Bäume hineingepflanzt. Als Ergebnis lag eine von Hecken, Alleen und Baum-
gruppen dicht durchsetzte hügelige Weidelandschaft vor, die nun mehr und mehr

Gegenstand von Verbesserungen im Sinne des *neuen* Gartengeschmacks wurde. Die Ursache dafür war: das durch industrielle, kaufmännische und koloniale Unternehmungen reich gewordene Bürgertum drängte auf das Land, erwarb und baute sich dort des Vergnügens wie des gesellschaftlichen Ansehens wegen seine Landsitze.[12]

Das liberale Großbürgertum refeudalisierte, doch ästhetisch nicht einfachhin. Ästhetisch war es eher so, daß Fürsten à la Marie-Antoinette, aber auch Karl August verbürgerlichten – gerade mit dem Englischen Garten. – Der blickt nämlich an sich so drein, „wie das *revolutionäre* Bürgertum sich und das Seine" gewünscht hat. Er blickt „mit der Stimmung des Schäfers drein, des Hirten, des einfach rechtlichen Manns". Der Bürger hielt sich für unverdorben, und je arkadischer die Verhältnisse, desto mehr waren sie die seinen. Zu einem bestimmten Augenblick sollten sie – in Frankreich – revolutionär *hergestellt* werden: „Die ursprünglich überwiegende Schäferlust" war „aus einer Flucht zu einem *Kampf* gegen die engen Gassen, engen Verhältnisse, verrotteten Formen" übergegangen und zwar „lange vor Rousseau", der den Menschen arkadisch gesehen, „der den Gesellschaftsvertrag geschlossen" hatte *und* „die Landschaft um diesen Vertrag". Doch eben schon Rousseau übersah die kapitalistische Voraussetzung der zeitgenössischen Repräsentation dieser Landschaft, mochte sein *republikanisches* Arkadien auch noch so sehr gegen „Künstlichkeit und Verdinglichung" auftreten.[13]

3. Agrarromantik und Modernisierungsstrategie

Andere und spätere werden weit hinter Rousseau zurückfallen und dessen Zivilisationskritik ins Reaktionäre, ja Faschistische wenden, um mit Hilfe der Agrarromantik die industrielle Modernisierung (auch auf dem Lande) zu betreiben. So paradox fungiert Agrarromantik.[14] Gerade der Nationalsozialismus hat durch die Mobilisierung vorkapitalistischer Potentiale die Zerstörung der „bodenständigen" Strukturen in einem Tempo vorangetrieben, wie es unter normalen Bedingungen der kapitalistischen Entwicklung nicht denkbar gewesen wäre.

Von *Hitler* war oft zu hören und zu lesen: „Das Deutsche Reich wird ein Bauernreich sein, oder es wird untergehen."[15] Doch insgeheim konzipierte Hitler sein Reich immer schon hochindustriell. Nur im zu erobernden Osten sollte es ein Bauernreich sein. Für die adels- und wehrbäuerliche Besiedelungsform dieses „Lebensraumes" wurde das Wort vom „Paradies der germanischen Rasse" oder vom „Pflanzgarten des germanischen Blutes" in vollem Ernst geprägt.[16] Im Altreich war das Blubo-Gerede jedoch „Gerede" und nicht mehr. Seit der Machtübergabe, die ohne die Interessenkoalition von Schwerindustrie und Großagrariern gar nicht möglich gewesen wäre, betrieben die Nazis hier das Bauern*legen*. „Gewiß nahm das Regime Rücksicht auf ‚die Landwirtschaft', aber eben auf die

Interessen der kapitalistisch produzierenden Großagrarier, nicht auf diejenigen der 'Bauern', wie es die Ideologie vorgab."[17]

1938 auf dem letzten Reichsbauerntag vor dem Beginn des Zweiten Weltkrieges bezifferte *Reichslandwirtschaftsminister* Richard Walter Darré den Verlust der deutschen Landwirtschaft an Arbeitskräften für die Zeit von 1933 bis 1938 auf 700 000 bis 800 000, davon 400 000 arbeitsbuchpflichtige Facharbeiter. Diese Abwanderung sei durch höhere Arbeitsleistung der Zurückgebliebenen ausgeglichen worden. – Die Möglichkeit, die Darré nicht erwähnte, war die innerbetriebliche Rationalisierung mithilfe des verstärkten Einsatzes der Technik, die in diesen Jahren von der Landwirtschaft weitgehend verfolgt wurde, um eine sonst unerträgliche Situation zu meistern. Diese Möglichkeit mußte jedoch – gerade der von Darré betriebenen Propaganda zuwider – eine Verminderung der vorhandenen Landbevölkerung bejahen.[18]

Darré erinnerte an gleicher Stelle ausdrücklich an die Zeit, in welcher der Landwirtschaft von den Behörden der Einsatz von Kartoffelrodern verboten wurde, um desto mehr Menschen mit Handarbeit beschäftigen zu können. Nun hatte sich die Einstellung zur menschlichen Arbeit in der Landwirtschaft und zum Maschineneinsatz innerhalb weniger Jahre vollkommen verändert.[19] Nur daß die verstärkte Industrialisierung mit ihrem Vorrang der Aufrüstung das von Anfang an impliziert hatte. Mit dem Beginn des Krieges wurde schließlich im Zug der erwähnten „Ostsiedlung" eine *Um*siedlung des „agrarisch übersiedelten" Süd- und Westdeutschlands ins Auge gefaßt, d. h. die Liquidation von 645 000 landwirtschaftlichen Kleinbetrieben mit 2-4 Millionen Angehörigen. Eine „Maßnahme", von der man sich „die Gesundung der Landwirtschaft des Altreichs" und die „Herstellung eines gesunden Gleichgewichts zwischen Industrie und Landwirtschaft" versprach.[20]

Wie ernst das gemeint war, soll nicht untersucht werden. Klar ist, daß diese „Umsiedlung" die Vergroßstädterung des Altreichs ins Gigantische getrieben hätte. Charakteristisch hierfür ist der Plan Hitlers für die Umgestaltung der Mark Brandenburg: Um die 8-Millionen-Stadt Berlin sollte ein breiter Waldgürtel gelegt werden. Alle geringeren Böden im Umkreis von 100 km um die Stadt sollten enteignet und aufgeforstet, die Dörfer geschlossen nach dem Osten umgesiedelt werden.[21]

Der unter Parteigenossen renommierte, wenn auch nicht unumstrittene Volks- und Rassekundler H.F.K. Günther wußte, warum er 1939 schrieb: „In Deutschland wird man … den Bauern *Zeit* lassen müssen, sich davon zu überzeugen, daß der deutsche Staat seit 1933 nicht mehr ein Staat aus städtischem Geiste, sondern *auch* ein Staat aus bäuerlichem Geist geworden ist."[21a] – Günther verschwieg kaum, daß dieser Beweis bis 1939 noch nicht geführt worden war, und konnte nur auf „Gesinnungswandel" hoffen: „… schon die Betonung ländlicher Lebenswerte durch den Staat – schon die Entstädterung der Denkweise und

Gesinnung würde in den verstädterten Völkern des Abendlandes die Zufrieden-
heit und das Glück des Menschen mehren. *Vergilius* hat in seinen Georgica (II,
458 und 459) vom Bauern ausgesagt, er wäre vor allen anderen Menschen als der
glücklichste zu preisen, wenn er sein eigenes Wohl, die Güter bäuerlichen Daseins, nur begriffe: 'O fortunatos nimium, sua si bona norint, / agricolas!' Dieser
Ausspruch des römischen Dichters spiegelt ein Zeitalter der Verstädterung wider, in welchem durch Vorherrschaft großstädtischen Geistes dem ganzen Volke,
darunter den Resten des Bauerntums selbst, der Sinn für das Glück bäuerlichen
Lebens und ländlicher Gesinnung verlorengegangen war."[22]

Günther war nicht ohne historische Kenntnisse. Dennoch forderte er – unter fast verzweifelter Berufung auf Vergil –, dessen Restauration noch einmal zu
restaurieren, nicht anders als es die italienisch-*faschistische* Propaganda tat. – In
Italien wurde – mehr als im „germanischen" Deutschland je möglich – Vergil
zum national- und staatssozialistischen, zum *imperialistischen* Dichter proklamiert. Er war als „Seher des italischen Stammes" ein Blut- und als Propagandist
der „Battaglia del Grano", ja „dell' Agricoltura" ein Boden-Dichter; so weit ging
man – unterm Vorangang des „Duce" – in der „vaterländischen" Rezeption Vergils[23], die nicht *ohne* fundamentum in re war. Vor allem dann nicht, wenn man
zusätzlich erinnert, was Hubert Cancik als Ineinander von Urgeschichte und
Moderne in der *augusteischen* Antike herausgearbeitet hat:

„Die Landschaft um Cumae, wie Vergil sie (im 6. Aeneis-Buch) beschreibt,
ist heroisch, symbolisch und real. Dichte, wildreiche Wälder soll es damals gegeben haben (v. 7 f.), die Haine der Trivia (13), einen Märchenwald mit dem goldenen Zweig (136 ff.). Steineichen und Eschen, Bergerlen, Kiefern (180 ff.), immer wieder Höhlen (10f. 42. 236 f.), dunkle Seen, mefitische Dünste (236 f.).
Die realen Elemente einer vulkanischen Landschaft werden Zeichen des Un-
heimlichen, Bodenlosen, Abgründigen."[24]

„Aber ... Vegil (selbst), der lange in Neapel lebte, kann in Cumae nicht die
heile Welt von Mythos und Urschauer, von 'tremendum' und 'fascinosum' gesehen haben. Während der Kämpfe gegen Sextus Pompeius wurde das Gebiet ... im
Jahre 37 von Vipsanius Agrippa, ... zu einer Militärbasis umgestaltet. 20 000 frei-
gelassene Sklaven wurden zwangsverpflichtet. Der Lucriner See wurde mit dem
Avener See verbunden, dieser als Hafen und Werft ausgebaut. Die umliegenden
Wälder konnten so optimal für die dringend benötigten Schiffsneubauten genutzt werden. Ein Tunnel wurde vom Averner See nach Cumae geführt. Er be-
währte sich noch im letzten Weltkrieg als Munitionsdepot", wie Cancik in besonders interessierender Weise anmerkt.[25]

„Der griechische Geograph Strabo, der die Gegend in augusteischer Zeit be-
reiste, berichtet: Frühere Zeiten hätten am Averner See ein Totenorakel lokali-
siert und Odysseus dahin gelangen lassen: Jetzt aber, wo der Wald um den Averner See geschlagen ist von Agrippa, das Land mit Häusern bebaut ist, vom Aver-

ner See ein unterirdischer Tunnel geschnitten ist bis Cumae, sind all diese Dinge als (bloßer) Mythos offenbar. Vergil hat den Militärhafen im Averner See in seinen 'laudes Italiae' gerühmt: 'oder soll ich die Häfen nennen, die Schutzbauten, die dem Lucriner See hinzugefügt wurden, und das mit großem Lärmen unwillige Meer, wo weit die iulische Welle klingt …, das tyrrhenische Gewoge wirft sich ins Avernische Gewässer!' Sein Lob der *Technik* betont die Überwindung der unwilligen Natur: die Verbindung ursprünglich getrennter Bereiche (See und Meer) und die Leistung seines 'patronus', des großen Iulius Octavianus Augustus"[25a], so wie er zum selben Zweck später, in der „Aeneis", Cumaes Landschaft archaisiert.

Cancik, der das Verhältnis der „laudes Italiae" zu Natur und Technik als „frühneuzeitlich" deutet, fragt: „Sind die heroischen Naturschilderungen der Aeneis, ihre 'Naturmythen' und 'Naturgottheiten' literarischer Topos, fromme Kompensation oder sentimentalischer Protest?"[26] Die Antwort kann nur lauten: Die „heroische" Landschaft Cumaes (im 6. Aeneis-Buch) und der Preisgesang auf die dort von Agrippa angelegte Militärbasis (Georgica II, 161-4) ergänzen sich; archaischer Heroismus und 'moderne' Militärtechnik steigern sich. Spätestens „mit einem Regime, das Ordensburgen für Piloten aufführt", ist, um Walter Benjamin zu zitieren, die „Verschränkung von Technik und Esoterik … sinnfällig geworden".[27] (Natürlich wäre auch Gabriele d'Annuncios „Vittoriale" zu erinnern, sein militaristisches und profaschistisches Pastorale am Gardasee.)

4. Katholisierender Neopaganismus – paganisierender Neukatholizismus

Im Zweiten Weltkrieg ist die von den Faschisten – mithilfe von „Mythos und Urschauer" – betriebene Modernisierung schrecklich explodiert. Benjamins Freund Ernst Bloch konstatierte schon 1929: „… dem Land steigt alter Saft in längst vergessene Triebe, es nährt Nationalsozialisten und völkische Mythologen, kurz steht auf als 'patorale *militans*'." Nicht nur „Alemannien-Bayern ist erdbesessen und seine Dichter und Ideologen, je christlicher sie scheinen, desto mehr", „heute … beginnen Stadt wie Land gemeinsam Aberglaube zu werden", heißt es an derselben Stelle.[28] Freilich hat – 'zugunsten' der Stadt – das Dorf diese besetzt: „Urweltsage, archaischer Bann, Bauernspuk und Macht des Katholizismus auf dem Lande", wie Blochs Schüler Joachim Schumacher 1937 hintereinander aufzählt.[29]

Friedrich Gundolf, einer der von Bloch apostrophierten „Dichter und Ideologen", hat das Phänomen als „heidnischen Blutkatholizismus" affirmiert[30] – im Blick auf seinen „Meister" Stefan George, den Edgar Salin „den ersten *katholischen* Nicht-Christen" genannt hat[31]. – Doch gab es mehr als einen „katholisch(geblieben)en George"; Jacob Taubes hat Ludwig Derleth so bezeichnet, und dieser zeitweilige George-Gefährte ist dies wirklich *real*typisch gewesen: Das Symposion, bei dem sich in Derleths „Fränkischem Koran" (von 1933) Christus und Dionysos vereinen, hat sich schon in seinen „Proklamationen" als das des Sieges erwiesen: „Bald werden sie die großen Dionysien feiern. / Der *Krieg* ist die Kelter." Und was bei diesen Dionysien unterzeichnet wird, sind die „Blutscheine der katholischen *Ächtungen*". Nicht nur der eigene Tod gilt in den „Proklamationen" als „ein Fest": zu sterben für das „große Reich ... des Christus Imperator Maximus", sondern auch die Proskription in seinem – Sullanischen – Namen.[32]

Dies ist vorauszusetzen, wenn man Derleth den „Eucharistischen Lobgesang" des „Tantum ergo" anstimmen hört – unmittelbar anschließend an die Verse: „Bald werden sie die großen Dionysien feiern. / Der Krieg ist die Kelter." – Mit diesen Worten leitet Derleth die Hymne des Thomas von Aquin ein: „Heilige Mittagshöhe. / Da wallete auf allen Äckern die Brotfrucht in goldenen Ähren unter den Weinbergen. / Da reichten reine Hände den heiligen Nektar und Ambrosia in güldenen Schalen. / Da segnete der Herr Leute und Land. 'TANTUM ERGO SACRAMETUM ....'"[33].

Der eher 'normalkatholische' Theodor Haecker wendet sich gegen die Annahme, daß die Welt „auf den 'Krieg' und 'Kampf ums Dasein' und 'Freund-Feind-Verhältnis'" konstituiert sei, doch nur, um sie ihrerseits „auf das Opfern und Geopfertwerden" konstituiert sein zu lassen, *woraus* „Krieg", „Kampf ums Dasein" und „Freund-Feind-Verhältnis" erst folgten. Und Haeckers Ontologie des Opfers versteht sich *ausdrücklich* als Theologie: „Die relative Unbegreiflichkeit des Opferns und Geopfertwerdens in dieser Welt wird verschlungen von der Gewißheit, daß sie in Gott Selber gründet, da Er in jenem übernatürlichen Geschehen Seine Allmacht in der Zweiten Person der Trinität Seiner Liebe und Seiner Barmherzigkeit für den Menschen zum Opfer gebracht hat." Das Opfer, so dekretiert Haecker, gehört „vor aller Historie metaphysisch zum Sein"[34] – um dann aber auch das historische Sein zu „konstituieren".

Onto*theo*logisches Realsymbol dessen ist, nicht anders als für Derleth, die Eucharistie: „Korn und Traube, daraus wird Brot und Wein. Aber dazwischen ist Mühle und Kelter; ohne sie wird kein Brot und kein Wein. Brot und Wein ... sind die Gestalten des Leibes und des Blutes Christi, und sie sind nicht ohne Mahlstein und Kelter, ohne Marter und Blut. Der Filius Hominis ist am Kreuz. Die Glieder der Märtyrer werden verrenkt, und das Blut wird aus ihren Adern gepreßt. Anders wird der Mensch nicht 'wie Gott'. Ist das tragisch? Ich sage, es ist mehr, es geht zwar durch es hindurch und verbrennt es, aber es geht darüber unvergleichlich hinaus; denn: Gott ist selig. Und diese Seligkeit ist jenes alles wert."[35]

Haecker sagt nicht, daß Leiden und Kreuz selbst „selig" wären, sondern 'nur' nötig, um die Seligkeit zu erreichen; er trennt die Kreuzes-*Immanenz* Gottes von seiner Seligkeits-*Transzendenz* und ist insofern 'nur' dionysisch im Sinn des Theologumenons, „Dionysos" sei nichts als „die wahre Immanenz des transzendenten Gottes in der Welt"[36]. Haecker erklärt die Nietzschesche „Wiederkehr des Gleichen" für ein „höllisches Jasagen zum Entsetzlichen"[37] und verwirft sie damit; der Nietzschesche „Dionysos" ist ihm der Teufel. Aber sagt er nicht auch „Ja" zu diesem „Jammertal" aus einer „höheren" Notwendigkeit heraus? Haecker radikalisiert sogar, *eo ipso* läßt er alle Tränen getrocknet sein von himmlischen Freuden: „... wir haben den 28. Dezember, das Fest der Unschuldigen Kinder, da Herodes die Kinder Betlehems ermorden ließ und der untröstliche Jammer der Mütter die Gassen erfüllte: 'Rachel plorans filios suos, et noluit consolari, quia non sunt.' Sie sind aber: 'sine macula enim sunt ante Thronum Dei.'"[38]

Auch ein Gläubiger wie Haecker sieht *Geschichte* in Form der Vernichtung, nur daß er ihr Ende als Wende zum All interpretiert; was geschichtsimmanent geschieht, ist auch für ihn semper idem: „Völker, Kulturen werden in einer Nacht wie Scheit verzehrt"; nach ihrem Verlöschen wird es sein, „wie es vorher war"[39]. Der zitierte Reinhold Schneider perenniert nur solche „Tragödie", indem er die Geschichte *ausschließlich* naturalisiert: „... wie es wächst und reift auf den Hügeln und auf der Fruchtebene unten, so treibt auch das uralte Verhängnis unüberwindlich fort: ein Wille, dem wir verfallen sind; die erschaffende *und* vernichtende Kraft unserer Erde."[40]

5. Atomares Biedermeier

Für den neopaganen und präfaschistischen Schneider entfaltet das „Idyll ... seine Stille mitten in der Tragödie"[41]. Der Vers: „Vergeßt es nicht! Die Erde ist *nicht* heil!"[42] war ein „Ceterum censeo" Schneiders, aber es verunmöglichte gerade auch dem *christlichen* Schneider nicht, zugleich mit der Umkehrung seiner frühen Formel von der „Idylle ... mitten in der Tragödie" zu sympathisieren. In seinem „Bergengruen"-Essay vom Beginn der 50er Jahre steht der Satz: In „der *heilen* Welt hat das Leid seinen Ort; zu *ihr* gehört das Ruinenfeld der Geschichte in seiner geheimnisvollen Schönheit, gehören die Schatten nicht mehr aus eigener Kraft bestandener Nächte." Schneider weist darauf hin, daß das, was Werner Bergengruen „vor der durchlittenen Tiefe schützt, ... die Einstimmung in die *Schöpfung*" ist, aber auch, daß dies nicht im Widerspruch steht zum „Einschwingen des Lebens in den *Kosmos*": Bergengruens Gedichte „verkünden die Heil*barkeit* der Welt, ihren Eingang in ... das heilige Band, das, wie schon die *Alten* glaubten, alles Geschaffene vereint"[43].

Der spätere Bundeskanzler Kurt-Georg Kiesinger hat – gleichfalls in den 50er Jahren – dekretiert: „Die Welt aber war heil *geblieben*"[44], jene „alte Welt", deren „letzte Epoche" die Biedermeierzeit war, wie es bei dem auch von Kiesinger hochgeschätzten Bergengruen 1952 heißt.[45] – Es liegt offen zutage, daß die modernen Produktivkräfte *und* Produktionsverhältnisse nicht mit denen des Biedermeier übereinstimmen, in dem, „wie vor Jahrhunderten, Hand, Pferd, Gänsefeder, Wiege und Aristokratie"[46] galten, hindert aber ein bayerisches Gymnasium noch 1985 nicht, dieses Schulgebet vorzuschreiben: „Lobet den Herrn, denn er ist gut. / Ohne Ende ist seine Liebe. / Er hat den Weltraum erschaffen, / die Sonne, den Mond und die Sterne. / Er hat uns die Erde geschenkt, / die Bäume, die Früchte und all die Blumen. / Er hat uns die Schätze der Erde geschenkt, / Atomkraft, Erdöl und Erze. / Er hat uns Verstand und Mut gegeben, / Computer und Motoren zu bauen. / So schützt er uns jeden Tag unseres Lebens / mit sicherer Hand. / Ohne Ende ist seine Liebe."[47]

Weiterhin wird anempfohlen, was der christliche Vergil-Verehrer Haecker so formuliert hat: „In der Einheit und im Einverstandensein mit dem gegebenen Sein und dessen gegebener Wahrheit ist das offene Geheimnis des rechten Lebens und Philosophierens und also auch des rechten Arbeitens und Schaffens."[48] Zugleich werden aber diese Sätze Haeckers durchgestrichen: „Landbau und Handwerk liefern das Paradigma dafür, was sinnvolle Arbeit ist, darum bleiben die 'Georgica' Vergils bis an das Ende diesen Äons, und keine Maschinenmystik und Glorifizierung der Technik werden daran etwas ändern. Sie vergehen, ehe die Welt vergeht. *Der Bauer bleibt.* Der Bauer wird notwendig siegen über den verführten Menschen, der nur eine Maschine bedient."[49]

Für das bayerische Schulgebet ist sogar eine atomare Wiederaufbereitungsanlage gottgewollt. Und so sehr philosophische, politische und religiöse Aufklärung mißliebig bleibt, so sehr wird die instrumentelle Vernunft, zu der die Aufklärung *weithin* verkommen ist, zur ureigensten Sache. „Konservativ sein heißt, an der Spitze des Fortschritts marschieren", wie Franz Joseph Strauß behauptet hat. Aber Auguste Comtes Parole „Fortschritt *und* Ordnung" besitzt als solche Tradition. In Deuschland ist ein letztes Mal Goethes zu gedenken, des Freimaurers und Schülers der Saint-Simonisten wie Auguste Comte.

6. Hypertrophie der instrumentellen Vernunft

Es wird zitiert der „Lothario" der „Wanderjahre", rekurriert auf den „Oheim" der „Lehrjahre" und sich dann den „Wahlverwandtschaften" zugewendet, deren Thema u.a. die Errichtung einer Villen-Garten-Anlage ist. Zunächst spricht Lothario: In Amerika „hat die Natur große weite Strecken ausgebreitet, wo sie unberührt und eingewildert liegt, daß man sich kaum getraut auf sie *loszugehen* und ihr einen *Kampf* anzubieten. Und doch ist es leicht für den Entschlossenen, ihr nach und nach die Wüsteneien *abzugewinnen* und sich eines teilweisen *Besitzes* zu versichern." (S.W. 8, 438)

Lothario bedient sich nicht zufällig der freimaurerischen, also aufklärerischen Sprache seines Großoheims, der Lotharios Tante, auseinandergesetzt hat, „des Menschen *größtes Verdienst* bleibt ..., wenn er die Umstände soviel als möglich bestimmt und sich so wenig als möglich von ihnen bestimmen läßt. Das ganze Weltwesen liegt vor uns, wie ein großer Steinbruch vor dem Baumeister, der nur dann den Namen verdient, wenn er aus diesen zufälligen Naturmassen ein in seinem Geiste entsprungenes Urbild mit der größten Ökonomie, Zweckmäßigkeit und Festigkeit zusammenstellt. Alles außer uns ist nur Element, ja ich darf wohl sagen, auch alles an uns; aber tief in uns liegt diese schöpferische Kraft, die das zu erschaffen vermag, was sein soll, und uns nicht ruhen und rasten läßt, bis wir es außer uns oder an uns, auf eine oder andere Weise, dargestellt haben." (S.W. 7, 436)

Die Verobjektivierung der (äußeren) Natur und die Hypostasierung des (transzendentalen) Subjekts kann nicht schroffer behauptet werden. Faktisch wird die Verobjektivierung der Natur auch in den „Wahlverwandtschaften" betrieben; hier, zu reinen Luxuszwecken, wohl besonders krass – gleichsam um ihrer selbst willen. – Daß die Intention dabei auf größere Natürlichkeit geht, dürfte die besondere Pointe sein; umso mehr als die Besänftigung der Natur ihre – potenzierte – Wildheit herausfordert und so die Dialektik eines Herr- und Knecht-Verhältnisses realisiert: „...unter Menschenhand" regt sich die Natur „übermenschlich" selbst. Das läßt sich für die Vereinigung der Wasser zeigen, die auf die „Wiederherstellung des einstigen Bergsees" hinausläuft[50], wie für den Wegbau: Während man ihn plant, gerät man immer mehr ins Weglose. – Charlotte „sucht ... alles Schädliche, alles Tödliche zu entfernen" (SW 9, 37) und öffnet – dadurch – dem Tod die Tür.

Die negative Dialektik der Aufklärung ist kaum zu übersehen, doch zunächst einmal ist ihre *instrumentelle* Vernunft in den „Wahlverwandtschaften" am Werk und als Wille zur *Macht*, auch wenn man sich nicht in der Mark Brandenburg befindet. Dort gilt nur besonders extrem: (Das präfriderizianische) Rheinsberg ist „im landläufigen Sinne kein Park, es ist ein königlicher *Wille* in einem Waldlande von Maßen und Massen"[51]. Schon für den kaiserzeitlichen Dichter Statius ist der „Bauherr ... *Sieger*, er hat die Felsen *erobert*, der Berg *mußte* sich auf seinen Befehl zurückziehen, das *Joch* tragen, die Natur mußte weichen, wie eine Kriegsgefangene wird sie zu 'vornehmer *Knechtschaft*' gezwungen; fruchtbarer Boden, Häuser und Haine nehmen den Platz ein; die Villa späht über das *unterworfene* Gelände."[52] – Der arkadische „locus amoenus" Villa entsteht immer schon technisch und das heißt gewaltsam; auch und gerade (garten-) architektonisch ist er ein 'locus *imperialis*' oder – theologisch – ein 'locus *creatus*'. Der Eduard der „Wahlverwandtschaften" *spricht* von der „neue(n) Schöpfung", und für seine Frau Charlotte ist sie wenigstens eine „kleine" (SW 9, 9 u. 31).

Das Lokal der „Wahlverwandtschaften" ist tatsächlich verfügbar, wie aus den ganz ins Belieben der verschiedenen Handlungsträger gestellten Entwürfen und Änderungsvorschlägen erhellt: Der Schloßbezirk wird zum *Experimentierfeld* der auf Vergnügen und Zerstreuung bedachten Menschen, wobei das Willkürliche ihres Unterfangens besonders daraus erhellt, daß nicht nur ein Kopf die Planung übernimmt, sondern alle – die Gäste und die nur für kurze Zeit beim Fest verweilenden Besucher eingeschlossen – mitzureden sich berechtigt sehen, und nicht ein wohlbedachter Entwurf, sondern die Laune des Augenblicks über die Umgestaltung der verschiedenen Abschnitte entscheidet; außer den Schloßbesitzern sind es der Hauptmann und Ottilie, der Architekt und die zum Richtfest geladenen Gäste, deren Vorschläge Berücksichtigung finden. Einem augenblicklichen Einfall Ottilies ist es zuzuschreiben, daß das Haus auf der höchsten Erhebung des Hügels errichtet wird, und die auf dem Spaziergang gewonnenen Eindrücke sind der Anlaß dafür, daß die Umgebung der Teiche eine grundlegende Verwandlung erfährt.[54]

Weil dem so ist: aufgrund der Ausblendung aller Nützlichkeitsüberlegungen, ja jeder einheitlichen Planung, kann von Freimauererei – im Sinne des Oheims – nicht gesprochen werden, doch ein Bauplatz ist die Umgebung des „Wahlverwandtschaften"-Schlosses auch geworden *und* die Natur zum Steinbruch; gerade weil so willkürlich vorgegangen wird, ist ihre Reduktion zur Materiallieferantin besonders deutlich und – dementsprechend – der Souveränitätsanspruch der Edelleute gegenüber ihrer Umgebung; will man theologisch radikalisieren, eben der Anspruch des „Homo Creator". Und der ist – für orthodoxe Theologen – der satanische, nur mit Hilfe schwarzer Magie für den Menschen einlösbare. Schon im Widmannschen Faustbuch von 1674 ist der wesentliche Anstoß aller Garten*zaubereien* die Hybris, außerhalb der Jahreszeitanordnung eine künstliche Natur zu *schaffen*, konkret: einen Stock reifer Trauben mitten im Winter.[55]

Es besteht kein Anlaß, das theologische Urteil zu übernehmen, schon gar nicht als fundamentalistisches – was auch Goethe nicht tat, als er sich ihm im „Urfaust" anschloß –, aber ebenfalls nicht als naturfrommes und/oder kulturpessimistisches. – Bezeichnenderweise setzt sich in der hier vorgestellten „Schöpfungs*ordnung*" das kosmische Grundmuster voll durch: die von Goethe bis zuletzt adorierte Jahres-*Zeiten*ordnung, der ewige *Kreis*lauf des Mythos. Sich ihm hinzugeben, verlangt, das (Selbst-)Zerstörerische der Natur mit zu adorieren, vor allem Eingreifen des Menschen, das freilich seinerseits (selbst-)zerstörerisch ist, weil noch seine Vernunft Natur und je losgelassener, desto mehr. Dies nicht weiter zu übersehen, bedeutet aber nicht die – schon historisch – unmögliche Abstinenz gegenüber der Technik, sondern deren Selbstbegrenzung mit dem Ziel, das zugleich Voraussetzung hierfür ist: die Beherrschung des Menschen durch den Menschen zu reduzieren, seine kollektive, wie individuelle Selbstbeherrschung.

7. Landschaftsgestaltung oder: Arcadia utopica

Theodor W. Adorno gab vergleichsweise früh zu bedenken: „Vielleicht wird die wahre Gesellschaft der Entfaltung überdrüssig und läßt aus Freiheit Möglichkeiten ungenützt, anstatt unter irrem Zwang auf fremde Sterne einzustürmen. Einer Menschheit, welche Not nicht mehr kennt, dämmert gar etwas von dem ... Vergeblichen all der Veranstaltugen, welche bis dahin getroffen wurden, um der Not zu entgehen, und welche die Not mit dem Reichtum erweitert reproduzierten. Genuß selber würde davon berührt, so wie sein gegenwärtiges Schema von der Betriebsamkeit, dem Planen, seinen Willen Haben, Unterjochen nicht getrennt werden kann. Rien faire comme une bête, auf dem Wasser liegen und friedlich in den Himmel schauen, 'sein, sonst nichts, ohne alle weitere Bestimmung und Erfüllung' könnte an Stelle von Prozeß, Tun, Erfüllen treten und so wahrhaft das Versprechen der dialektischen Logik einlösen, in ihren Ursprung zu münden."[56]

Inzwischen *hat* der Grad der Umweltzerstörung ein solches Ausmaß erreicht, daß nur schwer abzusehen ist, ob es gelingt, die angeeignete Natur in ihrem Bestand als Bedingung des Überlebens zu sichern, und ob es gelingt, den Raum der angeeigneten Natur zum Raum menschlichen Lebens und Wohnens zu machen, der die elementaren Bedingungen der Gesundheit sichert, aber auch die der Entfaltung menschlicher Möglichkeiten über Arbeit und Nutzen hinaus.[57]

Gerade Reinhard Piepmeier, dessen nüchterner Diagnose ich folgte, erinnert in *therapeutischer* Absicht an das Modell des Gartens, und Lucius Burckhardt hat bereits 1963 an die Landschaftsgestaltung als *Landschafts*garten im 18. Jahrhundert erinnert – gegen eine ästhetische Anschauung der Landschaft, die den Aspekt des Nutzens außer Acht läßt und umgekehrt. – In Anwendung auf die Gegenwart schreibt Burckhardt, daß angesichts „totaler Besiedlung und Ausbeutung – oder andernorts der Nichtbewirtschaftung – des Bodens" der Gegensatz von Natur und Garten aufgehoben sei. Deshalb werde heute zur „*Notwendigkeit*, was zu Beginn des Industriezeitalters ein Vergnügen großer Herren war: die Gestaltung der Landschaft"[58].

Doch selbstverständlich müssen diese Modelle entprivilegiert und post*industriell* aktualisiert werden: Das Konzept einer Gartenlandschaft kann sich heute nicht am Ideal einer handwerklich-agrarischen Landschaft ausrichten, der traditionellen Kulturlandschaft. Es muß auch den Bereich der Städte, selbst Industrieagglomerationen umfassen.[59] Entscheidend ist dabei, daß Technik und Industrie ein neues und eigentlich erst reales „Arkadien" nicht notwendig verhindern. Sie werden es allerdings nur *befördern*, was einmal ihre Utopie war, wenn ihre bloß instrumentelle Vernunft nicht mehr die gesellschftliche Unvernunft ist.

Technik und Industrie scheiden die modernen Sozialutopien vom traditionellen Arkadien der Bauern und Hirten; wie aber Arkadien zu „Blut und Boden" verkommen kann, so die Konstruktion zum Konstruktivismus, der „den Geist eines Weltumbaus gänzlich in Hohlheit, Kälte, Künstlichkeit setzt". Und für solche „all zu planende und verheizende Sozialutopie, die wirklich zum Bau gekommen ist", erfüllt ein – utopisches – Arkadien die Funktion des Korrektivs, und zwar „bei Strafe des Zielverlusts" schon „beim Bau des Wegs"[60]. Ohne dieses Korrektiv endet er in Oswald Spenglers „goldenem Zeitalter der Ingenieure"[61], d. h. seines „neuen" Cäsars.

Indem Spengler ihn vom „Untergang des Abendlandes" erhofft, perpetuiert er gerade dessen Imperialismus. Hingegen käme es darauf an, wie Adorno weiter gegen Spengler einwendet, „die Utopie" zu erinnern, „die im Bilde der untergehenden (Kultur) wortlos fragend beschlossen liegt".[62] Es käme darauf an, das utopische Erbe Arkadiens und seiner goldenen Zeit zu heben. „Im Original" ist es nämlich „kein Spießerglück"[63], aber auch – das „Original" nicht historistisch (miß-)verstanden – kein Glück privilegierten Luxus, überhaupt kein privilegiertes Glück. Dieses ist „das Ganze". Glück ist, wenn – was Arnold Gehlen ironisiert – „auf jeder ... Landschaft die Flagge" weht: „Auch hier ist Arkadien."[64] Jenes Über-Arkadien, wie es – contre touts – in Vergils 4. Ekloge präformiert ist (18-25, 28-30, 39-45).

Nicht zufällig handelt es sich um die Verse, in denen sich Vergil der jüdischen (Prophetie und) Apokalyptik am stärksten angenähert hat, gerade weil er ihren antirömischen Protest prorömisch umzufunktionieren suchte.[65] Vergils Negation der apokalyptischen Utopie müßte 'nur' ihrerseits negiert werden, und wieder hieße es: „Gleich ist die Erde für alle, und nicht durch Mauer und Schranken abgeteilt ... gemeinsam das Leben in herrenlosem Reichtum! / Denn kein Bettler wird dort mehr sein, kein Unrecht und kein Herrscher". – „... es herrscht nicht Krieg mehr ..., sondern ... ein tiefer Frieden unter den Menschen" – der (paradiesisch) den der Natur mit umfaßt (Orac. Syb. 3, 788-95).

8. Arkadische Eschatologie und ihre Dialektik

Die zitierten Verse der graeco-jüdisch(-christlich)en „Oracula Sybillina" stehen für eine religiöse, (prophetisch-)apokalyptische Frühform *der* europäischen Tradition, die Jacob Taubes (wohl zu einsinnig) als „Abendländische Eschatologie" bezeichnet und in Blochs „Prinzip Hoffnung" ihre, wenn auch marxistisch-leninistisch überformte „Summe" erhalten hat. („Ubi Lenin, ibi Jerusalem.")

Das, was bereits in der Kapitelüberschrift als spezifisch „*Arkadische* Eschatologie" bezeichnet wird, also das Zusammendenken des Utopischen und Arkadischen unter religionsphilosophischen Vorzeichen, hat Bloch (in Form einer impliziten Selbstkritik) endgültig erst *1968* resümiert, unter der Überschrift „Arcadia *und* Utopia" – im Rahmen seines paradox-theologischen Hauptwerks „*Atheismus* im Christentum".

Blochs geradezu *konfessioneller* Atheismus ist nachfeuerbachscher Radikalismus, doch schon bei Gotthold Ephraim Lessing, Imanuel Kant, Friedrich Schiller usw. verflüchtigt sich die kirchliche Dogmatik und wird die Eschatologie speziell in *Geschichtsphilosophie* transformiert, die eben damit beginnt: als eine *futurische* Teleologik. Deren Tempus ist nicht zuletzt für die Umfunktionierung der überlieferten Arkadien-Vorstellung durch die genannten und verwandte Autoren entscheidend. (Wer auf eine utopische Zukunft setzte, *mußte* das zum Klischee gewordene Ideal eines regressiven und passiven Arkadiens ablehnen.)

„Die arkadische Schäferwelt, die zuvor der Gegenstand gefühlvoller Hingabe war, auch wenn sie den Standpunkt gesellschaftlicher Opposition vertrat, wird nun einer analytischen Reflexion unterzogen und als ein dem Menschen inadäquater Wunschtraum erkannt, der sein Glück im rückwärtsgewandten Beharren statt im sich vervollkommnenden Vorwärtsstreben sucht."[66] Die apostrophierte Petra Maisak hat solche Reflexion in prägnanter Kürze re-präsentiert.[67] Zum Schluß ihres geschichtsphilosophiegeschichtlichen Abrisses zitiert sie Johann Gottlieb Fichte: „Es ist ... eine häufig vorkommende Erscheinung, daß das, was wir werden sollen, geschildert wird als etwas, das wir schon gewesen sind, und daß das, was wir zu erreichen haben, vorgestellt wird als etwas Verlorenes"[68] – um dann fortzufahren: „Im Werk von Novalis findet dieses (Fichtesche) Weltbild seinen Höhepunkt; seine neue, mystische Schau des goldenen Zeitalters erhebt sich als 'Ahndung' aus 'Erinnerung' und verbindet in einer komplexen Verschmelzung die Symbolbereiche alter Seligkeits- und Paradieseshoffnungen, zu denen auch die Arkadienvorstellung gehört."[69]

„Aus einer ursprünglichen, mystischen Einheitsschau heraus, die Novalis eigen war, ... hat der Grundgedanke seines Lebens alle Synthese- und Friedenshoffnungen der Geschichte in sich aufgenommmen, alle Wunschbilder der Vergangenheit als Ausdrucksformen seines eigenen Wesens ergriffen und sich assimiliert – gleichsam eine dichterische Erfüllung uralter Menschheitsträume und bewegender Ideen der abendländischen Geistesgeschichte."[70]

Novalis hat auf sympoetische Weise Blochs utopische Symphilosophie vorweggenommen; so heißt es zum Ende von dessen „Prinzip Hoffnung": „Glück, Freiheit, Nicht-Entfremdung, *Goldenes Zeitalter*, Land, *wo Milch und Honig fließt*, das Ewig-Weibliche, Trompetensignal im Fidelio und das Christförmige des Auferstehungstags danach: es sind so viele und verschiedenwertige Zeugen und Bilder, doch alle um das her aufgestellt, was für sich selber spricht, indem es noch schweigt."[71]

Novalis hat aber vor allem und vielleicht als erster überhaupt Horkheimers und Adornos „Dialektik der Aufklärung" antizipiert, indem er die Dialektik des *Fortschritts* apperzipierte[72] – die erst dem späten Bloch aufgeschienen ist und wohl selbst ihm nicht gründlich genug. – Ist einem, wie Jürgen Ebach, durch Horkheimer/Adorno, insbesondere aber Benjamin der Star gestochen, läßt sich eine Dialektik des Fortschritts bereits aus der alttestamentlichen „Genesis" herauslesen und damit Kants und Schillers Lektüre dieser „ältesten Urkunde des Menschengeschlechts" (Herder) mit einer metakritischen Relektüre begegnen.

Ihr Resüme lautet, daß auf die „Erfüllung" der Fortschrittsgeschichte nicht gesetzt werden kann. „Zu hoffen ist einzig ihr *Abbruch*. Hinter dem Abbruch der Katastrophengeschichte mag etwas möglich werden, was in der Bezeichnung *Ursprung* mit dem Anfang korreliert ist, doch allemal kein Sprung zurück ist."[73] – Ebach sieht, wie Benjamin, „das Paradies" nicht mehr teleologisch, doch durchaus noch futurisch und müßte sich deswegen Carlos Fuentes anschließen können, der formuliert hat: „Die faßbaren Arkadien liegen in der Zukunft *und* man wird darum kämpfen müssen." Odo Marquards Umschrift der 11. Feuerbachthese in: „Die Geschichtsphilosophen haben die Welt nur verschieden verändert; es kommt darauf an, sie zu verschonen"[74] ist jedenfalls eine bloß halbe Wahrheit. Man kann die Welt nur bewahren, *indem* man sie (zuvor) verändert (hat).[75]

Literaturangaben:

1   Vgl. J. Vogt, Weltreich und Krise. Römische Republik II, Freiburg 1962, S. 13

2   Bucolica 1, 68/69; Georgica 2, 472; Bucolica 3, 4 und 6, 8

3   Th. W. Adorno, Jargon der Eigentlichkeit. Zur deutschen Ideologie, Frankfurt/M. 1964, S. 13

4   Aeneis 8, 366 und 368

5   Th. Haecker, Vergil. Vater des Abendlandes, München 1947, S. 128

6   Fr. Klingner, Römisches Geisteswelt. Essays zur lateinischen Literatur, Stuttgart 1979, S. 635

7   Bucolica 7, 49/50

8   K. Marx, Das Kapital. Kritik der politischen Ökonomie I, MEW 23, S. 742 und 746

9   Ebd., S. 747 und 752/3

10   Ebd., S. 779 und 753

11   H. Kutzner, Erfahrung und Begriff des Spieles. Diss. der FU Berlin, 1973, S. 148

12   Vgl. A. Hoffmann, Der Landschaftsgarten ..., Hamburg 1963, S. 26/27

13   E. Bloch, Naturrecht und menschliche Würde, Frankfurt/M. 1961, S. 76, 72, 76, 72

14   Vgl. K. Bergmann, Agrarromantik und Großstadtfeindschaft, Meisenheim 1970

15   Vgl. „Deutsche Agrarpolitik" I (1932), S. 111

16   Vgl. H. Haushofer, Ideengeschichte der Agrarwirtschaft und Agrarpolitik im deutschen Sprachgebiet. Bd. II. Vom Ersten Weltkrieg bis zur Gegenwart ..., München 1958, S. 330/31

17   J. Agnoli/B. Blanke/N. Kadritzke, Einleitung der Herausgeber, in: A. Sohn-Rethel, Ökonomie und Klassenstruktur des deutschen Faschismus, Frankfurt/M. 1973, S. 21; ausführlich: A. Sohn-Rethel, ebd., S. 78 ff., bes. 83/84

18   Vgl. H. Haushofer, a.a.O., S. 287

19   Vgl. ebd.

20   Vgl. ebd., S. 323/4 und 327

21   Vgl. ebd., S. 331

21a   Zit. nach ebd., S. 243

22   H.F.K. Günther, Das Bauerntum als Lebens- und Gemeinschaftsform, Leipzig/Berlin 1939, S. 645/6

23   Vgl. R. Faber, Politische Idyllik. Zur sozialen Mythologie Arkadiens, Stuttgart 1977, S. 18/9

24   H. Cancik, Der Eingang in die Unterwelt. Ein religionswissenschaftlicher Versuch zu Vergil, Aeneis 6, 236-272, in: Der altsprachliche Unterricht, H. 2, 1980, S. 57/8

25   Ebd.

25a   Ebd., S. 58

26   Ebd., S. 59

27   W. Benjamin, Briefe 2, Frankfurt/M. 1966, S. 855

28   E. Bloch, Erbschaft dieser Zeit, Frankfurt/M. 1973, S. 53/4

29   J. Schumacher, Die Angst vor dem Chaos. Über die falsche Apokalypse des Bürgertums, Frankfurt/M. 1972, S. 57; vgl. auch R. Faber, Erbschaft jener Zeit. Zu Ernst Bloch und Hermann Broch, 1989

30   Vgl. K. Muth, Stefan George und seine Apotheose durch den „Kreis", in: Hochland 31 (1934), S. 115. – Daß es auch einen Blut- und Boden-*Protestantismus* gab, versteht sich, doch war der spezifisch „völkisch", nämlich neugermanisch programmiert. (Ich verweise auf: S. v. Schnurbein/J. H. Ulbricht (Hg.), Völkische Religion und Krisen der Moderne. Formen „arteigener" Religiosität seit der Jahrhundertwende, (erscheint demnächst) und auf Ulbrichts Beitrag in unserem eigenen Sammelband.) Mit Vergils römischem Arkadien hatte er kaum etwas zu schaffen.

31   E. Salin, Um Stefan George. Erinnerung und Zeugnis, München/Düsseldorf 1954 (2. Aufl.), S. 278/9

32   Vgl. L. Derleth, Proklamationen, München 1919 (2. Aufl.), S. 120, 86, 132, 29

33 Ebd., S. 86/7
34 Th. Haecker, Werke 4, München 1964, S. 168/9 und 479
35 Ebd., S. 480
36 H.U.v. Balthasar, Apokalypse der deutschen Seele. Studien zu einer Lehre von letzten Haltungen III, Salzburg/Leipzig 1939, S. 422
37 Th. Haecker, Werke 2, München 1959 (3. Aufl.), S. 54
38 Th. Haecker, Werke 4, S. 358
39 R. Schneider, Winter in Wien, Freiburg 1963, S. 312
40 R. Schneider, Schicksal und Landschaft, Freiburg 1960, S. 11
41 Ebd., S. 10/11
42 R. Schneider, Rechenschaft zur Jahrhundertmitte, Einsiedeln 1951, S. 20
43 R. Schneider, Pfeiler im Strom, Wiesbaden 1958, S. 289 und 287
44 K.G. Kiesinger, Schwäbische Kindheit, Tübingen 1964, S. 20
45 W. Bergengruen, Der letzte Rittmeister, Zürich 1952, S. 85
46 Ebd.
47 Zit. nach DER SPIEGEL 39 (1985), Nr. 48 (25.11.), S. 290
48 Th. Haecker, Werke 3, München 1961, S. 446
49 Th. Haecker, Werke 4, S. 35
50 W. Benjamin, Goethes Wahlverwandtschaften, in: G.S. I/1, Frankfurt/M. 1974, S. 133
51 R. Borchardt, Prosa I, Stuttgart 1957, S. 33
52 H. Cancik, Eine epikureische Villa. Statius, Silve II 2: Villa Surrentina, in: Der altsprachliche Unterricht XI, 1 (1968), S. 68
53 – –
54 Vgl. E. Mannack, Raumdarstellung und Realitätsbezug in Goethes epischer Dichtung, Frankfurt/M. 1972, S. 172 und 177
55 Vgl. E. Höllinger, Das Motiv des Gartenraums in Goethes Dichtung, in: DVjS 35 (1961), S. 204/5
56 Th.W. Adorno, Minima Moralia, Frankfurt/M. 1969, S. 207/8
57 Vgl. R. Piepmeier, Das Ende der ästhetischen Kategorie 'Landschaft'. Zu einem Aspekt neuzeitlichen Naturverhältnisses, in: Westfällische Forschungen 30 (1980), S. 39
58 L. Burckhardt, Natur und Garten im Klassizismus, in: Der Monat 15 (1963), Nr. 177, S. 52
59 Vgl. R. Piepmeier, a.a.O., S. 40
60 E. Bloch, Atheismus im Christentum, Frankfurt/M. 1968, S. 206/7
61 Th.W. Adorno, a.a.O., S. 137
62 Th.W. Adorno, Prismen. Kulturkritik und Gesellschaft, München 1963, S. 67
63 E. Bloch, a.a.O., S. 266
64 A. Gehlen, Moral und Hypermoral, Frankfurt/Bonn 1969, S. 147
65 Vgl. R. Faber, Politische Idylle, Kap. I
66 P. Maisak, Arkadien. Genese und Typologie einer idyllischen Wunschwelt, Frankfurt/Bern 1981, S. 214
67 Vgl. ebd., S. 214-16
68 J.G. Fichte, Werke. Auswahl in 6 Bänden, 1. Bd., Leipzig 1908, S. 271
69 P. Maisak, a.a.O., S. 216
70 H.-J. Mähl, Die Idee des goldenen Zeitalters im Werk des Novalis, Heidelberg 1965, S. 252
71 E. Bloch, Das Prinzip Hoffnung, Frankfurt/M. 1959, S. 1627
72 Vgl. F. Wilkening, Progression und Regression. Die Geschichtsauffassung Friedrich von Hardenbergs, in: G. Dischner/R. Faber (Hg.), Romantische Utopie – Utopische Romantik, Hildesheim 1979, S. 251 ff.
73 J. Ebach, Ursprung und Ziel. Erinnerte Zukunft und erhoffte Vergangenheit, Neukirchen-Vluyn 1986, S. 63
74 O. Marquard, Schwierigkeiten mit der Geschichtsphilosophie, Frankfurt/M. 1973, S. 13

[75] Dies ist auch gegen Ebachs mißverständliche Übernahme der neokonservativen Patentformel von Marquard geschrieben, in seinem im übrigen äußerst empfehlenswerten Aufsatz „'Eine Grenze hast du bestimmt ...'(Psalm 104,9). Über das Tun- und Lassen-Können", in: Deutscher Evangelischer Kirchentag 1995. Dokumentenband, Gütersloh 1995, S. 328 ff. Vgl. jetzt auch die erweiterte Fassung, in: ders., Weil das, was ist, nicht alles ist! Theologische Reden 4, Frankfurt/M. 1998, S. 29ff.

(Weiterführende) Literatur

R. Bentmann/M. Müller, Die Villa als Herrschaftsarchitektur. Versuch einer kunst- und sozialgeschichtlichen Analyse, Frankfurt/M. 1970

H. Bodenschatz, u.a., Industrielles Gartenreich Dessau-Bitterfeld-Wittenberg, in: Stadt Bauwelt 82, 1991, S. 1284-93

E. Börsch-Supan, Garten-, Landschafts- und Paradiesmotive im Innenraum, Berlin 1967

R. Böschenstein-Schäfer, Idylle, Stuttgart 1977 (2. Aufl.)

Ph. Borgeaud, Recherches sur le dieu Pan, Genf 1979

A. v. Buttlar, Der englische Landsitz 1715-1760. Symbol eines liberalen Weltentwurfs, Mittenwald 1982; Der Landschaftsgarten, München 1980

E. R. Curtius, Die Ideallandschaft, in: ders., Europäische Literatur und lateinisches Mittelalter, Bern 1969 (7. Aufl.), S. 191-209

U. Eisel, Die schöne Landschaft als kritische Utopie oder als konservatives Relikt. Über Kristallisation gegnerischer politischer Philosophien im Symbol „Landschaft", in: Soziale Welt 33 (1982), S. 157-168

R. Faber, Archaisch/Archaismus, in: H. Cancik/B. Gladigow/M. Laubscher (Hg.), Handbuch religionswissenschaftlicher Grundbegriffe II, Stuttgart 1990, S. 51-56; Beton-Arkadien oder: Schöne „neue Heimat". Zur Kritik des Jahrgangs 1979 der „Monatshefte für neuzeitlichen Wohnungs- und Städtebau", in: Niemandsland. Zschr. zwischen den Kulturen 2/1987, S. 40-57; Parkleben. Zur sozialen Idyllik Goethes, in: N.W. Bolz (Hg.), Goethes Wahlverwandtschaften. Kritische Modelle und Diskursanalysen zum Mythos Literatur, Hildesheim 1981, S. 91-168

P. Finke, Landschaftserfahrung und Landschaftserhaltung. Plädoyer für eine ökologische Landschaftsästhetik, in: M. Smuda (Hg.), Landschaft, Frankfurt/M. 1986, S. 266-298

G. Frühsorge, Die Kunst des Landlebens. Vom Landschloß zum Campingplatz. Eine Kulturgeschichte, München/Berlin 1993

K. Garber, Der locus amoenus und der locus terribilis, Köln/Wien 1974; ders. (Hg.), Europäische Bukolik und Georgik, Darmstadt 1977

M. Gazzetti, Gabriele d'Annunzio, Reinbek bei Hamburg 1989, S. 129 ff.

J.W. Goethe, Sämtliche Werke (S.W.), München 1977

G. Gröning/J. Wolschke-Bulmahn, Der Drang nach Osten. Zur Entwicklung der Landschaftspflege im Nationalsozialismus und währen des Zweiten Weltkrieges in den „eingegliederten Ostgebieten", München 1987; Natur in Bewegung. Zur Bedeutung natur- und freiraumorientierter Bewegungen der ersten Hälfte des 20. Jahrhunderts für die Entwicklung der Freiraumplanung, München 1986

E. Hirsch, Dessau-Wörlitz. Zierde und Inbegriff des 18. Jahrhunderts, München 1985

M. Horkheimer, Zur Kritik der instrumentellen Vernunft, Frankfurt/M. 1967

M. Horkheimer und Th.W. Adorno, Dialektik der Aufklärung. Philosophische Fragmente, Amsterdam 1947

G. Kaiser, Idylle und Revolution. Schillers „Wilhelm Tell", in: ders., Deutsche Literatur und Französische Revolution. Sieben Studien, Göttingen 1974, S. 87ff.

B. Klaus, Idylle. Theorie, Geschichte, Darstellung in der Malerei 1750-1850. Zur Anthropologie deutscher Seligkeitsvorstellungen, Köln/Wien 1977

G. Kohlmaier/B. v. Sartory, Das Glashaus: ein Bautypus des 19. Jahrhunderts, München 1988 (2. Aufl.)

A. Kurfess (Hg.), Oracula Sybillina/Sybillinische Weissagungen, München 1951

K. Luttringer, Weit, weit ... Arkadien. Über die Sehnsucht nach dem anderen Leben, Düsseldorf und Bensheim 1992

H. Lützeler, Weltgeschichte der Kunst, Gütersloh 1959

O. Massing, Fortschritt und Gegenrevolution. Die Gesellschaftslehre Comtes in ihrer sozialen Funktion. Diss., Frankfurt/M. 1966

O. Negt, Strukturbeziehungen zwischen den Gesellschaftslehren Comtes und Hegels, Frankfurt/M. 1964

M. Niedermeier, Erotik in der Gartenkunst. Eine Kulturgeschichte der Liebesgärten. Mit einem Geleitwort von H. Günther, Leipzig 1995

E. Panofsky, „Et in Arcadia ego." Poussin und die Tradition des Elegischen, in: ders., Sinn und Deutung in der bildenden Kunst, Köln 1975, S. 351-77

M. Pollans, Second Nature: A Gardener's Education, New York 1991

K. Rosenkranz, Goethe und seine Werke, Königsberg 1847

S. Schama, Der Traum von der Wildnis. Natur als Imagination, München 1996, bes. Kap. 9 (S. 553 ff.)

E.A. Schmidt, Bukolische Leidenschaft oder Über antike Hirtenpoesie, Heidelberg 1987; Poetische Reflexionen. Vergils Bukolik, München 1972

H.J. Schneider (Hg.), Idyllen der Deutschen. Texte und Illustrationen, Frankfurt/M. 1978

B. Snell, Arkadien, die Entdeckung einer geistigen Landschaft, in: ders., Die Entdeckung des Geistes. Studien zur Entstehung des europäischen Denkens bei den Griechen, Hamburg 1946, S. 233-58

R. Sühnel, Der Park als Gesamtkunstwerk des englischen Klassizismus am Beispiel von Stourhead, in: Sitzungsberichte der Heidelberger Akademie der Wissenschaften 1977

J. Taubes, Abendländische Eschatologie, Bern 1947

J. Tismar, Gestörte Idyllen. Eine Studie zur Problematik der idyllischen Wunschvorstel-
lungen, am Beispiel von Jean Paul, Adalbert Stifter, Robert Walser und Thomas Bernhard, München 1973

Th. Veblen, Theorie der feinen Leute, Köln/Berlin o. J.

F. Wappenschmidt, Der Traum von Arkadien. Leben, Liebe, Licht und Farbe in Europas
Lustschlössern, München 1990

M. Warnke, Politische Landschaft. Zur Kunsntgeschichte der Natur, München 1992

J. Weber, Politischer Idyllismus. Formen, Folgen und Ursachen eines politischen Ein-
stellungsmusters, in: Beilage zur Wochenzeitung „Das Parlament" 26, 30.06.1973

R. Williams, Arkadische und gegenarkadische Dichtung. Über englische Landhausge-
dichte, in: ders., Innovationen. Über den Prozeßcharakter von Literatur und Kultur,
Frankfurt/M. 1977, S.

N. Wokart, In Arcadia nemo, in: ders., Ent-Täuschungen. Philosophische Signaturen des
20. Jahrhunderts, Stuttgart 1991, S. 89-102

J. Wolschke-Bulmahn, Auf der Suche nach Arkadien, München 1990

B. Wormbs, Ortsveränderung, Frankfurt/M. 1981; Raumfolgen. Essays, Darmstadt und
Neuwied 1986; Über den Umgang mit Natur. Landschaft zwischen Illusion und Ideal,
Frankfurt/M. 1981 (3. Aufl.)

1. Wolf Huber (um 1485 - 1553)
Das Donautal bei Krems. 1529.
Feder in Schwarz, 22,4 x 31,7 cm.
Berlin, Kupferstichkabinett.

Hilmar Frank

Landschaft: Natur und Politik

Politik als integraler Aspekt der Landschaft

Der Begriff *Landschaft* bezeichnet im Hochmittelalter die Bevölkerung eines Landes, daneben auch das Land selbst, dies aber nur als „politisch-rechtlich definierten Raum".[1] Erst viel später, seit dem frühen 16. Jahrhundert, steht *Landschaft* für ein ästhetisches Phänomen, für das vom Naturraum ausgefüllte menschliche Blickfeld, genauer: das vom Subjekt über die einzelnen Elemente dieses Felds hinweg konstituierte anschauliche Ganze. Wolf Hubers *Donautal bei Krems (Abb. 1)*, eine Federzeichnung von 1529, läßt die synthetische Kraft der Landschaftsanschauung deutlich hervortreten. Wichtiger als das Bildinventar sind Rhythmus und Raumsuggestion, die es vereinigen, strukturieren, unter dem Aspekt spannungsvoller Bewegung darbieten. Das ist zuallererst ein Ergebnis der Strichführung, teils weitausgreifend, teils kleinteilig-intensiv, immer aber von einer Musikalität erfüllt, deren Ausdruck weit über die gegenständliche Bezeichnungkraft hinausgeht. Die gelöste Handschrift läßt nicht nur die Sonne strahlen, die Bäume emporsteigen, die niedere Vegetation wuchern, Flußtal und Himmel sich dehnen und atmen, sie erweist sich zugleich als Bedeutungsprojektion und gestischer Selbstausdruck des Künstlers. So kommt es im zusammenfassenden Blick auf das Land, in der besonderen räumlichen Vision zur Begegnung, Verbindung und Verschmelzung von Ich und Natur.

Der vom Blick erfaßte Naturraum ist dabei immer eine Mannigfaltigkeit, deren vielfältige und einander widersprechende Züge keineswegs gleichzeitig ins Bild passen. Vielmehr ist der Naturraum grundsätzlich offen, in verschiedener Weise plausibel strukturiert zu werden, nach Maßgabe der vom Subjekt eingebrachten Gesichtspunkte, von dessen Haltung, Einbildungskraft und Imagination. Dies eben macht den Stil aus: Akzentsetzung und Strukturierung, Hervorhebung einer bestimmten Seite, Vergegenständlichung eines bestimmten „Sehen als"[2]. Die mit dem Stil gegebene Ordnung des Sehens gilt aber nicht nur für das gegebene besondere Blickfeld. Das Ordnungsmuster, das sich über die Mannigfaltigkeit der *Landschaft* legt, das diese stilisiert, und zwar so entschieden, daß diesem Zusammenhang entgegenstehende Eigenschaften ausgeblendet werden, also abstrahierend verfährt, dies Ordnungsmuster konkretisiert zugleich das immer aufs neue zu deutende Abstraktum Natur. So gibt das Bild der Landschaft mehr als eine Landschaft, es gibt zugleich eine allgemeine Ansicht der Natur.

Das moderne „landschaftliche Auge"[3] wäre undenkbar ohne die Künste, ohne deren wahrnehmungsstabilisierende, wahrnehmungsprägende Kraft, undenkbar ohne die Ausbildung einer Beschreibungskunst, die von den traditionsgegebenen Versatzstücken abgeht und sich eigener Welterfahrung aussetzt, ohne die Malerei, die den Erfahrungsraum vereinheitlicht, die empirisch-summierend beginnt, um schließlich mit Linear- und Luftperspektive eine suggestive, haltbare, in verschiedenster Weise variierbare Rahmenstruktur für die Verbindung von Auge und Welt, Individuum und Natur herzustellen.

Die so ins Bild gerückte Realität besteht von Anfang an aus Menschenwerk und unberührter Natur. In der vorindustriellen Gesellschaft können die selbstgeschaffenen, hochgeschätzten Lebensräume, Haus und Dorf, Stadt und Burg, Häfen, Straßen und Brücken, die freiwüchsige Natur niemals vergessen machen. Und andererseits kennt die Vertiefung in die Natur keine strenge Abgrenzung gegenüber der menschlichen Lebenspraxis mit all ihren vergänglichen und bleibenden Spuren. Die früheste landschaftliche Bildgattung, die Landschaftszeichnung und -radierung der Donauschule,[4] zu der auch Wolf Huber gehört, erweist die Landschaftswahrnehmung als eine ästhetische Entdeckung, die den nächstgelegenen menschlichen Aktionsraum aufs unbefangenste mit der Erfahrung weiter Naturräume verbindet, keineswegs streng oder gar polemisch voneinander abgrenzt. So wird dem Blick ins Donautal neben mehreren Burgen die damals weit und breit einzige Brücke über den Fluß bei Krems und Mautern geboten. Deutlicher noch zeigt sich solche Verbindung in den zeitlich vorangehenden, freilich vereinzelten italienischen Beispielen, vor allem in den Fresken des guten und schlechten Regiments für den Palazzo Pubblico in Siena, geschaffen von Ambrogio Lorenzetti um 1339. Schon hier bedeutet Landschaft ein Bild der Natur, das durch beredtes Menschenwerk, die Zeichen und Aktivitäten menschlichen Zusammenlebens, letzten Endes also der Politik, vervollständigt und überlagert wird.

Dieser Auffassung steht die einflußreiche Idee Joachim Ritters[5] gegenüber, Landschaft werde erst mit der lebenspraktischen Trennung von der freien Natur konstituiert, sie sei daher eine neue Form der Kontemplation des Ganzen, eine andere Gestalt der antiken Theoria, alles in allem deutlichster Ausdruck einer interesselosen Haltung. Näherer Betrachtung erweist sich diese Idee freilich als später Abkömmling romantisch-idealistischen Denkens. Ritter versteht das praktische Interesse zu eng, er verkürzt es um dessen stets notwendige, immer inhärente Dimension der Weltdeutung. Interesse wird hier nur als handgreiflichstes, kurzsichtigstes Nutzungsinteresse verstanden, als Interesse, das sich selbst nicht versteht, eigentlich als blinde Habsucht. Die Trennung von Naturschau und Interesse erweist sich als Relikt der Kantischen Trennung von Vernunft und Sinnlichkeit. Genau dort wird eine Dichotomie aufgerissen und damit eine verhängnisvolle Vorentscheidung getroffen, wo alles darauf ankäme, die wesentlichen Beziehungsformen zwischen den sehr verschiedenen praktischen Zwecken der Naturbegegnung und den vielfältigen ästhetischen Komponenten der frühen Landschaftskunst zu erkennen. Den ästhetischen Landschaftsbegriff einzig aus dem Kompensationbedürfnis des aus der unreflektierten Naturbeziehung herausgetretenen Menschen abzuleiten, bedeutet den Einblick in ein reiches Motivations- und Motivgefüge, zu dem zweifellos auch die Beziehung zwischen Politik und Landschaft gehört, zugunsten einer ebenso suggestiven wie gewaltsamen Antithese sträflich zu vernachlässigen. Landschaft als „freie Betrachtung der ganzen Natur"[6] ist nicht mehr und nicht weniger als *ein* wichtiger Aspekt in der Entwicklungsgeschichte dieser Kunstgattung und Wahrnehmungsform.[7] Der Gedanke, diese Auffassung sei Zentrum und Höhepunkt der Entwicklung, zwingt den geschichtlichen Zeugnissen einen fremden Maßstab auf. Die reine Landschaft ist vor allem das Interesse des reinen Gedankens. In Wahrheit ist die frühe Landschaftskunst sehr eng mit der Emanzipationsgeschichte einer recht praktisch gerichteten und vielseitigen Neugier verbunden.

Es ist selbstverständlich, daß dem gesellschaftlichen Lebensraum, der Landschaft als Territorium, eine politische Dimension innewohnt. Ordnung des Zusammenlebens wie Herrschaft sind ohne Gliederung des Raums, ohne Verfügung über Räume undenkbar. Diese in Gestalt von Bauten, Grenzen und Verkehrsadern der Landschaft aufgeprägte Politik aber ist wie jede andere menschliche Aktivität, mag sie noch so eng auf pragmatische Zwecke gerichtet sein, unvermeidlicherweise auch eine Ausdrucksprägung, besitzt eine Physiognomie, der vieles abgelesen werden kann. Und das wird mehr oder weniger schon beim Bauen und Eingrenzen mitbedacht. Im Barock werden von den Schlössern Sichtachsen und Straßen gezogen, die weit ins Land reichen und es damit aufs eindeutigste dem Willen des Fürsten unterwerfen. Karlsruhe, 1715 nach vorgegebenem Plan als markgräfliche Residenzstadt gegründet, ist eines der besten Beispiele. Schließlich können sogar reine Naturlandschaften zum Medium politischer Identitätsbildung und Selbstdeutung werden. Im 18. Jahrhundert wandelt sich der Wald in Deutschland zum *Deutschen Wald*, und dieser *Deutsche Wald* ist immer auch ein Märchenwald, ein mythischer Wald, ein Ort nicht nur betörender Stimmungshaftigkeit, sondern zugleich die rechte Szenerie des *deutschen Gemüts*. Es ist gerade das Bild unberührter Natur, das politisch wirkt, zu einem Kollektivsymbol und Trivialideologem wird, das sich verschiedenster künstlerischer Ausgestaltung anbietet.

Trotz solcher offensichtlicher Bedeutungsbefrachtungen ist das Konzept von der interesselosen Wahrnehmung der Landschaft und der politischen Unschuld der Landschaftskunst bis in die jüngste Zeit von der kunsthistorischen Forschung nur dort verlassen worden, wo entsprechende Selbstzeugnisse nicht zu übergehen waren, etwa bei der patriotischen Landschaft um 1800 mit ihren knorrigen Eichen, einem Bildtypus, der Anregungen von Klopstocks patriotischer Dichtung aufnimmt,[8] oder beim englischen Landschaftsgarten, der von vornherein als liberaler Weltentwurf gedacht war.[9] Das änderte jedoch nichts am landläufigen Verständnis der Kunsthistoriker, geschweige der Ästhetiker. Die politische Ikonographie der Landschaft steht daher noch am Anfang. Eine erste Überschau hat Martin Warnke mit seinem Buch *Politische Landschaft. Zur Kunstgeschichte der Natur* von 1992 gegeben. Warnke behandelt zunächst die praktisch-politische Bedeutungsbesetzung bestimmter Territorien durch Wegedenkmale, Alleen und Zweckbauten, sehr oft strategischer Art, dann den bisher völlig vernachlässigten Zusammenhang von Topographie und Krieg, schließlich die politische Bedeutungsdimension der Landschaft als Gattung der Malerei. So kann Warnke manchen Übergang von der praktischen Sphäre zur Kunstform erkennen, etwa den vom „herrschaftlichen Wunschziel nach Flächenstaatlichkeit" zur panoramatischen Landschaft,[10] und damit das vermeintlich reine Landschaftsbild auf den Boden lebenspraktischer Zusammenhänge zurückholen.

Für einen ersten Einblick in dieses vielgestaltige Feld bietet sich die Darstellung zweier extremer Positionen an: Die Landschaftskunst des späten 18. Jahrhunderts erhebt die freie Natur zu einem Sinn- und Mahnbild natürlicher Freiheit mit politisch-appellativer Spitze – und zwar gleichermaßen in Dichtung wie Malerei. Und konträr zu dieser *Naturfreiheit* steht die *Katastrophenlandschaft* des 20. Jahrhunderts. Von realistischer Schilderung bis zu symbolischen Kompositionen reichend, ist deren Inhalt die Selbstgefährdung und Selbstzerstörung unserer Welt, die kaum noch freiwüchsige Natur zuläßt. Beide Positionen beziehen sich deutlich genug *explizit* auf Politik. Noch interessanter und wichtiger ist jedoch die ihnen *implizite* Politik, die Tatsache, daß sich politische Argumentationsmuster als Voraussetzungen ihrer Kunstgestalt ausmachen lassen.

Naturfreiheit

Als der angehende Landschaftsmaler Joseph Anton Koch am 1. Mai 1791 den Rheinfall bei Schaffhausen erreicht, tritt er diesem Naturschauspiel als begeisterter Anhänger der französischen Revolution gegenüber.[11] Sein Ferientagebuch enthält mehrere Zeichnungen, vor allem aber eine Schilderung, die von der leidenschaftlichen Naturbewegung zum politischen Aufruf kommt: „Hier sieht man nichts als Staub, Sturm, Wind, entsetzlich dareinschmetternde Kraft. Hier kochen, brausen, krachen und peitschen sich auseinander die wütend über trotzende Felsen herabgeschleuderten Wellen, welche schnell dem grausen Abgrund

zueilen. Hinten nach kommen unzählige und unermeßliche, welche die vorderen
ereilend sie mit verstärktem Schlag mit sich hinunterschleudern. Hier hub ich
meine Augen auf, und sahe Wunder, eine unermeßliche Wassermasse schäumte
darnieder, und war anzusehen wie ein durch ein entsetzliches Erdbeben auseinander schmetternder Berg, welcher im Staub aufgelöst darniederstürzt."[12] Sei-
tenlang beschreibt Koch den Fall, um dann mit Begeisterung zu schließen: „Das
erhabene Schauspiel bewegte meine durch Götter unterdrückte Seele aufs äußer-
ste, gleich dem wilden Strom wallte mein Blut, pochte mein Herz. Es schien mir
als riefe mir der Gott des Rheins vom zackigten Fels zu: Steh auf, handle, sei tätig mit standhafter Kraft, stemme dich gewaltig gegen Despotismus, reiß auseinander die schimpflichen Bande, welche dich fesseln, sei unerschütterlich wie der
Fels, den ich bekämpfe, in der Verteidigung der Freiheit der Menschheit."[13]

Unverkennbar steht Kochs Beschreibung – wie so manche andere, etwa die
von Heinse – in der Tradition des von Shaftesbury begründeten Prosahymnus an
die Natur. Daneben bleibt die alte Auffassung spürbar, daß der regellose Durch-
bruch das rechte Bild für das Genie, für dessen Eigengesetzlichkeit und Freiheit
sei. All dies aber wird überlagert und durchdrungen von einer dritten, neuen
Voraussetzung, nämlich der soeben erst eingebürgerten Identifikation von über
die Ufer tretenden Wassern und politischem Freiheitsstreben, von Wasserfall
und Revolution. Einen instruktiven Beleg hierfür geben Gerhard Anton von
Halems *Blicke auf einen Theil Deutschlands, der Schweiz und Frankreichs bey einer Reise vom Jahre 1790*, die 1791 in Hamburg herauskamen. Am 19. September
1790 notiert Halem in Genf: „Schon so lange umtönte uns das ferne Rauschen
des Gallischen Freyheits-Cataracts."[14] Daß diese bildhafte Rahmenvorstellung,
dies Kollektivsymbol mannigfaltiger Bezugsetzung offensteht, zur künstlerischen Gestaltung regelrecht herausfordert, zeigt Halems anschließender Text.
Freilich, über das gelegentliche Sprachbild, und sei es noch so eindrucksvoll, geht
die Identifikation von Revolution und Wasserfall nur dort hinaus, wo die Berufung auf den Wasserfall sich zur Berufung auf die ganze Natur erweitert.

Eben diese Verallgemeinerung leistet der junge Koch. Sein Landschaftser-
lebnis richtet sich auf die innere Dynamik der Natur, die ihm als grundsätzliche
und allumfassende Legitimationsinstanz seines Emanzipationsstrebens gilt. Koch
macht sich damit den von Rousseau begründeten Naturglauben der Französischen Revolution zu eigen, wie ihn die in diesen Jahren errichteten Tempel und
Altäre der Natur bezeugen.[15] Ein Bauwerk dieser Art war der berühmte Pavillon
auf dem Montanvert oberhalb Chamonix im Mont-Blanc-Massiv, dessen Bau ein
Gesandter der Französischen Republik in der Schweiz vorgeschlagen hatte. Die
Reisenden sollten Schutz erhalten, um sich dem „Eismeer", dem berühmten
Gletscher, der elementaren Natur, mit ungeteilter Hingabe konfrontieren zu
können. Wie der Rheinfall war auch dieser Gletscher Gegenstand eines regel-
rechten Naturkults. „A LA NATURE" stand im Giebelfeld des Pavillons; der

geplante Denkstein davor, der freilich nicht zustande kam, sollte die Inschrift tragen: „à la nature par un ami de la liberté".[16]

Ohne diese intensive Verbindung von Naturverehrung und politischem Aktivismus wäre noch Kochs *Schmadribachfall* undenkbar. Was in der Schilderung des Rheinfalls als politischer Intentionsüberschuß erscheint, dem übrigens die zugehörigen Zeichnungen keineswegs gerecht zu werden vermögen, das hat Koch erst viel später in diesem Gemälde in Gestaltung verwandeln können. Ein Aquarell entstand 1793/94, die erste Gemäldefassung im Escorial wurde spätestens 1806 vollendet *(Abb. 2)*, ihr schloß sich 1811 die Leipziger Fassung und 1822 das jetzt in München befindliche Bild an. Die Erstfassung zeigt rechts vorn Koch selbst, mit der Zeichenmappe unterm Arm, versunken in den Anblick der Gebirgswelt. In den späteren Fassungen wird diese Begegnung mit der Natur noch strenger und wesentlicher. Aus dem Bildraum herausgenommen, alles Erzählerischen entkleidet, vollzieht sie sich jetzt im Rezeptionsraum zwischen Bild und Betrachter. Nicht mehr der Maler, der Betrachter tritt jetzt der Bergwelt gegenüber. In der Formstrenge vor allem des Leipziger Bildes kommt dieser Begegnungszwang mit der Natur als menschliches Handeln bestimmender Macht zu kraftvollstem Ausdruck. Die Ansicht ist naturnah, doch keine Vedute; sie wird ins Exemplarische gesteigert und steht durch die Polarität von Fels und Wasser, des Starrsten und Beweglichsten, wie überhaupt durch die Zusammenfassung alpiner Landschaftsmotive zu anschaulicher Totalität für die Allmacht der Natur überhaupt. Das bildparallele Hochragen des Gebirgsstocks und die Symmetrie von Wasserfall und Nebenkaskaden begründen eine feierliche Konfrontation zwischen Bild und Betrachter. Und daß hierbei die Natur das Übergewicht hat, ihre Sprache die Initiative behält, drängt sich dadurch auf, daß kein Blick dem von dieser Szenerie gestellten Anspruch genügen kann. „Die üblichen Sehgewohnheiten versagen."[17] Der niedrige perspektivische Fluchtpunkt läßt das Gebirge in unfaßbare Höhen wachsen: Gelockt in den unteren Wiesenplan, schwindet dem Blick auf dem Weg zu den Gipfeln gleichsam die Kraft. Mit *einem* Blick ist diese Landschaft nicht zu beherrschen; je intensiver die Bemühung, desto nachdrücklicher die irritierende Rezeptionserfahrung, daß Macht und Initiative auf seiten des Bildes, auf seiten der Natur bleiben. Angesichts des Rheinfalls hatte sich Koch mit einer Allegorie behelfen müssen, Vater Rhein mußte sprechen. Jetzt ist die Forderung der Natur in die Komposition eingegangen: Es soll nicht sein, daß wir, den Gipfel im Auge, gern in der Ebene gehen. Nichts weist in diesem Bild direkt auf Politik hin, und doch ist sein Ethos ohne den Naturkult der Französischen Revolution undenkbar, bietet es eine Naturmetapher der Freiheit.

Die ästhetische Rahmenkategorie für die ethisch-politische Botschaft des Landschaftlichen ist das Erhabene. Die Alpengipfel sind mathematisch erhaben, die stürzenden Wasser dynamisch erhaben, um es in der Terminologie Kants zu

2. Joseph Anton Koch (1768 - 1839)
Der Schmadribachfall. Vollendet spätestens 1806.
Öl auf Leinwand, 98 x 74 cm.
El Escorial, Casita del Infante.

sagen, dessen *Kritik der Urteilskraft* 1790 erschienen war. Koch steht mit dieser
bewußt vollzogenen Verbindung nicht allein. In der gleichzeitigen Literatur wird
der Freiheitsappell der Natur sogar noch allgemeiner gesehen, vom Erhabenen
der Gebirge auf mannigfaltigste Erscheinungen übertragen: Die Natur ist immer
erhaben. Diese Ausweitung geschieht besonders nachdrücklich in August Ludwig Hülsens *Natur-Betrachtungen auf einer Reise durch die Schweiz,* die 1800 im
dritten Band des *Athenäum* der Brüder Schlegel erschienen sind. Hülsen war in
Jena Schüler Fichtes, gehörte der von Fichte ins Leben gerufenen „Gesellschaft
der freien Männer" an und hat mit anderen Mitgliedern dieser Gesellschaft im
Sommer 1797 die Schweiz bereist. Sein Aufsatz wird wenig beachtet, wahrscheinlich gewisser Vertracktheiten seines Stils wegen, die leicht als Ungeschick-
lichkeiten mißverstanden werden können. Doch verflüchtigen sich diese Ver-
ständnisprobleme, sobald man erkennt, daß Hülsen als Fichteaner urteilt, überzeugt davon, die Alpenwelt, die ihn zur Freiheit ermutigt, selbst konstituiert zu
haben. Die „schimmernden Blumen und Kräuter und die Gebüsche der Ufer",
dieser Motivbestand der Idylle, der schönen Natur Salomon Geßners, gehört
jetzt zu der Natur, „die mit sichtbarer Freiheit den Menschen umstrahlet".[18] Die
Freude noch am kleinsten Gewächs ist letztlich Selbstgenuß des eigenen Frei-
heitsvermögens: „Es sind deine Bildungen, wohin du blickest".[19] Die Landschaft
ist auf das ihr zugrunde liegende Freiheitsprinzip hin durchsichtig. Der politische
Aktivismus, der in dieser Naturverehrung steckt, tritt in Hülsens Aufsatz *Über
die natürliche Gleichheit der Menschen,* der 1799 im zweiten Band des *Athenäum*
erschien, noch stärker hervor. Hier wird klar: In der leicht allzu emphatisch er-
scheinenden Berufung auf die Natur, im Blick nicht nur aufs Gebirge, sondern
auch auf die kleinsten, alltäglichsten Landschaftserscheinungen steckt natur-
rechtliche Vergewisserung, steckt eine entschlossene, mehr noch: eine zu allem
entschlossene Kritik am Feudalstaat: „Der Staat", sagt Hülsen wegwerfend, „ist
also selbst nur eine Einrichtung der Natur, und seine Verhältnisse bedeuten
nichts, wenn ihr Inhalt nicht die Natur ist."[20]

Natur als politische Legitimationsinstanz im Darstellungsmedium der Landschaft – dies Paradigma findet seinen Höhepunkt in Hölderlins *Hyperion*
(1797/99). Wenige Jahre zuvor hatte Schiller in den *Kallias-Briefen* (1793/94) die
„Autonomie des Organischen"[21] als „Freiheit in der Erscheinung"[22] bestimmt
und ausdrücklich auf Baum und Landschaft bezogen.[23] Von solch streng syste-
matischer Analogie, die geradewegs auf die ideale Landschaftsmalerei zielt, entfernt sich Hölderlin und entfaltet einen Reichtum nur ihm eigentümlicher Möglichkeiten, das Naturleben als Vorbild menschlicher Emanzipation zur Anschauung zu bringen – und zugleich Gegenentwicklungen an ihm zu messen. Hölderlin wußte über die griechische Landschaft so gut Bescheid, wie es durch die Rei-
sebeschreibungen Richard Chandlers und des Marquis de Choiseul-Gouffier
möglich war, er kannte die Stiche in den *Antiquities of Athens* von James Stuart

und Nicholas Revett und in der *Voyage du jeune Anacharsis en Grèce* des Abbé Jean-Jacques Barthélemy.[24] Das sind freilich Arbeiten trockener Sorgfalt. Aber Lokalitäten stehen ohnehin nicht im Mittelpunkt von Hölderlins landschaftlichem Darstellungsinteresse, auch nicht die antiken Ruinen. Er wendet sich an die „griechische freie Natur".[25] Im Landschaftlichen, dem ständig vor Augen stehenden Rahmen und Hintergrund des Romans, bleibt das universelle Freiheitsgesetz am deutlichsten fühlbar: „Aber das Sonnenlicht, das eben widerrät die Knechtschaft mir".[26] Der Anruf zur Freiheit erscheint in den mannigfaltigsten Gestalten, er kann im Erwachen des Frühlings geahnt werden, sich im Blühen zeigen, in Sturm und Gewitter hervorbrechen, in der „Vollendungsruhe"[27] des Herbstes vernehmlich werden, vor allem aber im stillen Äther des Himmels. Es geht nicht um einzelne politische Naturallegorien, Politik und Natur werden grundsätzlich verbunden, ihr gemeinsamer Nenner sind Bewegung, Leben, freie Entfaltung. Das aber sind weniger gegenständliche Motive als anschauungsprägende Ideen, die sich bis in die Darstellungsform durchsetzen. Die Freiheitsidee vertieft und bereichert die Anschauung, und die Anschauung beglaubigt wiederum die Freiheitsidee. Auf eine der sprachlichen Evokationskraft angemessene Weise, die vollkommen selbständig neben die plastische Allgemeingültigkeit der idealen Landschaftsmalerei tritt, wird die Natur ins Ewiglebendige erhöht. In Hyperions Briefen ersteht eine weite, lichte Szenerie, ein strahlendes Gebilde zartester Heiterkeit, geradezu abstrakter Lebendigkeit, fern aller schwerfälligen Konkretion und gerade dadurch von stärkster atmosphärischer Suggestionskraft, um die Hoffnung inmitten des Zerbrechens aller Aufstands- und Freiheitspläne aufrechtzuerhalten: „Sie werden kommen, deine Menschen, Natur!"[28]

Wie für Hölderlin die landschaftliche Natur einen einzigen lebendigen *Zusammenhang* bildet, so ist ihm die gesellschaftliche Unnatur eins mit *Zerstückelung*. Rousseau konstatiert: „Zwischen den Elementen herrscht Einklang, und die Menschen befinden sich im Chaos!"[29] Und dieses menschliche Chaos, „wie die Scherben eines weggeworfenen Gefäßes"[30], findet sich wieder in Hyperions Scheltrede an die Deutschen: „Es ist ein hartes Wort und dennoch sag ich's, weil es Wahrheit ist: ich kann kein Volk mir denken, das zerrißner wäre, wie die Deutschen. Handwerker siehst du, aber keine Menschen, Denker, aber keine Menschen, Priester, aber keine Menschen, Herrn und Knechte, Jungen und gesetzte Leute, aber keine Menschen – ist das nicht, wie ein Schlachtfeld, wo Hände und Arme und alle Glieder zerstückelt untereinanderliegen, indessen das vergoßne Lebensblut im Sande zerrinnt?"[31] Nach demselben Muster hart nebeneinandergesetzter Antithesen, als „ungeheure Mannigfaltigkeit von Widersprüchen und Kontrasten", begreift Hölderlin seine Epoche auch in dem Brief an Johann Gottfried Ebel vom 10. Januar 1797: „Altes und Neues! Kultur und Roheit! Bosheit und Leidenschaft! Egoismus im Schafpelz, Egoismus in der Wolfshaut! Aberglauben und Unglauben! Knechtschaft und Despotism! Unvernünftige

Klugheit, unkluge Vernunft!"[32] Ein Weltzustand als Splittermenge: Dies Denk-
und Darstellungsmuster, ein Dadaismus avant la lettre, sollte zum Grundmuster
der Katastrophenlandschaften des 20. Jahrhunderts werden.

Freilich hatte Hölderlin noch einen Trost, ihm blieb die Natur unzerstör-
bar: „Ihr entwürdiget, ihr zerreißt, wo sie euch duldet, die geduldige Natur, doch
lebt sie fort, in unendlicher Jugend, und ihren Herbst und ihren Frühling könnt
ihr nicht vertreiben, ihren Äther, den verderbt ihr nicht."[33]

Katastrophenlandschaft

Als Karl Kraus in der *Fackel* vom 9. Oktober 1917 die Scheltrede an die Deutschen abdruckte, konnte er Hölderlins Überzeugung nicht mehr teilen. Einge-
denk des Gaskriegs fügte er der Versicherung, der Äther sei nicht zu verderben,
die Anmerkung hinzu: „Doch!"[34] Diese Beobachtung ist 1994 von Norbert Rath
publiziert worden, mit einem aufs neue aktualisierenden Kommentar: „Inzwischen haben die Möglichkeiten, den Äther zu verderben, bekanntlich noch weitere Fortschritte gemacht."[35] Im selben Jahr hat Wolfgang Martin beschrieben,
was aus der Südseeinsel Tinian geworden ist, dem Sehnsuchtsort des 18. Jahrhunderts, der als Titel eines Hölderlinschen Gedichtfragments fortlebt: Im
Zweiten Weltkrieg eine starke japanische Festung, kostete die Einnahme der Insel durch US-Truppen mehr als 30 000 Menschen das Leben. Auf keine andere
pazifische Insel ging eine größere Bombenlast nieder. Die weithin zerstörte
Landschaft wurde planiert und mit Betonpisten überzogen. Von einer eiligst ein-
gerichteten, inzwischen längst wieder aufgegebenen Militärbasis starteten die
Atombomber zur Vernichtung von Hiroshima und Nagasaki.[36]

Seitdem die Natur militärtechnisch verdorben werden kann, gilt nicht mehr,
was für Hölderlin und Joseph Anton Koch denkbar schien. Hölderlin konnte
noch schreiben: „Die Natur ist jetzt mit Waffenklang erwacht"[37], und Koch in
analoger Weise die französischen Truppen in Italien als Befreier begrüßen. Seine
Radierung *Der Schwur der 1500 Republikaner bei Montenesimo* (1796) zeigt eine
Episode aus Napoleons Italienfeldzug: Am 12. April 1796 läßt Oberst Rampon
die Soldaten schwören, lieber zu sterben als zurückzuweichen. Von beiden Seiten
branden gereckte Schwurgesten zur Fahne auf, das Ganze wird von der Gebirgs-
kette pathetisch überhöht, steht in durchgängigem Bewegungseinklang mit der
Alpenlandschaft.

Im Licht unserer Erfahrung erscheint solche Begeisterung als Verblendung.
Und es gibt uns einen Stich, wenn Kant in einem Atemzug neben die Erhabenheit der Natur die des Krieges stellt.[38] Im 20. Jahrhundert wandelt sich das von
der Natur hinterfangene und legitimierte Kriegsbild vollends zum Klischee, zum
jegliches Wertbewußtsein auslöschenden Kitsch. Das läßt sich bei Ernst Jünger

gut studieren. Jünger hat immer wieder, besonders ausgiebig in *Feuer und Blut. Ein kleiner Ausschnitt aus einer großen Schlacht* (1925), die Dynamik des technisierten Kriegs als elementare Naturbewegung gefeiert, die kriegerische Naturzerstörung zur erhabenen romantischen Landschaft verklärt: „Die glühenden Gefilde, die uns erwarten, hat noch kein Dichter in seinen Träumen geschaut. Da sind eisige Kraterfelder, Wüsten mit feurigen Palmeninseln, rollende Wände aus Feuer und Stahl und ausgestorbene Ebenen, über die rote Gewitter ziehen. Da schwärmen Rudel von stählernen Vögeln durch die Luft, und gepanzerte Maschinen fauchen über das Feld." Die Kriegslandschaft fügt sich zu einer „brausenden Einheit", die „zu einem blitzartigen Sinnbild des Lebens"[39] werden soll – eines Lebens, dem allerdings jegliche Lebensfreundlichkeit fehlt. Was übrig bleibt, ist blinder Hantierungsstolz, der sich an grellen Effekten nicht genugtun kann.

Otto Dix, im ersten Weltkrieg Führer eines Maschinengewehrtrupps an der Westfront, hat in einigen farbigen Blättern vor Ort immer wieder die Explosions- und Zerstörungsdynamik der Materialschlachten ins Bild gesetzt und dabei ebenfalls auf Naturanalogien zurückgegriffen. Die *Leuchtkugel* (1917) ist ein Abkömmling der expressionistischen Sternenkatarakte, der *Granattrichter in Blütenform* (1916) lebt von der Faszination des Schauders. 1917, während der Somme-Schlacht, notiert Dix sogar in sein Tagebuch: „Auch den Krieg muß man als ein Naturereignis betrachten."[40] In den meisten Blättern aber, vollends in den späteren Darstellungen, die eine Erfahrungssumme des Kriegs geben, ist davon nichts mehr zu finden. Gegenüber der „brausenden Einheit" hat das Entsetzen über die Weltzerstörung das letzte Wort. In dem Gemälde *Der Schützengraben* (1923) und in den fünfzig Radierungen des Zyklus *Der Krieg* (1924) tritt an die Stelle der Naturbewegung die Leichenstarre des Schlachtfelds.

Kein Zweifel, flächendeckende Naturzerstörungen, wie sie die Weltkriege verursacht haben, liegen in der Tendenz industrieller Entwicklung überhaupt. Und diese Zerstörung hat viele Gesichter. Nach zweihundertjähriger Industrialisierung ist in Mitteleuropa nicht nur unberührte Natur selten geworden, selbst die Kulturlandschaft gerät in irreversibler Weise aus dem Gleichgewicht, weil die Ökosysteme zunehmend unter das für die Regenerierung notwendige Mindestmaß eingeengt werden. Die Produktionswüsten ökonomischer Permissivität breiten sich immer weiter aus, schäbige und abstoßende Unorte, durch die ein Verwertungsinteresse gegangen ist, so zerstörerisch, wie es weder Orkan noch Erdbeben sein können. Der Wahrnehmung stellen sich solche Landschaften als Palimpsest dar: Eine ältere Schicht, in der Natur und Kultur gegeneinander ausbalanciert sind, wird vom Materialwust des Unheils verschüttet, von Architekturen der Vorläufigkeit entstellt, von den Zurüstungen einer aggressiven Industrie-, Handels- und Verkehrsdynamik, die längst alle Besonnenheit in ihren katastrophalen Sog gerissen hat, zerschnitten. Es sind diese Dinge, die jetzt sprechen. Politik wird dabei als williger Erfüllungsgehilfe des Sachzwangs ansichtig, ihre

Schlagworte und Phrasen sind nichts anderes als matte Ergänzungen der allge-
genwärtigen Werbewelt.

Günter Grass erkennt den deutschen Märchenwald nicht mehr wieder. *Totes
Holz. Ein Nachruf,* Ende der achtziger Jahre gezeichnet und geschrieben, ergänzt
Bilder des toten Waldes mit Texten, die auf den Wald anspielen, wie er früher
war und noch in der Erinnerung fortbesteht, sowie mit Slogans der Vernut-
zungsideologie: „Am Waldrand starr ... Doch wirtschaftlich geht es uns bestens."
– „Durch König Drosselbarts Wälder: wohin die deutsche Märchenstraße führt"
– „Freie Fahrt für freie Bürger!"

Dieselbe Zerstörungserfahrung und Zerstörungsangst spricht aus HA
Schults Bildobjekt *Deutsch-Land* (Abb. 3), einem Auftragswerk für den Deutschen Bundestag. Die Münchner Frauenkirche, das Brandenburger Tor, der Köl-
ner Dom und das Holstentor in Lübeck, all dies steht für eine verpflichtende
Vergangenheit, ebenso der Konzertflügel in der Bildmitte, in diesem Zusammenhang ein Emblem des musikalisch-romantischen Deutschlands. Hierzu kontra-
stierend im Vordergrund die visuelle Hochrechnung der allgemeinen Verschan-
delung und chemisch-bakteriellen Durchseuchung, durchmischt mit Zeitungs-
phrasen, darüber schließlich eine Dunstglocke, Ersatz für den Regenbogen, den
Caspar David Friedrich noch guten Gewissens als Zeichen der Versöhnung über
seine Landschaften spannen konnte. Die provokative, Abfallmaterialien verwen-
dende Collage-Technik der Dadaisten, sehr geeignet zur Abwertung traditions-
geheiligter Kultursymbole und nicht ohne einen gewissen Nihilismus, wird von
der Wirklichkeit weit übertroffen. Schult übersetzt solche Realmontage nur ins
Bild. Die zusammensinternden Chemieabfälle erscheinen als Zeichen der Zeit, als
Kantische „Geschichtszeichen"[41], aus denen freilich alles andere als Enthusiasmus zu gewinnen ist. Man wird einem solchen Werk nicht gerecht, wenn man
sich bloß an das ökologische Motiv hält, entscheidend ist die Tatsache, daß in
der Abfallkippe das politische Sinnbild, in diesem aber der verantwortungsbe-
wußte Appell erkannt wird. HA Schults Objektbilder, seit 1972 entstanden, inzwischen mehr als 150, sind hocharcartikulierte politische Landschaften. Sie indizie-
ren die Irrgängigkeit des gesellschaftlichen Arbeitsvermögens, die Verwandlung
aller Ressourcen in Müll[42] – und sie appellieren an uns, diesen Zustand nicht hinzunehmen.

Naturmetaphorik und Antithese als politische Denkmuster

Die Überzeugungskraft der Naturmetaphorik kann nicht bezweifelt werden.
Auch die drastisch vor Augen gestellte Alternative, die in jeder Katastrophenlandschaft steckt, läßt nicht los. Sieht man genauer hin, so entpuppen sich Naturmetaphorik wie Oppositionsbildung als Argumentationsstrukturen, deren

3. A Schult (geb. 1939)
Deutsch-Land. 1986.
Bildobjekt, 130 x 195 x 70 cm.
Bonn, Deutscher Bundestag.

sich Politik in reichem Maße bedient. Doch sollte die Suggestivität dieser Formen nicht übersehen lassen, wie sehr sie Wirklichkeit stilisieren können – und
damit andere Wirklichkeit ausblenden. Immerhin offenbart sich in diesen
Strukturen auch die fatale Prägungskraft jener allzusehr vereinfachenden Denkmuster, deren sich Politik bedient, um Entscheidungen durchzudrücken.

Die Berufung auf die Natur ist im Grunde nur möglich, weil Natur vorher
der eigenen Absicht gemäß definiert wird. Mit der Behauptung, eine politische
Forderung sei natürlich, wird eher Natur politisch definiert als Politik rational
begründet, damit aber eine Diskussion, eine Relativierung oder gar Widerlegung
von vornherein ausgeschlossen. Insofern ist der politischen Naturmetaphorik
eine Tendenz zum Mythischen und zum Ideologischen eigen. Die Berufung auf
die Natur bedeutet ja Berufung auf eine Totalität, die die ganze Welt meint, ist
daher weit mehr als nachdrückliche Bildhaftigkeit ontologische Verankerung.

Diese gefährliche Verabsolutierung kann nur dort gelockert werden, wo das
herangezogene Naturbild nicht mehr Natur überhaupt meint, sondern als Teil
des landschaftlichen Bildervorrats der Veranschaulichung dient. Aufklärung ist
das Gegenteil des Dunkelwerdens, der Verdunklung, des Obskurantismus; Daniel Chodowieckis Stich *Aufklärung* von 1791 *(Abb. 4)* zeigt eine sich aufhellende
Landschaft und meint eine Emanzipationsbewegung. Der Zauber dieses Naturbildes besteht nicht zuletzt darin, daß hier so viel in der Schwebe bleibt, daß die
metaphorische Evidenz ohne forcierte Gewißheiten auskommt.

Nicht besser als mit der Natur-Metapher steht es mit der Objektivität polarer Oppositionen. Antithetische Typologien sind für die Anfänge geistiger Ordnung charakteristisch. In ihnen ist eine Prägnanztendenz wirksam, die aus standpunktgebundener Perspektive heraus graduelle Differenzen allzuleicht zum
Konträren und Kontradiktorischen zuspitzt, zu jenem Entweder-Oder, dessen
der Mensch bedarf, um sich orientieren zu können, das aber keineswegs als
Rahmen für eine halbwegs verläßliche Darstellung der vielgliedrigen Wirklichkeit
dienen kann. Katastrophenlandschaften sind kein letztes kulturkonservatives
Wort zur Gegenwart, sie sind ein Aufruf, sich gegen die Selbstgefährdung der
modernen Industriewelt zu stellen.

Vielleicht kann folgendes Fazit gezogen werden: Die in der Prägung einer
Metapher, in der Bestimmung einer Opposition wirksame Subjektivität stellt ein
kunsthaftes Moment der politischen Rede dar, das in jedem Falle eine Prüfung
erfordert, und zwar eine politischen Prüfung. Anderseits bilden Naturmetaphern und Oppositionen durch die ihnen eigene Handlungssuggestion ein politisches Moment der Kunst, das nach den Maßgaben der Kunst, nach der Position
dieser Strukturen im Ganzen des Kunstwerks zu verstehen und zu bewerten ist.
Damit wird die Kunst nicht von der politischen Diskussion ausgeschlossen und
der Politik nicht die Bildung von Metaphern verboten, auch nicht von Naturmetaphern.

4. Daniel Chodowiecki (1726 - 1801)
Aufklärung. 1791.
Radierung, 8,9 x 5, 1 cm
Berlin, Kupferstichkabinett.

Anmerkungen

[1]   Günter Müller: Zur Geschichte des Wortes Landschaft. In: Alfred Hartlieb von Wallthor u.
      Heinz Quirin (Hg.): „Landschaft" als interdisziplinäres Forschungsproblem. Münster 1977, S.
      4 – 12, hier S. 8. (Veröffentlichungen des Provinzialinstituts für westfälische Landes- und
      Volksforschung des Landschaftsverbandes Westfalen-Lippe, Reihe 1, H. 21).

[2]   Ludwig Wittgenstein: Philosophische Untersuchungen. In: ders.: Tractatus logico-philosophi-
      cus. Philosophische Untersuchungen. Leipzig 1990, S. 372.

[3]   Wilhelm Heinrich Riehl: Das landschaftliche Auge. In: ders.: Kulturstudien aus drei Jahrhun-
      derten. Stuttgart 1862, S. 54 – 75.

[4]   Ernst H. Gombrich: La théorie artistique de la Renaissance et l'essor du paysage. In: ders.:
      L'écologie des images. Paris 1983, S. 15 – 43, hier S. 20.

[5]   Joachim Ritter: Landschaft. Zur Funktion des Ästhetischen in der modernen Gesellschaft.
      Münster 1963 (Schriften der Gesellschaft zur Förderung der Westfälischen Wilhelms-
      Universität zu Münster, H. 54).

[6]   Ebenda.

[7]   Vgl. etwa Max J. Friedländer: Die Landschaft. In: ders.: Von Kunst und Kennerschaft. Leipzig
      1992, S. 68 – 75.

[8]   Rainer Schoch: Patriotische Landschaft und politische Naturmetapher. In: Freiheit, Gleich-
      heit, Brüderlichkeit. 200 Jahre Französische Revolution in Deutschland. Ausst.-Kat. Germani-
      sches Nationalmuseum Nürnberg 1989, S. 501 – 513.

[9]   Adrian von Buttlar: Der englische Landsitz 1715 – 1760. Symbol eines liberalen Weltentwurfs.
      Mittenwald 1982.

[10] Martin Warnke: Politische Landschaft. Zur Kunstgeschichte der Natur. München, Wien 1992,
      S. 54.

[11] Verf. stützt sich im folgenden auf seine Werkmonographie: Joseph Anton Koch. Der Schma-
      dribachfall. Natur und Freiheit. Frankfurt am Main 1995.

[12] Ebenda, S. 10 f.

[13] Ebenda, S. 11 f.

[14] Gerhard Anton von Halem: Blicke auf einen Theil Deutschlands, der Schweiz und Frankreichs
      bey einer Reise vom Jahre 1790, hrsg. von Wolfgang Griep und Cord Sieberns, Bremen 1990,
      S. 129.

[15] Vgl. hierzu Hans-Christian und Elke Harten: Die Versöhnung mit der Natur. Gärten, Frei-
      heitsbäume, republikanische Wälder, heilige Berge und Tugendparks in der Französischen Re-
      volution. Reinbek bei Hamburg 1989.

[16] Frank: Joseph Anton Koch. Der Schmadribachfall (wie Anm. 11), S. 28.

[17] Christian von Holst: Joseph Anton Koch 1768 – 1839. Ansichten der Natur. Ausst.-Kat.
      Stuttgart 1989, S. 229.

[18] August Ludwig Hülsen: Natur-Betrachtungen auf einer Reise durch die Schweiz. In:
      Athenäum, 3 (1800) 1. Stück, S. 34 – 57, hier S. 54.

[19] Ebenda, S. 52.

[20] August Ludwig Hülsen: Über die natürliche Gleichheit der Menschen. In: Athenäum, 2
      (1799) 1. Stück, S. 152 – 180, hier S. 177.

[21] Friedrich Schiller: An Körner über die Schönheit. Aus den „Kallias-Briefen". In: Schiller: Über
      Kunst und Wirklichkeit. Schriften und Briefe zur Ästhetik, hrsg. von Claus Träger, Leipzig
      1959, S. 121 – 159, hier S. 135.

[22] Ebenda, S. 131.

[23] Ebenda, S. 144.

[24] Werner Volke: „O Lacedämons heiliger Schutt!" Hölderlins Griechenland: Imaginierte Realien
      – Realisierte Imagination. In: Hölderlin-Jahrbuch, 24 (1984/85), S. 63 – 86.

25   Friedrich Hölderlin: Hyperion. In: Sämtliche Werke und Briefe, hrsg. von Günter Mieth, Bd.
      2. Berlin 1970, S. 212.
26   Ebenda, S. 228.
27   Ebenda, S. 232.
28   Ebenda, S. 193.
29   Jean-Jacques Rousseau: Emile oder Über die Erziehung, hrsg. von Martin Rang. Stuttgart
      1995, S. 569.
30   Friedrich Hölderlin: Hyperion (wie Anm. 25), S. 261.
31   Ebenda, S. 261 f.
32   Friedrich Hölderlin: Sämtliche Werke und Briefe, hrsg. von Günter Mieth, Bd. 4. Berlin 1970,
      S. 257.
33   Friedrich Hölderlin: Hyperion (wie Anm. 25), S. 263.
34   Friedrich Hölderlin: Vom deutschen Volk. In: Die Fackel, hrsg. von Karl Kraus. Band LVII,
      Oktober – November 1917, Nr. 462 – 471, S. 81 – 85, hier S. 83.
35   Norbert Rath: Kriegskamerad Hölderlin. Zitate zur Sinngebungsgeschichte. In: Uwe Beyer
      (Hrsg.): Neue Wege zu Hölderlin. Würzburg 1994, S. 219 – 241, hier S. 221 (Schriften der
      Hölderlin-Gesellschaft; 18).
36   Wolfgang Martin: Poetologische Bemerkungen zu Hölderlins Fragment „Tinian". In: Peter
      Härtling, Gerhard Kurz (Hrsg.): Hölderlin und Nürtingen. Stuttgart, Weimar 1994, S. 175 –
      190 (Schriften der Hölderlin-Gesellschaft; 19).
37   Friedrich Hölderlin: Wie wenn am Feiertage ... In: Sämtliche Werke und Briefe, hrsg. von
      Günter Mieth, Bd. 1. Berlin 1970, S. 356 – 358, hier S. 356.
38   Immanuel Kant: Kritik der Urteilskraft, § 28.
39   Ernst Jünger: Feuer und Blut. Ein kleiner Ausschnitt aus einer großen Schlacht. In: Sämtliche
      Werke. 1. Abt. Tagebücher. Bd. 1: Tagebücher I. Der Erste Weltkrieg. Stuttgart 1978, S. 439 –
      538, hier S. 460 f.
40   Fritz Löffler: Otto Dix und der Krieg. Leipzig 1986, Abb. 14.
41   Immanuel Kant: Der Streit der Fakultäten, hrsg. von Steffen Dietzsch. Leipzig 1984, S. 83.
42   Günther Moewes: Landschaft oder Arbeitswüste? In: Dialektik 1994/2, S. 107 – 116.